Månpocket

Stieg Larsson

FLICKAN SOM LEKTE MED ELDEN

Månpocket

Denna Månpocket är utgiven enligt överenskommelse med
Norstedts, Stockholm

Omslag av Norma Communication
Omslagsbild © Fotograf Lukas Deurloo/Folio / Norma Archive

© Stieg Larsson 2006

Tryckt i Tyskland hos GGP Media GmbH 2009

ISBN 978-91-7001-483-3

PROLOG

HON LÅG FASTSPÄND med läderremmar på en smal brits med en ram i härdat stål. Selen stramade över bröstkorgen. Hon låg på rygg. Händerna var låsta vid sängkanten på vardera sidan av höften.

Hon hade för länge sedan gett upp försöken att ta sig loss. Hon var vaken men hade ögonen slutna. Om hon öppnade ögonen skulle hon befinna sig i mörker och den enda ljuskällan var en svag strimma som silade in ovanför dörren. Hon hade dålig smak i munnen och längtade efter att få borsta tänderna.

En del av hennes medvetande lyssnade efter ljudet av fotsteg som innebar att han skulle komma. Hon hade ingen aning om hur sent på kvällen det var, mer än att det kändes som om det började bli för sent för att han skulle besöka henne. En plötslig vibration i sängen fick henne att öppna ögonen. Det var som om en maskin av något slag hade startat någonstans i byggnaden. Efter ett par sekunder var hon inte säker på om hon inbillade sig eller om ljudet var verkligt.

Hon bockade av ytterligare en dag i huvudet.

Det var den fyrtiotredje dagen i fångenskap.

Det kliade på näsan och hon vred huvudet så att hon kunde skrapa sig mot kudden. Hon svettades. Det var kvavt och varmt i rummet. Hon var klädd i en enkel nattskjorta som korvade sig under henne. Då hon flyttade höften kunde hon precis gripa tag i plagget med pekfingret och långfingret och dra ned linnet på ena sidan en centimeter åt gången. Hon upprepade proceduren med den andra handen. Men linnet låg fortfarande med ett veck under korsryggen.

Madrassen var bylsig och obekväm. Den totala isoleringen gjorde att alla små intryck som hon annars inte skulle bry sig om kraftigt förstärktes. Selen var tillräckligt slak för att hon skulle kunna ändra ställning och lägga sig på sidan, men det var obekvämt eftersom hon då måste ha ena handen på ryggen och det gjorde att armen hela tiden domnade bort.

Hon var inte rädd. Hon kände däremot en allt större uppdämd vrede.

Samtidigt plågades hon av sina egna tankar som ständigt övergick i obehagliga fantasier om vad som skulle hända med henne. Hon hatade sin påtvingade hjälplöshet. Hur hon än försökte fokusera på något annat för att fördriva tiden och förtränga sin situation så sipprade ångesten fram. Den hängde som ett gasmoln kring henne och hotade att tränga in i hennes porer och förgifta tillvaron. Hon hade upptäckt att det bästa sättet att hålla ångesten borta var att fantisera om något som gav henne en känsla av styrka. Hon slöt ögonen och frammanade lukten av bensin.

Han satt i en bil med öppen sidoruta. Hon rusade fram till bilen och hällde bensinen genom bilfönstret och tände en tändsticka. Det var ett ögonblicks verk. Lågorna flammade omedelbart upp. Han vred sig i plågor och hon hörde hans skrik av skräck och smärta. Hon kunde känna lukten av bränt kött och en fränare lukt av plast och stoppning som förkolnades i stolsätet.

HON HADE FÖRMODLIGEN slumrat till för hon hade inte hört stegen men blev klarvaken då dörren öppnades. Ljuset från dörröppningen bländade henne.

Han hade kommit i alla fall.

Han var lång. Hon visste inte hur gammal han var, men han var vuxen. Han hade rödbrunt tovigt hår och glasögon med svarta bågar och ett glest hakskägg. Han doftade rakvatten.

Hon hatade lukten av honom.

Han stod tyst vid britsens fotända och betraktade henne en lång stund.

Hon hatade hans tystnad.

Hans ansikte befann sig i skuggan av ljuset från dörröppningen och hon såg honom bara i siluett. Han talade plötsligt till henne. Han hade en mörk tydlig röst som pedantiskt betonade varje ord.

Hon hatade hans röst.

Han berättade att det var hennes födelsedag och att han ville gratulera. Rösten var inte ovänlig eller ironisk. Den var neutral. Hon anade att han log.

Hon hatade honom.

Han kom närmare och gick runt britsen till huvudändan. Han lade utsidan av en fuktig hand på hennes panna och drog fingrarna längs hennes hårfäste i en gest som förmodligen var avsedd att vara vänlig. Det var hans födelsedagspresent till henne.

Hon hatade hans beröring.

HAN TALADE TILL HENNE. Hon såg hans mun röra sig men stängde ute ljudet av hans röst. Hon ville inte lyssna. Hon ville inte svara. Hon hörde honom höja rösten. Ett stänk av irritation över hennes brist på respons hade krupit in i rösten. Han pratade om ömsesidigt förtroende. Efter flera minuter tystnade han. Hon ignorerade hans blick. Sedan ryckte han på axlarna och började justera hennes läderband. Han tajtade till selen över bröstet ett snäpp och lutade sig över henne.

Hon vred sig plötsligt åt vänster, bort från honom, så tvärt hon kunde och så långt läderremmarna tillät. Hon drog upp knäna mot hakan och sparkade hårt mot hans huvud. Hon siktade på adamsäpplet och träffade med en tåspets någonstans under hakan, men han var förberedd och vred undan kroppen och det blev bara en lätt, knappt märkbar träff. Hon försökte sparka igen men han var redan utom räckhåll.

Hon lät benen sjunka ned på britsen igen.

Lakanet hängde ned på golvet över sängkanten. Hennes nattlinne hade glidit upp långt ovanför höfterna.

Han stod stilla en lång stund utan att säga någonting. Därefter gick han runt britsen och lade upp fotbandet. Hon försökte dra benen till sig men han grep tag runt hennes ena ankel och tvingade ned knäet med den andra handen och låste foten med en läderrem. Han gick runt sängen och spände fast hennes andra fot.

Därmed var hon helt hjälplös.

Han plockade upp lakanet från golvet och täckte henne. Han betraktade henne under tystnad i två minuter. Hon kunde känna hans upphetsning i dunklet trots att han inte låtsades om den eller visade den. Han hade säkert erektion. Hon visste att han ville sträcka fram en hand och röra vid henne.

Sedan vände han och gick ut och stängde dörren efter sig. Hon hörde att den reglades, vilket var helt i onödan eftersom hon inte hade någon möjlighet att ta sig loss från sängen.

Hon låg i flera minuter och tittade på den smala ljusstrimman ovanför dörren. Sedan rörde hon sig och försökte känna efter hur hårt remmarna satt. Hon kunde dra upp knäna en aning men selen och fotremmarna stramade omedelbart. Hon slappnade av. Hon låg helt stilla och tittade ut i ingenting.

Hon väntade. Hon fantiserade om en bensindunk och en tändsticka.

Hon såg honom indränkt i bensin. Hon kunde fysiskt känna asken med tändstickor i handen. Hon skakade på den. Det rasslade. Hon öppnade asken och valde en sticka. Hon hörde honom säga någonting men stängde sina öron och lyssnade inte på orden. Hon såg hans ansiktsuttryck då hon förde tändstickan mot plånet. Hon hörde det skrapande ljudet av svavel mot plån. Det lät som en utdragen åskknall. Hon såg lågan flamma.

Hon log ett hårt leende och stålsatte sig.

Det var natten hon fyllde 13 år.

DEL 1

IRREGULJÄRA EKVATIONER

16–20 december

Ekvationen benämns efter ingående obekanta storheters högsta dignitet (värdet av exponenten). Om denna är ett är ekvationen av första graden, om digniteten är två är ekvationen av andra graden etc. Ekvationer av högre grad än första ger flera värden för de obekanta storheterna. Dessa värden kallas rötter.

Förstagradsekvationen (den linjära ekvationen): $3x-9=0$ (rot: $x=3$)

KAPITEL 1
TORSDAG 16 DECEMBER – FREDAG 17 DECEMBER

LISBETH SALANDER DROG ned solglasögonen till nästippen och kisade under solhattens brätte. Hon såg kvinnan i rum 32 komma ut från hotellets sidoentré och promenera till en av de grönvitrandiga solstolarna vid poolen. Hennes blick var koncentrerat riktad mot marken framför henne och hennes ben tycktes ostadiga.

Salander hade bara sett henne på håll tidigare. Hon uppskattade kvinnans ålder till omkring 35 men hon hade ett utseende som gjorde att hon såg ut att vara vad som helst mellan 25 och 50. Hon hade brunt axellångt hår, avlångt ansikte och en mogen kropp som klippt ur en postorderkatalog för damunderkläder. Kvinnan var klädd i sandaler, svart bikini och lilatonade solglasögon. Hon var amerikanska och pratade med sydstatsdialekt. Hon hade en gul solhatt som hon släppte på marken bredvid solstolen innan hon gjorde tecken till bartendern i Ella Carmichaels bar.

Lisbeth Salander lade ned sin bok i knäet och tog en klunk ur glaset med kaffe innan hon sträckte sig efter cigarettpaketet. Utan att vrida på huvudet flyttade hon blicken till horisonten. Från sin plats på terrassen vid poolen kunde hon se en skymt av Karibiska havet mellan en grupp palmer och rhododendron vid muren framför hotellet. En bit ut slörade en segelbåt på väg norrut mot Saint Lucia eller Dominica. Ännu längre ut kunde hon se konturerna av en grå lastbåt på väg söderut mot Guyana eller något av grannländerna. En svag bris bekämpade förmiddagshettan men hon kände en svettdroppe långsamt rinna ned mot ögonbrynet. Lisbeth Salander tyckte inte om att steka sig i solen. Hon hade tillbringat dagarna i så mycket skugga som möjligt och satt följaktligen stadigt planterad under soltaket. Ändå var hon brun som en nötkärna. Hon var klädd i kakifärgade shorts och ett svart linne.

Hon lyssnade till de märkliga tonerna från steel pans som flödade ur högtalaren vid bardisken. Hon hade aldrig varit det minsta intresserad av musik och kunde inte skilja på Sven-Ingvars och Nick Cave, men steel pans fascinerade henne. Det tycktes osannolikt att någon kunde stämma ett oljefat och ännu mindre sannolikt att fatet kunde förmås att släppa ifrån sig kontrollerbara ljud som inte liknade någonting annat. Hon upplevde ljuden som magiska.

Hon kände sig plötsligt irriterad och flyttade blicken tillbaka till den kvinna som just hade fått ett glas med en apelsinfärgad drink i handen.

Det var inte Lisbeth Salanders problem. Hon kunde bara inte begripa varför kvinnan stannade. I fyra nätter, ända sedan paret hade anlänt, hade Lisbeth Salander lyssnat till den lågintensiva terror som utspelades i hennes grannrum. Hon hade hört gråt, låga upprörda röster och vid några tillfällen ljudet av örfilar. Mannen som svarade för slagen – Lisbeth förmodade att det var hennes make – var i 40-årsåldern. Han hade mörkt rakt hår kammat i något så otidsenligt som mittbena och tycktes vara i Grenada å yrkets vägnar. Vari yrket bestod hade Lisbeth Salander ingen aning om, men varje morgon hade mannen varit prydligt klädd i slips och kavaj och druckit kaffe i hotellbaren innan han tagit sin portfölj och gått ut till en taxi.

Han återvände till hotellet sent på eftermiddagarna, då han badade och umgicks med sin fru vid poolen. De brukade äta middag tillsammans i vad som tycktes vara en högst lågmäld och kärleksfull samvaro. Kvinnan drack möjligen ett eller två glas för mycket men berusningen hade inte varit störande eller uppseendeväckande.

Bråken i grannrummet startade rutinmässigt mellan tio och elva på kvällen, ungefär samtidigt som Lisbeth gick och lade sig med en bok om matematikens mysterier. Det handlade inte om grov misshandel. Så vitt Lisbeth kunde avgöra genom väggen pågick ett segslitet malande gräl. Den föregående natten hade Lisbeth inte kunnat motstå sin nyfikenhet och gått ut på balkongen för att genom parets öppna balkongdörr höra vad det hela handlade om. I mer än en timme hade han gått fram och tillbaka i rummet och erkänt att han var en usling som inte förtjänade henne. Gång på gång hade han sagt till henne att hon måste tycka att han var falsk. Vid varje tillfälle hade hon svarat att hon inte ansåg det och försökt lugna honom. Han hade blivit allt intensivare till dess att han ruskat om henne. Till sist hade hon svarat som han ville … *ja, du är falsk.* Han hade omedelbart tagit hennes frampressade erkännande som en förevändning att angripa henne, hennes vandel och karaktär. Han hade kallat henne för hora, vilket var ett ord som Lisbeth Salander utan tvekan skulle ha vidtagit åtgärder gentemot om anklagelsen hade riktats mot henne. Nu var det dock inte så och därmed i praktiken inte hennes personliga problem, och följaktligen hade hon svårt att bestämma sig för om hon skulle eller borde agera på något sätt.

Lisbeth hade häpet lyssnat till hans malande som plötsligt övergått i vad som lät som en örfil. Hon hade precis beslutat sig för att gå ut i hotellkorridoren och sparka in dörren till grannarna då det blev tyst i rummet.

När hon nu granskade kvinnan vid poolen noterade hon ett vagt blåmärke på axeln och ett skrapmärke på höften, men inga uppseendeväckande skador.

NIO MÅNADER TIDIGARE hade Lisbeth läst en artikel i *Popular Science* som någon glömt på Leonardo da Vinci-flygplatsen i Rom och plötsligt hade hon utvecklat en obestämd fascination för ett så obskyrt ämne som sfärisk astronomi. Helt impulsivt hade hon gjort ett besök i universitetsbokhandeln i Rom och köpt några av de viktigaste avhandlingarna i ämnet. För att begripa sfärisk astronomi hade hon dock varit tvungen att sätta sig in i matematikens mer intrikata mysterier. Under sina resor de senaste månaderna hade hon

ofta besökt universitetsbokhandlar för att söka rätt på ytterligare
någon bok i ämnet.

Böckerna hade mestadels legat nedpackade i hennes väska och
studierna hade varit osystematiska och utan egentligt mål, ända
fram till dess att hon vandrat in i universitetsbokhandeln i Miami
och kommit ut med *Dimensions in Mathematics* av dr L. C. Parnault
(Harvard University, 1999). Hon hade hittat boken strax innan hon
åkte ned till Florida Keys och började öluffa genom Karibien.

Hon hade avverkat Guadeloupe (två dygn i en obegriplig håla),
Dominica (trevligt och avspänt, fem dygn), Barbados (ett dygn på
ett amerikanskt hotell där hon känt sig förfärligt ovälkommen) och
Saint Lucia (nio dagar). I Saint Lucia hade hon kunnat tänka sig att
stanna en längre tid om hon inte hade blivit ovän med en trögtänkt
lokal ungdomsligist som huserade i baren på hennes bakgatshotell.
Hon hade till slut tappat tålamodet och drämt en tegelsten i hans hu-
vud, checkat ut från hotellet och tagit en färja med destination Saint
George's, huvudstaden i Grenada. Det var ett land som hon aldrig
hört talas om innan hon klev ombord på båten.

Hon hade klivit i land på Grenada i ett tropiskt ösregn vid tiotiden
en morgon i november. Från *The Caribbean Traveller* hade hon in-
hämtat informationen att Grenada var känt som *Spice Island*, krydd-
ön, och var en av världens största producenter av muskot. Ön hade
120 000 invånare men ytterligare drygt 200 000 grenadianer var bo-
satta i USA, Kanada eller England, vilket gav en antydan om arbets-
marknaden i hemlandet. Landskapet var bergigt runt en slocknad
vulkan, Grand Etang.

Historiskt var Grenada en av många oansenliga före detta brittiska
kolonier. 1795 hade Grenada väckt politiskt uppseende sedan en
frigiven före detta slav vid namn Julian Fedon hade inspirerats av
franska revolutionen och inlett ett uppror som föranlett kronan att
skicka trupper för att hacka, skjuta, hänga och lemlästa ett stort an-
tal rebeller. Det som hade skakat kolonialregimen var att även ett
antal fattiga vita hade anslutit sig till Fedons uppror utan minsta
etikett eller hänsyn till rasgränserna. Upproret hade krossats men

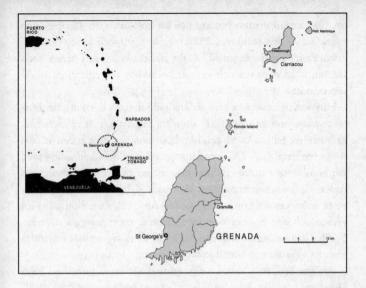

Fedon hade aldrig tillfångatagits utan försvunnit upp i bergsmassivet Grand Etang där han vuxit till en lokal legend av robinhoodska proportioner.

Drygt tvåhundra år senare, 1979, hade advokaten Maurice Bishop startat en ny revolution som enligt guideboken var inspirerad av *the communist dictatorships in Cuba and Nicaragua*, men som Lisbeth Salander hade fått en helt annan bild av då hon träffat Philip Campbell – lärare, bibliotekarie och baptistpredikant – i vars gästhus hon hyrt in sig de första dagarna. Historien kunde sammanfattas med att Bishop hade varit en genuint populär folkledare som störtat en galen diktator som dessutom var UFO-fantast och ägnade en del av den magra nationalbudgeten till att jaga flygande tefat. Bishop hade pläderat för ekonomisk demokrati och infört landets första lagstiftning för jämställdhet mellan könen innan han mördades 1983.

Efter mordet, en massaker på ungefär 120 människor inklusive utrikesministern, kvinnoministern och några viktiga fackföreningsledare, hade USA invaderat landet och infört demokrati. För Grenadas vidkommande innebar det att arbetslösheten ökade från drygt sex till närmare femtio procent och att kokainhandel åter blev den i särklass viktigaste inkomstkällan. Philip Campbell hade skakat på huvudet åt beskrivningen i Lisbeths guidebok och gett henne goda råd om vilka personer och kvarter hon skulle undvika efter mörkrets inbrott.

I Lisbeth Salanders fall var sådana råd tämligen bortkastade. Däremot hade hon helt undvikit att stifta bekantskap med Grenadas kriminalitet genom att bli förälskad i Grand Anse Beach omedelbart söder om Saint George's, en milslång och glest befolkad sandstrand där hon kunde vandra i timmar utan att behöva prata med eller ens träffa någon annan människa. Hon hade flyttat ut till Keys, ett av de få amerikanska hotellen vid Grand Anse och hade bott där i sju veckor och inte gjort mycket mer än vandrat omkring på stranden och ätit den lokala frukten chinups som i smaken påminde om bittra svenska krusbär och som hon blivit omåttligt förtjust i.

Det var lågsäsong och knappt en tredjedel av rummen på Keys Hotel var uthyrda. Enda problemet var att både hennes frid och de förströdda studierna i matematik plötsligt stördes av den lågmälda terrorn i grannrummet.

MIKAEL BLOMKVIST SATTE pekfingret på dörrklockan till Lisbeth Salanders lägenhet på Lundagatan. Han förväntade sig inte att hon skulle öppna, men han hade tagit för vana att åka förbi hennes bostad någon gång i månaden för att undersöka om någon förändring hade ägt rum. Då han petade upp brevinkastet kunde han skymta högen av reklam. Klockan var strax efter tio på kvällen och det var för mörkt för att han skulle kunna avgöra hur mycket högen hade vuxit sedan sist.

En kort stund stod han obeslutsam i trapphuset innan han frustrerat vände på klacken och lämnade fastigheten. Han promenerade i maklig takt hem till sin lägenhet på Bellmansgatan, satte på kaffebryggaren och slog upp kvällstidningarna framför sena *Rapport*. Han kände sig dyster till sinnes och undrade var Lisbeth Salander befann sig. Han kände en vag oro och undrade för tusende gången vad som egentligen hade hänt.

Under julhelgen ett år tidigare hade han bjudit ut Lisbeth Salander till stugan i Sandhamn. De hade tagit långa promenader då de lågmält diskuterat efterdyningarna av de dramatiska händelser som de båda hade varit delaktiga i under året som gått, då Mikael hade upplevt något som han i efterhand betraktade som en livskris. Han hade dömts för förtal och tillbringat ett par månader i fängelse, hans yrkesmässiga karriär som journalist hade befunnit sig i en gyttjepöl och han hade flytt från posten som ansvarig utgivare för tidskriften *Millennium* med svansen mellan benen. Men plötsligt hade allting förändrats. Ett uppdrag att skriva en biografi om industriledaren Henrik Vanger, vilket han upplevde som en befängt välavlönad terapi, hade plötsligt förvandlats till en desperat jakt på en förslagen och okänd seriemördare.

Under denna jakt hade han träffat Lisbeth Salander. Mikael fingrade förstrött på det svaga ärret som strypsnaran hade bildat strax under hans vänstra öra. Lisbeth hade inte bara hjälpt honom i jakten på mördaren – hon hade bokstavligen räddat hans liv.

Gång på gång hade hon överrumplat honom med sina märkliga färdigheter – fotografiskt minne och fenomenala datakunskaper. Mikael Blomkvist betraktade sig själv som allmänt datakompetent, men Lisbeth Salander hanterade datorer som om hon stod i förbund med djävulen. Han hade långsamt insett att hon var en hacker av världsklass, och inom den exklusiva internationella klubb som ägnade sig åt databrott på högsta nivå var hon en legend, om än endast känd under pseudonymen *Wasp*.

Det var hennes förmåga att vandra in och ut i andra människors datorer som hade gett honom det material han behövt för att vända sitt journalistiska nederlag till *Wennerströmaffären* – ett scoop som fortfarande ett år senare var föremål för internationella polisutredningar om ekonomisk brottslighet och gav Mikael anledning att med jämna mellanrum besöka TV-soffor.

Ett år tidigare hade han betraktat scoopet med kolossal tillfredsställelse – som en hämnd och som upprättelse från den journalistiska rännstenen. Men tillfredsställelsen hade snabbt runnit av honom. Inom loppet av några veckor var han redan utled på att svara på samma frågor från journalister och finanspoliser. *Jag är ledsen men jag kan inte diskutera mina källor.* När en journalist från engelskspråkiga *Azerbajdzjan Times* hade gjort sig omaket att åka till Stockholm enbart för att ställa samma enfaldiga frågor hade måttet varit rågat. Mikael hade skurit ned antalet intervjuer till ett minimum och de senaste månaderna hade han i stort sett bara ställt upp då Hon på TV4 ringt och övertalat honom, och det skedde endast vid de tillfällen då utredningen gick in i någon distinkt ny fas.

Mikaels samarbete med Hon på TV4 hade dessutom en helt annan dimension. Hon hade varit den första journalist som nappat på avslöjandet, och utan hennes insats den kväll då *Millennium* hade släppt scoopet var det tveksamt om storyn skulle ha fått en sådan genomslagskraft. Först efteråt fick Mikael veta att hon hade kämpat med näbbar och klor för att övertyga redaktionen om att ge storyn utrymme. Det hade funnits ett massivt motstånd mot att lyfta fram skojaren på *Millennium* och ända fram till det ögonblick hon gick ut i sändning hade det varit osäkert om redaktionens batteri av advokater skulle släppa igenom storyn. Flera av hennes äldre kollegor hade gjort tummen ned och konstaterat att om hon hade fel så var hennes karriär över. Hon hade stått på sig och det blev årets story.

Hon bevakade storyn den första veckan – hon var ju den enda reporter som faktiskt satt sig in i ämnet – men någon gång före jul noterade Mikael att alla kommentarer och nya vinklingar i storyn hade flyttats över till manliga kollegor. Vid nyår fick Mikael på omvägar veta att hon helt enkelt armbågats ut från ämnet med motiveringen att en så viktig story skulle seriösa ekonomireportrar sköta och inte någon liten jänta från Gotland eller Bergslagen eller var tusan hon nu kom ifrån. Nästa gång TV4 ringde och bad om kommentarer förklarade Mikael helt frankt att han bara uttalade sig för TV4 om hon ställde frågorna. Det tog några dagar av surmulen tystnad innan gossarna på TV4 kapitulerade.

Mikaels minskade intresse för Wennerströmaffären sammanföll med Lisbeth Salanders försvinnande ur hans liv. Han begrep ännu inte vad som hade hänt.

De hade skilts åt på annandag jul och han hade inte träffat henne under mellandagarna. Sent på kvällen dagen före nyårsafton hade han ringt henne, men hon hade inte svarat.

På nyårsafton hade han promenerat över till henne två gånger och ringt på dörren. Den första gången hade det lyst i hennes lägenhet men hon hade inte öppnat. Den andra gången hade det varit mörkt i lägenheten. På nyårsdagen hade han på nytt försökt ringa henne utan att få något svar. Därefter hade han endast mötts av beskedet att abonnenten inte kunde nås.

Han hade sett henne två gånger under de närmast följande dagarna. När han inte fått tag på henne på telefon hade han gått hem till henne i början av januari och satt sig att vänta på trappsteget framför hennes lägenhetsdörr. Han hade en bok med sig och väntade envist i fyra timmar innan hon kom in genom porten, strax före elva på kvällen. Hon bar på en brun kartong och tvärstannade då hon upptäckte honom.

"Hej Lisbeth", hälsade han och slog ihop boken.

Hon granskade honom uttryckslöst utan vare sig värme eller vänskap i blicken. Sedan klev hon förbi honom och stack in nyckeln i sin dörr.

"Bjuder du på en kopp kaffe?" frågade Mikael.

Hon vände sig mot honom och talade med låg röst.

"Gå härifrån. Jag vill inte se dig igen."

Därefter stängde hon dörren framför näsan på en omåttligt häpen Mikael Blomkvist och han hörde henne låsa från insidan.

Den andra gången han såg henne hade varit bara tre dagar senare. Han hade åkt tunnelbana från Slussen till T-centralen och när tåget stannade i Gamla stan tittade han ut genom fönstret och såg henne ute på perrongen, mindre än två meter bort. Han upptäckte henne i exakt samma ögonblick som dörrarna slog igen. I fem sekunder tittade hon rakt igenom honom som om han var luft innan hon vände på klacken och promenerade bort ur hans synfält just när tåget började rulla.

Budskapet gick inte att missta sig på. Lisbeth Salander ville inte ha med Mikael Blomkvist att göra. Hon hade skurit bort honom ur sitt liv lika effektivt som om hon raderat en fil ur sin dator, utan förklaringar. Hon hade bytt mobilnummer och svarade inte på e-post.

Mikael suckade, stängde av TV:n och gick bort till fönstret och betraktade Stadshuset.

Han undrade om han gjorde fel som envist gick förbi hennes lägenhet med jämna mellanrum. Mikaels attityd hade alltid varit att om en kvinna så tydligt signalerade att hon inte ville höra talas om honom så gick han sin väg. Att inte respektera ett sådant besked var i hans ögon liktydigt med brist på respekt för henne.

Mikael och Lisbeth hade legat med varandra. Men det hade skett på hennes initiativ och förhållandet hade varat i ett halvår. Om det var hennes beslut att avsluta historien lika överraskande som hon inlett den så var det helt okej med Mikael. Det var hennes sak att avgöra. Mikael hade inga problem med att finna sig till rätta i rollen som *före detta* pojkvän – om det nu var det han var – men Lisbeth Salanders totala avståndstagande förbryllade honom.

Han var inte förälskad i henne – de var ungefär så omaka som två personer kunde vara – men han gillade henne och kände en genuin saknad efter den jävla besvärliga människan. Han hade trott att vänskapen varit ömsesidig. Han kände sig kort sagt som en idiot.

Han stod kvar vid fönstret en lång stund.

Till sist fattade han ett avgörande beslut.

Om Lisbeth Salander tyckte så hjärtligt illa om honom att hon inte ens kunde förmå sig att hälsa då de såg varandra i tunnelbanan så var förmodligen deras vänskap över och skadan irreparabel. I fortsättningen skulle han inte ta några initiativ för att få kontakt med henne igen.

LISBETH SALANDER TITTADE på sitt armbandsur och konstaterade att hon trots sitt stillasittande i skuggan var genomsvettig. Klockan var halv elva på förmiddagen. Hon memorerade en tre rader lång matematisk formel och slog ihop boken *Dimensions in Mathematics*. Därefter nappade hon åt sig sin rumsnyckel och cigarettpaketet från bordet.

Hennes rum låg på andra våningen, vilket också var hotellets översta våning. Hon drog av sig kläderna och gick in i duschen.

En två decimeter lång grön ödla blängde ned på henne från väggen, strax under taket. Lisbeth Salander blängde tillbaka men gjorde ingen ansats att vifta undan ödlan. Ödlor fanns överallt på ön och smet in i rummet genom jalusierna i det öppna fönstret, under dörren eller genom ventilen i badrummet. Hon trivdes med ett sällskap som huvudsakligen lämnade henne i fred. Vattnet var kyligt men inte iskallt och hon stod under duschen i fem minuter för att svalka sig.

När hon kom ut i rummet igen stannade hon naken framför garderobsspegeln och granskade förundrat sin kropp. Hon vägde fortfarande bara runt 40 kilo och var drygt 150 centimeter lång. Det kunde hon inte göra så värst mycket åt. Hon hade dockliknande smala lemmar, små händer och inte mycket till höfter.

Men nu hade hon bröst.

I hela sitt liv hade hon varit plattbröstad, precis som om hon ännu inte kommit i puberteten. Det hade helt enkelt sett löjligt ut och hon hade alltid känt ett obehag för att visa sig naken.

Helt plötsligt hade hon fått bröst. Det var inte fråga om några bomber (vilket hon inte ville ha och vilket skulle ha sett ännu mer löjeväckande ut på hennes i övrigt spinkiga kropp), men det var två fasta runda bröst av mellanstorlek. Förändringen var försiktigt utförd och proportionerna helt rimliga. Men skillnaden var dramatisk, både för hennes utseende och för hennes högst privata välbefinnande.

Hon hade tillbringat fem veckor på en klinik utanför Genua för att skaffa sig de implantat som utgjorde stommen i hennes nya bröst. Hon hade valt den klinik och de läkare som hade det absolut bästa och mest seriösa ryktet i Europa. Hennes läkare, en charmerande hårdkokt kvinna vid namn Allessandra Perrini, hade konstaterat att hennes bröst var fysiskt underutvecklade och att en bröstförstoring därmed kunde utföras av medicinska skäl.

Ingreppet hade inte varit smärtfritt men brösten såg ut och kändes helt naturliga, och ärren var nu nästan osynliga. Hon hade inte ångrat sitt beslut en enda sekund. Hon var nöjd. Fortfarande ett halvår senare kunde hon inte passera en spegel med bar överkropp utan att haja till och med glädje konstatera att hon höjt sin livskvalité.

Under tiden på kliniken i Genua hade hon även avlägsnat en av sina nio tatueringar – en två centimeter lång geting – från högra sidan av halsen. Hon uppskattade sina tatueringar, mest av allt den stora draken från skulderbladet till skinkan, men hade ändå fattat beslutet att göra sig av med getingen. Orsaken var att den var så synlig och iögonenfallande att den gjorde henne lätt att komma ihåg och identifiera. Lisbeth Salander ville inte bli ihågkommen och identifierad. Tatueringen hade avlägsnats med laserbehandling och när hon strök med pekfingret över halsen kunde hon känna en svag ärrbildning. En närmare inspektion avslöjade att hennes solbruna hud var aningen ljusare på den plats där tatueringen hade suttit, men vid en snabb blick syntes ingenting. Sammantaget hade hennes vistelse i Genua kostat motsvarande 190 000 kronor.

Vilket hon hade råd med.

Hon slutade drömma framför spegeln och satte på sig trosor och bh. Två dagar efter att hon lämnat kliniken i Genua hade hon för första gången i sitt 25-åriga liv besökt en butik för damunderkläder och inhandlat det plagg som hon aldrig tidigare haft behov av. Sedan dess hade hon fyllt 26 år och numera bar hon bh:n med en viss tillfredsställelse.

Hon klädde sig i jeans och en svart t-tröja med texten *Consider this a fair warning*. Hon hittade sandalerna och sin solhatt och hängde en svart nylonbag över axeln.

På väg mot utgången noterade hon ett mummel från en liten klunga hotellgäster vid receptionen. Hon saktade farten och spetsade öronen.

"Just how dangerous is she?" frågade en svart kvinna med hög röst och europeisk accent. Lisbeth kände igen henne från ett chartersällskap från London som anlänt tio dagar tidigare.

Freddie McBain, den grånande receptionisten som alltid brukade hälsa Lisbeth Salander med ett vänligt leende, såg bekymrad ut. Han förklarade att instruktioner skulle ges till alla hotellgäster och att det inte fanns anledning till oro om gästerna följde alla instruktioner till punkt och pricka. Hans svar möttes av en ström av frågor.

Lisbeth Salander rynkade ögonbrynen och gick ut till baren där hon hittade Ella Carmichael bakom disken.

"Vad handlar det om?" frågade hon och pekade med tummen mot klungan vid receptionen.

"Mathilda hotar med att komma på besök."

"Mathilda?"

"Mathilda är en orkan som bildades utanför Brasilien för ett par veckor sedan och som gick rakt genom Paramaribo i morse, huvudstaden i Surinam. Det är oklart vilken riktning den kommer att ta – antagligen längre norrut upp mot USA. Men om den fortsätter att följa kusten västerut så ligger Trinidad och Grenada mitt i vägen. Det kan alltså bli blåsigt."

"Jag trodde att orkansäsongen var över."

"Det är den också. Vi brukar ha orkanvarning i september och oktober. Men nu för tiden är det så mycket trassel med klimatet och växthuseffekten och allt så man aldrig så noga kan veta."

"Okej. Och när förväntas Mathilda anlända?"

"Snart."

"Borde jag göra någonting?"

"Lisbeth, orkaner är inte att leka med. Vi hade en orkan på 1970-talet som åstadkom en enorm förödelse här på Grenada. Jag var 11 år gammal och bodde i en by uppe i Grand Etang på vägen till Grenville, och jag kommer aldrig att glömma den natten."

"Hmm."

"Men du behöver inte vara orolig. Håll dig i närheten av hotellet på lördag. Packa en väska med sådant som du inte vill bli av med – till exempel den där datorn du brukar sitta och leka med – och var beredd att ta med den om det kommer order att vi ska ned i stormkällaren. Det är allt."

"Okej."

"Vill du ha något att dricka?"

"Nej."

Lisbeth Salander gick utan att säga adjö. Ella Carmichael log uppgivet efter henne. Det hade tagit ett par veckor innan hon hade vant sig vid den underliga flickans märkliga sätt, och hon hade förstått att Lisbeth Salander inte var snorkig – hon var bara väldigt annorlunda.

Men hon betalade sina drinkar utan tjafs, höll sig någorlunda nykter, ägnade sig åt sig själv och ställde aldrig till med bråk.

GRENADAS LOKALTRAFIK BESTOD huvudsakligen av fantasifullt dekorerade minibussar som avgick utan någon större hänsyn till tidtabeller och annan formalia. Å andra sidan gick de i skytteltrafik under dygnets ljusa timmar. Efter mörkrets inbrott var det däremot i stort sett omöjligt att förflytta sig utan egen bil.

Lisbeth Salander behövde bara vänta i någon minut vid vägen till Saint George's innan en av bussarna bromsade in. Chauffören var en rasta och bussens sound system spelade *No Woman No Cry* på högsta volym. Hon stängde av öronen, betalade sin dollar och krånglade sig in mellan en bastant dam med grått hår och två pojkar i skoluniform.

Saint George's var belägen i en u-formad vik som utgjorde *The Carenage*, inre hamnen. Runt hamnen klättrade branta kullar med bostadshus, gamla kolonialbyggnader och en befästning, Fort Rupert, längst ut på en brant klippa vid udden.

Saint George's var en extremt kompakt och tätt sammanfogad stad med smala gator och många gränder. Husen klättrade på kullarna och det fanns knappt någon horisontell yta mer än en kombinerad cricketplan och kapplöpningsbana i norra utkanten av staden.

Hon klev av i mitten av hamnen och promenerade till MacIntyre's Electronics på toppen av en kort brant sluttning. I stort sett alla produkter som salufördes på Grenada var importerade från USA eller England och kostade följaktligen dubbelt så mycket som på andra ställen, men i gengäld bjöd butiken på luftkonditionering.

De reservbatterier hon hade beställt till sin Apple PowerBook (G4 titanium och en 17-tumsskärm) hade äntligen kommit. I Miami hade hon skaffat sig en Palm handdator med hopfällbart tangentbord som hon kunde läsa e-post på och enkelt ta med sig i nylonbagen istället för att släpa på sin PowerBook, men den var ett uselt substitut för 17-tumsskärmen. Originalbatterierna hade dock blivit sämre och orkade bara med någon halvtimme innan de måste laddas, vilket var ett elände när hon ville sitta ute på terrassen vid poolen och eftersom strömförsörjningen i Grenada lämnade en del i övrigt att önska. Under de veckor hon hade varit där hade hon upplevt två längre strömavbrott. Hon betalade med ett kreditkort som innehades av Wasp Enterprises, stoppade batteriet i nylonbagen och klev ut i middagshettan igen.

Hon gjorde ett besök på Barclays Bank och plockade ut 300 dollar i kontanter och gick därefter ned till marknaden och köpte ett knippe morötter, ett halvt dussin mangos och en 1,5-literflaska med mineralvatten. Nylonbagen blev väsentligt tyngre och när hon kom ned till hamnen igen var hon både hungrig och törstig. Hon funderade först på The Nutmeg, men entrén till restaurangen tycktes helt igenkorkad av gäster. Hon fortsatte till stillsammare Turtleback längst bort i hamnen och satte sig på verandan och beställde en tallrik med calamares och råstekt potatis och en flaska av *Carib*, det lokala ölet. Hon nappade åt sig ett övergivet exemplar av lokaltidningen *Grenadian Voice* och ögnade i den i två minuter. Den enda artikeln av intresse var en dramatisk varning om Mathildas möjliga ankomst. Texten var illustrerad med en bild som föreställde ett raserat hus och en påminnelse om förödelsen efter den förra stora orkanen som hemsökt landet.

Hon vek ihop tidningen, tog en klunk direkt ur flaskan med Carib och lutade sig tillbaka när hon såg mannen från rum 32 komma ut på verandan från baren. Han hade sin bruna portfölj i ena handen och ett stort glas Coca-Cola i den andra. Hans ögon svepte över henne utan igenkännande innan han satte sig på den motsatta sidan av verandan och fäste blicken på vattnet utanför restaurangen.

Lisbeth Salander granskade honom där han satt med profilen mot henne. Han tycktes helt frånvarande och satt orörlig i sju minuter innan han plötsligt lyfte glaset och tog tre djupa klunkar. Han ställde ifrån sig glaset och återupptog sitt stirrande. Efter en stund öppnade Lisbeth sin väska och plockade fram *Dimensions in Mathematics*.

I HELA SITT LIV hade Lisbeth roats av pussel och gåtor. Då hon var nio år hade hon fått en Rubiks kub av sin mor. Den hade satt hennes logiska förmåga på prov i nästan fyrtio frustrerande minuter innan hon äntligen insett hur den fungerade. Därefter hade hon inga problem att vrida den rätt. Hon hade aldrig någonsin haft fel på frågorna i dagstidningarnas intelligenstest; fem underligt formade figurer och frågan hur den sjätte i serien skulle se ut. Svaret var alltid uppenbart för henne.

I lågstadiet hade hon lärt sig plus och minus. Multiplikation, division och geometri var en naturlig förlängning. Hon kunde addera notan på en restaurang, sätta ihop en faktura och beräkna banan för en artillerigranat som avfyrades med en viss hastighet i en viss vinkel. Det var självklarheter. Innan hon läst artikeln i *Popular Science* hade hon aldrig för en sekund varit fascinerad av matematik eller ens reflekterat över att multiplikationstabellen var matematik. Multiplikationstabellen var något hon memorerat under en eftermiddag i skolan och hon kunde inte begripa varför läraren fortsatte att tjata om den under ett helt år.

Helt plötsligt hade hon anat den obevekliga logik som måste finnas bakom de resonemang och formler som presenterades, vilket fört henne till universitetsbokhandelns matematikhyllor. Men det var först då hon öppnat *Dimensions in Mathematics* som en helt ny värld öppnat sig för henne. Matematik var egentligen ett logiskt pussel med oändliga variationer – gåtor som kunde lösas. Tricket var inte att lösa räkneexempel. Fem gånger fem blev alltid tjugofem. Tricket var att förstå sammansättningen av de olika regler som gjorde det möjligt att lösa vilket matematiskt problem som helst.

Dimensions in Mathematics var inte en strikt lärobok i matematik, utan en 1 200 sidor tjock tegelsten om matematikens historia från de gamla grekerna till dagens försök att behärska sfärisk astronomi. Den betraktades som Bibeln, helt i klass med vad Diofantos *Arithmetica* en gång hade betytt (och fortfarande betyder) för seriösa matematiker. När hon för första gången slagit upp *Dimensions* på terrassen på hotellet vid Grand Anse Beach hade hon plötsligt hamnat i en förtrollad värld av siffror, i en bok skriven av en författare som både var pedagogisk och förmådde roa läsaren med anekdoter och överrumplande problem. Hon kunde följa matematiken från Arkimedes till nutidens Jet Propulsion Laboratory i Kalifornien. Hon förstod metoderna för hur de löste problemen.

Pythagoras sats $(x^2+y^2=z^2)$, formulerad ungefär år 500 f.Kr., blev en aha-upplevelse. Hon förstod plötsligt innebörden av det hon hade memorerat redan på högstadiet på någon av de få lektioner hon hade besökt. *I en rätvinklig triangel är kvadraten på hypotenusan lika med summan av kvadraterna på kateterna.* Hon fascinerades av Euklides upptäckt 300 f.Kr. att ett perfekt tal alltid är *en multipel av två tal, där det ena talet är en potens av 2 och det andra utgörs av differensen mellan nästa potens av 2 och 1.* Det var en förfining av Pythagoras sats och hon insåg de oändliga kombinationerna.

$$6 = 2^1 x(2^2-1)$$
$$28 = 2^2 x(2^3-1)$$
$$496 = 2^4 x(2^5-1)$$
$$8\,128 = 2^6 x(2^7-1)$$

Hon kunde fortsätta i evighet utan att hitta något tal som bröt regeln. Det var en logik som tilltalade Lisbeth Salanders känsla för det absoluta. Hon avverkade förnöjt Arkimedes, Newton, Martin Gardner och ett dussin andra klassiska matematiker.

Därefter kom hon fram till kapitlet om Pierre de Fermat, vars matematiska gåta, *Fermats teorem*, hade förbluffat henne i sju veckor. Vilket för all del var en blygsam tidsrymd med tanke på att Fermat hade drivit matematiker till vansinne i nästan fyra hundra år innan en engelsman vid namn Andrew Wiles så sent som 1993 hade lyckats lösa hans pussel.

Fermats teorem var en förledande enkel uppgift.

Pierre de Fermat föddes 1601 i Beaumont-de-Lomagne i sydvästra Frankrike. Retfullt nog var han inte ens matematiker, han var statstjänsteman och ägnade sig åt matematik som en sorts bisarr hobby på fritiden. Ändå betraktas han som en av de mest begåvade självlärda matematiker som någonsin funnits. Precis som Lisbeth Salander var han road av att lösa pussel och gåtor. Han tycktes särskilt road av att driva med andra matematiker genom att konstruera problem men strunta i att inkludera lösningen. Filosofen René Descartes gav

Fermat en rad nedsättande epitet, medan den engelske kollegan John Wallis omnämnde honom som "den där fördömde fransmannen".

På 1630-talet utkom en fransk översättning av Diofantos bok *Arithmetica* som innehöll en komplett sammanställning av de talteorier som Pythagoras, Euklides och andra antika matematiker hade formulerat. Det var när Fermat studerade Pythagoras sats som han i ett utbrott av komplett genialitet skapade sitt odödliga problem. Han formulerade en variant av Pythagoras sats. Istället för $(x^2+y^2=z^2)$ omvandlade Fermat kvadraten till en kub, $(x^3+y^3=z^3)$.

Problemet var att den nya ekvationen inte tycktes ha några heltalslösningar. Vad Fermat därmed gjort var att genom en liten akademisk förändring förvandla en formel som hade ett oändligt antal perfekta lösningar till en återvändsgränd som inte hade någon lösning alls. Hans teorem var just detta – Fermat påstod att ingenstans i talens oändliga universum fanns det något heltal där en kub kunde uttryckas som summan av två kuber och att detta var generellt för alla tal som har en högre potens än siffran 2, alltså just Pythagoras sats.

Att det förhöll sig på det sättet var andra matematiker snart ense om. Genom *trial and error* kunde de konstatera att de inte kunde hitta ett tal som motbevisade Fermats påstående. Problemet var bara att även om de räknade till tidernas ände så skulle de inte kunna prova alla existerande tal – de är ju oändligt många – och följaktligen kunde matematikerna inte vara hundraprocentigt säkra på att inte nästa tal skulle visa sig kullkasta Fermats teorem. Inom matematiken måste påståenden nämligen gå att bevisa matematiskt och kunna uttryckas med en allmängiltig och vetenskapligt korrekt formel. Matematikern måste kunna stå upp på ett podium och uttala orden "det är på detta sätt *därför att* …"

Fermat, sin vana trogen, gav fingret åt kollegorna. I marginalen på sitt exemplar av *Arithmetica* krafsade geniet ned problemställningen och avslutade med några rader. *Cuius rei demonstrationem mirabilem sane detexi hanc marginis exiquitas non caperet.* Raderna blev odödliga i matematikhistorien: *Jag har ett i sanning underbart bevis för detta påstående, men marginalen är alltför trång för att rymma detsamma.*

Om hans avsikt hade varit att försätta kollegorna i raseri så lyckades han utomordentligt väl. Sedan 1637 har i stort sett varje matematiker med självaktning ägnat tid, stundom avsevärd tid, till att försöka finna Fermats bevis. Generationer av tänkare hade misslyckats fram till dess att Andrew Wiles kom med det förlösande beviset 1993. Han hade då funderat över gåtan i tjugofem år och de sista tio åren nästan på heltid.

Lisbeth Salander var fullständigt perplex.

Hon var egentligen ointresserad av svaret. Det var problemlösandet som var själva poängen. Då någon placerade en gåta framför henne så löste hon den. Innan hon förstått principerna i resonemangen tog talmysterierna lång tid att lösa, men hon kom alltid fram till det korrekta svaret innan hon kikade i facit.

Följaktligen tog hon fram ett pappersark och började klottra siffror då hon läst Fermats teorem. Men hon misslyckades med att leda Fermats gåta i bevis.

Hon vägrade kika i facit och hoppade därför över avsnittet där Andrew Wiles lösning presenterades. Istället läste hon färdigt *Dimensions* och konstaterade att inget av de andra problem som formulerades i boken gav henne några dramatiska svårigheter. Därefter återvände hon dag efter dag med stigande irritation till Fermats gåta och grubblade över vilket "underbart bevis" som Fermat kunde ha avsett. Hon vandrade in i återvändsgränd efter återvändsgränd.

Hon tittade upp när mannen i rum 32 plötsligt reste sig och gick mot utgången. Hon sneglade på sitt armbandsur och konstaterade att han hade suttit orörlig i drygt två timmar och tio minuter.

ELLA CARMICHAEL SATTE ned glaset på bardisken framför Lisbeth Salander och konstaterade att det inte var något tjafs med rosafärgade drinkar och fåniga paraplyer som gällde för henne. Lisbeth Salander beställde alltid samma drink – rom & cola. Bortsett från en enda kväll då Salander hade varit på ett underligt humör och blivit så stupfull att Ella varit tvungen att be en hjälpreda bära upp henne till rummet, bestod hennes normalkonsumtion av caffe latte, någon enstaka drink eller det lokala ölet Carib. Som alltid placerade hon sig avsides längst till höger vid bardisken och slog upp en bok med besynnerliga matematiska formler, vilket i Ella Carmichaels ögon var ett underligt val av litteratur för en tjej i hennes ålder.

Hon konstaterade också att Lisbeth Salander inte tycktes ha minsta intresse av att bli uppraggad. Det fåtal ensamma män som hade gjort framstötar hade vänligt men bestämt avvisats, och i ett fall inte ens särskilt vänligt. Chris MacAllen, som avvisats bryskt, var å andra sidan en lokal odåga och i behov av ett kok stryk. Ella var följaktligen inte alltför upprörd över att han på något konstigt sätt snubblat och ramlat i poolen efter att ha tjafsat med Lisbeth Salander en hel kväll. Till MacAllens fördel kunde sägas att han inte var långsint. Han hade återkommit nästkommande afton, i nyktert tillstånd, och bjudit Salander på en öl som hon efter kort tvekan hade accepterat. Därefter hade de hälsat artigt på varandra då de stötte ihop i baren.

"Allt okej?" frågade Ella.

Lisbeth Salander nickade och tog emot glaset.

"Något nytt om Mathilda?" frågade hon.

"Fortfarande på väg åt vårt håll. Det kan bli en riktigt otäck helg."

"När vet vi?"

"Egentligen inte förrän hon dragit förbi. Hon kan gå rakt på Grenada och besluta sig för att svänga norrut just då hon är framme."

"Har ni ofta orkaner?"

"De kommer och går. Oftast går de förbi oss – annars skulle inte ön vara kvar. Men du behöver inte vara orolig."

"Jag är inte orolig."

De hörde plötsligt ett lite för högt skratt och vred huvudena mot damen i rum 32 som tycktes road av något som hennes make berättade.

"Vilka är de där?"

"Dr Forbes? De är amerikaner från Austin, Texas."

Ella Carmichael uttalade ordet amerikaner med en viss avsmak.

"Jag vet att de är amerikaner. Vad gör de här? Är han läkare?"

"Nej, inte en sådan doktor. Han är här för Santa Maria-stiftelsen."

"Vad är det?"

"De bekostar utbildning för begåvade barn. Han är en fin man. Han förhandlar med utbildningsdepartementet om att bygga ett nytt högstadium i Saint George's."

"Han är en fin man som slår sin fru", sa Lisbeth Salander.

Ella Carmichael tystnade och gav Lisbeth ett skarpt ögonkast innan hon gick bort till andra änden av baren för att servera Carib till några lokala kunder.

Lisbeth satt kvar i baren i tio minuter med näsan i *Dimensions*. Redan innan hon kommit upp i puberteten hade hon insett att hon hade fotografiskt minne och därmed på ett avgörande sätt skiljde sig från sina klasskamrater. Hon hade aldrig avslöjat sin egenhet för någon – utom i ett svagt ögonblick för Mikael Blomkvist. Hon kunde redan texten i *Dimensions* utantill och släpade mest med sig boken därför att den utgjorde en visuell länk till Fermat, precis som om boken hade blivit en talisman.

Men denna kväll förmådde hon inte fokusera sina tankar på vare sig Fermat eller hans teorem. Hon såg istället bilden framför sig av hur dr Forbes hade suttit orörlig med blicken fäst på en och samma punkt i vattnet i The Carenage.

Hon kunde inte förklara varför hon plötsligt kände att något inte stämde.

Till sist slog hon igen boken och gick tillbaka till sitt rum där hon startade sin PowerBook. Att surfa på Internet var inte att tänka på. Hotellet saknade bredband men hon hade ett inbyggt modem som hon kunde koppla till sin Panasonic mobiltelefon och med vars hjälp hon kunde skicka och ta emot e-post. Hon komponerade snabbt ett mail till <plague_xyz_666@hotmail.com>:

[Saknar bredband. Behöver information om en dr Forbes vid Santa Maria-stiftelsen, och hans fru, bosatta i Austin, Texas. Jag betalar 500 dollar till den som gör research. Wasp.]

Hon bifogade sin offentliga PGP-nyckel, krypterade mailet med *Plagues* PGP-nyckel och tryckte på sändknappen. Därefter tittade hon på klockan och konstaterade att det var strax efter halv åtta på kvällen.

Hon stängde sin dator och låste rummet efter sig och promenerade fyra hundra meter längre ned på stranden, korsade vägen till Saint George's och knackade på dörren till ett skjul bakom The Coconut. George Bland var 16 år och student. Han tänkte bli läkare eller advokat eller möjligen astronaut och var ungefär lika spinkig som Lisbeth Salander och nästan lika kort.

Lisbeth hade träffat George Bland på stranden den första veckan på Grenada, dagen efter att hon flyttat ut till Grand Anse. Hon hade promenerat längs stranden och slagit sig ned i skuggan under några palmer och tittat på barnen som spelade fotboll längre ned vid vattenbrynet. Hon hade slagit upp *Dimensions* och suttit begravd i den då han kommit och slagit sig ned bara några meter framför henne, till synes utan att notera hennes närvaro. Hon hade iakttagit honom under tystnad. En tunn svart pojke i sandaler, svarta byxor och vit skjorta.

Precis som hon hade han slagit upp en bok som han fördjupat sig i. Precis som hon studerade han en bok om matematik – *Basics 4*. Han läste koncentrerat och började kludda i en räknebok. Först när Lisbeth efter fem minuter harklade sig hade han noterat hennes närvaro och flugit upp som i panik. Han hade bett om ursäkt för att han störde och var på väg därifrån när hon frågade om det var komplicerade tal.

Algebra. Efter två minuter hade hon påpekat ett fundamentalt fel i hans uträkning. Efter trettio minuter hade de löst hans hemuppgifter. Efter en timme hade de gått igenom hela nästa kapitel i räkneboken och hon hade pedagogiskt förklarat knepen bakom räkneoperationerna. Han hade betraktat henne med vördnadsfull respekt. Efter två timmar hade han berättat att hans mamma var bosatt i Toronto, Kanada, att hans pappa bodde i Grenville på andra sidan ön och att han själv bodde i ett skjul längre upp på stranden. Han var yngst i en syskonskara med tre äldre systrar.

Lisbeth Salander fann hans sällskap märkligt avslappnande. Situationen var ovanlig. Hon brukade sällan eller aldrig inleda samtal med andra människor bara för pratandets skull. Det var inte en fråga om blygsel. För henne hade konversation en praktisk funktion; hur hittar jag till apoteket eller vad kostar hotellrummet. Konversation hade också en yrkesmässig funktion. När hon arbetat som researcher för Dragan Armanskij på Milton Security hade hon inte haft några problem att föra långa samtal för att få fram fakta.

Däremot avskydde hon personliga samtal som alltid ledde till ett rotande i vad hon ansåg vara privata angelägenheter. *Hur gammal är du – gissa. Gillar du Britney Spears – vem? Tycker du om målningar av Carl Larsson – har aldrig funderat över saken. Är du lesbisk – det angår verkligen inte dig.*

George Bland var tafatt och självmedveten, men han var artig och försökte föra en intelligent konversation utan att tävla med henne och utan att rota i hennes privatliv. Precis som hon verkade han ensam. Märkligt nog tycktes han acceptera att en matematikens gudinna hade klivit ned på Grand Anse Beach och han verkade nöjd med att hon ville sitta och hålla honom sällskap. Efter flera timmar på stranden bröt de upp då solen närmade sig horisonten. De promenerade tillsammans tillbaka mot hennes hotell och han hade pekat ut det skjul som utgjorde hans studentbostad och generat frågat om han fick bjuda henne på te. Hon hade accepterat, vilket såg ut att förvåna honom.

Hans bostad var mycket enkel; ett skjul som rymde ett illa medfaret bord, två stolar, säng och ett skåp för kläder och linne. Den enda belysningen var en liten skrivbordslampa med kabel som gick till The Coconut. Spisen bestod av ett campingkök. Han bjöd på middag bestående av ris och grönsaker som han serverade på plasttallrikar. Han hade även djärvt bjudit henne att röka den lokala förbjudna substansen, vilket hon också accepterade.

Lisbeth hade inga svårigheter att märka att han var påverkad av hennes närvaro och inte riktigt visste hur han skulle bete sig. Hon hade impulsivt beslutat att låta honom förföra henne. Det hade utvecklats till en plågsamt omständlig procedur där han utan tvekan hade förstått hennes signaler men inte hade en aning om hur han skulle gå till väga. Han hade gått som katten kring het gröt till dess att hon tappat tålamodet och resolut tryckt ned honom på sängen och dragit av sig kläderna.

Det var första gången hon hade visat sig naken för någon sedan operationen i Genua. Hon hade lämnat kliniken med en lätt känsla av panik. Det hade tagit henne en lång stund att inse att inte en enda människa stirrade på henne. Lisbeth Salander brydde sig vanligen inte ett dyft om vad andra människor tyckte om henne och hon grubblade över varför hon plötsligt kände sig så osäker.

George Bland hade varit en perfekt debut för hennes nya jag. När han (efter ett visst mått av uppmuntran) äntligen hade lyckats knäppa upp hennes bh hade han genast släckt lampan vid sängen innan han började ta av sina egna kläder. Lisbeth hade insett att han var blyg och tänt lampan igen. Hon hade noga bevakat hans reaktioner när han klumpigt börjat röra vid henne. Först långt senare på kvällen hade hon slappnat av och konstaterat att han uppfattade hennes bröst som helt naturliga. Han verkade å andra sidan inte ha så mycket att jämföra med.

Hon hade inte planerat att skaffa sig en tonårig älskare på Grenada. Det hade varit en impuls och när hon lämnade honom sent på natten hade hon inte tänkt återvända. Men redan nästa dag hade hon träffat honom på stranden igen och faktiskt känt att den tafatte unge pojken var ett behagligt sällskap. Under de sju veckor hon hade bott på Grenada hade George Bland blivit en fast punkt i hennes tillvaro. De umgicks inte på dagtid men han tillbringade eftermiddagarna före solnedgången på stranden och kvällarna ensam i sitt skjul.

Hon konstaterade att då de promenerade tillsammans såg de ut som två tonåringar. *Sweet sixteen*.

Han ansåg förmodligen att livet hade blivit intressantare. Han hade träffat en kvinna som utbildade honom i matematik och erotik.

Han öppnade dörren och log förtjust mot henne.

"Vill du ha sällskap?" frågade hon.

LISBETH SALANDER LÄMNADE George Bland strax efter två på natten. Hon hade en varm känsla i kroppen och promenerade längs stranden istället för att följa vägen till Keys Hotel. Hon gick ensam i mörkret, medveten om att George Bland skulle följa efter henne drygt hundra meter bakom.

Han gjorde alltid det. Hon hade aldrig sovit över hos honom och han uttryckte ofta starka protester mot att hon, en helt ensam kvinna, skulle promenera genom natten till sitt hotell och insisterade på att det var hans plikt att följa henne tillbaka till hotellet. Särskilt som det ofta blev mycket sent. Lisbeth Salander brukade lyssna till hans utläggningar innan hon klippte av diskussionen med ett enkelt nej. *Jag promenerar vart jag vill när jag vill. End of discussion. Och nej, jag vill inte ha en eskort.* Första gången hon insåg att han följde efter henne hade hon blivit våldsamt irriterad. Men nu kunde hon tycka att hans beskyddarinstinkt hade en viss charm och låtsades därför inte om att hon visste att han gick bakom henne och att han skulle vända hemåt först då han sett henne gå in genom porten till sitt hotell.

Hon undrade vad han skulle göra om hon plötsligt blev överfallen.

Själv tänkte hon göra bruk av den hammare som hon hade köpt på MacIntyres järnhandel och förvarade i axelväskans ytterfack. Det fanns få fysiska hotbilder som bruket av en schyst hammare inte kunde åtgärda, ansåg Lisbeth Salander.

Det var gnistrande stjärnklart och fullmåne. Lisbeth höjde blicken och identifierade Regulus i Lejonet nära horisonten. Hon var nästan framme vid hotellet då hon tvärstannade. Plötsligt såg hon en skymt av en människa längre ned på stranden, nära vattenbrynet nedanför hotellet. Det var första gången hon sett en levande själ på stranden efter mörkrets inbrott. Även om avståndet var nästan 100 meter hade Lisbeth inga problem att identifiera mannen i månljuset.

Det var den hedervärde dr Forbes i rum 32.

Hon tog några snabba kliv åt sidan och stod stilla i trädlinjen. När hon vred huvudet var också George Bland osynlig. Skepnaden vid vattenbrynet vandrade långsamt fram och tillbaka. Han rökte en cigarett. Med jämna mellanrum stannade han och böjde sig ned som om han granskade sanden. Pantomimen fortsatte i tjugo minuter innan han plötsligt ändrade riktning och med raska steg gick till hotellets strandentré och försvann.

Lisbeth väntade i någon minut innan hon gick ned till den plats där dr Forbes hade vandrat. Hon gjorde en långsam halvcirkel och granskade marken. Det enda hon kunde se var sand, några stenar och snäckskal. Efter två minuter avbröt hon studierna av strandkanten och gick upp till hotellet.

Hon gick ut på sin balkong, böjde sig över räcket och sneglade in på grannens balkong. Det var tyst och stilla. Kvällens bråk var tydligen över. Efter en stund hämtade hon sin axelväska och plockade fram papper och rullade en joint från det förråd som George Bland försett henne med. Hon slog sig ned på en balkongstol och tittade på det mörka vattnet i Karibiska havet medan hon rökte och funderade.

Hon kände sig som en radaranläggning i högsta larmberedskap.

KAPITEL 2
FREDAG 17 DECEMBER

NILS ERIK BJURMAN, advokat, 55 år gammal, satte ned kaffekoppen och betraktade strömmen av människor utanför fönstret till Café Hedon vid Stureplan. Han såg alla som passerade i en enda ström men observerade ingen.

Han tänkte på Lisbeth Salander. Han tänkte ofta på Lisbeth Salander.

Tankarna fick honom att koka inombords.

Lisbeth Salander hade krossat honom. Det var ett ögonblick han aldrig skulle glömma. Hon hade tagit kommandot och förnedrat honom. Hon hade misshandlat honom på ett sätt som bokstavligen satt outplånliga spår på hans kropp. Närmare bestämt på ett mer än två kvadratdecimeter stort område på magen alldeles ovanför hans könsorgan. Hon hade kedjat fast honom i hans egen säng, misshandlat honom och tatuerat ett budskap som inte kunde missförstås och som inte på ett enkelt sätt kunde raderas: JAG ÄR ETT SADISTISKT SVIN, ETT KRÄK OCH EN VÅLDTÄKTSMAN.

Lisbeth Salander var av Stockholms tingsrätt förklarad som juridiskt otillräknelig. Han hade tilldelats uppdraget att agera som hennes förvaltare, vilket i allra högsta grad placerade henne i en direkt beroendeställning till honom. Redan allra första gången han träffat Lisbeth Salander hade han börjat fantisera om henne. Han kunde inte förklara det, men hon inbjöd till det.

UR EN RENT intellektuell synvinkel visste advokat Nils Bjurman att han hade gjort något som varken var socialt acceptabelt eller tillåtet. Han visste att han hade gjort fel. Han visste också att han agerat oförsvarligt i juridisk bemärkelse.

Ur emotionell synvinkel spelade denna intellektuella kunskap ingen roll. Från det ögonblick han först hade mött Lisbeth Salander i december två år tidigare hade han inte kunnat motstå henne. Lagar, regler, moral och ansvar spelade ingen som helst roll.

Hon var en märklig flicka – fullt vuxen, men med ett utseende som gjorde att hon kunde förväxlas med ett minderårigt barn. Han hade kontrollen över hennes liv – hon var hans att förfoga över. Det var oemotståndligt.

Hon var omyndigförklarad och hade en biografi som förvandlade henne till någon ingen skulle tro på om hon fick för sig att protestera. Det var heller ingen våldtäkt av något oskuldsfullt barn – hennes journal fastslog att hon hade haft gott om sexuella erfarenheter och till och med kunde betraktas som promiskuös. En socialarbetare hade formulerat en rapport som påpekade möjligheten att Lisbeth Salander då hon var 17 år erbjöd sexuella tjänster mot betalning. Rapporten hade föranletts av att en polispatrull hade observerat en ökänd ful gubbe i sällskap med en ung flicka på en parkbänk i Tantolunden. Poliserna hade parkerat och avvisiterat sällskapet; flickan hade vägrat svara på deras frågor och den fula gubben hade varit för berusad för att ge några vettiga besked.

I advokat Bjurmans ögon var slutsatsen självklar: Lisbeth Salander var en hora längst ned på den sociala stegen. I hans våld. Det var riskfritt. Även om hon skulle protestera hos överförmyndarnämnden så skulle han i kraft av sin trovärdighet och sina meriter kunna avfärda henne som en lögnare.

Hon var den perfekta leksaken – vuxen, promiskuös, socialt inkompetent och utlämnad till hans godtycke.

Det var första gången han hade utnyttjat en av sina egna klienter. Tidigare hade han aldrig ens övervägt att göra en framstöt mot någon som han hade en yrkesmässig relation till. För att få utlopp för sina speciella krav på sexuella lekar hade han vänt sig till prostituerade. Han hade varit diskret och försiktig och betalat bra; problemet var bara att prostituerade inte var allvar utan på låtsas. Det var en tjänst han köpte av en kvinna som stönade och ojade sig och spelade en roll, men det var lika falskt som Hötorgskonst.

Han hade försökt dominera sin fru på den tiden han var gift, men hon hade varit med på det hela och det hade också bara varit på lek.

Lisbeth Salander hade varit perfekt. Hon var värnlös. Hon saknade släkt och vänner. Hon hade varit ett äkta offer, helt försvarslös. Tillfället gör tjuven.

Och så helt plötsligt hade hon krossat honom.

Hon hade slagit tillbaka med en kraft och en beslutsamhet som han inte anat att hon ägde. Hon hade förnedrat honom. Hon hade plågat honom. Hon hade så när förintat honom.

Under de snart två år som gått hade Nils Bjurmans liv förändrats på ett dramatiskt sätt. Den första tiden efter Lisbeth Salanders nattliga besök i hans lägenhet hade han varit som paralyserad – oförmögen att tänka och agera. Han låste in sig i sitt hem, svarade inte i telefon och förmådde inte hålla kontakt med sina ordinarie klienter. Först efter två veckor hade han sjukskrivit sig. Hans sekreterare fick sköta löpande korrespondens på kontoret, avboka möten och försöka svara på frågor från irriterade klienter.

Varje dag hade han tvingats se sin kropp i spegeln på badrumsdörren. Till sist hade han monterat ned spegeln.

Först när sommaren inleddes hade han återvänt till sitt kontor. Han hade sorterat bland sina klienter och överlåtit merparten av dem till några kollegor. De enda han behöll var några företag där han skötte viss affärsjuridisk korrespondens men inte behövde engagera sig. Hans enda återstående aktiva klient var Lisbeth Salander – varje månad författade han en balansräkning och en rapport till överförmyndarnämnden. Han gjorde precis som hon hade krävt – rapporterna var fria fantasier som dokumenterade att hon ingalunda behövde en förvaltare.

Varje rapport sved och påminde honom om hennes existens, men han hade inget val.

BJURMAN HADE TILLBRINGAT sommaren och hösten med hand-
lingsförlamat grubbel. I december hade han slutligen tagit sig sam-
man och bokat en semesterresa till Frankrike. Han hade bokat tid på
en klinik för kosmetisk kirurgi utanför Marseille, där han hade kon-
sulterat en läkare om hur han bäst skulle avlägsna tatueringen.

Läkaren hade häpet undersökt hans vanställda mage. Till sist hade
han föreslagit en behandling. Det enklaste sättet var upprepade laser-
behandlingar, men tatueringen var så stor och nålen hade skurit så
djupt att han misstänkte att det enda realistiska var en serie hudtrans-
plantationer. Det var dyrt och skulle ta tid.

Under de gångna två åren hade han träffat Lisbeth Salander vid
ett enda tillfälle.

Den natt då hon hade överfallit honom och tagit kommandot över
hans liv hade hon också tagit hans reservnycklar till kontoret och lä-
genheten. Hon hade sagt att hon skulle bevaka honom och att när
han minst av allt väntade sig så skulle hon komma på besök. Under
de tio månader som hade förflutit hade han nästan börjat tro att det
var ett tomt hot, men han hade inte vågat byta lås. Hennes hot hade
inte kunnat missförstås – om hon någonsin hittade honom med en
kvinna i sin säng så skulle hon offentliggöra den nittio minuter långa
film som dokumenterade hur han våldtog henne.

En natt i mitten av januari för snart ett år sedan hade han plötsligt
vaknat klockan tre på morgonen, osäker på varför han vaknat. Han
hade tänt lampan på nattduksbordet och nästan vrålat av skräck när
han såg henne stå vid fotänden av hans säng. Hon var som ett spöke
som plötsligt materialiserat sig i hans sovrum. Hennes ansikte var
blekt och uttryckslöst. I handen höll hon sin fördömda elpistol.

"God morgon advokat Bjurman", sa hon slutligen. "Förlåt att jag
väckte dig den här gången."

Gode gud, har hon varit här tidigare? Medan jag har sovit.

Han kunde inte avgöra om hon bluffade eller inte. Nils Bjurman
harklade sig och öppnade munnen. Hon avbröt honom med en
gest.

"Jag väckte dig av ett enda skäl. Jag kommer snart att resa bort
en längre tid. Du ska fortsätta att skriva dina rapporter om mitt väl-

befinnande varje månad, men istället för att posta en kopia hem till mig så ska du skicka en kopia till en hotmailadress."

Hon tog upp ett dubbelvikt papper ur jackfickan och släppte det på sängkanten.

"Om överförmyndarnämnden vill ha kontakt med mig eller något annat sker som kräver min närvaro ska du skriva ett mail till denna adress. Har du förstått?"

Han nickade.

"Jag förstår …"

"Tig. Jag vill inte höra din röst."

Han bet ihop tänderna. Han hade aldrig vågat ta kontakt med henne eftersom hon då hotat med att skicka filmen till myndigheterna. Istället hade han i flera månader planerat vad han skulle säga till henne då hon kontaktade honom. Han hade insett att han faktiskt inte hade något att säga till sitt försvar. Det enda han kunde göra var att vädja till hennes generositet. Om hon bara gav honom chansen att tala skulle han försöka övertyga henne om att han hade agerat utifrån en tillfällig sinnesförvirring – att han ångrade sig och ville sona vad han hade gjort. Han var beredd att kräla i stoftet för att beveka henne och därigenom desarmera det hot hon utgjorde.

"Jag måste tala", hade han svarat med ynklig röst. "Jag vill be dig om förlåtelse …"

Hon hade lyssnat avvaktande till hans överraskande bön. Slutligen hade hon lutat sig mot sänggaveln och gett honom en ondskefull blick.

"Hör på nu – du är ett kräk. Jag kommer aldrig att förlåta dig. Men om du sköter dig så kommer jag att låta dig löpa den dag då min omyndigförklaring hävs."

Hon väntade till dess att han slog ned blicken. *Hon tvingar mig att krypa för henne.*

"Det jag sa för ett år sedan gäller fortfarande. Om du misslyckas kommer jag att offentliggöra filmen. Om du tar kontakt med mig på något sätt utöver det jag beslutat så kommer jag att offentliggöra filmen. Om jag skulle dö i en olycka så kommer filmen att offentliggöras. Om du rör mig igen så kommer jag att döda dig."

Han trodde henne. Det fanns inte utrymme för tvivel eller för förhandlingar.

"En sak till. Den dag då jag låter dig löpa så får du göra som du vill. Men fram till dess sätter du inte din fot på den där kliniken i Marseille igen. Om du åker ned och inleder en behandling så kommer jag att tatuera dig igen. Men nästa gång kommer jag att tatuera dig i pannan."

Helvete. Hur fan hade hon fått reda på ...

I nästa sekund var hon borta. Han hörde ett svagt klick från ytterdörren då hon vred om nyckeln. Det var precis som om ett spöke hade hemsökt honom.

Det var i det ögonblicket som han hade börjat hata Lisbeth Salander med en intensitet som flammade som rödglödgat stål i hans sinne och förvandlade hans tillvaro till en besatt hunger att krossa henne. Han fantiserade om hennes död. Han fantiserade om att tvinga henne att krypa på sina knän och tigga om nåd. Han skulle vara skoningslös. Han drömde om att lägga sina nävar runt hennes hals och strypa henne till dess att hon kippade efter luft. Han ville slita hennes ögon ur dess hålor och hennes hjärta ur kroppen. Han ville utplåna henne från världens yta.

Paradoxalt nog var det också i det ögonblicket som han kände att han åter började fungera och som han hittade en märklig själslig balans. Han var fortfarande besatt av Lisbeth Salander och fokuserade varje vaken minut på hennes existens. Men han upptäckte att han åter hade börjat tänka rationellt. Om han skulle lyckas krossa henne så måste han återta kommandot över sitt intellekt. Hans liv fick en ny målsättning.

Det var den dagen han slutade fantisera om hennes död och började planlägga den.

MIKAEL BLOMKVIST PASSERADE mindre än två meter bakom advokat Nils Bjurmans ryggtavla då han navigerade två brännheta glas med caffe latte till chefredaktör Erika Bergers bord på Café Hedon. Varken han eller Erika hade någonsin hört talas om advokat Nils Bjurman och lade inte märke till honom.

Erika rynkade näsan och flyttade en askkopp åt sidan för att göra plats för glasen. Mikael hängde av sig jackan över stolsryggen, drog askkoppen till sin sida av bordet och tände en cigarett. Erika avskydde tobaksrök och betraktade honom med plågad blick. Han blåste ursäktande röken bort från henne.

"Jag trodde du hade slutat."

"Tillfälligt återfall."

"Jag ska sluta ha sex med karlar som luktar rök", sa hon och log vänt.

"*No problem*. Det finns andra tjejer som inte är så nogräknade", sa Mikael och log tillbaka.

Erika Berger himlade med ögonen.

"Vad är problemet? Jag ska träffa Charlie om tjugo minuter. Vi ska på teater."

Charlie var Charlotta Rosenberg, Erikas barndomsvän.

"Vår praktikant stör mig. Hon är dotter till någon av dina väninnor. Hon har varit hos oss i två veckor och ska vara kvar på redaktionen i åtta veckor till. Jag står snart inte ut med henne längre."

"Jag har märkt att hon kastar lystna blickar efter dig. Jag förväntar mig naturligtvis att du uppför dig som en gentleman."

"Erika, tjejen är 17 år och har en mental ålder på drygt 10 och då är jag generös."

"Hon är bara imponerad av att träffa dig. Förmodligen lite idoldyrkan."

"Halv elva i går kväll ringde hon på min porttelefon och ville komma upp med en flaska vin."

"Ooops", sa Erika Berger.

"Ooops på dig själv", sa Mikael. "Om jag var tjugo år yngre skulle jag antagligen inte tveka en sekund. Men kom igen – hon är 17 år. Jag är snart 45."

"Påminn mig inte. Vi är jämnåriga."

Mikael Blomkvist lutade sig bakåt och askade.

DET HADE INTE undgått Mikael Blomkvist att Wennerströmaffären hade gett honom en märklig stjärnstatus. Under det gångna året hade han fått inbjudningar till fester och arrangemang från de mest osannolika håll.

Det var uppenbart att de som bjöd in honom gjorde det därför att de gärna ville placera honom i sin bekantskapskrets; den välkomnande kindpussen av personer han tidigare knappt skakat hand med men som gärna ville framstå som hans nära vän och förtrogna. Det var inte i första hand kollegor inom massmedia – dem kände han redan och hade antingen en bra eller en dålig relation till – utan så kallade kulturpersonligheter, skådespelare, halvdana samhällsdebattörer och halvkändisar. Det var helt enkelt status att ha Mikael Blomkvist som gäst på ett releaseparty eller på en privat middagsbjudning. Inbjudningar och förfrågningar om än det ena och än det andra arrangemanget hade haglat över honom under det gångna året. Det började bli en vana att svara på förfrågningar med ett "jättetrevligt, men tyvärr är jag redan inbokad" etc.

Till kändisskapets avigsidor hörde också en tilltagande ryktesspridning. En bekant till honom hade oroligt hört av sig efter att ha hört ett rykte som hävdade att Mikael hade sökt hjälp på en klinik för drogavvänjning. I verkligheten var Mikaels sammanlagda drogmissbruk sedan tonåren några enstaka marijuanacigaretter och att han vid ett tillfälle drygt femton år tidigare provat kokain tillsammans med en holländsk flicka som var sångerska i ett rockband. Hans alkoholkonsumtion var bättre utvecklad men inskränkte sig fortfarande till enstaka fall av påtaglig berusning i samband med middagar eller fester. Vid krogbesök konsumerade han sällan mer än en stor stark och drack lika gärna folköl. Hans barskåp hemma innehöll vodka och några presentflaskor single malt som öppnades skrattretande sällan.

Att Mikael var singel med flera tillfälliga förbindelser och kärleksaffärer var välkänt både i och utanför hans bekantskapskrets, vilket föranledde andra rykten. Hans affär med Erika Berger sedan många år var alltid föremål för åtskilliga spekulationer. Det senaste året hade dessa kompletterats med påståenden om att han gick från säng till säng, raggade hejdlöst och utnyttjade sitt kändisskap till att knulla sig igenom klientelet på Stockholms krogar. En ytligt bekant journalist hade till och med vid ett tillfälle frågat om han inte borde söka hjälp för sitt sexmissbruk. Kommentaren hade föranletts av att en känd amerikansk skådespelare hade sökt hjälp på en klinik för motsvarande åkomma.

Mikael hade förvisso haft många korta förhållanden och det hade hänt att de pågick samtidigt. Han var själv osäker på vad detta berodde på. Han visste att han såg hyfsat bra ut men hade aldrig upplevt sig som väldigt attraktiv. Däremot fick han ofta höra att han hade något som gjorde kvinnor intresserade av honom. Erika Berger hade förklarat för honom att han på en gång utstrålade självsäkerhet och trygghet, och att han hade en förmåga att få kvinnor att känna sig avslappnade och prestigelösa. Att gå till sängs med honom var varken jobbigt, hotfullt eller komplicerat – däremot kravlöst och erotiskt njutbart. Vilket (enligt Mikael) var som det skulle vara.

Tvärtemot vad flertalet av hans bekanta trodde hade Mikael aldrig ägnat sig åt att ragga. I bästa fall markerade han att han var där och villig, men han lät alltid kvinnan ta initiativet. Sex kom ofta som en naturlig följd. De kvinnor han hamnade i säng med var sällan anonyma *one night stands* – sådana hade förvisso också förekommit men oftast resulterat i ganska otillfredsställande övningar. Mikaels bästa relationer hade varit med personer som han hade lärt känna och som han själv tyckte bra om. Det var därför ingen slump att han tjugo år tidigare inlett en affär med Erika Berger – de var vänner och attraherade av varandra.

Hans sentida berömmelse hade dock ökat intresset för honom bland kvinnor på ett sätt som han fann bisarrt och obegripligt. Mest överraskande var att unga kvinnor kunde göra impulsiva framstötar i de mest oväntade sammanhang.

Mikaels fascination riktades dock mot en helt annan typ av kvinnor än entusiastiska tonårsbrudar med aldrig så korta minikjolar och välkomponerade kroppar. Då han var yngre hade hans dambekanta ofta varit äldre än han, och i några fall väsentligt äldre och erfarnare. I takt med att han själv blev äldre hade dock åldersskillnaderna jämnat ut sig alltmer. Lisbeth Salander, som varit 25 år, hade definitivt varit ett markant kliv nedåt i åldersskalan.

Vilket var orsaken till det hastigt påkallade mötet med Erika.

Millennium hade tagit in en praktikant från ett mediegymnasium som en tjänst till en av Erikas bekanta. Det var i sig inget ovanligt; de hade flera praktikanter varje år. Mikael hade hälsat artigt på den 17-åriga flickan och ganska omgående konstaterat att hon hade ett tämligen vagt intresse av journalistik, förutom att hon "ville synas i TV", och (misstänkte Mikael) att det numera tydligen var någon sorts statuspoäng att ha varit på *Millennium*.

Han hade snabbt blivit medveten om att hon inte missade ett tillfälle att se till att få närkontakt. Han hade låtsats att han inte uppfattade hennes tämligen övertydliga framstötar, vilket dock endast resulterat i att hon fördubblat sina ansträngningar. Det var helt enkelt jobbigt.

Erika Berger skrattade plötsligt.

"Min själ, du är sextrakasserad på jobbet."

"Ricky, det här är jobbigt. Jag vill för allt i världen inte såra eller genera henne. Men hon är ungefär lika subtil som en brunstig märr. Jag är nästan orolig för vad hon kan ta sig för."

"Mikael, hon är förälskad i dig och är bara för ung för att veta hur hon ska uttrycka sig."

"Sorry. Du har fel. Hon är jävligt medveten om hur hon ska uttrycka sig. Det är något skevt i hennes agerande och hon börjar bli irriterad på att jag inte nappar på kroken. Och jag har inget behov av en ny ryktesvåg som framställer mig som en gubbsjuk Mick Jagger på jakt efter lammkött."

"Okej. Jag förstår problemet. Hon knackade alltså på hos dig i går kväll."

"Med en flaska vin. Hon sa att hon hade varit på fest hos en 'bekant' i kvarteret och försökte få det att se ut som en slump att hon knackade på."

"Vad sa du till henne?"

"Jag släppte inte in henne. Jag ljög och sa att hon kom oläg ligt och att jag hade en dam på besök."

"Och hur tog hon det?"

"Hon blev jävligt irriterad men droppade av."

"Vad vill du att jag ska göra?"

"*Get her off my back*. På måndag tänker jag ta ett allvarligt snack med henne. Antingen lägger hon av eller så sparkar jag ut henne från redaktionen."

Erika Berger funderade en stund.

"Nej", sa hon. "Säg ingenting. Jag ska prata med henne."

"Jag har inget val."

"Hon söker en vän och inte en älskare."

"Jag vet inte vad hon söker, men …"

"Mikael. Jag har varit där hon är. Jag ska prata med henne."

NILS BJURMAN HADE i likhet med alla andra som tittat på TV eller läst en kvällstidning det senaste året hört talas om Mikael Blomkvist. Däremot kände han inte igen honom, och även om han hade gjort det så skulle han inte ha reagerat. Han var helt omedveten om att det fanns en koppling mellan *Millenniums* redaktion och Lisbeth Salander.

Dessutom var han alltför försjunken i egna tankar för att lägga märke till sin omgivning.

Efter att hans intellektuella förlamning äntligen hade lossnat hade han långsamt börjat analysera sin egen belägenhet och grubblade över hur han skulle bära sig åt för att utplåna Lisbeth Salander.

Problemet kretsade runt en och samma stötesten.

Lisbeth Salander förfogade över en nittio minuter lång film som hon hade spelat in med dold kamera och som detaljerat visade hur han förgrep sig på henne. Han hade sett filmen. Den lämnade inte utrymme för välvilliga tolkningar. Om den någonsin kom till åklagarmyndighetens kännedom – eller än värre – om den hamnade i klorna på massmedia så var hans liv, karriär och frihet slut. Med kännedom om straffsatserna för grov våldtäkt, utnyttjande av person i beroendeställning, misshandel och grov misshandel uppskattade han att han skulle få omkring sex års fängelse. En nitisk åklagare skulle till och med kunna utnyttja ett avsnitt i filmen för en framställan om försök till mord.

Han hade så när kvävt henne under våldtäkten då han upphetsat pressat en kudde över hennes ansikte. Han önskade att han hade fullbordat dådet.

De skulle inte förstå att hon spelade ett spel hela tiden. Hon hade provocerat honom, spelat med sina näpna barnögon och förfört honom med en kropp som hade kunnat vara 12 år. Hon hade låtit honom våldta henne. Det var hennes fel. De skulle aldrig förstå att hon i själva verket hade regisserat en teaterföreställning. Hon hade planerat ...

Hur han än agerade så måste en förutsättning vara att han personligen kom i besittning av filmen och att han försäkrade sig om att det inte existerade några kopior. Det var problemets kärna.

Det rådde knappast någon tvekan om att en häxa som Lisbeth Salander hade hunnit skaffa sig ett antal fiender genom åren. Advokat Bjurman hade dock en stor fördel. Till skillnad från alla andra som av en eller annan orsak retat sig på henne så hade han obegränsad tillgång till alla hennes sjukjournaler, sociala utredningar och psykiatriska utlåtanden. Han var en av de få människor i Sverige som kände till hennes innersta hemligheter.

Den journal som överförmyndarnämnden hade försett honom med då han accepterat uppdraget att tjänstgöra som hennes förvaltare hade varit kort och översiktlig – drygt femton sidor som huvudsakligen gav en bild av hennes vuxna liv, en summering av den diagnos som rättspsykiatriska kommit fram till, tingsrättsbeslutet att ställa henne under förvaltarskap och det föregående årets ekonomiska revision.

Han hade läst översikten gång på gång. Därefter hade han systematiskt börjat samla information om Lisbeth Salanders förflutna.

Som advokat var han väl förtrogen med hur han skulle bära sig åt för att hämta information från offentliga myndighetsregister. I egenskap av hennes förvaltare hade han inga problem att tränga igenom den sekretess som omgav hennes sjukjournaler. Han var en av de få människor som kunde få vilket papper som helst som han pekade på om det handlade om Lisbeth Salander.

Ändå hade det tagit månader att sammanställa hennes liv, detalj för detalj, från de allra tidigaste anteckningarna i grundskolan via sociala utredningar till polisutredningar och tingsrättsprotokoll. Han hade personligen uppsökt och diskuterat hennes tillstånd med dr Jesper H. Löderman, den psykiatriker som i samband med hennes 18-årsdag hade rekommenderat att hon skulle institutionaliseras. Han fick en grundlig genomgång av resonemangen. Alla var honom behjälpliga. En kvinna i socialnämnden hade till och med berömt honom för att han visade ett sådant engagemang utöver det normala i sin nit att sätta sig in i alla aspekter av Lisbeth Salanders liv.

Den verkliga guldgruvan till information hittade han dock i form av två inbundna anteckningsböcker i en kartong som samlade damm hos en handläggare på överförmyndarnämnden. Böckerna hade författats av Bjurmans föregångare, advokat Holger Palmgren, som uppenbarligen hade lärt känna Lisbeth Salander bättre än någon annan. Palmgren hade samvetsgrant lämnat en kort rapport till nämnden varje år, men Bjurman antog att Lisbeth Salander hade varit ovetande om att Palmgren också nitiskt hade noterat egna funderingar i form av dagboksanteckningar. Det var uppenbarligen Palmgrens eget arbetsmaterial som när han två år tidigare hade drabbats av en stroke hade hamnat hos överförmyndarnämnden där ingen ens hade öppnat och läst innehållet.

Det var originalet. Det existerade ingen kopia.

Perfekt.

Palmgren gav en helt annan bild av Lisbeth Salander än vad som kunde utläsas i socialtjänstens utredningar. Han hade kunnat följa Lisbeth Salanders mödosamma vandring från ohanterlig tonåring till ung kvinna och anställd på säkerhetsföretaget Milton Security – ett jobb hon hade fått genom Palmgrens kontakter. Bjurman hade med stigande förvåning insett att Lisbeth Salander ingalunda var en efterbliven vaktmästare som skötte kopieringsapparaten och kokade kaffe – hon hade tvärtom ett kvalificerat arbete som innebar att hon gjorde personundersökningar åt Miltons vd Dragan Armanskij. Det var lika uppenbart att Armanskij och Palmgren kände varandra och emellanåt utbytte information om sin skyddsling.

NILS BJURMAN HADE LAGT namnet Dragan Armanskij på minnet. Av alla människor som figurerat i Lisbeth Salanders liv var det bara två personer som i någon bemärkelse framstod som hennes vänner och som bägge tycktes betrakta henne som sin skyddsling. Palmgren var borta ur bilden. Armanskij var den enda återstående person som potentiellt kunde utgöra ett hot. Bjurman beslutade sig för att hålla sig borta från Armanskij och inte söka upp honom.

Pärmarna hade förklarat mycket. Bjurman hade plötsligt förstått hur Lisbeth Salander hade kunnat veta så mycket om honom. Han kunde dock fortfarande inte begripa hur hon hade fått reda på att han ytterst diskret hade besökt en klinik för plastikkirurgi i Frankrike, men en stor del av mystiken kring henne försvann. Det var hennes yrke att snoka i andra människors privatliv. Han blev med ens försiktig med sina egna spaningar och insåg att med tanke på att Lisbeth Salander hade tillträde till hans lägenhet så var det direkt olämpligt att förvara papper som handlade om henne där. Han samlade ihop all dokumentation och transporterade en kartong till sommarstugan utanför Stallarholmen, där han tillbringade allt mer av sin tid med ensamt grubbel.

Ju mer han läste om Lisbeth Salander, desto mer övertygad blev han om att hon var en patologiskt sjuk människa. Han rös när han tänkte på att hon hade haft honom fastkedjad med handbojor i hans egen säng. Han hade varit helt utlämnad till hennes godtycke och Bjurman tvivlade inte på att hon skulle göra allvar av sitt hot att döda honom om han provocerade henne.

Hon saknade sociala spärrar. *Hon var en sjuk livsfarlig jävla galning. En osäkrad handgranat. En hora.*

HOLGER PALMGRENS JOURNAL hade också bidragit till att ge honom den sista nyckeln. Vid flera tillfällen skrev Palmgren högst personliga dagboksanteckningar om samtal han haft med Lisbeth Salander. *En snurrig gammal gubbe.* Vid två av dessa samtal hade han refererat till uttrycket "då Allt Det Onda hände". Palmgren hade uppenbarligen lånat uttrycket direkt från Lisbeth Salander men det framgick inte vad det syftade på.

Bjurman antecknade förbryllat orden "Allt Det Onda". Åren i fosterhem? Något särskilt övergrepp? Allting borde finnas i den omfattande dokumentationen han redan hade tillgång till.

Han öppnade den rättspsykiatriska undersökningen om Lisbeth Salander som hade formulerats då hon fyllde 18 år och läste uppmärksamt igenom den för femte eller sjätte gången. I det ögonblicket insåg han att det fanns en lucka i hans kunskap om Lisbeth Salander.

Han hade utdrag ur journalanteckningar från grundskolan, ett intyg som fastställde att Lisbeth Salanders mor var oförmögen att ta hand om henne, rapporter från diverse fosterhem under tonåren och sinnesundersökningen vid 18-årsdagen.

Något hade utlöst galenskapen då hon var i 12-årsåldern.

Det fanns också andra luckor i hennes biografi.

Först upptäckte han till sin stora häpnad att Lisbeth Salander hade en tvillingsyster som det inte refererades till någonstans i det material han tidigare haft till sitt förfogande. *Min gud, det finns två av dem.* Men han kunde inte finna några anteckningar om vad som hade hänt med hennes syster.

Fadern var okänd och det saknades en förklaring till varför hennes mor inte längre hade kunnat ta hand om henne. Bjurman hade tidigare utgått från att hon blivit sjuk och att det var i samband med detta som hela processen med vistelser på barnpsyk hade inletts. Nu blev han övertygad om att någonting hade hänt Lisbeth Salander då hon var i 12–13-årsåldern. *Allt Det Onda.* Ett trauma av något slag. Men ingenstans framgick det vari Allt Det Onda bestod.

I den rättspsykiatriska undersökningen hittade han slutligen en referens till en bilaga som saknades – diarienumret till en polisutredning daterad 1991-03-12. Diarienumret var antecknat för hand i marginalen på den kopia han hade plockat fram i gömmorna på socialmyndigheten. Men när han försökte beställa den stötte han på patrull. Utredningen var hemligstämplad av Kungl. Majt. Han kunde överklaga hos regeringen.

Nils Bjurman var förbryllad. Att en polisutredning med anknytning till en 12-årig flicka var sekretessbelagd var i sig inte överraskande – det var normalt av integritetsskäl. Men han var Lisbeth Salanders förvaltare och hade rätt att begära ut vilket papper som helst om henne. Han kunde inte begripa varför en utredning skulle beläggas med en hemligstämpel av sådant slag att han måste ansöka hos regeringen om att få tillgång till den.

Automatiskt lämnade han in en ansökan. Det tog två månader att få den behandlad. Till sin oförställda häpnad fick han avslag. Han kunde inte begripa vad som var så dramatiskt i en snart femton år gammal polisutredning om en 12-årig flicka att den säkerhetsklassades som om det var nycklarna till Rosenbad.

Han gick tillbaka till Holger Palmgrens dagbok och läste om den rad för rad och försökte begripa vad som avsågs med Allt Det Onda. Men texten gav inga ledtrådar. Uppenbarligen var det ett ämne som avhandlats mellan Holger Palmgren och Lisbeth Salander men som han aldrig hade satt på pränt. Anteckningarna om Allt Det Onda kom också i slutet av den långa journalen. Det var möjligt att Palmgren helt enkelt aldrig hunnit göra några ordentliga anteckningar innan han drabbades av sin hjärnblödning.

Vilket ledde advokat Bjurmans tankar i nya banor. Holger Palmgren hade varit Lisbeth Salanders gode man från det att hon fyllde 13 år och hennes förvaltare från 18-årsdagen. Palmgren hade med andra ord varit närvarande kort efter att Allt Det Onda hade hänt och då Salander institutionaliserats på barnpsyk. Sannolikheten var alltså stor att han kände till vad som hade hänt.

Bjurman gick tillbaka till överförmyndarnämndens arkiv. Den här gången bad han inte om att få se handlingarna om Lisbeth Salander utan begärde fram Palmgrens uppdragsbeskrivning – ett beslut som fattats av socialnämnden. Han fick dokumentationen, som vid första anblicken var en besvikelse. Två sidor kortfattad information. Lisbeth Salanders mor var ej längre förmögen att sköta sina döttrars liv. På grund av speciella omständigheter måste döttrarna splittras. Camilla Salander placeras genom socialvården i en fosterfamilj. Lisbeth Salander placeras på S:t Stefans barnpsykiatriska klinik. Något alternativ diskuterades inte.

Varför? Bara en kryptisk formulering: *På grund av händelserna*

910312 har socialnämnden beslutat att ... Därefter återigen en referens till diarienumret på den mystiska sekretesstämplade polisutredningen. Men denna gång ytterligare en detalj – namnet på den polis som gjort utredningen.

Advokat Nils Bjurman stirrade häpet på namnet. Det var ett namn han kände till. Mycket väl.

Det ställde saker och ting i en helt ny dager.

Det hade tagit honom ytterligare två månader att på helt andra vägar få utredningen i sin hand – en kort och koncis polisutredning som omfattade 47 sidor i en A4-folder samt uppföljningar i form av anteckningar om sammanlagt drygt 60 sidor som infogats under en sex år lång period.

Först förstod han inte sammanhanget.

Sedan hittade han de rättsmedicinska bilderna och kontrollerade namnet igen.

Min gud ... det kan inte vara möjligt.

Han insåg plötsligt varför ärendet var hemligstämplat. Advokat Nils Bjurman hade fått en jackpot.

När han sedan uppmärksamt läste utredningen rad för rad insåg han att det fanns en annan människa i världen som hade orsak att hata Lisbeth Salander med samma passion som han själv.

Bjurman var inte ensam.

Han hade en allierad. Den mest osannolike allierade han kunde föreställa sig.

Han började långsamt formulera en plan.

NILS BJURMAN VÄCKTES UR sina funderingar när en skugga föll över bordet på Café Hedon. Han tittade upp och såg en blond ... *jätte* var det ord han slutligen stannade vid. Under tiondelen av en sekund ryggade han bakåt innan han återfick fattningen.

Mannen som tittade ned på honom var över två meter lång och kraftigt byggd. Exceptionellt kraftigt byggd. En kroppsbyggare utan tvivel. Bjurman kunde inte notera minsta tillstymmelse till fett eller slapphet. På det hela taget gav han ett skrämmande potent intryck.

Mannen var blond med snaggade tinningar och en kort lugg. Han hade ett ovalt, besynnerligt vekt, nästan barnsligt ansikte. De isblå ögonen var däremot inte veka. Han var klädd i en midjekort svart skinnjacka, en blå skjorta, svart slips och svarta byxor. Det sista advokat Bjurman registrerade var hans händer. Om mannen i övrigt var storväxt så var hans händer enorma.

"Advokat Bjurman?"

Han talade med en distinkt brytning men rösten var så förunderligt ljus att Bjurman för en sekund nästan drog på munnen. Han nickade.

"Vi fick ditt brev."

"Vem är du? Jag ville träffa …"

Mannen med de enorma händerna ignorerade frågan och satte sig mitt emot Bjurman och avbröt honom.

"Du får träffa mig istället. Förklara vad du vill."

Advokat Nils Erik Bjurman tvekade en stund. Han avskydde tanken på att behöva utlämna sig själv till en komplett främling. Men det var nödvändigt. Han påminde sig att han inte var den ende som hatade Lisbeth Salander. Det handlade om att hitta allierade. Med låg röst började han förklara sitt ärende.

KAPITEL 3

LISBETH SALANDER VAKNADE sju på morgonen, duschade och gick ned till Freddy McBain i receptionen och frågade om det fanns någon ledig Beach Buggy som hon kunde hyra för dagen. Tio minuter senare hade hon betalat depositionsavgiften, justerat sätet och backspegeln, provstartat och kontrollerat att det fanns bensin i tanken. Hon gick in i baren och beställde en caffe latte och en ostsmörgås till frukost, och en flaska mineralvatten att ta med. Hon ägnade frukosten åt att klottra siffror på en servett och grubbla över Pierre de Fermat ($x^3+y^3=z^3$).

Strax efter åtta kom dr Forbes ned till baren. Han var nyrakad och klädd i mörk kostym, vit skjorta och blå slips. Han beställde ägg, toast, apelsinjuice och svart kaffe. Halv nio reste han sig och gick till taxin som väntade.

Lisbeth följde efter på lämpligt avstånd. Dr Forbes lämnade taxin nedanför Seascape i början av The Carenage och promenerade längs vattnet. Hon körde förbi honom, parkerade vid mitten av hamnpromenaden och väntade tålmodigt till dess att han hade passerat innan hon följde efter.

Klockan ett var Lisbeth Salander genomdränkt i svett och hennes fötter var svullna. I fyra timmar hade hon vandrat gata upp och gata ned i Saint George's. Promenadtakten hade varit maklig men utan paus, och de många branta kullarna började fresta på hennes muskler. Hon häpnade över Forbes energi medan hon drack de sista dropparna mineralvatten. Hon hade precis börjat fundera på att ge upp hela projektet då han plötsligt styrde stegen mot The Turtleback. Hon gav honom tio minuter innan hon gick in på restaurangen och satte sig ute på verandan. De satt på exakt samma platser som dagen innan och precis som då drack han Coca-Cola medan han stirrade på vattnet i hamnen.

Forbes var en av de ytterst få människor i Grenada som var klädd i slips och kavaj. Lisbeth noterade att han tycktes oberörd av hettan.

Klockan tre störde han Lisbeths tankekedja genom att betala och lämna restaurangen. Han promenerade längs The Carenage och hoppade på en av minibussarna på väg ut till Grand Anse. Lisbeth parkerade utanför Keys Hotel fem minuter innan bussen släppte av honom. Hon gick till sitt rum och tappade upp kallt vatten och sträckte ut sig i badkaret. Hennes fötter ömmade. Hon lade pannan i djupa veck.

Dagens övningar hade gett ett tydligt besked. Dr Forbes lämnade hotellet nyrakad och stridsklädd med sin portfölj varje morgon. Han hade tillbringat dagen med att göra absolut ingenting mer än att slå ihjäl tid. Vad han än gjorde på Grenada så var det inte planering för att bygga en ny skola, men av någon anledning ville han ge sken av att han befann sig på ön i affärer.

Varför denna teater?

Den enda person han rimligen kunde ha anledning att dölja någonting för i sammanhanget var hans egen fru som skulle ges uppfattningen att han var strängt upptagen på dagarna. Men varför? Hade affärerna misslyckats och var han för stolt för att erkänna det? Hade han något helt annat syfte med besöket i Grenada? Väntade han på något eller någon?

LISBETH SALANDER HADE fått fyra mail då hon kontrollerade sin hotmail. Det första kom från Plague och hade skickats drygt en timme efter att hon hade mailat till honom. Meddelandet var krypterat och innehöll två ord som lakoniskt ställde frågan "lever du?" Plague hade aldrig varit mycket för att skriva långa känslosamma mail. Det hade å andra sidan inte Lisbeth heller.

De två följande mailen hade båda skickats vid tvåtiden på morgonen. Det ena var från Plague som skickade krypterad information om att en nätbekant med signaturen *Bilbo* som råkade vara bosatt i Texas hade nappat på hennes förfrågan. Plague bifogade Bilbos adress och PGP-nyckel. Några minuter senare hade signaturen Bilbo mailat henne från en hotmailadress. Meddelandet var kortfattat och innehöll bara informationen att Bilbo ämnade skicka data om dr Forbes inom det närmaste dygnet.

Det fjärde mailet var också från Bilbo och hade skickats sent på eftermiddagen. Det innehöll ett krypterat nummer till ett bankkonto och en ftp-adress. Lisbeth öppnade adressen och hittade en zip-fil på 390 kB som hon sparade och packade upp. Det var en folder bestående av fyra lågupplösta jpg-bilder och fem Word-dokument.

Två av bilderna var porträtt på dr Forbes, ett foto som hade tagits vid premiären till en teaterföreställning och visade Forbes tillsammans med sin fru. Den fjärde bilden visade Forbes i en talarstol i en kyrka.

Det första dokumentet innehöll elva sidor text och utgjorde Bilbos rapport. Det andra dokumentet innehöll 84 sidor text som lagrats ned från Internet. De två följande dokumenten var OCR-scannade tidningsklipp från lokaltidningen *Austin American-Statesman* och det sista dokumentet en översikt över dr Forbes församling, The Presbyterian Church of Austin South.

Bortsett från att Lisbeth Salander kunde Tredje Mosebok utantill – hon hade året innan haft orsak att studera den bibliska strafflagstiftningen – hade hon blygsamma kunskaper i religionshistoria. Hon hade en vag uppfattning om vari skillnaden mellan en judisk, en presbyteriansk och en katolsk kyrka bestod, bortsett från att den judiska kallades synagoga. Ett kort ögonblick fruktade hon att hon skulle bli tvungen att sätta sig in i de teologiska detaljerna. Sedan insåg hon att hon gav blanka katten i vilken sorts församling dr Forbes tillhörde.

Dr Richard Forbes, stundom omnämnd som *Reverend* Richard Forbes, var 42 år gammal. Presentationen på Church of Austin Souths hemsida på Internet visade att kyrkan hade sju anställda.

Rev. Duncan Clegg stod längst upp i förteckningen, vilket antydde att han var den kyrkans teologiske förgrundsfigur. Ett foto visade en kraftfull karl i yvigt grått hår och välansat grått skägg.

Richard Forbes förekom som tredje namn i förteckningen och ansvarade för utbildningsfrågor. Vid hans namn stod också *Holy Water Foundation* inom parentes.

Lisbeth läste inledningen till kyrkans budskap.

Genom bön och tacksägelser ska vi tjäna folket i Austin South genom att erbjuda den stabilitet, teologi och hoppfulla ideologi som Amerikas Presbyterianska kyrka värnar. Som Kristi tjänare erbjuder vi en fristad för människor i nöd och ett löfte om försoning genom bön och den baptistiska välsignelsen. Låt oss glädjas över Guds kärlek. Vår plikt är att avlägsna murarna mellan människor och undanröja hinder för en förståelse av Guds kärleksbudskap.

Omedelbart under introduktionen följde kontonumret till kyrkans bank och en uppmaning att omsätta sin kärlek till Gud i handling.

Bilbo hade levererat en utmärkt kort personbiografi över Richard Forbes. Ur denna kunde Lisbeth utläsa att Forbes var född i Cedar's Bluff i Nevada och hade arbetat som jordbrukare, affärsman, skolvärd, lokalkorrespondent för en tidning i New Mexico och manager för ett kristet rockband innan han vid 31 års ålder anslöt sig till Church of Austin South. Han var utbildad revisor och hade dessutom studerat arkeologi. Någon formell doktorstitel hade dock inte Bilbo kunnat finna.

I församlingen hade Forbes träffat Geraldine Knight, enda dotter till ranchägaren William F. Knight, även han tongivande medlem i Austin South. Richard och Geraldine hade gift sig 1997 varefter Richard Forbes karriär inom kyrkan skjutit fart. Han hade blivit chef för Santa Maria-stiftelsen, vars uppdrag bestod i att "investera Guds pengar i utbildningsprojekt bland de nödlidande".

Forbes hade arresterats vid två tillfällen. Vid 25 års ålder, 1987, hade han åtalats för vållande till grov kroppsskada i samband med en bilolycka. Han frikändes i rättegången. Så vitt Lisbeth kunde utläsa från pressklippen var han verkligen också oskyldig. 1995 hade han blivit stämd för att ha förskingrat pengar från det kristna rockband han var manager för. Även denna gång frikändes han.

I Austin hade han blivit en välbekant profil och medlem i stadens utbildningsnämnd. Han var medlem i Demokratiska partiet, deltog flitigt i välgörenhetstillställningar och samlade in pengar för att bekosta skolgång för barn i mindre bemedlade familjer. Church of Austin South fokuserade en stor del av sin mission på spansktalande familjer.

År 2001 hade anklagelser riktats mot Forbes för ekonomiska oegentligheter i samband med Santa Maria-stiftelsen. Enligt en tidningsartikel misstänktes Forbes ha placerat en större del av tillgångarna i avkastningsfonder än vad som stipulerades i stadgarna. Anklagelserna tillbakavisades av kyrkan, och pastor Clegg stod tydligt på Forbes sida i den debatt som följde. Inget åtal hade väckts och en revision gav inget att anmärka på.

Lisbeth ägnade eftertänksamt intresse åt redogörelsen för Forbes privatekonomi. Han hade en årlig inkomst om 60 000 dollar, vilket var att betrakta som en anständig lön, men hade inga personliga tillgångar. Den person i familjen som svarade för den ekonomiska stabiliteten var Geraldine Forbes. År 2002 hade hennes far avlidit. Dottern var ensam arvtagare till en förmögenhet på drygt 40 miljoner dollar. Paret hade inga barn.

Richard Forbes var följaktligen beroende av sin fru. Lisbeth rynkade ögonbrynen. Det var inget bra utgångsläge för att ägna sig åt hustrumisshandel.

Lisbeth kopplade upp sig på Internet och skickade ett fåordigt krypterat meddelande till Bilbo och tackade för rapporten. Hon överförde också 500 dollar till det kontonummer som Bilbo hade angett.

Hon gick ut på balkongen och lutade sig mot räcket. Solen var på väg att gå ned. En tilltagande vind ruskade om palmkronorna längs muren mot stranden. Grenada befann sig i utkanten av *Mathilda*. Hon följde Ella Carmichaels råd och packade ned datorn, *Dimensions in Mathematics*, några personliga tillhörigheter och ett ombyte kläder i en nylonbag och ställde den på golvet intill sängen. Därefter gick hon ned till baren och beställde fisk till middag och en flaska Carib.

Den enda händelsen av intresse var att dr Forbes, ombytt till gymnastikskor, ljus tennitröja och kortbyxor, ställde nyfikna frågor om Mathildas förehavanden till Ella Carmichael vid bardisken. Han tycktes inte vara oroad. Han hade ett kors i en guldlänk runt halsen och såg pigg och attraktiv ut.

LISBETH SALANDER VAR utmattad efter dagens tröstlösa rundvandring i Saint George's. Hon gick en kort promenad efter middagen, men det blåste kraftigt och temperaturen hade sjunkit märkbart. Istället drog hon sig tillbaka till sitt rum och kröp ned i sängen redan vid niotiden. Vinden rasslade utanför fönstret. Hon hade tänkt läsa en stund men somnade nästan omedelbart.

Lisbeth vaknade med ett ryck av ett rejält slammer. Hon kastade en blick på armbandsuret. Kvart över elva på kvällen. Hon vacklade upp ur sängen och öppnade dörren till balkongen. Vindstötarna som slog emot henne fick henne att ta ett steg tillbaka. Hon stödde sig mot dörrposten, tog ett försiktigt kliv ut på balkongen och såg sig omkring.

Några hängande lampor kring poolen pendlade fram och tillbaka och skapade ett dramatiskt skuggspel på gården. Hon såg att flera hotellgäster vaknat och stod vid öppningen i muren och spanade mot stranden. Andra höll till i närheten av baren. Då hon tittade norrut kunde hon se ljusen från Saint George's. Himlen var täckt av moln men det regnade inte. Hon kunde inte se havet i mörkret, men bruset från vågorna var betydligt högre än normalt. Temperaturen hade sjunkit ytterligare. För första gången sedan hon anlänt till Karibien kände hon plötsligt att hon huttrade.

Medan hon stod på balkongen bankade det kraftigt på hennes dörr. Hon svepte ett lakan runt kroppen och öppnade. Freddy McBain såg sammanbiten ut.

"Förlåt att jag stör men det tycks bli storm."

"Mathilda."

"Mathilda", bekräftade McBain. "Hon härjade tidigare i kväll utanför Tobago och vi har fått rapporter om stor förödelse."

Lisbeth gick igenom sina kunskaper om geografi och meteorologi.

Trinidad och Tobago låg ungefär två hundra kilometer sydost om Grenada. En tropisk storm kunde utan vidare bre ut sig på en radie av hundra kilometer och förflytta sitt centrum med en hastighet av trettio fyrtio kilometer i timmen. Vilket innebar att Mathilda vid det här laget kunde stå och knacka på dörren till Grenada. Allt berodde på vilken riktning den tog.

"Det är ingen omedelbar fara", fortsatte McBain. "Men vi tar det säkra före det osäkra. Jag vill att du packar ihop dina värdesaker i en väska och kommer ned till receptionen. Hotellet bjuder på kaffe och smörgåsar."

Lisbeth följde hans råd. Hon sköljde ansiktet för att vakna till, drog på sig jeans, kängor och en flanellskjorta och hängde nylonbagen över axeln. Just innan hon lämnade rummet gick hon tillbaka och öppnade badrumsdörren och tände belysningen. Den gröna ödlan syntes inte till, den måste ha försvunnit ned i någon håla. Klok flicka.

I baren släntrade hon över till sin vanliga plats och betraktade hur Ella Carmichael dirigerade sin personal att fylla termosflaskor med varm dryck. Efter en stund kom hon över till Lisbeths hörna.

"Hej. Du ser nyvaken ut."

"Jag hade somnat. Vad händer nu?"

"Vi avvaktar. Det är full storm ute till havs och vi har fått orkanlarm från Trinidad. Om det blir värre och Mathilda kommer åt det här hållet så går vi ned i källaren. Kan du hjälpa till?"

"Vad ska jag göra?"

"Vi har 160 filtar i receptionen som måste bäras ned i källaren. Och vi har en mängd saker vi måste stuva undan."

Den närmaste stunden hjälpte Lisbeth till med att bära ned filtar i källaren och samla ihop blomkrukor, bord, solstolar och annat löst som fanns runt poolen. När Ella var nöjd och gav henne ledigt släntrade hon bort till öppningen i muren mot stranden och tog några steg ut i mörkret. Havet dånade hotfullt och kastbyar slet i henne så kraftigt att hon var tvungen att ta spjärn med fötterna för att stå säkert. Palmerna längs muren svajade betänkligt.

Hon gick tillbaka in till baren och beställde en caffe latte och satte sig vid bardisken. Klockan var strax efter midnatt. Det rådde en tydlig stämning av oro bland hotellgäster och personal. Runt borden pågick lågmälda samtal medan folk med jämna mellanrum sneglade mot himlen. Sammanlagt fanns trettiotvå gäster och ett tiotal personer ur personalen på Keys Hotel. Lisbeth noterade plötsligt Geraldine Forbes vid ett bord längst in vid receptionen. Hon hade ett spänt ansiktsuttryck och en drink i handen. Hennes man syntes inte till.

LISBETH DRACK KAFFE och hade åter börjat meditera över Fermats teorem när Freddy McBain kom ut från kontoret och ställde sig mitt i receptionen.

"Kan jag få er uppmärksamhet. Jag har just fått besked om att en storm av orkanstyrka har drabbat Petit Martinique. Jag vill be samtliga att gå ned i källaren omedelbart."

Freddy McBain klippte alla försök till frågor och samtal och dirigerade sina gäster mot källartrappan bakom receptionen. Petit Martinique var en liten ö som tillhörde Grenada några sjömil norr om huvudön. Lisbeth sneglade på Ella Carmichael och spetsade öronen när hon gick fram till Freddy McBain.

"Hur illa är det?" frågade Ella.

"Jag vet inte. Telefonen slutade att fungera", svarade McBain med låg röst.

Lisbeth gick ned i källaren och placerade sin väska på en filt i ett hörn. Hon funderade en stund och gick därefter tillbaka mot strömmen upp till receptionen. Hon fångade upp Ella Carmichael och frågade om det var något mer hon kunde hjälpa till med. Ella skakade sammanbitet på huvudet.

"Vi får se vad som händer. Mathilda är en bitch."

Lisbeth noterade en klunga med fem vuxna och ett tiotal barn som skyndade in genom entrédörren. Freddy McBain tog emot dem och dirigerade dem mot källartrappan.

Lisbeth drabbades plötsligt av en orolig tanke.

"Jag antar att varenda människa dyker ned i någon källare just nu?" frågade hon med låg röst.

Ella Carmichael tittade efter familjen vid källartrappan.

"Dessvärre är det här en av de få källarna längs Grand Anse. Det kommer nog fler som vill söka skydd här."

Lisbeth tittade skarpt på Ella.

"Vad gör de andra?"

"De som inte har källare?" Hon skrattade bittert. "De trycker inne i husen eller söker skydd i något skjul. De måste förlita sig på Gud."

Lisbeth vände på klacken och sprang genom receptionen och ut genom entrédörren.

George Bland.

Hon hörde Ella ropa efter henne men stannade inte för att förklara.

Han bor i ett jävla skjul som kommer att rasa vid första vindpust.

Så fort hon kom ut på vägen från Saint George's svajade hon till i blåsten som ryckte i hennes kropp. Hon började envist jogga. Hon mötte en kraftig motvind med byar som fick henne att vackla. Det tog nästan tio minuter att avverka de dryga fyra hundra metrarna till George Blands hem. Hon såg inte en levande varelse på hela vägen.

REGNET KOM FRÅN ingenstans som en iskall dusch från en vattenslang i samma ögonblick som hon svängde upp mot George Blands skjul och såg skenet från hans fotogenlampa genom en glipa i fönstret. Hon var genomdränkt på någon sekund och sikten minskade till några meter. Hon hamrade på hans dörr. George Bland öppnade med vitt uppspärrade ögon.

"Vad gör du här?" skrek han för att överrösta vinden.

"Kom. Du måste till hotellet. Det finns en källare."

George Bland såg häpen ut. Vinden slog plötsligt igen dörren och det dröjde flera sekunder innan han kunde pressa upp den igen. Lisbeth tog tag i hans t-tröja och slet ut honom. Hon strök vatten ur ansiktet och grep hans hand och började springa. Han följde med.

De valde vägen längs stranden, drygt hundra meter kortare än landsvägen som gjorde en kraftig båge inåt land. När de hade kommit halvvägs insåg Lisbeth att det förmodligen hade varit ett misstag. På stranden hade de inget skydd alls. Vind och regn slet i dem så kraftigt att de var tvungna att stanna flera gånger. Sand och kvistar flög genom luften. Det dånade förfärligt. Efter vad som tycktes vara en evighet såg Lisbeth äntligen hotellmuren materialisera sig och hon skyndade på sina steg. Just då de äntligen var framme vid porten och löftet om säkerhet sneglade hon över axeln längs stranden. Hon tvärstannade.

GENOM EN REGNBY såg hon plötsligt två ljusa skepnader drygt femtio meter bort nere på stranden. George Bland slet i hennes arm för att dra in henne genom porten. Hon släppte hans hand och tog stöd mot muren medan hon försökte fokusera blicken. Under någon sekund förlorade hon skepnaderna ur sikte i regnet, sedan lystes hela himlen upp av en blixt.

Hon visste redan att det var Richard och Geraldine Forbes. De befann sig på ungefär den plats där hon kvällen innan hade observerat Richard Forbes vandra fram och tillbaka.

När nästa blixt sprakade till såg hon att Richard Forbes tycktes släpa sin fru som stretade emot.

Plötsligt föll pusselbitarna på plats. Det ekonomiska beroendet. Anklagelserna om ekonomiska oegentligheter i Austin. Hans oroliga vandrande och stillasittande grubbel på The Turtleback.

Han tänker mörda henne. Fyrtio miljoner i potten. Stormen är hans kamouflage. Nu har han sin chans.

Lisbeth Salander knuffade in George Bland genom porten och såg sig omkring och hittade den rangliga pinnstol som nattvakten brukade sitta på och som inte hade blivit bortstädad inför stormen. Hon grabbade tag i möbeln, splittrade den med full kraft mot muren och beväpnade sig med ett stolsben. George Bland skrek häpet efter henne då hon satte fart ut på stranden.

Hon vräktes nästan omkull i stormbyarna men bet ihop och arbetade sig framåt steg för steg. Hon var nästan framme vid paret Forbes då nästa blixt lyste upp stranden och hon såg Geraldine Forbes på knä vid vattenbrynet. Richard Forbes stod böjd över henne med armen höjd till slag och med något som såg ut som ett järnrör i handen. Hon såg hans arm förflytta sig i en båge ned mot sin frus huvud. Hon slutade sprattla.

Richard Forbes hann aldrig se Lisbeth Salander.

Hon knäckte stolsbenet över hans bakhuvud och han föll framstupa.

Lisbeth Salander böjde sig ned och tog tag i Geraldine Forbes. Medan regnet piskade över dem vände hon på kroppen. Hennes händer var plötsligt blodiga. Geraldine Forbes hade ett kraftigt sår på hjässan. Hon var tung som bly och Lisbeth såg sig desperat omkring samtidigt som hon funderade på hur hon skulle kunna transportera kroppen upp till hotellmuren. I nästa ögonblick dök George Bland upp vid hennes sida. Han skrek något som Lisbeth inte kunde uppfatta i stormen.

Lisbeth sneglade mot Richard Forbes. Han hade ryggen mot henne men hade rest sig på alla fyra. Hon tog Geraldine Forbes vänstra arm och lade den runt sin nacke och tecknade åt George Bland att ta hennes andra arm. De började mödosamt släpa kroppen över stranden.

Halvvägs upp till hotellmuren kände sig Lisbeth fullständigt utmattad, som om all kraft hade runnit ut ur hennes kropp. Hennes hjärta slog ett dubbelslag då hon plötsligt kände en hand som grep tag i hennes axel. Hon tappade greppet om Geraldine Forbes och vred sig runt och sparkade Richard Forbes i skrevet. Han snubblade ned på knä. Hon tog sats och sparkade honom i ansiktet. Därefter mötte hon George Blands skräckslagna blick. Lisbeth ägnade honom en halv sekunds uppmärksamhet innan hon åter tog tag i Geraldine Forbes och började släpa.

Efter några sekunder vred hon åter på huvudet. Richard Forbes stapplade tio steg bakom dem men svajade fram och tillbaka som en drucken i kastvindarna.

En ny blixt klöv himlen och Lisbeth Salander spärrade upp ögonen.

För första gången kände hon en paralyserande skräck.

Bakom Richard Forbes, hundra meter ut i vattnet, såg hon Guds finger.

En frusen ögonblicksbild i skenet av blixten, en kolsvart pelare som tornade upp sig och försvann ur hennes synfält upp i rymden.

Mathilda.

Det är inte möjligt.

En orkan – ja.

En tornado – omöjligt.

Grenada är inte något tornadoområde.

En freakstorm i ett område där tornados inte ska kunna uppstå.

Tornados kan inte formas över vatten.

Det är vetenskapligt fel.

Det är något unikt.

Den har kommit för att ta mig.

George Bland hade också sett tornadon. De skrek i munnen på varandra att skynda, utan att kunna uppfatta vad den andra sa.

Tjugo meter kvar till muren. Tio. Lisbeth snubblade och gick ned på knä. Fem. Vid porten kastade Lisbeth en sista blick över axeln. Hon såg en skymt av Richard Forbes just då han drogs ut i vattnet som av en osynlig hand och försvann. Tillsammans med George Bland släpade hon sin börda in genom porten. De vacklade över bakgården och genom stormen hörde Lisbeth ljudet av fönsterrutor som splittrades och en skärande klagan av plåt som vek sig. En planka flög genom luften mitt framför Lisbeths näsa. I nästa sekund kände hon smärta då något träffade henne i ryggen. Trycket från vinden minskade när de nådde receptionen.

Lisbeth hejdade George Bland och grabbade tag i hans krage. Hon drog hans huvud intill sin mun och skrek i hans öra.

”Vi hittade henne på stranden. Vi har inte sett hennes man. Har du förstått?”

Han nickade.

De släpade Geraldine Forbes nedför trappan och Lisbeth sparkade på källardörren. Freddy McBain öppnade och stirrade på dem. Sedan tog han tag i deras börda och slet in dem innan han slog igen dörren.

Larmet från stormen sjönk på en sekund från ett outhärdligt dån till ett knakande och rumlande i bakgrunden. Lisbeth drog ett djupt andetag.

ELLA CARMICHAEL HÄLLDE upp varmt kaffe i en mugg och räckte fram den. Lisbeth Salander var så utmattad att hon knappt orkade lyfta armen. Hon satt helt passiv på golvet lutad mot väggen. Någon hade svept filtar runt både henne och George Bland. Hon var genomvåt och blödde kraftigt från ett jack alldeles under knäskålen. Hon hade en decimeterlång reva i jeansen som hon inte hade något minne av hur hon hade fått. Hon betraktade ointresserat hur Freddy McBain och några hotellgäster arbetade med Geraldine Forbes och lade bandage runt hennes huvud. Hon uppfattade lösryckta ord och förstod att någon i sällskapet var läkare. Hon noterade att det var fullsatt i källaren och att hotellgästerna hade kompletterats med folk utifrån som sökt skydd.

Till sist kom Freddy McBain fram till Lisbeth och satte sig på huk.

"Hon lever."

Lisbeth svarade inte.

"Vad hände?"

"Vi hittade henne på stranden utanför muren."

"Jag saknade tre personer då jag räknade in gästerna här nere i källaren. Du och paret Forbes. Ella sa att du hade sprungit ut som en galning just då stormen kom."

"Jag sprang för att hämta min vän George." Lisbeth nickade mot sin kamrat. "Han bor längre ned på vägen i ett skjul som förmodligen inte står kvar längre."

"Det var dumt men väldigt modigt", sa Freddy McBain och sneglade på George Bland. "Såg ni hennes make, Richard Forbes?"

"Nej", svarade Lisbeth med en neutral blick. George Bland sneglade på Lisbeth och skakade på huvudet.

Ella Carmichael lade huvudet på sned och gav Lisbeth Salander en skarp blick. Lisbeth tittade tillbaka med uttryckslösa ögon.

Geraldine Forbes vaknade till liv vid tretiden på morgonen. Lisbeth Salander hade vid det laget somnat med huvudet lutat mot George Blands axel.

PÅ NÅGOT MIRAKULÖST sätt hade Grenada överlevt natten. När gryningen kom hade stormen bedarrat och ersatts av det värsta ös-regn Lisbeth Salander någonsin upplevt. Freddy McBain släppte upp gästerna ur källaren.

Keys Hotel skulle tvingas genomgå en större renovering. Förödel-sen på hotellet, liksom längs hela kusten, var omfattande. Ella Car-michaels utomhusbar vid poolen hade helt försvunnit och en veran-da var fullständigt demolerad. Fönsterluckor hade skalats bort längs hela fasaden, och taket på en utskjutande del av hotellet hade vikt sig. Receptionen var ett kaos av bråte.

Lisbeth tog George Bland med sig och vacklade till sitt rum. Hon hängde provisoriskt upp en filt över den tomma fönsteröppningen för att hålla regnet ute. George Bland mötte hennes blick.

"Det blir mindre att förklara om vi inte har sett hennes man", sa Lisbeth innan han hunnit ställa några frågor.

Han nickade. Hon drog av sig sina kläder och släppte dem i en hög på golvet och klappade på sängkanten intill sig. Han nickade igen och klädde av sig och kröp ned intill henne. De somnade näs-tan omedelbart.

Då hon vaknade mitt på dagen sken solen genom revor i molnen. Hon hade ont i varje muskel i kroppen och hennes knä hade svullnat så pass att hon hade svårt att böja benet. Hon smög upp ur sängen och ställde sig i duschen och såg på den gröna ödlan som var tillbaka på väggen. Hon satte på sig shorts och linne och haltade ut ur rum-met utan att väcka George Bland.

Ella Carmichael var fortfarande på fötter. Hon såg trött ut men hade fått igång baren inne i receptionen. Lisbeth satte sig vid ett kafé-bord intill bardisken och beställde kaffe och bad om en smörgås. Hon sneglade genom de utblåsta fönstren vid entrén och såg en polis-bil parkerad. Hon hade precis hunnit få kaffet då Freddy McBain kom ut från sitt kontor vid incheckningsdisken med en uniformerad polis i släptåg. McBain upptäckte henne och sa något till polisman-nen innan de styrde över till Lisbeths bord.

"Det här är konstapel Ferguson. Han vill ställa några frågor."

Lisbeth nickade artigt. Konstapel Ferguson såg trött ut. Han tog upp block och penna och antecknade Lisbeths namn.

"Miss Salander, jag har förstått att du och en vän hittade mrs Richard Forbes under orkanen i går natt."

Lisbeth nickade.

"Var hittade ni henne?"

"På stranden strax nedanför porten", svarade Lisbeth. "Vi snubblade praktiskt taget över henne."

Ferguson antecknade.

"Sa hon någonting?"

Lisbeth skakade på huvudet.

"Hon var medvetslös?"

Lisbeth nickade förnuftigt.

"Hon hade ett otäckt sår i huvudet."

Lisbeth nickade igen.

"Du vet inte hur hon fick skadan?"

Lisbeth skakade på huvudet. Ferguson såg en smula irriterad ut över hennes brist på repliker.

"Det flög rätt mycket bråte genom luften", sa hon hjälpsamt. "Jag fick nästan en planka i huvudet."

Ferguson nickade allvarligt.

"Du är skadad i benet?"

Ferguson pekade på Lisbeths bandage.

"Vad hände?"

"Jag vet inte. Jag såg såret först när jag kom ned i källaren."

"Du var tillsammans med en ung man."

"George Bland."

"Var bor han?"

"I skjulet bakom The Coconut en bit på vägen mot flygplatsen. Om skjulet står kvar, vill säga."

Lisbeth underlät att förklara att George Bland för ögonblicket sov i hennes säng en trappa upp.

"Såg ni till hennes make, Richard Forbes?"

Lisbeth skakade på huvudet.

Konstapel Ferguson kunde uppenbarligen inte komma på någon ytterligare fråga att ställa och slog ihop blocket.

"Tack miss Salander. Jag måste skriva en rapport om dödsfallet."

"Har hon dött?"

"Mrs Forbes ...? Nej, hon befinner sig på sjukhuset i Saint George's. Hon kan förmodligen tacka dig och din kamrat för att hon lever. Men hennes make är död. Han hittades på en parkeringsplats på flygplatsen för två timmar sedan."

Drygt sex hundra meter längre söderut.

"Han var mycket illa tilltygad", förklarade Ferguson.

"Tråkigt", sa Lisbeth Salander utan större tecken på chock.

När McBain och konstapel Ferguson hade avlägsnat sig kom Ella Carmichael fram och slog sig ned vid Lisbeths bord. Hon ställde fram två shotsglas med rom. Lisbeth såg frågande på henne.

"Efter en sådan här natt behöver man något att stärka sig med. Jag bjuder. Jag bjuder på hela frukosten."

De två kvinnorna tittade på varandra. Sedan lyfte de glasen och skålade.

MATHILDA SKULLE UNDER lång tid framåt bli föremål för vetenskapliga studier och diskussioner bland meteorologiska institutioner i Karibien och USA. Tornados av Mathildas omfång var i det närmaste okända i regionen. Det ansågs teoretiskt omöjligt att de ens kunde bildas över vatten. Så småningom enades experten om att en särdeles besynnerlig konstellation av väderfronter hade samverkat för att skapa en "pseudotornado" – något som egentligen inte var en riktig tornado utan bara såg ut att vara det. Dissidenter framförde teorier om växthuseffekten och en rubbad ekologisk balans.

Lisbeth Salander brydde sig inte om den teoretiska diskussionen. Hon visste vad hon hade sett och beslutade sig för att i all framtid försöka undvika att hamna i vägen för något av Mathildas syskon.

Flera människor hade skadats under natten. Mirakulöst nog hade endast en människa omkommit.

Ingen kunde begripa vad som hade förmått Richard Forbes att ge sig ut mitt i en full orkan, mer än möjligen det oförstånd som alltid tycktes prägla amerikanska turister. Geraldine Forbes kunde inte bistå med någon förklaring. Hon hade en svår hjärnskakning och osammanhängande minnesbilder av händelserna under natten.

Däremot var hon otröstlig över att ha blivit änka.

DEL 2

FROM RUSSIA WITH LOVE

10 januari–23 mars

Vanligen innehåller en ekvation en eller flera s.k. obekanta, ofta betecknade med x, y, z osv. De värden på de obekanta som gör att likhet mellan ekvationens bägge led verkligen föreligger sägs satisfiera (gottgöra, tillfredsställa) ekvationen eller utgöra lösning till den.

Exempel: $3x+4=6x-2 (x=2)$

KAPITEL 4
MÅNDAG 10 JANUARI–TISDAG 11 JANUARI

LISBETH SALANDER LANDADE på Arlanda halv sju på morgonen. Hon hade tillbringat tjugosex timmar på resande fot, varav hela nio timmar på Grantly Adams Airport på Barbados. British Airways hade vägrat släppa iväg planet innan ett möjligt terroristhot hade avvärjts och en passagerare med arabiskt utseende hade tagits in till förhör. När hon anlände till Gatwick i London hade hon missat anslutningen till sista flyget till Sverige och fått vänta i timmar innan hon blev ombokad nästa morgon.

Lisbeth kände sig som en påse bananer som legat i solen för länge. Hon hade bara handbagage med sin PowerBook, *Dimensions* och ett ombyte kläder hårt stuvat. Hon passerade oantastad genom det gröna stråket vid tullen. När hon kom ut till flygbussarna hälsades hon välkommen hem av ett nollgradigt snöslask.

En kort stund tvekade hon. I hela sitt liv hade hon varit tvungen att välja det billigaste alternativet och hon hade fortfarande svårt att vänja sig vid tanken att hon förfogade över knappt tre miljarder kronor som hon egenhändigt hade stulit i en kombinerad Internetkupp och gammalt hederligt bedrägeri. Efter någon minut struntade hon i regelboken och viftade efter en taxi. Hon uppgav adressen till Lundagatan och somnade nästan omedelbart i baksätet.

Det var först då taxin stannade på Lundagatan och chauffören puffade på henne som hon insåg att hon hade givit honom fel adress. Hon korrigerade och bad taxin fortsätta till Götgatsbacken. Hon gav ordentligt med dricks i amerikanska dollar och svor till då hon satte foten i en vattenpöl i rännstenen. Hon var klädd i jeans, t-tröja och en tunn tygjacka. Hon hade sandaler och tunna kortstrumpor på fötterna. Hon vacklade över till 7-Eleven där hon handlade schampo, tandkräm, tvål, filmjölk, mjölk, ost, ägg, bröd, frysta kanelbullar, kaffe, Liptons tepåsar, inlagd gurka, äpplen, ett storpack Billys Pan Pizza och en limpa Marlboro Light. Hon betalade med Visakort.

När hon kom ut på gatan igen tvekade hon om vilken väg hon skulle välja. Hon kunde välja Svartensgatan upp eller Hökens gata en bit ned mot Slussen. Nackdelen med Hökens gata var att hon då måste passera omedelbart utanför porten till *Millenniums* redaktion och att hon därmed skulle riskera att springa ihop med Mikael Blomkvist. Till sist bestämde hon sig för att hon inte tänkte gå några omvägar för att undvika honom. Hon promenerade följaktligen mot Slussen trots att det egentligen var lite längre och vek av till höger via Hökens gata upp till Mosebacke torg. Hon sneddade förbi statyn med Systrarna framför Södra teatern och tog trapporna upp till Fiskargatan. Hon hejdade sig och betraktade eftertänksamt huset. Det kändes inte riktigt som "hemma".

Hon såg sig omkring. Det var en isolerad avkrok mitt på Södermalm. Det fanns ingen genomfartstrafik, vilket passade henne förträffligt. Det var lätt att observera vilka som rörde sig i omgivningen. Det var förmodligen ett populärt promenadstråk sommartid, men på vintern handlade det bara om personer som hade ärenden i kvarteret. Inte en människa syntes till – framför allt ingen hon kände igen och som därmed rimligen kunde känna igen henne. Lisbeth ställde ned kassen i snömodden för att gräva fram nyckeln. Hon åkte till översta våningen och låste upp dörren med namnskylten V. Kulla.

EN AV LISBETHS första åtgärder då hon plötsligt hade kommit i besittning av en stor summa pengar och därmed blivit ekonomiskt oberoende resten av livet (eller så länge som knappa tre miljarder kronor kunde tänkas räcka) var att se sig om efter en ny bostad. Lägenhetsaffärer hade varit en ny erfarenhet för henne. Hon hade aldrig tidigare i sitt liv investerat pengar i något större än enstaka bruksföremål som hon kunde betala kontant eller efter en rimlig avbetalningsplan. De största enskilda utläggen i hennes bokföring hade tidigare varit datorer av olika slag och hennes lättviktiga Kawasaki. Den sistnämnda hade hon köpt för 7 000 kronor – ett rent vrakpris. Hon hade köpt reservdelar för ungefär lika mycket och ägnat flera månader till att egenhändigt skruva isär och ställa i ordning motorcykeln. Hon hade önskat sig en bil men hade tvekat att köpa någon eftersom hon inte riktigt vetat hur hon skulle få ihop ekonomin.

En lägenhet, insåg hon, var en affär i en aningen större storleksklass. Hon hade börjat med att läsa lägenhetsannonserna i nätupplagan av *Dagens Nyheter*, vilket hon snart upptäckte var en vetenskap i sig.

2 rok + matrum, fantastiskt läge nära S:a Station. P: 2,7 mkr el hb. Avg. 5 510 mån.

3 rok, utsikt m park, Högalid. 2,9 mkr

2,5 rok, 47 kvm, renoverat badrum, Stambyte 1998. Gotlandsgat. 1,8 mkr. Månavg: 2 200.

Hon hade kliat sig i huvudet och provat att ringa på några annonser på måfå, men utan att veta vad hon skulle fråga efter. Snart hade hon känt sig så fånig att hon avbrutit övningarna. Istället hade hon gett sig ut första söndagen i januari och besökt två lägenhetsvisningar. Den ena lägenheten låg på Vindragarvägen på Reimersholme och den andra på Heleneborgsgatan nära Hornstull. Lägenheten på Reimers var en ljus fyrarummare i ett punkthus med utsikt mot Långholmen och Essingen. Där skulle hon kunna trivas. Lägenheten på Heleneborgsgatan var ett kyffe med utsikt mot grannhuset.

Problemet var att hon faktiskt inte visste var hon ville bo, hur hennes bostad skulle se ut och vilka krav hon som köpare borde ställa på sitt hem. Hon hade aldrig tidigare funderat över något alternativ till de 47 kvadrat på Lundagatan där hon tillbringat sin barndom och som hon genom sin dåvarande förvaltare Holger Palmgren hade fått besittningsrätt till efter 18-årsdagen. Hon slog sig ned i den noppiga soffan i sitt kombinerade arbets- och vardagsrum och grubblade.

Lägenheten på Lundagatan låg på en innergård och var trång och

77

otrivsam. Utsikten från sovrummet var en brandvägg i en gavelfasad. Utsikten från köket var gatuhusets baksida och entrén till ett källarförråd. Från vardagsrummet kunde hon se en gatlykta och några grenar på en björk.

Det första kravet blev således att hennes nya bostad skulle ha någon form av utsikt.

Hon saknade balkong och hade alltid avundats mer välbeställda grannar högre upp i huset som tillbringade varma sommardagar med en kall öl under en markis på balkongen. Det andra kravet blev att hennes nya bostad skulle ha en balkong.

Hur skulle lägenheten se ut? Hon funderade på Mikael Blomkvists lägenhet – 65 kvadrat i ett enda stort rum i en ombyggd vindsvåning på Bellmansgatan och med utsikt mot Stadshuset och Slussen. Hon hade trivts där. Hon ville ha en hemtrevlig, lättmöblerad och lättskött lägenhet. Det blev den tredje punkten på kravlistan.

I åratal hade hon varit trångbodd. Hennes kök var drygt tio kvadratmeter där hon fick plats med ett litet köksbord och två stolar. Vardagsrummet var tjugo kvadrat. Sovrummet var tolv. Hennes fjärde krav blev att den nya bostaden skulle ha gott om utrymme och flera garderober. Hon ville ha ett riktigt arbetsrum och ett stort sovrum där hon kunde bre ut sig.

Hennes badrum var en fönsterlös skrubb med fyrkantiga grå cementplattor på golvet, ett klumpigt sittbadkar och en plasttapet som aldrig blev riktigt ren hur mycket hon än skrubbade. Hon ville ha kakel och ett stort badkar. Hon ville ha en tvättmaskin i lägenheten och inte i någon unken källare. Hon ville att det skulle dofta fräscht i badrummet och hon ville kunna vädra.

Därefter hade hon gått ut på Internet och undersökt utbudet av mäklare. Morgonen därpå hade hon klivit upp tidigt och besökt Nobelmäklarna, det företag som enligt somliga hade det bästa anseendet i Stockholm. Hon hade varit klädd i slitna svarta jeans, kängor och sin svarta skinnjacka. Hon hade ställt sig vid en disk och förstrött betraktat en blond kvinna i 35-årsåldern som just loggade in på Nobelmäklarnas hemsida på Internet och började lägga in bilder på lägenheter. Slutligen hade en rundnätt man i 40-årsåldern med tunt rött hår kommit fram till Lisbeth. Hon hade frågat vilka lägenheter han hade i sortimentet. Han hade sett häpet på henne en kort stund och därefter anlagt en roat farbroderlig ton.

"Jaha, min unga dam, vet föräldrarna om att du tänker flytta hemifrån?"

Lisbeth Salander hade betraktat honom under tystnad och med kall blick till dess att han slutat småskratta.

"Jag behöver en lägenhet", förtydligade hon.

Han harklade sig och sneglade på sin kollega.

"Jag förstår. Och vad hade du tänkt dig?"

"Jag vill ha en lägenhet på Söder. Den ska ha balkong och utsikt mot vatten, minst fyra rum och badrum med fönster och plats för tvättmaskin. Och det ska finnas ett låsbart förrådsutrymme där jag kan förvara en motorcykel."

Kvinnan vid datorn hade avbrutit sin verksamhet och nyfiket vridit på huvudet för att stirra på Lisbeth.

"Motorcykel?" hade den tunnhårige mannen frågat.

Lisbeth Salander hade nickat.

"Får jag fråga … äääh, vad du heter?"

Lisbeth Salander hade presenterat sig. Hon hade frågat vad han hette och han hade presenterat sig som Joakim Persson.

"Nu är det så att det kostar lite pengar att köpa en bostadsrätt här i Stockholm …"

Lisbeth hade inte svarat honom. Hon hade frågat vilka lägenheter han hade i utbudet, och upplysningen att det kostade pengar var överflödig och irrelevant.

"Vad arbetar du med?"

Lisbeth funderade en stund. Formellt var hon egenföretagare. I praktiken arbetade hon bara åt Dragan Armanskij och Milton Security, men det hade varit väldigt oregelbundet hela det sistlidna året och hon hade inte gjort något jobb åt honom på tre månader.

"Jag arbetar inte med något särskilt just nu", svarade hon sanningsenligt.

"Nähä … du går i skolan antar jag."

"Nej, jag går inte i skolan."

Joakim Persson hade kommit runt disken och vänligt lagt sin arm runt Lisbeths axlar och varligt lett henne mot ytterdörren.

"Ja du, unga dam, du är hjärtligt välkommen tillbaka om några år, men då får du nog ta med dig *lite* mer pengar än vad som ryms i spargrisen. Du förstår, veckopengen räcker nog inte riktigt till här." Han nöp henne godmodigt i kinden. "Så återkom gärna så ska vi nog hitta en liten lya även till dig."

Lisbeth Salander hade stått kvar på gatan utanför Nobelmäklarna i flera minuter. Hon undrade eftertänksamt vad Joakim Persson skulle tycka om att få en molotovcocktail genom skyltfönstret. Sedan hade hon gått hem och startat sin PowerBook.

Det tog henne tio minuter att hacka Nobelmäklarnas interna datanätverk med hjälp av de lösenord som hon förstrött observerat att kvinnan bakom disken hade knappat in innan hon börjat lägga in bilder. Det tog drygt tre minuter att inse att den dator som kvinnan arbetat på faktiskt också var företagets nätverksserver – *hur korkad får man bli?* – och ytterligare tre minuter att skaffa sig tillgång till samtliga fjorton datorer som ingick i nätverket. Efter drygt två timmar hade hon gått igenom Joakim Perssons bokföring och konstaterat att han hade undanhållit skattemyndigheten närmare 750 000 kronor i svarta pengar de senaste två åren.

Hon laddade ned alla nödvändiga filer och mailade dem till skattemyndigheten från ett anonymt e-postkonto på en server i USA. Därefter jagade hon bort Joakim Persson ur sina tankar.

Återstoden av dagen gick hon igenom Nobelmäklarnas utbud av prisvärda objekt. Det dyraste objektet var ett mindre slott utanför Mariefred, där hon inte hade ringaste lust att bosätta sig. På pin kiv valde hon istället det näst dyraste objektet i företagets utbud, en storslagen lägenhet vid Mosebacke torg.

Hon ägnade en lång stund åt att granska bilder och titta på planen. Till sist konstaterade hon att lägenheten vid Mosebacke mer än väl uppfyllde alla krav hon hade på sin lista. Lägenheten hade tidigare ägts av en direktör på ABB som försvunnit i marginalen sedan han skaffat sig en uppmärksammad och kritiserad fallskärm på någon miljard.

På kvällen lyfte hon telefonluren och ringde till Jeremy MacMillan, delägare i advokatbyrån MacMillan & Marks i Gibraltar. Hon hade gjort affärer med MacMillan tidigare. Mot en frikostig ersättning hade han startat ett antal brevlådeföretag som stod som ägare till de konton som förvaltade den förmögenhet hon ett år tidigare hade stulit från finansmannen Hans-Erik Wennerström.

Hon anlitade på nytt MacMillans tjänster. Den här gången gav hon honom instruktioner att för hennes företags räkning, Wasp Enterprises, inleda förhandlingar med Nobelmäklarna och inköpa den åtråvärda lägenheten på Fiskargatan vid Mosebacke. Förhandlingarna tog fyra dagar och notan slutade på en summa som fick henne att höja på ögonbrynen. Plus fem procent i arvode till MacMillan. Innan veckan var slut hade hon flyttat över två kartonger med kläder, sänglinnen, en madrass och lite köksutrustning. Hon hade sovit på en madrass i lägenheten i drygt tre veckor medan hon undersökt kliniker för plastikkirurgi, avslutat en del ouppklarade byråkratiska affärer (däribland ett nattligt samtal med en viss advokat Nils Bjurman) samt betalat förskott på hyror, elräkningar och andra löpande utgifter.

DÄREFTER HADE HON bokat sin resa ned till kliniken i Italien. När behandlingen var avslutad och hon skrivits ut från kliniken hade hon suttit på ett hotellrum i Rom och funderat över vad hon skulle göra. Hon borde ha återvänt till Sverige och tagit itu med sitt liv, men av flera orsaker tog det emot att ens tänka på Stockholm.

Hon hade inget riktigt yrke. Hon såg ingen framtid på Milton Security. Det var inte Dragan Armanskijs fel. Han ville nog gärna att hon skulle bli fast anställd och en effektiv kugge i företaget, men vid 25 års ålder saknade hon utbildning och hon hade ingen lust att upptäcka att hon skulle fylla 50 år och fortfarande knåpade med personundersökningar av slynglar i vd-världen. Det var en roande hobby – inte en livsuppgift.

En annan orsak till att hon drog sig för att återvända till Stockholm stavades Mikael Blomkvist. I Stockholm skulle hon utan tvekan riskera att stöta ihop med *Kalle Jävla Blomkvist* och det var för ögonblicket ungefär det sista hon ville göra. Han hade sårat henne. I ärlighetens namn erkände hon att det inte varit Mikaels avsikt. Han hade varit schyst. Det var hennes eget fel att hon hade blivit "kär" i honom. Blotta ordet var som en självmotsägelse när det gällde *Lisbeth Jävla Hönan Salander.*

Mikael Blomkvist var en känd kvinnokarl. Hon hade i bästa fall varit en godhjärtad förströelse som han hade förbarmat sig över i en stund då han behövde henne och det inte fanns något bättre till hands, men som han snabbt gått vidare från till ett mer underhållande sällskap. Hon förbannade sig själv för att hon hade sänkt garden och släppt honom in på livet.

När hon kommit till sina sinnens fulla bruk igen hade hon klippt all kontakt med honom. Det hade inte varit helt lätt, men hon hade stålsatt sig. Sist hon hade sett honom hade hon stått på perrongen i tunnelbanan i Gamla stan och han hade suttit i en vagn på väg in till centrum. Hon hade betraktat honom i en hel minut och beslutat sig för att hon inte hade minsta känsla kvar därför att det vore liktydigt med att förblöda. *Fuck you.* Han hade upptäckt henne precis då dörrarna smällde igen och tittat på henne med forskande ögon innan hon vänt på klacken och gått därifrån just då tåget startade.

Hon begrep inte varför han så envist hade fortsatt att försöka hålla kontakten med henne, precis som om hon var något jävla socialprojekt från hans sida. Hon irriterades över att han var så aningslös, varje gång han mailade till henne fick hon stålsätta sig då hon raderade mailet utan att läsa det.

Stockholm kändes inte det minsta attraktivt. Förutom frilansandet för Milton Security, några avlagda sängkamrater och tjejerna i den före detta rockgruppen Evil Fingers kände hon knappt en enda människa i sin hemstad.

Den enda person hon hade en viss respekt för var Dragan Armanskij. Hon hade svårt att definiera sina känslor för honom. Hon hade alltid känt en mild förvåning över att hon kände sig lätt attraherad av honom. Om han inte hade varit fullt så gift, inte fullt så gammal och inte fullt så konservativ i sin syn på tillvaron så hade hon kunnat tänka sig att göra ett närmande.

Till sist hade hon tagit fram sin kalender och slagit upp kartdelen. Hon hade aldrig varit i Australien eller Afrika. Hon hade läst om men aldrig sett pyramiderna eller Angkor Vat. Hon hade aldrig åkt Star Ferry mellan Kowloon och Victoria i Hongkong och hon hade aldrig snorklat i Karibien eller suttit på en strand i Thailand. Bortsett från några snabba resor för jobbets räkning då hon vid några tillfällen besökt Baltikum och de nordiska grannländerna, och förstås Zürich och London, hade hon knappt lämnat Sverige under hela sitt liv. Faktiskt, hon hade sällan ens varit utanför Stockholm.

Hon hade aldrig haft råd.

Hon hade ställt sig vid fönstret på hotellrummet och tittat ut över Via Garibaldi i Rom. Det var en stad som såg ut som en ruinhög. Sedan hade hon bestämt sig, hon satte på sig jackan och gick ned till receptionen och frågade om det fanns någon resebyrå i närheten. Hon bokade en enkel biljett till Tel Aviv och tillbringade de nästkommande dagarna med att promenera genom gamla staden i Jerusalem och titta på al-Aqsa-moskén och Klagomuren. Hon hade misstänksamt betraktat beväpnade soldater i gathörnen och därefter flugit till Bangkok och fortsatt att resa under återstoden av året.

Det var bara en sak hon måste göra. Hon reste till Gibraltar två gånger. Den första gången för att göra en djupstudie om den man hon hade utsett att förvalta hennes pengar. Den andra gången för att se till att han skötte sig.

DET KÄNDES FRÄMMANDE att vrida om nyckeln till sin egen lägenhet på Fiskargatan efter så lång tid.

Hon ställde ned matkassen och sin väska i hallen och knappade in den fyrsiffriga kod som stängde av det elektroniska larmet. Därefter drog hon av sig alla sina våta kläder och släppte ned dem på hallgolvet. Hon gick naken in i köket och satte på kylskåpet och ställde in matvarorna innan hon letade rätt på badrummet och tillbringade de följande tio minuterna i duschen. Hon åt en måltid bestående av ett skivat äpple och en Billys Pan Pizza som hon värmde i mikron. Hon öppnade en flyttkartong och hittade kudde, lakan och en filt som doftade lite suspekt efter att ha legat nedpackad ett år.

Hon bäddade på en madrass på golvet i ett rum intill köket.

Hon somnade inom tio sekunder efter att hon lagt huvudet på kudden och sov nästan tolv timmar till strax före midnatt. Hon klev upp, satte på kaffebryggaren, svepte en filt runt sig och satte sig med kudden och en cigarett i en fönstersmyg där hon tittade ut mot Djurgården och Saltsjön. Hon fascinerades av ljusen. I mörkret funderade hon över sin tillvaro.

DAGEN EFTER SIN hemkomst hade Lisbeth Salander en fullbokad agenda. Hon låste dörren till sin bostad sju på morgonen. Innan hon lämnade sitt våningsplan öppnade hon ett vädringsfönster i trapphuset och fäste en reservnyckel på en tunn koppartråd som hon najade fast på baksidan av en stupränna. Vis av tidigare erfarenheter hade hon lärt sig nyttan av att alltid ha en reservnyckel bekvämt tillgänglig.

Det var isande kallt i luften. Lisbeth var klädd i ett par gamla och slitna jeans som hade en reva under ena bakfickan och ett par blå underbyxor lyste igenom. Hon hade satt på sig en t-tröja och en varmare polojumper med en söm som hade börjat släppa i halsen. Dessutom hade hon letat rätt på sin gamla nötta skinnjacka med nitar på axlarna. Hon konstaterade att hon borde lämna in den till en skräddare som kunde laga det trasiga och närmast obefintliga fodret i fickorna. Hon hade kraftiga strumpor och kängor på fötterna. På det hela taget var hon hyfsat varm.

Hon promenerade S:t Paulsgatan, till Zinkensdamm och vidare upp till sin gamla adress på Lundagatan där hon började med att kontrollera att hennes Kawasaki stod kvar i källarförrådet. Hon klappade sadeln innan hon gick upp till sin förra bostad och klättrade över en monumental hög med reklam.

Hon hade varit osäker på vad hon skulle göra med lägenheten, och innan hon lämnat Sverige ett år tidigare hade den enklaste lösningen varit att ordna autogiro för att betala löpande räkningar. Hon hade fortfarande kvar möbler, mödosamt hopsamlade från diverse sopcontainrar, kantstötta temuggar, två äldre datorer och en hel del papper. Men inget av värde.

Hon hämtade en svart sopsäck från köket och ägnade fem minuter åt att separera reklam från post. Merparten av bråten gick direkt i sopsäcken. Hon hade fått ett litet antal personliga brev som huvudsakligen visade sig vara bankutdrag, skattekontrolluppgifter från Milton Security eller kamouflerad reklam av något slag. En fördel med att stå under förvaltning var att hon aldrig någonsin hade tvingats ägna sig åt skatteärenden – sådana brev lyste med sin frånvaro. I övrigt hade hon under ett helt år endast ackumulerat tre personliga försändelser.

Det första brevet var från en advokat Greta Molander som hade agerat god man åt Lisbeth Salanders mor. Brevet innehöll en kortfattad information om att bouppteckningen efter hennes mor var avklarad och att Lisbeth Salander och hennes syster Camilla Salander hade fått ett arv på 9 312 kronor vardera. En summa med motsvarande belopp hade utbetalats till fröken Salanders bankkonto; kunde hon bekräfta mottagandet. Lisbeth stoppade brevet i innerfickan i skinnjackan.

Det andra brevet var från direktör Mikaelsson, föreståndare för Äppelvikens vårdhem, som vänligt påminde henne om att de ännu förvarade en kartong med hennes mors efterlämnade ägodelar – kunde hon ha vänligheten att kontakta Äppelviken med instruktioner om hon hur ville förfara med arvegodset. Föreståndaren avslutade med att konstatera att om de inte hade hört något från Lisbeth eller hennes syster (som de inte hade någon adress till) innan året var slut så ämnade de kasta föremålen. Hon tittade på brevhuvudet som var daterat i juni och tog fram mobiltelefonen. Efter två minuter hade hon fått veta att kartongen ännu inte kastats. Hon bad om ursäkt för att hon inte hade hört av sig tidigare och lovade att hämta tillhörigheterna redan nästkommande dag.

Det sista personliga brevet var från Mikael Blomkvist. Hon funderade en stund men beslutade sig för att inte öppna det utan slängde det i sopsäcken.

Hon packade en flyttkartong med enstaka föremål och krimskrams hon ville behålla och tog en taxi tillbaka till Mosebacke. Hon sminkade sig och satte på sig glasögon och en blond peruk

85

med axellångt hår och stoppade ned ett norskt pass i namnet Irene Nesser i väskan. Hon granskade sig i spegeln och konstaterade att Irene Nesser var snarlik Lisbeth Salander men ändå en helt annan människa.

Efter en hastig lunch bestående av en briebaguette och en caffe latte på Café Eden på Götgatan promenerade hon till biluthyrningen på Ringvägen där Irene Nesser hyrde en Nissan Micra. Hon körde till Ikea vid Kungens kurva och tillbringade tre timmar med att beta av sortimentet i varuhuset och anteckna varunummer på det hon behövde. Hon fattade en del snabba beslut.

Hon köpte två soffor av modellen *Karlanda* i sandfärgat tyg, fem sviktande fåtöljer av märket *Poäng*, två runda kafébord i klarlackad björk, ett soffbord *Svansbo* och några udda småbord av märket *Lack*. Från avdelningen med bokhyllor och förvaring beställde hon två uppsättningar av *Ivar* kombination förvaringsserie och två bokhyllor *Bonde*, en TV-bänk och *Magiker* förvaringshylla med dörrar. Hon kompletterade med en *Pax Nexus* tredörrars garderob och två små byråar av modellen *Malm*.

Hon ägnade en lång stund åt att välja säng och fastnade slutligen för *Hemnes* sängstomme med madrass och tillbehör. För säkerhets skull köpte hon också en *Lillehammer* säng att placera i gästrummet. Hon räknade inte med att någonsin ha gäster, men eftersom hon hade ett gästrum så var det lika bra att möblera det.

Badrummet i hennes nya lägenhet var redan fullt utrustat med badrumsskåp, handduksförvaring och en kvarlämnad tvättmaskin. Hon köpte bara en billig tvättkorg.

Det hon däremot behövde var köksmöbler. Efter viss tvekan bestämde hon sig för ett *Rosfors* köksbord i massiv bok och med en bordsskiva i härdat glas, samt fyra färgglada köksstolar.

Hon behövde möbler till sitt arbetsrum och betraktade häpet några osannolika "arbetsstationer" med sinnrika skåp för förvaring av datorer och tangentbord. Till sist skakade hon på huvudet och beställde ett helt vanligt skrivbord, *Galant* i bokfaner med vinklad skiva och avrundade hörn, samt ett stort förvaringsskåp. Hon tog lång tid på sig att välja en kontorsstol – i vilken hon troligen skulle tillbringa åtskilliga timmar – och fastnade för ett av de dyraste alternativen, en stol av modellen *Verksam*.

Slutligen gjorde hon en rundtur och köpte en försvarlig mängd lakan, örngott, handdukar, täcken, filtar, kuddar, startpaket med bestick, köksporslin och pannor, skärbrädor, tre stora mattor, ett flertal arbetslampor och en stor mängd kontorsutrustning i form av pärmar, papperskorg, förvaringsboxar och liknande.

När rundturen var slut gick hon med sin lista till en kassa. Hon betalade med kortet som var utställt på Wasp Enterprises och legitimerade sig som Irene Nesser. Hon betalade också för att få varorna hemskickade och monterade. Notan slutade på strax över 90 000 kronor.

Hon var tillbaka på Söder vid femtiden på eftermiddagen och hann göra ett snabbt besök på Axelssons Hemelektronik där hon inhandlade en 18-tums-TV och en radio. Strax före stängningsdags smet hon in på en vitvarubutik på Hornsgatan och köpte en dammsugare. På Mariahallen handlade hon skurmopp, såpa, hink, tvättmedel, tvål, tandborstar och en maxibal toalettpapper.

Hon var utmattad men nöjd efter shoppingraseriet. Hon stuvade in alla sina varor i sin hyrda Nissan Micra och kollapsade på övervåningen på Café Java på Hornsgatan. Hon lånade en kvällstidning från bordet intill och konstaterade att socialdemokraterna fortfarande var regeringsparti och att inget av större vikt tycktes ha hänt i landet under hennes frånvaro.

Hon var hemma vid åttatiden på kvällen. I skydd av mörkret lastade hon ur bilen och forslade upp varorna till V. Kulla. Hon lämnade allting i en stor hög i hallen och tillbringade en halvtimme med att hitta en parkeringsplats för hyrbilen på en sidogata. Därefter tappade hon upp vatten i jacuzzin där åtminstone tre personer kunde rymmas utan att behöva trängas. Hon funderade en stund på Mikael Blomkvist. Innan hon sett brevet från honom på morgonen hade hon inte tänkt på honom på flera månader. Hon undrade om han var hemma hos sig och om han hade sällskap av Erika Berger.

Efter en stund tog hon ett djupt andetag och vände sig med ansiktet nedåt och sjönk ned under vattenytan. Hon lade händerna på sina bröst och nöp hårt i bröstvårtorna och höll andan i tre minuter till dess att lungorna började värka plågsamt.

REDAKTÖR ERIKA BERGER sneglade på klockan då Mikael Blomkvist kom närmare femton minuter för sent till det heliga planeringsmötet som hölls klockan tio den andra tisdagen varje månad. Det var på dessa möten som grovplaneringen av nästa nummer skedde och långsiktiga beslut om innehållet i tidningen *Millennium* fattades för flera månader framåt.

Mikael Blomkvist bad om ursäkt för sin sena ankomst och mumlade en förklaring som ingen hörde eller i varje fall inte lade på minnet. Mötesdeltagarna bestod förutom Erika av redaktionssekreteraren Malin Eriksson, delägaren och bildchefen Christer Malm, reportern Monika Nilsson och deltidarna Lottie Karim och Henry Cortez. Mikael Blomkvist konstaterade omedelbart att den 17-åriga praktikanten saknades men att skaran fått tillökning av ett helt främmande ansikte vid det lilla konferensbordet på Erika Bergers rum. Det var mycket ovanligt att Erika släppte in någon utomstående till *Millenniums* framtidsplanering.

"Det här är Dag Svensson", sa Erika Berger. "Frilans. Vi kommer att köpa in en text av honom."

Mikael Blomkvist nickade och skakade hand med mannen. Dag Svensson var blond, blåögd, kortsnaggad och hade tre dagars skäggstubb. Han var i 30-årsåldern och såg oförskämt vältränad ut.

"Vi brukar köra ett eller två temanummer varje år", fortsatte Erika. "Den här storyn vill jag ha in i majnumret. Tryckeriet är bokat till den 27 april. Det ger oss drygt tre månader att producera texter."

"Tema om vad", undrade Mikael samtidigt som han hällde upp kaffe ur bordstermosen.

"Dag Svensson kom upp till mig i förra veckan med utkastet till en story. Jag bad honom vara med på det här redaktionsmötet. Kan du dra det?" sa Erika till Dag Svensson.

"*Trafficking*", sa Dag Svensson. "Alltså sexhandel med flickor. I det här fallet huvudsakligen från Baltstaterna och Östeuropa. Om jag ska dra storyn från början så skriver jag en bok om ämnet och det var därför jag kontaktade Erika – ni har ju en liten förlagsutgivning numera."

Alla såg roade ut. *Millennium Förlag* hade hittills utkommit med en enda bok, vilken var Mikael Blomkvists årsgamla tegelsten om miljardären Wennerströms finansimperium. Boken var inne på sjätte upplagan i Sverige och hade dessutom getts ut på norska, tyska och engelska och var på väg att översättas till franska. Säljframgången var obegriplig eftersom storyn i alla avseenden redan var känd och hade publicerats i oräkneliga tidningar.

"Vår bokutgivning är kanske inte så där dramatiskt stor", sa Mikael försiktigt. Även Dag Svensson drog på munnen.

"Jag har förstått det. Men ni har ett förlag."

"Det finns större förlag", konstaterade Mikael.

"Utan tvekan", sa Erika Berger. "Men i ett helt år har vi diskuterat om vi ska börja med en nischad bokutgivning vid sidan av den ordinarie verksamheten. Vi har haft det uppe på två styrelsemöten och alla har varit positiva. Vi tänker oss en väldigt liten utgivning – tre fyra böcker per år – som i stort sett bara består av reportage i olika ämnen. Typiska journalistiska produkter, med andra ord. Det här är en bra bok att börja med."

"*Trafficking*", sa Mikael Blomkvist. "Berätta."

"Jag har rotat i trafficking i fyra år. Jag kom in på ämnet genom min sambo – hon heter Mia Bergman och är kriminolog och genusforskare. Hon har tidigare arbetat på Brottsförebyggande rådet och gjort en utredning om sexköpslagen."

"Henne har jag träffat", sa Malin Eriksson spontant. "Jag gjorde en intervju med henne för två år sedan då hon kom med en rapport som jämförde hur män och kvinnor behandlas av domstolar."

Dag Svensson nickade och log.

"Den vållade en del uppståndelse", sa han. "Men hon har forskat i trafficking i fem sex år. Det var så vi träffades. Jag höll på med en story om sexhandel på Internet och fick ett tips om att hon visste något om det. Och det visste hon. För att göra en lång historia kort – hon och jag började också jobba ihop, jag som journalist och hon som forskare och under resans gång började vi dejta och för ett år sedan flyttade vi ihop. Hon håller på att doktorera och ska disputera i vår."

"Så hon skriver en doktorsavhandling och du ...?"

"Jag skriver en populärversion av avhandlingen plus min egen research. Samt en kortversion i form av den artikel som Erika har fått."

"Okej, ni jobbar i team. Vad är storyn?"

"Vi har en regering som infört en tuff sexköpslag, vi har poliser som ska se till att lagen efterlevs och domstolar som ska döma sexförbrytare – vi kallar torskarna för sexbrottslingar eftersom det blivit kriminellt att köpa sexuella tjänster – och vi har massmedia som skriver moraliskt indignerade texter om ämnet och så vidare. Samtidigt är Sverige ett av de länder som köper flest horor per capita från Ryssland och Baltikum."

"Och det kan du belägga?"

"Det är ingen hemlighet. Det är inte ens *nyheter*. Det som är nytt är att vi har träffat och pratat med ett dussin *Lilja 4-ever*-tjejer. De flesta är tjejer i åldern 15–20 år, de kommer från social misär i Öststaterna och lockas till Sverige med löften om jobb av ett eller annat slag men hamnar i klorna på en fullständigt skrupelfri sexmaffia. Några av de personliga upplevelser som de där tjejerna haft får *Lilja 4-ever* att framstå som rena familjefilmen. Eller, jag menar att de där tjejerna har upplevt sådant som inte ens går att skildra på film."

"Okej."

"Det är så att säga fokus i Mias avhandling. Men inte i boken."

Alla lyssnade förväntansfullt.

"Mia har intervjuat tjejerna. Det jag har gjort är att jag har kartlagt leverantörerna och kundkretsen."

Mikael log. Han hade aldrig träffat Dag Svensson tidigare, men upplevde plötsligt att han var precis en sådan journalist som Mikael gillade, som sköt in sig på det väsentliga i storyn. För Mikael var den gyllene journalistiska regeln att det alltid fanns några som var ansvariga. *The bad guys.*

"Och du har hittat intressanta fakta?"

"Jag kan till exempel dokumentera att en tjänsteman på Justitie-departementet med anknytning till utformningen av sexköpslagen har utnyttjat åtminstone två tjejer som kommit hit genom sexmaffi-ans försorg. En av tjejerna var 15 år."

"Hoppsan."

"Jag har jobbat med den här storyn på deltid i tre år. Boken kom-mer att innehålla exempelstudier på torskarna. Där finns tre poliser varav en jobbar på Säk och en på sedlighetsroteln. Där finns fem ad-vokater, en åklagare och en domare. Där finns också tre journalister, varav en har skrivit flera texter om sexhandeln. I det privata livet äg-nar han sig åt våldtäktsfantasier med en tonårig hora från Tallinn ... och i det här fallet är det knappast någon ömsesidig sexlek det hand-lar om. Jag tänker namnge dem. Jag har vattentät dokumentation."

Mikael Blomkvist visslade till. Sedan slutade han le.

"Eftersom jag blivit ansvarig utgivare igen vill jag nog gå igenom dokumentationen med förstoringsglas", sa Mikael Blomkvist. "Sist jag slarvade med källkontrollen fick jag tre månaders fängelse."

"Om ni vill ge ut storyn ska du få all dokumentation du vill. Men jag har ett villkor för att sälja storyn till *Millennium*."

"Dag vill att vi ska ge ut boken också", sa Erika Berger.

"Exakt. Jag vill att den ska komma som ett bombnedslag, och just nu är *Millennium* den mest trovärdiga och uppkäftiga tidningen i landet. Jag har svårt att tro att särskilt många andra förlag skulle våga ge ut en bok av det här slaget."

"Så, utan bok, ingen artikel", summerade Mikael.

"Jag tycker att det låter väldigt bra", sa Malin Eriksson. Hon fick ett medhållande mummel från Henry Cortez.

"Artikeln och boken är två skilda saker", sa Erika Berger. "I det förstnämnda fallet är Mikael ansvarig utgivare. Vad gäller bokutgiv-ningen står författaren som ansvarig utgivare."

"Jag vet", sa Dag Svensson. "Det oroar mig inte. I samma ögon-blick som boken publiceras kommer Mia att göra en polisanmälan mot samtliga personer som jag namnger."

"Det kommer att ta hus i helvete", sa Henry Cortez.

"Det är bara halva storyn", sa Dag Svensson. "Jag har också hållit på att bena upp några av nätverken som tjänar pengar på sexhandeln. Det handlar alltså om organiserad brottslighet."

"Och vilka hittar du där?"

"Det är det som är så tragiskt. Sexmaffian är ett sjaskigt anhang av nollor. Jag vet inte riktigt vad jag förväntade mig då jag började den här researchen men på något sätt har vi – åtminstone jag – blivit förledda att tro att 'maffian' är ett glassigt gäng på samhällets topp som åker omkring i flotta lyxbilar. Jag antar att ett antal amerikanska filmer i ämnet har bidragit till den bilden. Din story om Wennerström" – Dag Svensson sneglade på Mikael – "visade ju också att så faktiskt kan vara fallet. Men Wennerström tillhörde på något sätt undantagen. Det jag hittar är ett gäng brutala och sadistiska oduglingar som knappt kan läsa och skriva och som är totala idioter då det kommer till organisation och strategitänkande. Det finns kopplingar till bikers och lite mer välorganiserade kretsar, men på det hela taget är det en bunt åsnor som driver sexhandeln."

"Det här framgår väldigt tydligt i din artikel", sa Erika Berger. "Vi har lagstiftning och poliskår och rättsväsende som vi finansierar med miljontals skattekronor varje år för att hantera den här sexhandeln ... och de lyckas inte komma åt en bunt totala idioter."

"Det är ett enda långt övergrepp på mänskliga rättigheter och de tjejer det handlar om sitter så långt nere på samhällsstegen att de är juridiskt ointressanta. De röstar inte. De kan knappt svenska med undantag för det ordförråd de behöver för att göra upp en affär. Nittionio komma nittionio procent av alla brott som handlar om sexhandel polisanmäls aldrig och leder än mera sällan till åtal. Det måste vara det i särklass största isberget inom svensk kriminalitet. Gör jämförelsen att bankrån skulle hanteras lika nonchalant, det är otänkbart. Min slutsats är dessvärre att denna hantering inte skulle kunna fortsätta en enda dag om det inte var så att rättsväsendet helt enkelt inte vill komma åt den. Övergrepp mot tonårstjejer från Tallinn och Riga är inte en prioriterad fråga. En hora är en hora. Det ingår i systemet."

"Och det vet varenda jävel om", sa Monika Nilsson.

"Så vad säger ni?" frågade Erika Berger.

"Jag gillar idén", sa Mikael Blomkvist. "Vi kommer att sticka ut hakan med den här storyn, och det var just det som var poängen med att dra igång *Millennium* en gång i tiden."

"Det är därför jag fortfarande jobbar kvar på tidningen. Ansvarige utgivaren ska göra en volta då och då", sa Monika Nilsson.

Alla utom Mikael skrattade.

"Han var den ende som var korkad nog att bli ansvarig utgivare", sa Erika Berger. "Vi kör det här i maj. Och samtidigt kommer din bok ut."

"Är boken klar?" frågade Mikael.

"Nej. Jag har synopsis men bara drygt hälften skrivet. Om ni går med på att ge ut boken och ger ett förskott så kan jag jobba med boken på heltid. Nästan all research är gjord. Det som återstår är lite kompletterande saker i marginalen – egentligen bara att bekräfta sådant som jag redan vet – och att göra konfrontationer med de torskar jag hänger ut."

"Vi gör precis som med Wennerströmboken. Det tar en vecka att göra layout" – Christer Malm nickade – "och två veckor att trycka. Konfrontationerna gör vi i mars och april och summerar i femton sidor text som blir det sista som skrivs. Vi vill alltså ha manus helt klart den 15 april så att vi hinner gå igenom alla källor."

"Hur gör vi med kontrakt och sådant?"

"Jag har aldrig skrivit bokkontrakt tidigare och måste nog ta ett snack med vår advokat." Erika Berger rynkade ögonbrynen. "Men jag föreslår en projektanställning under fyra månader från februari till maj. Vi betalar inga överlöner."

"Det är okej med mig. Jag behöver en baslön så att jag kan fokusera på texten på heltid."

"I övrigt är tumregeln fifty-fifty på inkomsterna från boken sedan utgifterna är betalda. Hur låter det?"

"Det låter förbannat bra", sa Dag Svensson.

"Arbetsuppgifter", sa Erika Berger. "Malin, jag vill att du blir redaktör för planeringen av temanumret. Det blir din huvuduppgift från och med nästa månadsskifte; du jobbar ihop med Dag Svensson och redigerar manus. Lottie, det betyder att jag vill ha in dig som tillfällig redaktionssekreterare för tidningen under perioden mars till och med maj. Du får gå upp till heltid och Malin eller Mikael backar upp dig i mån av tid.

Malin Eriksson nickade.

"Mikael, jag vill att du blir redaktör för boken." Hon tittade på Dag Svensson. "Mikael låtsas inte om det men han är faktiskt en jävla bra redigerare och dessutom researchkunnig. Han kommer att gå igenom varenda stavelse i din bok med mikroskop. Han kommer att slå ned som en hök på varje detalj. Jag är smickrad över att du vill ge ut boken hos oss, men vi har speciella problem på *Millennium*. Vi har ett antal fiender som inte vill något annat än att vi gör bort oss. När vi sticker ut hakan och publicerar något så måste det vara hundra procent rätt. Vi har inte råd med något annat."

"Och jag skulle inte vilja ha det på något annat sätt."

"Bra. Men klarar du av att ha någon som hänger över axeln på dig och kritiserar dig sönder och samman hela våren?"

Dag Svensson flinade och tittade på Mikael.

"Sätt igång."

Mikael nickade.

"Om det ska bli ett temanummer så måste vi ha fler artiklar. Mikael – jag vill att du skriver om sexhandelns ekonomi. Hur mycket pengar handlar det om årligen? Vem tjänar på sexhandeln och var hamnar pengarna? Kan man hitta belägg för att en del av pengarna hamnar i statskassan? Monika – jag vill att du kollar på sexuella övergrepp i allmänhet. Prata med kvinnojourerna och forskare och läkare och myndigheter. Ni två plus Dag skriver de bärande texterna. Henry – jag vill ha en intervju med Dags sambo Mia Bergman och den kan inte Dag göra. Porträtt: vem är hon, vad forskar hon i och vad är hennes slutsatser? Sedan vill jag att du går in och gör fallstudier från polisutredningar. Christer – bilder. Jag vet inte hur det här ska illustreras. Tänk på saken."

"Det här är förmodligen det enklaste tema att illustrera som finns. Arty. Inga problem."

"Låt mig skjuta in en sak", sa Dag Svensson. "Det finns ett litet fåtal poliser som gör ett jävla bra jobb. Det kan vara en idé att intervjua någon av dem."

"Har du namn?" frågade Henry Cortez.

"Och telefonnummer", nickade Dag Svensson.

"Bra", sa Erika Berger. "Temat för majnumret blir sexhandeln. Den poäng som ska framgå är att trafficking är ett brott mot de mänskliga rättigheterna och att dessa brottslingar ska hängas ut och behandlas som vilka krigsförbrytare eller dödsskvadroner eller torterare som helst. Nu sätter vi igång."

KAPITEL 5
ONSDAG 12 JANUARI – FREDAG 14 JANUARI

ÄPPELVIKEN KÄNDES SOM en främmande och obekant plats då Lisbeth för första gången på 18 månader svängde in på uppfartsvägen med sin hyrda Nissan Micra. Sedan hon var 15 år gammal hade hon regelbundet ett par gånger varje år besökt vårdhemmet där hennes mor hade institutionaliserats efter att Allt Det Onda hade hänt. Trots hennes sällsynta besök hade Äppelviken utgjort en permanent fixpunkt i Lisbeths tillvaro. Det var platsen där hennes mor hade tillbringat sina sista tio år och där hon slutligen hade avlidit vid endast 43 års ålder efter en sista förintande hjärnblödning.

Moderns namn hade varit Agneta Sofia Salander. Hennes sista fjorton år i livet hade präglats av upprepade små hjärnblödningar som gjort henne oförmögen att sköta sig själv och sina dagliga rutiner. Tidvis hade modern inte ens varit kommunicerbar och hon hade haft svårt att känna igen Lisbeth.

Tankarna på modern ledde alltid till en känsla av hjälplöshet och nattsvart mörker hos Lisbeth Salander. Under tonåren hade hon länge närt en fantasi att modern skulle tillfriskna och att de skulle kunna skapa någon form av relation. Intellektuellt hade hon vetat att det aldrig skulle ske.

Hennes mor hade varit smal och kortväxt, men inte på långa vägar så anorektisk som Lisbeth. Tvärtom hade modern varit rent ut sagt vacker och välproportionerad. Precis som Lisbeths syster.

Camilla.

Lisbeth ville ogärna tänka på sin syster.

För Lisbeth var det ett ödets ironi att hon och hennes syster var så dramatiskt olika. De var tvillingar, födda inom loppet av tjugo minuter.

Lisbeth var först. Camilla var vacker.

De var så olika att det tycktes osannolikt att de odlats i samma livmoder. Om något inte hade varit defekt i Lisbeth Salanders genetiska kod så skulle hon också ha varit precis lika strålande vacker som sin syster.

Och förmodligen varit lika korkad.

Från det att de var småbarn hade Camilla varit utåtriktad, populär och framgångsrik i skolan. Lisbeth hade varit tyst och inbunden och sällan svarat på lärarnas frågor, vilket avtecknades i dramatiskt skilda betygsnivåer. Redan på lågstadiet hade Camilla distanserat sig från Lisbeth så till den milda grad att de inte ens hade gått samma väg till skolan. Lärare och kamrater noterade att de två flickorna aldrig umgicks och aldrig satt i närheten av varandra. Från tredje årskurs hade de gått i parallellklasser. Sedan de var 12 år och Allt Det Onda hänt hade de växt upp i olika fosterfamiljer. De hade inte träffats sedan de fyllde 17 år, och den gången hade mötet slutat i att Lisbeth fått ett blått öga och Camilla en fläskläpp. Lisbeth visste inte var Camilla befann sig nu och hade inte gjort något försök att ta reda på den saken.

Det fanns ingen kärlek mellan systrarna Salander.

I Lisbeths ögon var Camilla falsk, rutten och manipulativ. Det var dock Lisbeth som hade tingsrättsbeslut på att hon inte var riktigt klok.

Hon stannade på besöksparkeringen och knäppte den slitna skinnjackan innan hon promenerade genom regnet till huvudentrén. Hon stannade till vid en parksoffa och såg sig omkring. Just på den platsen, just vid den soffan, hade hon arton månader tidigare sett sin mor för sista gången. Hon hade gjort ett spontant besök på Äppelvikens vårdhem då hon var på väg norrut för att bistå Mikael Blomkvist i jakten på en organiserad men galen seriemördare. Hennes mor hade varit orolig och tycktes inte riktigt känna igen Lisbeth, men hade ändå inte velat släppa iväg henne. Hon hade hållit fast hennes hand och tittat på sin dotter med förvirrade ögon. Lisbeth hade haft bråttom. Hon hade lossat greppet, gett sin mamma en kram och stuckit iväg på sin motorcykel.

Direktören på Äppelviken, Agnes Mikaelsson, verkade glad över att se Lisbeth. Hon hälsade vänligt och gjorde henne sällskap till ett förrådsutrymme där de hämtade en flyttkartong. Lisbeth lyfte upp den. Den vägde ett par kilo och innehöll inte mycket att visa upp som arvegods efter ett liv.

"Jag visste inte vad jag skulle göra med din mors saker", sa Mikaelsson. "Men jag hade alltid på känn att du skulle komma tillbaka en dag."

"Jag har varit bortrest", svarade Lisbeth.

Hon tackade för att de hade sparat kartongen, släpade tillbaka den till bilen och lämnade Äppelviken för sista gången.

LISBETH VAR TILLBAKA vid Mosebacke strax efter tolv och bar upp sin mors kartong till lägenheten. Hon ställde den oöppnad i ett förråd i hallen och gick ut igen.

När hon öppnade porten passerade en polisbil i maklig takt. Lisbeth stannade och betraktade vaksamt den myndiga närvaron utanför hennes adress men eftersom poliserna inte visade några tecken på att gå till angrepp så lät hon dem löpa.

Under eftermiddagen besökte hon H&M och KappAhl och köpte en ny garderob. Hon skaffade sig en stor uppsättning baskläder i form av byxor, jeans, tröjor och strumpor. Hon var inte intresserad av dyrbara märkeskläder, men hon kände en viss njutning i att kunna köpa ett halvdussin jeans samtidigt utan att blinka. Hennes mest extravaganta inköp gjorde hon på Twilfit där hon införskaffade ett stort antal uppsättningar trosor och bh. Det var återigen basplagg men efter en halvtimmes generat letande nappade hon också åt sig ett set som hon uppfattade som "sexigt" eller möjligen "porrigt", och som hon tidigare aldrig skulle ha övervägt att skaffa sig. När hon provade setet på kvällen kände hon sig omåttligt fånig. Det hon såg i spegeln var en tanig tatuerad flicka i grotesk utstyrsel. Hon tog av sig underkläderna och kastade dem i soporna.

Hon köpte nya rejäla vinterskor på Din Sko och två par lättare inneskor. Därefter impulsshoppade hon ett par svarta promenadboots med hög klack som gjorde henne några centimeter längre. Dessutom skaffade hon sig en rejäl vinterjacka i brun mocka.

Hon forslade hem sina varor och kokade kaffe och gjorde smörgåsar innan hon åkte för att lämna tillbaka hyrbilen vid Ringen. Hon promenerade hem och satt resten av kvällen i mörkret i fönstersmygen och tittade på vattnet i Saltsjön.

MIA BERGMAN, DOKTORAND i kriminologi, skar upp cheesecake och dekorerade med en skiva hallonglass. Hon serverade först Erika Berger och Mikael Blomkvist innan hon satte fram dessertskålarna till Dag Svensson och sig själv. Malin Eriksson hade resolut vägrat efterrätt och nöjde sig med svart kaffe i en märklig, gammalmodigt blommig porslinskopp.

"Det var min mormors servis", sa Mia Bergman när hon såg att Malin granskade koppen.

"Hon är livrädd att en kopp ska gå sönder", sa Dag Svensson. "Den kommer bara fram när vi har särskilt betydelsefulla gäster."

Mia Bergman log. "Jag växte upp hos min mormor i flera år och servisen är i stort sett det enda jag har kvar efter henne."

"De är jättefina", sa Malin. "Själv har jag hundra procent Ikea i köket."

Mikael Blomkvist struntade i blommiga kaffekoppar och granskade istället skålen med cheesecake med kritiska ögon. Han funderade på att släppa ut bältet ett hål. Erika Berger delade uppenbarligen hans känslor.

"Gode gud, jag borde också ha avstått från efterrätten", sa hon och sneglade ursäktande på Malin innan hon fattade skeden med ett stadigt grepp.

Det var egentligen avsett att vara en enkel arbetsmiddag för att dels bekräfta det beslutade samarbetet, dels fortsätta diskutera upplägget för *Millenniums* temanummer. Dag Svensson hade föreslagit att de skulle träffas hemma hos honom på en bit mat och Mia Bergman hade serverat den godaste kyckling i sötsur sås som Mikael någonsin smakat. Till middagen hade de druckit två flaskor robust spanskt rödvin och vid efterrätten frågade Dag Svensson om någon var intresserad av ett glas Tullamore Dew. Bara Erika Berger var dum nog att säga nej och Svensson plockade fram glas.

Dag Svensson och Mia Bergman bodde i en tvåa i Enskede. De hade hängt ihop i ett par år men gjort slag i saken och flyttat ihop för ett år sedan.

De hade samlats vid sextiden på kvällen och när efterrätten serverades klockan halv nio hade på det hela taget inte ett ord sagts om det egentliga syftet med middagen. Däremot hade Mikael upptäckt att han gillade Dag Svensson och Mia Bergman och trivdes i deras sällskap.

Det var Erika Berger som sent omsider styrde in samtalet på det ämne de hade kommit för att diskutera. Mia Bergman hämtade en utprintad kopia av sin avhandling och placerade den på bordet framför Erika. Den hade en överraskande ironisk titel – *From Russia with Love* – vilket naturligtvis syftade på Ian Flemings 007-klassiker. Undertiteln var *Trafficking, organiserad brottslighet och samhällets motåtgärder*.

"Ni måste skilja på min avhandling och den bok som Dag skriver", sa hon. "Dags bok är en agitatorsversion som skjuter in sig på dem som profiterar på trafficking. Min avhandling är statistik, fältstudier, lagtexter och en analys av hur samhället och domstolarna behandlar offren."

"Tjejerna alltså."

"Unga flickor, vanligen 15 till 20 år, arbetarklass, dålig utbildning. Det är tjejer som ofta har rätt trassliga hemförhållanden och inte sällan utsatts för någon form av övergrepp redan i barndomen – en orsak till att de lockas till Sverige är förstås att någon lurat i dem en massa lögner."

"Sexhandlarna."

"I den bemärkelsen finns ett sorts genusperspektiv i avhandlingen. Det är sällan en forskare kan fastslå roller längs könsgränserna så tydligt. Tjejer – offer; killar – förövare. Med undantag för några enstaka kvinnor som själva profiterar på sexhandeln finns ingen annan form av kriminalitet där själva könsrollerna är en förutsättning för brottet. Det finns heller ingen annan form av kriminalitet där den sociala acceptansen är så stor och där samhället gör så lite för att stävja brottsligheten."

"Om jag har förstått saken rätt så har Sverige trots allt en ganska tuff lagstiftning mot trafficking och sexhandel", sa Erika.

"Locka mig inte att skratta. Något hundratal flickor – det finns ingen exakt statistik – blir årligen transporterade till Sverige för att tjäna som horor, vilket i det här fallet ska översättas med att upplåta sin kropp för systematiska våldtäkter. Sedan lagen om trafficking infördes har den prövats i domstol någon enstaka gång. Första gången var i april 2003 mot den där galna bordellmamman som genomgått ett könsbyte. Och hon frikändes naturligtvis."

"Vänta, jag trodde att hon blev fälld?"

"För bordellverksamhet, ja. Men hon frikändes från anklagelserna om trafficking. Det var nämligen så att de tjejer som var offer också var vittnen mot henne och de försvann tillbaka till Baltikum. Myndigheterna försökte få dem att komma till rättegången och de eftersöktes bland annat av Interpol. Efter månader av efterspaningar konstaterades att de inte kunde hittas."

"Vad hade hänt med dem?"

"Ingenting. TV-programmet *Insider* gjorde en uppföljare och åkte över till Tallinn. Det tog reportrarna ungefär en eftermiddag att leta rätt på två av tjejerna som bodde hemma hos sina föräldrar. Den tredje tjejen hade flyttat till Italien."

"Polisen i Tallinn var med andra ord inte särskilt effektiv."

"Sedan dess har vi faktiskt fått ett par fällande domar, men det har genomgående handlat om personer som antingen gripits för andra brott eller som varit så uppseendeväckande korkade att de inte kunnat undgå att gripas. Lagen är kosmetika. Den används inte."

"Okej."

"Problemet är att brotten i det här fallet är grov våldtäkt, ofta i förening med misshandel, grov misshandel och dödshot, i vissa fall kompletterat med olaga frihetsberövande", sköt Dag Svensson in.

"Det är vardagen för många av tjejerna som minikjol och kraftigt sminkade transporteras till någon villa i förorten. Saken är ju den att tjejerna inte har något val. Antingen åker hon ut och knullar fula gubben eller så riskerar hon att misshandlas och torteras av sin hallick. De kan inte fly – kan inte språket och känner inte till lagar och regler och vet inte vart de ska vända sig. De kan inte åka hem. En av de första åtgärderna är att ta ifrån dem passet och i fallet med bordellmamman var de dessutom inlåsta i en lägenhet."

"Det låter som slavläger. Tjänar tjejerna alls något på verksamheten?"

"Jodå", svarade Mia Bergman. Som plåster på såren får de en bit av kakan. De tjänstgör i genomsnitt några månader innan de får åka hem igen. De kan ha en rejäl sedelbunt med sig – 20 000 eller uppåt 30 000 kronor, vilket i rysk valuta motsvarar en liten förmögenhet. Dessvärre har de också ofta skaffat sig ganska tunga alkohol- eller narkotikavanor och en livsstil som medför att pengarna tar slut ganska snabbt. Därmed blir systemet självförsörjande; efter ett tag är de tillbaka för att jobba igen och går så att säga frivilligt tillbaka till sin torterare."

"Hur mycket pengar omsätter verksamheten årligen?" frågade Mikael.

Mia Bergman sneglade på Dag Svensson och funderade en stund innan hon svarade.

"Det är svårt att ge ett korrekt svar på den frågan. Vi har räknat fram och tillbaka en hel del, men mycket av våra siffror blir till sist bara uppskattningar."

"Mellan tummen och pekfingret."

"Okej, vi vet att till exempel bordellmamman, hon som dömdes för koppleriverksamhet men friades för trafficking, under en två-årsperiod plockade hit trettiofem kvinnor från öst. De var här i allt från några veckor till några månader. I rättegången framgick att under dessa två år drog de tillsammans in drygt två miljoner kronor. Jag har räknat om det till att en tjej uppskattningsvis drar in drygt 60 000 kronor i månaden. Av detta ska drygt 15 000 räknas bort i form av utgifter – resor, kläder, bostad etc. Det är inget lyxliv, de får ofta kinesa i någon lägenhet som ligan håller dem med. Av de återstående 45 000 kronorna tar ligan mellan 20 000 och 30 000. Ligaledaren stoppar hälften i sin ficka, säg 15 000, och fördelar resten på sina anställda – chaufförer, torpeder och andra. Tjejen får 10 000–12 000 kronor.

"Och per månad …"

"Säg att en liga har två eller tre tjejer som gnor åt dem. Det betyder att de drar in nästan 200 000 i månaden. Varje liga består av i genomsnitt två tre personer som ska ha sin utkomst av detta. Ungefär så ser våldtäktens ekonomi ut."

"Och hur många handlar det om … jag menar om man räknar uppåt.

"Du kan utgå från att det vid varje givet tillfälle finns ungefär hundra aktiva tjejer som i någon bemärkelse är offer för trafficking. Det innebär att den totala omsättningen i hela Sverige varje månad hamnar på drygt 6 miljoner kronor och per år alltså någonstans kring 70 miljoner kronor. Det handlar alltså bara om tjejer som utsätts för trafficking."

"Det låter som småpengar."

"Det är småpengar. Och för att få in dessa tämligen beskedliga summor ska alltså drygt hundra tjejer våldtas. Det gör mig rasande."

"Du låter inte som en objektiv forskare. Men om det går tre killar på en tjej så betyder det alltså att drygt fem hundra eller sex hundra män har sin försörjning genom detta."

"Faktiskt förmodligen färre än så. Jag skulle gissa på drygt tre hundra karlar."

"Det låter ju inte som ett oöverstigligt problem", sa Erika.

"Vi stiftar lagar och är upprörda i media men nästan ingen har någonsin pratat med en hora från Östblocket eller har en aning om hennes liv."

"Hur fungerar det? Jag menar i praktiken. Det borde vara rätt svårt att plocka över en 16-årig flicka från Tallinn utan att det märks. Hur fungerar det när de kommer hit?" frågade Mikael.

"När jag började forska om det här trodde jag att det handlade om en oerhört välorganiserad verksamhet med någon form av professionell maffia som mer eller mindre elegant slussade flickor mellan gränserna."

"Men det är det inte?" frågade Malin Eriksson.

"Verksamheten är organiserad men sent omsider insåg jag att det i själva verket handlar om många små och ganska desorganiserade ligor. Glöm Armanikostymerna och sportbilen – den genomsnittliga ligan har två tre medlemmar, hälften ryssar eller balter och hälften svenskar. Föreställ er ligaledaren; han är 40 år, sitter i undertröja och dricker öl och petar sig i naveln. Han saknar utbildning och kan i vissa avseenden betraktas som socialt efterbliven och har haft problem i hela sitt liv."

"Romantiskt."

"Han har en kvinnosyn från stenåldern. Han är notoriskt våldsam, ofta berusad och spöar skiten ur den som mopsar sig. Det finns en tydlig hackordning i gänget och hans medarbetare är ofta rädda för honom."

LISBETHS LEVERANS MED möbler från Ikea anlände vid halv tio tre dagar senare. Två stabila grabbar skakade hand med blonda Irene Nesser som bröt käckt på norska. Därefter åkte de skytteltrafik med den underdimensionerade hissen och tillbringade dagen med att montera bord, skåp och sängar. De var rasande effektiva och tycktes ha gjort proceduren tidigare. Irene Nesser gick ned till Söderhallarna och köpte grekisk takeaway och bjöd på lunch.

Grabbarna från Ikea var färdiga vid femtiden på eftermiddagen. När de hade gått drog Lisbeth Salander av sig peruken och strosade ensam omkring i lägenheten och undrade om hon skulle trivas i sitt nya hem. Köksbordet såg för elegant ut för att vara hennes stil. I rummet närmast köket, med entré från både hall och kök, hade hon sitt nya vardagsrum med moderna soffor och en grupp fåtöljer runt ett kafébord närmast fönstret. Hon var nöjd med sovrummet och satte sig försiktigt på Hemnes sängstomme och kände på madrassen.

Hon sneglade in i arbetsrummet som hade utsikt mot Saltsjön. *Yes, det är effektivt. Här kan jag jobba.*

Exakt vad hon skulle jobba med visste hon dock inte, och i övrigt kände hon sig kritiskt tveksam till möblemanget.

Okej, vi får se vad det blir av det hela.

Lisbeth tillbringade återstoden av kvällen med att packa upp och sortera sina tillhörigheter. Hon bäddade och placerade handdukar, lakan och örngott i linneskåpet. Hon öppnade påsarna med nyinköpta kläder och hängde upp i garderoberna. Trots de massiva klädinköpen fyllde hon bara en bråkdel av utrymmet. Hon satte lampor på plats och sorterade pannor, porslin och bestick i köksskåpen.

Hon granskade kritiskt de tomma väggarna och insåg att hon borde ha köpt posters eller tavlor eller någonting. Det var sådant som normala människor hade på väggen. En blomkruka skulle inte heller ha skadat.

Därefter öppnade hon sina flyttkartonger från Lundagatan och sorterade in böcker, tidningar, klipp och gamla researchpapper som hon förmodligen borde slänga. Hon slängde frikostigt gamla nötta t-tröjor och strumpor med hål i. Helt plötsligt hittade hon en dildo, fortfarande nedpackad i originalkartongen. Hon log ett skevt leende. Det hade varit en sådan där knäpp födelsedagspresent från Mimmi och hon hade fullständigt glömt bort dess existens, faktiskt aldrig ens provat den. Hon beslutade sig för att ändra på den saken och ställde dildon på högkant på byrån vid sängen.

Sedan blev hon allvarlig. *Mimmi.* Hon kände ett styng av dåligt samvete. Hon hade haft ihop det med Mimmi rätt regelbundet under ett år och därefter övergett henne för Mikael Blomkvist utan ett ord till förklaring. Hon hade varken sagt adjö eller meddelat att hon tänkte lämna Sverige. Hon hade inte heller sagt farväl eller med ett ord meddelat sig med Dragan Armanskij eller tjejerna i Evil Fingers. De måste tro att hon var död, eller så hade de möjligen glömt henne – hon hade aldrig varit en central person i gänget. Det var precis som om hon hade vänt ryggen till allt och alla. Hon insåg plötsligt att hon inte heller hade sagt adjö till George Bland på Grenada och undrade om han gick omkring och spanade efter henne på stranden. Hon tänkte på vad Mikael Blomkvist hade sagt till henne om att vänskap bygger på respekt och förtroende. *Jag slösar bort mina vänner.* Hon undrade om Mimmi fanns kvar därute någonstans och om hon borde höra av sig.

Merparten av kvällen och en bra bit av natten ägnade hon åt att sortera papper i arbetsrummet och installera sina datorer och surfa på Internet. Hon gjorde en översikt över hur hennes investeringar skötte sig och fann att hon var rikare än för ett år sedan.

Hon gjorde en rutinkontroll av advokat Nils Bjurmans dator men hittade inget av intresse i hans korrespondens och drog slutsatsen att han höll sig på mattan.

Hon hittade ingen antydan till att han hade haft fler kontakter med kliniken i Marseille. Bjurman verkade ha dragit ned sin yrkesmässiga och privata verksamhet till ett vegeterande nolläge. Han använde sällan mailen och då han surfade på Internet besökte han huvudsakligen porrsajter.

Först vid tvåtiden kopplade hon ned sig. Hon gick ut i sovrummet och klädde av sig och slängde kläderna över en stol. Sedan gick hon ut i badrummet för att tvätta sig. Hörnet närmast entrén hade speglar i vinkel från golv till tak. Hon betraktade sig själv en lång stund. Hon granskade sitt kantiga skeva ansikte, sina nya bröst och sin stora tatuering på ryggen. Den var vacker, en lång slingrande drake i rött och grönt och svart som började på skuldran och vars smala svans fortsatte över högra skinkan och slutade på låret. Under det år hon rest hade hon låtit håret växa till axellängd men sista veckan på Grenada hade hon en dag tagit fram en sax och klippt håret kort. Det spretade fortfarande åt flera håll.

Hon kände plötsligt att någon fundamental förändring hade skett eller höll på att ske i hennes liv. Kanske var det vådan av att förfoga över miljarder och slippa tänka på enkronor. Kanske var det vuxenvärlden som sent omsider trängde sig på. Kanske var det insikten att med hennes mors död så hade en definitiv punkt satts för hennes barndom.

Under det gångna årets resa hade hon gjort sig av med flera piercningar. På kliniken i Genua hade en ring i bröstvårtan fått stryka med av rent medicinska skäl i samband med operationen. Därefter hade hon tagit bort en ring i underläppen, och på Grenada hade hon tagit bort en ring som hon haft i vänstra blygdläppen – den hade skavt och hon visste inte riktigt varför hon en gång hade piercat sig där.

Hon gapade och skruvade ut den stav som hon haft genom sin tunga i sju år. Hon lade den i en skål på hyllan bredvid tvättstället. Det kändes plötsligt tomt i munnen. Förutom några ringar i öronloben hade hon nu bara två piercningar kvar, en ring i vänstra ögonbrynet och ett smycke i naveln.

Till sist gick hon till sovrummet och kröp ned under det nyinköpta täcket. Hon upptäckte att den säng hon köpt var gigantisk och att hon bara tog upp en liten bråkdel av ytan. Hon kände sig som om hon låg på kanten av en fotbollsplan. Hon drog täcket runt kroppen och funderade en lång stund.

KAPITEL 6
SÖNDAG 23 JANUARI-LÖRDAG 29 JANUARI

LISBETH SALANDER TOG hissen från garaget till femte våningen, det översta av de tre våningsplan i kontorsbyggnaden vid Slussen där Milton Security huserade. Hon öppnade hissdörren med en pirat-kopia av en huvudnyckel som hon sett till att få tag på flera år tidiga-re. Hon tittade automatiskt på sitt armbandsur då hon klev ut i den mörka korridoren. 03.10 på söndagsmorgonen. Nattjouren satt vid larmcentralen på tredje våningen och hon visste att hon med största sannolikhet skulle vara helt ensam på våningsplanet.

Hon var som alltid förundrad över att ett professionellt säkerhets-företag hade så uppenbara brister i sin egen säkerhet.

I korridoren på femte våningen hade inte mycket förändrats un-der det år som gått. Hon började med att besöka sitt eget arbets-rum, en liten kub bakom en glasvägg i korridoren där Dragan Ar-manskij hade placerat henne. Dörren var olåst. Det tog inte många sekunder för Lisbeth att konstatera att absolut ingenting hade för-ändrats på hennes kontor mer än att någon ställt in en kartong med pappersskräp innanför dörren. Rummet innehöll ett bord, en kontorsstol, en papperskorg och en naken bokhylla. Kontorsutrust-ningen bestod av en enfaldig Toshiba PC från 1997 med en löjligt liten hårddisk.

Lisbeth hittade inget som tydde på att Dragan hade överlåtit rum-met till någon annan. Hon tolkade detta som ett gott tecken men var samtidigt medveten om att det inte betydde särskilt mycket. Rummet var en spillyta på knappt fyra kvadrat som inte kunde användas till något vettigt.

Lisbeth stängde dörren och promenerade ljudlöst genom hela korridoren och kontrollerade att ingen nattsuddare satt och arbetade på något rum. Hon var ensam. Hon stannade till vid kaffeautomaten och tryckte fram en plastmugg med cappuccino innan hon fortsatte till Dragan Armanskijs rum och öppnade dörren med piratnyckeln.

Armanskijs kontor var som alltid irriterande välstädat. Hon gjorde en kort rundtur genom rummet och tittade i bokhyllan innan hon satte sig vid hans skrivbord och kopplade på datorn.

Hon plockade fram en cd-skiva från innerfickan i sin nyköpta mockajacka och tryckte in den i cd-spelaren. Hon startade ett program som hette *Asphyxia 1.3*. Hon hade själv skrivit programmet vars enda funktion var att uppgradera Internet Explorer på Armanskijs hårddisk till en modernare version. Proceduren tog ungefär fem minuter.

När hon var klar matade hon ut cd-skivan från datorn och startade om den och den nya versionen av Internet Explorer. Programmet såg ut och betedde sig exakt som den ursprungliga versionen men var aningen större och en mikrosekund långsammare. Alla inställningar var identiska med originalet, inklusive installationsdatum. Av den nya filen syntes inte ett spår.

Hon skrev in en ftp-adress till en server i Holland och fick upp en kommandoruta. Hon klickade i en box med texten *copy* och skrev namnet *Armanskij/MiltSec* och klickade OK. Datorn började omedelbart kopiera Dragan Armanskijs hårddisk till servern i Holland. En klocka angav att processen skulle ta trettiofyra minuter.

Medan överföringen pågick plockade hon fram reservnyckeln till Armanskijs skrivbord som han förvarade i en dekorativ kruka i bokhyllan. Hon ägnade den följande halvtimmen åt att uppdatera sig i de foldrar som Armanskij hade i den övre högra skrivbordslådan, där han alltid samlade aktuella och akuta ärenden. När datorn plingade som tecken på att överföringen var avslutad lade hon tillbaka mapparna i exakt den ordning hon plockat upp dem.

Därefter stängde hon datorn och släckte skrivbordsbelysningen och tog den tomma muggen med cappuccino med sig. Hon lämnade Milton Security samma väg som hon anlänt. Klockan var 04.12 då hon klev in i hissen.

Hon promenerade hem till Mosebacke och satte sig vid sin Power-Book och kopplade upp sig till servern i Holland där hon startade en kopia av Asphyxia 1.3. Då programmet kommit igång öppnades en ruta där hårddisk efterfrågades. Hon hade ett fyrtiotal alternativ att välja bland och scrollade nedåt på skärmen. Hon passerade hårddisken för *NilsEBjurman*, som hon brukade ögna igenom ungefär en gång varannan månad. Hon stannade till en sekund vid *MikBlom/laptop* och *MikBlom/office*. Hon hade inte öppnat ikonerna på över ett år och funderade vagt på att radera dem. Av principiella skäl beslutade hon sig dock för att behålla dem – eftersom hon en gång hackat datorerna vore det dumt att radera informationen och kanske bli tvungen att göra om proceduren någon dag. Detsamma gällde för en ikon med namnet *Wennerstrom* som hon inte öppnat på länge. Ägaren var död. Ikonen *Armanskij/MiltSec* var den senast skapade och låg längst ned i listan.

Hon hade kunnat klona hans hårddisk tidigare men aldrig brytt sig om att göra det eftersom hon arbetat på Miltons och ändå kunnat lägga beslag på den information som Armanskij ville dölja för omvärlden. Syftet med intrånget i hans dator var inte illasinnat. Hon ville helt enkelt veta vad företaget arbetade med och hur landet låg. Hon klickade och genast öppnades en folder med en ny ikon med namnet *Armanskij HD*. Hon testade att hon kunde öppna hårddisken och konstaterade att alla filer fanns på plats.

Hon satt kvar vid sin dator och läste Armanskijs rapporter, ekonomiska redovisningar och e-post till sju på morgonen. Till sist nickade hon eftertänksamt och stängde datorn. Hon gick in i badrummet och borstade tänderna och gick därefter till sovrummet där hon klädde av sig och lämnade kläderna i en hög på golvet. Hon kröp ned i sängen och sov till halv ett på eftermiddagen.

SISTA FREDAGEN I januari höll *Millenniums* styrelse årsmöte. I årsmötet deltog företagets kassör, en utomstående revisor, de fyra delägarna Erika Berger (trettio procent), Mikael Blomkvist (tjugo procent), Christer Malm (tjugo procent) samt Harriet Vanger (trettio procent). Till mötet hade även redaktionssekreterare Malin Eriksson kallats som representant för personalen och ordförande i den lokala fackklubben på tidningen. Klubben bestod av henne, Lottie Karim, Henry Cortez, Monika Nilsson och marknadschefen Sonny Magnusson. Det var Malins första styrelsemöte i en företagsledning.

Styrelsemötet inleddes klockan 16.00 och var avklarat drygt en timme senare. En stor del av mötestiden bestod av föredragningarna av den ekonomiska berättelsen samt revisionsberättelsen. Mötet kunde konstatera att *Millennium* hade en stabil ekonomisk grund jämfört med den kris som hade präglat företaget två år tidigare. Revisionsberättelsen visade att företaget faktiskt gjort en vinst på 2,1 miljoner kronor varav drygt en miljon bestod av intäkterna från Mikael Blomkvists bok om Wennerströmaffären.

På förslag från Erika Berger beslutades att en miljon skulle fonderas som buffert för framtida kriser, att 250000 kronor skulle avsättas för nödvändiga investeringar i reparationer av redaktionslokalen samt inköp av nya datorer och annan teknisk utrustning, samt att 300000 kronor skulle avsättas i generella löneökningar samt en möjlighet att erbjuda medarbetaren Henry Cortez heltidstjänst. Av den återstående summan föreslogs en utdelning på 50000 kronor vardera till delägarna samt en lönebonus om sammanlagt 100000 kronor att delas likvärdigt mellan de fyra fasta medarbetarna oberoende av om de jobbade hel- eller deltid. Marknadschefen Sonny Magnusson fick ingen lönebonus. Han gick på ett kontrakt som innebar att han erhöll procent på de annonser han sålde, vilket periodvis gjorde honom till den högst avlönade av alla medarbetare. Förslaget antogs enhälligt.

Ett förslag från Mikael Blomkvist om att frilansbudgeten borde minskas till förmån för ytterligare en framtida reporter på halvtid föranledde en kortare diskussion. Mikael hade Dag Svensson i tankarna, som därmed också skulle kunna använda *Millennium* som bas för sin frilansverksamhet och senare kanske kunna få en heltid. Förslaget mötte motstånd från Erika Berger, som ansåg att tidningen inte kunde klara sig utan tillgång till ett relativt stort antal frilanstexter. Erika fick stöd av Harriet Vanger medan Christer Malm lade ned sin röst. Det beslutades att frilansbudgeten inte skulle röras men att det skulle undersökas om justeringar av andra utgiftsposter kunde göras. Alla ville väldigt gärna ha Dag Svensson som medarbetare på åtminstone deltid.

Efter en kort diskussion om framtida inriktning och utvecklingsplaner återvaldes Erika Berger som styrelseordförande för det kommande verksamhetsåret. Därefter förklarades mötet avslutat.

Malin Eriksson hade inte sagt ett ord på styrelsemötet. Hon gjorde en beräkning i huvudet och konstaterade att medarbetarna skulle få en vinstbonus på 25 000 kronor, alltså mer än en extra månadslön. Hon såg ingen anledning att protestera mot beslutet.

Omedelbart efter årsmötets avslutande sammankallade Erika Berger till ett extra ägarskapsmöte. Det innebar att Erika, Mikael, Christer och Harriet stannade kvar medan övriga lämnade konferensrummet. Så fort dörren stängts förklarade Erika mötet öppnat.

"Vi har en enda punkt på dagordningen. Harriet, enligt den överenskommelse vi gjorde med Henrik Vanger skulle hans delägande sträcka sig två år framåt i tiden. Vi har nu kommit till den punkt då kontraktet löper ut. Vi måste alltså besluta om vad som ska ske med ditt – eller rättare sagt Henriks – delägarskap."

Harriet nickade.

"Vi vet alla att Henriks delägarskap var en impulshandling framsprungen ur en väldigt speciell situation", sa Harriet. "Den situationen existerar inte längre. Vad föreslår ni?"

Christer Malm skruvade irriterat på sig. Han var den ende i rummet som inte kände till exakt vari den speciella situationen bestod. Han visste att Mikael och Erika mörkade en historia för honom, men Erika hade förklarat att det handlade om något högst personligt som rörde Mikael och som han under inga omständigheter ville diskutera. Christer var inte mer korkad än att han insett att Mikaels tystnad hade något med Hedestad och Harriet Vanger att göra. Han insåg också att han inte behövde veta för att fatta beslut i principfrågan, och han hade tillräckligt stor respekt för Mikael för att inte göra en stor sak av frågan.

"Vi tre har diskuterat saken och kommit till en gemensam ståndpunkt", sa Erika. Hon gjorde en paus och såg Harriet i ögonen. "Innan vi säger hur vi resonerat vill vi veta vad du tycker."

Harriet Vanger tittade i tur och ordning på Erika, Mikael och Christer. Hennes blick dröjde sig kvar vid Mikael men hon kunde inte utläsa något ur deras ansikten.

"Om ni vill köpa ut mig så kostar det drygt tre miljoner kronor plus ränta, vilket är vad familjen Vanger investerat i *Millennium*. Har ni råd att köpa ut oss?" frågade Harriet milt.

"Jo, det har vi", sa Mikael och log.

Han hade fått fem miljoner kronor av Henrik Vanger för det arbete han utfört åt den gamle industriledaren. I arbetet ingick ironiskt nog bland annat att leta rätt på Harriet Vanger.

"I så fall är avgörandet i era händer", sa Harriet. "Kontraktet stipulerar att ni kan göra er av med det Vangerska ägarskapet från och med i dag. Själv skulle jag aldrig ha formulerat ett så slarvigt kontrakt som Henrik gjorde."

"Vi kan lösa ut dig om vi måste göra det", sa Erika. "Frågan är alltså vad *du* vill göra. Du styr en industrikoncern – två koncerner faktiskt. Hela vår årsbudget motsvarar vad ni omsätter på en kafferast. Vad har du för intresse av att slösa din tid på något så marginellt som *Millennium*? Vi håller styrelsemöten en gång i kvartalet och du har satt av tid och kommit punktligt till varje sådant möte sedan du gick in som ersättare för Henrik."

Harriet Vanger betraktade sin styrelseordförande med mild blick. Hon var tyst en lång stund. Sedan tittade hon på Mikael och svarade.

"Jag har varit ägare till någonting sedan den dag jag föddes. Och jag tillbringar mina dagar med att leda en koncern där det finns fler intriger än i en fyrahundrasidig kärleksroman. Då jag började sitta i er styrelse så var det för att uppfylla förpliktelser som jag inte kunde avsäga mig. Men vet ni vad – under de gångna arton månaderna har jag upptäckt att jag trivs bättre med att sitta i den här styrelsen än i alla andra styrelser tillsammans."

Mikael nickade eftertänksamt. Harriet flyttade blicken till Christer.

"*Millennium* är som en leksaksstyrelse. Problemen här är små och begripliga och överskådliga. Företaget vill naturligtvis gå med vinst och tjäna pengar – det är en förutsättning. Men ni har ett helt annat syfte med verksamheten – ni vill åstadkomma något."

Hon tog en klunk ur glaset med Ramlösa och fixerade Erika med blicken.

"Exakt vad detta *något* är för någonting är lite oklart. Målsättningen är helt enkelt luddig. Ni är inte ett politiskt parti eller en intresseorganisation. Ni har inga lojaliteter ni måste ta hänsyn till mer än till varandra. Men ni påtalar brister i samhället och ni jävlas gärna med offentliga personer som ni inte tycker om. Ni vill ofta förändra och påverka. Även om ni alla låtsas vara cyniker och nihilister så är det bara er egen moral som styr tidningen och jag har vid flera tillfällen erfarit att det är en ganska speciell moral. Jag vet inte vad man ska kalla det, men *Millennium* har en själ. Det här är den enda styrelse som jag faktiskt är stolt över att sitta i."

Hon tystnade och förblev tyst så länge att Erika skrattade till.

"Det låter bra. Men du har fortfarande inte besvarat frågan."

"Jag trivs i ert sällskap och att jag har mått fantastiskt bra av att sitta i den här styrelsen. Det här är något av det knasigaste och mest befängda jag varit med om. Om ni vill ha mig kvar så stannar jag gärna."

"Okej", sa Christer. "Vi har diskuterat fram och tillbaka och vi är helt ense. Vi bryter kontraktet i dag och köper ut dig."

Harriets ögon vidgades en aning.

"Ni vill bli av med mig?"

"När vi undertecknade kontraktet låg vi med huvudet på stupstocken och väntade på bilan. Vi hade inget val. Vi började redan då räkna dagarna till dess att vi kunde köpa ut Henrik Vanger."

Erika öppnade en mapp och lade fram papper på bordet som hon sköt över till Harriet Vanger tillsammans med en check med exakt den summa som Harriet hade sagt att det skulle kosta. Hon ögnade igenom kontraktet. Utan ett ord plockade hon upp en penna från bordet och undertecknade.

"Då så", sa Erika. "Det gick ju smärtfritt. Jag vill avtacka Henrik

Vanger för den tid som varit och för de insatser han gjort för *Millennium*. Jag hoppas att du framför detta till honom."

"Det ska jag göra", svarade Harriet Vanger neutralt. Hon visade inte med en min vad hon kände men var både sårad och djupt besviken över att de hade låtit henne säga att hon ville stanna i styrelsen och därefter lättvindigt sparkat ut henne. *Det var så förbannat onödigt.*

"Och samtidigt vill jag försöka intressera dig för ett helt annat kontrakt", sa Erika Berger.

Hon plockade fram en ny uppsättning papper som hon sköt över bordet.

"Vi undrar om du personligen har lust att bli delägare i *Millennium*. Priset är exakt den summa du just fått. Skillnaden i kontraktet är att det inte finns några tidsbegränsningar eller undantagsklausuler. Du går in som fullvärdig delägare i företaget med samma ansvar och skyldigheter som oss andra."

Harriet höjde på ögonbrynen.

"Varför denna omständliga process?"

"Därför att det förr eller senare måste göras", sa Christer Malm. "Vi kunde ha förnyat det gamla kontraktet med ett år i taget till nästa ägarskapsmöte eller till dess att vi haft ett stort gräl i styrelsen och sparkat ut dig. Men det var hela tiden ett kontrakt som måste lösas."

Harriet lutade sig mot armbågen och såg forskande på honom. Hon flyttade blicken till Mikael och därefter till Erika.

"Saken är den att vi skrev kontrakt med Henrik av ekonomiskt tvång", sa Erika. "Vi skriver kontrakt med dig därför att vi vill. Och till skillnad från det gamla kontraktet blir det inte så lätt att sparka ut dig i framtiden."

"Det är en väldigt stor skillnad för oss", sa Mikael lågmält.

Det var hans enda bidrag till diskussionen.

"Det är helt enkelt så att vi tycker att du tillför något till *Millennium* förutom de ekonomiska garantier som namnet Vanger innebär", sa Erika Berger. "Du är klok och förståndig och kommer med konstruktiva lösningar. Hittills har du hållit en väldigt låg profil, ungefär som en gäst på besök. Men du ger den här styrelsen en stadga och en styrsel som vi aldrig tidigare haft. Du kan affärer. Du frågade en gång om du kunde lita på mig och jag undrade ungefär samma sak om dig. Vid det här laget vet vi båda svaret. Jag tycker om dig och litar på dig – det gör vi allihopa. Vi vill inte ha dig på undantag enligt en befängd konstruktion. Vi vill ha dig som partner och fullvärdig delägare."

Harriet drog kontraktet till sig och läste noga igenom varje rad under fem minuter. Till sist tittade hon upp.

"Och det här är ni alla tre överens om?" frågade hon.

Tre huvuden nickade. Harriet lyfte pennan och undertecknade. Hon sköt tillbaka checken över bordet. Mikael rev sönder den.

MILLENNIUMS DELÄGARE åt middag på Samirs Gryta på Tavastgatan. Det var en stillsam tillställning med ett gott vin och couscous med lamm för att fira det nya delägarskapet. Konversationen var avstressad och Harriet Vanger märkbart omtumlad. Det kändes lite som en obekväm första dejt där parterna vet att någonting kommer att hända, men inte riktigt vad.

Redan vid halvåttatiden bröt Harriet Vanger upp från sällskapet. Hon ursäktade sig med att hon ville gå till sitt hotell och krypa i säng. Erika Berger skulle hem till sin man och gjorde henne sällskap en bit på vägen. De skildes åt vid Slussen. Mikael och Christer satt kvar och drönade en stund innan Christer ursäktade sig med att han också måste hem.

Harriet Vanger tog taxi till Hotel Sheraton och gick till sitt rum på sjunde våningen. Hon klädde av sig och tog ett bad och drog därefter på sig hotellets morgonrock. Sedan satte hon sig vid fönstret och tittade ut mot Riddarholmen. Hon öppnade ett paket Dunhill och tände en cigarett. Hon rökte ungefär tre eller fyra cigaretter om dagen, vilket var så få att hon kände sig nästan rökfri och hade förmåga att njuta av okynniga bloss utan att få dåligt samvete.

Klockan nio knackade det på dörren. Hon öppnade och släppte in Mikael Blomkvist.

"Skurk", sa hon.

Mikael log och gav henne en kyss på kinden.

"Jag trodde för ett ögonblick att ni verkligen tänkte sparka ut mig."

"Det skulle vi aldrig ha gjort på det viset. Förstår du varför vi ville omformulera kontraktet?"

"Ja. Det är rimligt."

Mikael öppnade hennes morgonrock, lade en hand på hennes bröst och kramade försiktigt.

"Skurk", sa hon igen.

LISBETH SALANDER STANNADE framför dörren med namnet Wu. Det hade lyst i fönstret då hon stod på gatan och hon hörde musik från andra sidan dörren. Namnet var korrekt. Följaktligen drog Lisbeth Salander slutsatsen att Miriam Wu ännu bodde kvar i ettan på Tomtebogatan vid S:t Eriksplan. Det var fredagskväll och Lisbeth hade halvt om halvt hoppats att Mimmi skulle vara ute och roa sig någonstans och att det skulle vara mörkt och släckt i lägenheten. De enda frågor som återstod att få besvarade var om Mimmi fortfarande ville veta av henne och om hon var ensam och tillgänglig.

Hon ringde på dörrklockan.

Mimmi öppnade dörren och lyfte häpet på ögonbrynen. Sedan lutade hon sig mot dörrposten och satte handen mot höften.

"Salander. Jag trodde att du var död eller något."

"Eller något", sa Lisbeth.

"Vad vill du?"

"Det finns många svar på den frågan."

Miriam Wu såg sig omkring i trapphuset innan hon åter fäste blicken på Lisbeth.

"Försök med något av svaren."

"Tja, ta reda på om du fortfarande är singel och vill ha sällskap i natt."

Mimmi såg häpen ut i några sekunder innan hon började gapskratta.

"Jag känner bara en enda människa som ens skulle komma på

tanken att ringa på min dörr efter ett och ett halvt års tystnad och fråga om jag vill knulla."

"Vill du att jag ska gå?"

Mimmi slutade skratta. Hon var tyst några sekunder.

"Lisbeth ... herregud, du menar allvar."

Lisbeth avvaktade.

Till sist suckade Mimmi och slog upp dörren.

"Kom in. Jag kan i alla fall bjuda på kaffe."

Lisbeth följde henne in och slog sig ned på den ena av de två pallarna vid matplatsen som Mimmi hade placerat i hallen, alldeles innanför ytterdörren. Lägenheten var på 24 kvadrat och bestod av ett trångt rum och en någorlunda möblerbar hall. Köket var ett kokskåp i en hörna av hallen dit Mimmi hade dragit vatten i en slang från toaletten.

Medan Mimmi hällde upp kaffevatten sneglade Lisbeth på henne. Miriam Wu hade en mamma från Hongkong och en pappa från Boden. Lisbeth visste att hennes föräldrar fortfarande var gifta och bosatta i Paris. Mimmi studerade sociologi i Stockholm. Hon hade en äldre syster som studerade antropologi i USA. Mammans gener avtecknade sig i form av korpsvart rakt kortklippt hår och lätt orientaliska drag. Pappan hade bidragit med klarblå ögon som gav henne ett särpräglat utseende. Hon hade en bred mun och skrattgropar som varken kom från mamma eller pappa.

Mimmi var 31 år gammal. Hon gillade att spöka ut sig i lackkläder och gå på klubbar där de körde performanceshower – och hon uppträdde stundom i samma shower. Lisbeth hade inte varit på klubb sedan hon var 16 år.

Vid sidan av studierna extraknäckte Mimmi en dag i veckan som försäljare på Domino Fashion på en tvärgata till Sveavägen. Kunder i stort behov av kläder av typen sköterskeuniform i gummi eller häxutstyrsel i svart läder frekventerade Domino som både designade och tillverkade kläderna. Mimmi var tillsammans med några väninnor delägare i butiken, vilket innebar ett blygsamt tillskott till studielånet på några tusenlappar varje månad. Lisbeth Salander hade sett Mimmi då hon uppträdde i en besynnerlig show på Pridefestivalen ett par år tidigare och därefter träffat henne i ett öltält senare på natten. Mimmi hade varit klädd i en märklig citrongul klänning i plast som visade mer än den dolde. Lisbeth hade haft vissa problem att uppfatta någon erotisk nyans i utstyrseln, men hon hade varit tillräckligt berusad för att plötsligt få lust att ragga upp en flicka som var utklädd till citrusfrukt. Till Lisbeths stora häpnad hade citrusfrukten kastat en blick på henne, gapskrattat, ogenerat kysst henne och sagt *Dig vill jag ha*. De hade gått hem till Lisbeth och haft sex hela natten.

"JAG ÄR SOM JAG ÄR", sa Lisbeth. "Jag åkte för att komma bort från allt och alla. Jag borde ha sagt adjö."

"Jag trodde att något hade hänt dig. Men vi höll inte särskilt mycket kontakt sista tiden du var här."

"Jag var upptagen."

"Du är så mystisk. Du pratar aldrig om dig själv och jag vet inte var du jobbar eller vem jag skulle ringa när du inte svarade på mobilen."

"Just nu jobbar jag inte med någonting och dessutom är du precis som jag. Du ville ha sex men du var inte särskilt intresserad av ett förhållande. Eller hur?"

Mimmi tittade på Lisbeth.

"Det är sant", svarade hon slutligen.

"Och det var samma sak med mig. Jag har aldrig lovat dig någonting."

"Du har förändrats", sa Mimmi.

"Inte mycket."

"Du ser äldre ut. Mognare. Du har andra kläder. Och du har stoppat upp bh:n med något."

Lisbeth sa ingenting. Hon skruvade på sig. Mimmi hade just rört vid det som hon tyckte var pinsamt och som hon hade svårt att bestämma hur hon skulle förklara. Mimmi hade sett henne naken och skulle inte kunna undgå att notera att en förändring hade ägt rum. Till sist slog hon ned blicken och mumlade.

"Jag har skaffat bröst."

"Vad sa du?"

Lisbeth tittade upp och höjde rösten, omedveten om att den fick en trotsig ton.

"Jag åkte till en klinik i Italien och opererade in riktiga bröst. Det var därför jag försvann. Sedan fortsatte jag bara att resa. Nu är jag tillbaka."

"Skämtar du?"

Lisbeth tittade på Mimmi med uttryckslösa ögon.

"Så dum jag är. Du skämtar aldrig, *dr Spock*."

"Jag tänker inte be om ursäkt. Jag är ärlig mot dig. Om du vill att jag ska gå så behöver du bara säga till."

"Har du verkligen skaffat nya bröst?"

Lisbeth nickade. Mimmi Wu gapskrattade plötsligt. Lisbeth mörknade.

"Jag vill i alla fall inte att du går utan att jag fått se hur de ser ut. Snälla. *Please*."

"Mimmi, jag har alltid gillat att ha sex med dig. Du brydde dig inte ett dyft om vad jag sysslade med och om jag var upptagen så hittade du någon annan. Och du skiter fullständigt i vad folk tycker om dig."

Mimmi nickade. Hon hade insett att hon var lesbisk redan i högstadiet och efter en del pinsamma trevande försök slutligen blivit invigd i erotikens mysterier då hon var 17 år och av en slump följde med en bekant till en fest som RFSL i Göteborg arrangerade. Hon hade därefter aldrig övervägt någon annan livsstil. Vid ett enda tillfälle då hon var 23 år hade hon försökt ha sex med en man. Hon hade genomfört samlaget och mekaniskt gjort allt som hon förväntades göra. Det hade inte varit njutbart. Hon tillhörde också den minoritet i minoriteten som inte var det minsta intresserad av äktenskap och trohet och myspysiga hemmakvällar.

"Jag har varit tillbaka i Sverige i några veckor. Jag ville veta om jag måste gå ut och ragga eller om du fortfarande är intresserad."

Mimmi reste sig och gick fram till Lisbeth. Hon böjde sig ned och kysste henne lätt på munnen.

"Jag hade tänkt plugga i kväll."

Hon knäppte upp översta knappen i Lisbeths blus.

"Men vad fan …"

Hon kysste henne igen och knäppte upp ytterligare en knapp.

"Det här måste jag helt enkelt få se."

Hon kysste henne igen.

"Välkommen tillbaka."

HARRIET VANGER SOMNADE vid tvåtiden på morgonen medan Mikael Blomkvist låg vaken och lyssnade på hennes andetag. Till sist klev han upp och lånade en Dunhill från paketet i hennes väska. Han satte sig naken på en stol intill sängen och tittade på henne.

Mikael hade inte planerat att bli Harriet Vangers älskare. Tvärtom, efter tiden i Hedestad kände han närmast ett behov av att hålla sig på armlängds avstånd från familjen Vanger. Han hade träffat Harriet vid några styrelsemöten föregående vår och hållit en artig distans; de kände till varandras hemligheter och hade hållhakar på varandra, men förutom Harriets förpliktelser i *Milleniums* styrelse var deras mellanhavanden i all praktisk bemärkelse avslutade.

Vid pingsthelgen ett år tidigare hade Mikael för första gången på flera månader åkt ut till sin stuga i Sandhamn bara för att vara i fred och sitta på bryggan och läsa en deckare. På fredagseftermiddagen, några timmar efter att han anlänt, hade han gått en promenad till kiosken för att köpa cigaretter och plötsligt sprungit ihop med Harriet. Hon hade känt behov av att komma bort från Hedestad och bokat en weekend på hotellet i Sandhamn, vilket var en plats hon inte besökt sedan hon var barn. Hon hade varit 16 år då hon flydde från Sverige och 53 år då hon återkom. Det var Mikael som hade spårat upp henne.

Efter några inledande hälsningsfraser hade Harriet förläget tystnat. Mikael kände till hennes historia. Och hon visste att han hade begått våld på sina principer för att mörka familjen Vangers fruktansvärda hemligheter. Han hade gjort det bland annat för hennes skull.

Efter en stund hade Mikael bjudit in henne att inspektera hans stuga. Han hade kokat kaffe och de hade suttit på däcket utanför i flera timmar och pratat. Det var första gången de hade pratat allvar sedan hon återkom till Sverige. Mikael hade varit tvungen att fråga.

"Vad gjorde ni med det som fanns i Martin Vangers källare?"

"Vill du verkligen veta?"

Han nickade.

"Jag städade upp själv. Jag brände allting som gick att bränna. Jag lät riva huset. Jag kunde inte bo där och jag kunde inte sälja det och låta någon annan bo där. För mig var det bara förknippat med ondska. Jag tänker bygga ett nytt hus på tomten; en mindre stuga."

"Var det ingen som höjde på ögonbrynen då du lät riva huset? Det var ju en flott och helt modern villa."

Hon log.

"Dirch Frode spred ut ett rykte om att det var så svåra mögelskador i huset att det skulle bli dyrare att sanera."

Dirch Frode var familjen Vangers advokat.

"Hur är det med Frode?"

"Han fyller 70 snart. Jag håller honom sysselsatt."

De åt middag tillsammans och Mikael insåg plötsligt att Harriet satt och berättade de mest intima och privata detaljer ur sitt liv. När han avbröt henne och frågade varför funderade hon en stund och svarade att det nog inte fanns någon annan i hela världen som hon inte hade orsak att dölja någonting för. Dessutom var det svårt att värja sig mot en liten pojkvasker som hon drygt fyrtio år tidigare hade suttit barnvakt åt.

Hon hade haft sex med tre män i sitt liv. Först sin pappa och därefter sin bror. Hon hade dödat sin pappa och flytt från sin bror. På något sätt hade hon överlevt och träffat en man och skapat sig ett nytt liv.

"Han var öm och kärleksfull. Trygg och hederlig. Jag var lycklig med honom. Vi fick drygt tjugo år innan han blev sjuk."

"Du har aldrig gift om dig? Varför inte?"

Hon ryckte på axlarna.

"Jag var tvåbarnsmor i Australien och ägare till en stor jordbruksindustri. Jag kunde aldrig riktigt smita iväg på någon romantisk weekend. Jag har aldrig saknat sex."

De satt tysta en stund.

"Det är sent. Jag borde gå till hotellet."

Mikael nickade.

"Vill du förföra mig?"

"Ja", svarade han.

Mikael reste sig och tog hennes hand och gick in i stugan och upp till sovloftet. Hon hejdade honom plötsligt.

"Jag vet inte riktigt hur jag ska bete mig", sa hon. "Jag gör inte sådant här varje dag."

De hade tillbringat helgen tillsammans och därefter träffats en natt var tredje månad i samband med *Millenniums* styrelsemöten. Det var inget praktiskt eller hållbart förhållande. Harriet Vanger arbetade dygnet runt och befann sig oftast på resa. Hon tillbringade varannan månad i Australien. Men hon hade uppenbarligen kommit att uppskatta de oregelbundna och tillfälliga mötena med Mikael.

TVÅ TIMMAR SENARE gjorde Mimmi kaffe medan Lisbeth låg naken och svettig ovanpå sänglinnet. Hon rökte en cigarett medan hon betraktade Mimmi genom dörröppningen. Hon avundades Mimmis kropp. Hon hade muskler som imponerade. Hon tränade på gym tre kvällar i veckan, varav en kväll thaiboxning eller någon sådan där karateskit, vilket hade gett henne en oförskämt vältrimmad kropp.

Hon var helt enkelt läcker. Inte fotomodellvacker, men genuint attraktiv. Hon älskade att provocera och utmana. När hon klätt upp sig inför en fest kunde hon få vem som helt intresserad av henne. Lisbeth begrep inte varför Mimmi ens brydde sig om en sådan höna som hon.

Men hon var glad att Mimmi gjorde det. Sex med Mimmi var så dramatiskt befriande att Lisbeth bara slappnade av och njöt och tog för sig och gav tillbaka.

Mimmi kom tillbaka till sängen med två muggar som hon ställde på en pall vid sängkanten. Hon kröp upp i sängen igen och böjde sig ned och nafsade på en av Lisbeths bröstvårtor.

"Okej, de duger", sa hon.

Lisbeth sa ingenting. Hon tittade på Mimmis bröst framför hennes ögon. Mimmi hade också ganska små bröst men de tycktes helt naturliga på hennes kropp.

"Ärligt talat, Lisbeth, du ser skitbra ut."

"Det är fånigt. Brösten gör varken till eller från, men jag har i alla fall några."

"Du är så kroppsfixerad."

"Ska du säga som tränar som en dåre."

"Jag tränar som en dåre därför att jag njuter av att träna. Det är en kick, nästan lika häftigt som sex. Du borde prova."

"Jag boxas", sa hon.

"Snack – du brukade boxas högst en gång varannan månad och därför att du blev hög på att puckla på de där snorkiga grabbarna. Det är inte att träna för att må bra."

Lisbeth ryckte på axlarna. Mimmi satte sig grensle över henne.

"Lisbeth, du är så bottenlöst självupptagen och fixerad vid din kropp. Fatta att jag gillade att ha dig i sängen inte för hur du ser ut utan för hur du beter dig. Du är sexig som fan i mina ögon."

"Du med. Det är därför jag kommer tillbaka till dig."

"Inte kärlek?" frågade Mimmi med spelat sårad röst.

Lisbeth skakade på huvudet.

"Hänger du ihop med någon just nu?"

Mimmi tvekade en stund innan hon nickade.

"Kanske. På sätt och vis. Möjligen. Det är lite komplicerat."

"Jag snokar inte."

"Jag vet. Men jag har inget emot att berätta. Det är en kvinna på universitetet som är lite äldre än jag. Hon är gift sedan tjugo år och vi träffas liksom bakom ryggen på hennes man. Förort, villa och allt det där. Hon är garderobsflata."

Lisbeth nickade.

"Hennes man reser rätt mycket så vi träffas lite då och då. Det har hållit i sig sedan i höstas och börjar bli lite tråkigt. Men hon är verkligen läcker. Och sedan umgås jag förstås med det vanliga gänget."

"Det jag egentligen undrade om var om jag kan hälsa på dig igen?"

Mimmi nickade.

"Jag skulle väldigt gärna vilja att du hörde av dig."

"Även om jag försvinner på ett halvår igen?"

"Håll kontakten då. Jag vill ju veta om du lever eller inte. Och jag kommer i alla fall ihåg din födelsedag."

"Inga krav?"

Mimmi suckade och log.

"Vet du, du är faktiskt en flata som jag skulle kunna bo ihop med. Du skulle lämna mig i fred då jag ville vara i fred."

Lisbeth var tyst.

"Bortsett från att du egentligen inte är en flata. Inte egentligen. Du är kanske bisexuell. Du är nog mest av allt sexuell – du gillar sex och du skiter egentligen i könet. Du är en entropisk kaosfaktor."

"Jag vet inte vad jag är", sa Lisbeth. "Men jag är tillbaka i Stockholm och rätt usel på relationer. Sanningen att säga så känner jag inte en enda människa här. Du är den första människa jag pratar med sedan jag kom hem."

Mimmi granskade henne med allvarliga ögon.

"Vill du verkligen känna folk? Du är den mest anonyma och otillgängliga människa jag känner."

De var tysta en kort stund.

"Men dina nya bröst är verkligen läckra."

Hon lade fingrarna under en bröstvårta och sträckte ut skinnet.

"De passar på dig. Inte för stora och inte för små."

Lisbeth drog en suck av lättnad att recensionerna i alla fall utfallit till belåtenhet.

"Och det känns som bröst."

Hon kramade bröstet så kraftigt att Lisbeth drog efter andan och öppnade munnen. De tittade på varandra. Sedan böjde sig Mimmi ned och gav Lisbeth en djup kyss. Lisbeth svarade och slog armarna runt Mimmi. Kaffet kallnade odrucket.

KAPITEL 7
LÖRDAG 29 JANUARI–SÖNDAG 13 FEBRUARI

EN BLOND JÄTTE svängde in i Svavelsjö by mellan Järna och Vagnhärad vid elvatiden på lördagsförmiddagen. Samhället bestod av ungefär femton hus. Han stannade vid den sista byggnaden, omkring hundrafemtio meter utanför själva byn. Det var en sliten före detta industribyggnad som tidigare hade varit ett tryckeri men som nu stoltserade med en skylt som förkunnade att byggnaden inhyste Svavelsjö MC. Trots att trafiken var obefintlig såg han sig noga för innan han öppnade bildörren och klev ur. Det var kallt i luften. Han satte på sig bruna skinnhandskar och hämtade en svart sportbag från bagageluckan.

Han var inte särskilt orolig över att bli iakttagen. Det gamla tryckeriet var beläget så att det var näst intill omöjligt för någon att parkera en bil i närheten utan att bli observerad. Om någon statlig myndighet ville hålla byggnaden under bevakning skulle de vara tvungna att utrusta sina medarbetare i militära kamouflagekläder och placera dem med teleskop i något dike på andra sidan fälten. Vilket ganska snart skulle observeras och skvallras om bland människor i byn, och eftersom tre av husen i byn dessutom ägdes av medlemmar i Svavelsjö MC så skulle detta snabbt bli känt även i klubben.

Däremot ville han inte gå in i byggnaden. Polisen hade vid några tillfällen gjort husrannsakan i klubbhuset och ingen kunde vara säker på att det inte installerats någon diskret avlyssningsutrustning. Det innebar att den dagliga konversationen i klubbhuset främst handlade om bilar, brudar och bärs, och stundom om vilka aktier som var lämpliga att investera i, men sällan om några hemligheter av dramatisk betydelse.

Den blonde jätten väntade därför tålmodigt till dess att Carl-Magnus Lundin kom ut på gården. Magge Lundin, 36 år, var *Club President*. Han hade egentligen en ganska tunn benstomme men hade under några år lagt på sig så många kilo att han nu stoltserade med en markant ölmage. Han hade ljusblont hår i en hästsvans och var klädd i boots, svarta jeans och en kraftig vinterjacka. Han hade fem domar i meritförteckningen. Två av dessa var för smärre narkotikabrott, en var för grovt häleri och en för bilstöld och rattonykterhet. Den femte domen, den allvarligaste, hade renderat honom ett års fängelse för grov misshandel, då han flera år tidigare i berusat tillstånd hade röjt på en krog inne i Stockholm.

Magge Lundin och jätten skakade hand och promenerade långsamt längs stängslet kring gårdsplanen.

"Det var några månader sedan sist", sa Magge.

Den blonde jätten nickade.

"Vi har en affär på gång. 3 060 gram metamfetamin."

"Samma avtal som förra gången?"

"Fifty-fifty."

Magge Lundin grävde fram ett cigarettpaket ur bröstfickan. Han nickade. Han tyckte om att göra affärer med den blonde jätten. Metamfetamin betingade ett gatupris på mellan 160–230 kronor per gram, lite beroende på tillgången. 3 060 gram motsvarade ett snittvärde på drygt 600 000 kronor. Svavelsjö MC skulle distribuera de tre kilona i portioner på omkring 250 gram till fasta återförsäljare. I det ledet skulle priset sjunka till omkring 120–130 kronor per gram, vilket skulle minska den sammanlagda inkomsten.

Det var exceptionellt fördelaktiga affärer för Svavelsjö MC. Till skillnad från alla andra leverantörer var det aldrig något tjafs om förskottsbetalning eller fasta priser. Den blonde jätten levererade varorna och begärde femtio procent, en högst rimlig andel av inkomsterna. De visste mellan tummen och pekfingret vad ett kilo metamfetamin skulle omsätta; den exakta andelen berodde på hur närig försäljning Magge Lundin kunde åstadkomma. Det kunde diffa på några tusenlappar åt endera hållet från det förväntade priset, men när affären var avklarad skulle den blonde jätten komma för att inkassera en summa av ungefär 190 000 kronor medan Svavelsjö MC skulle behålla en lika stor summa.

De hade gjort många affärer genom åren, alltid med samma system. Magge Lundin visste att den blonde jätten skulle kunna dubbla sina inkomster genom att själv sköta distributionen. Han visste också varför den blonde jätten accepterade en lägre profit; han kunde förbli dold i bakgrunden medan Svavelsjö MC tog alla risker. Den blonde jätten fick en mindre men relativt säker inkomst. Och till skillnad från alla andra leverantörer han någonsin hört talas om var det ett förhållande som byggde på affärsprinciper, kredit och välvilja. Inga hårda ord, inget tjafs och inga hotelser.

Den blonde jätten hade till och med i samband med en vapenleverans som gick alldeles på tok svalt en förlust på närmare 100 000 kronor. Magge Lundin kände ingen annan i branschen som skulle ta en sådan förlust. Han hade själv varit närmast skräckslagen då han skulle redovisa vad som hade hänt. Han hade förklarat detaljerna omkring varför affären gått på tok och hur det kunde komma sig att en polis på Brottsförebyggande Centrum hade gjort ett stort tillslag hos en medlem i Ariska Brödraskapet i Värmland. Men jätten hade inte ens höjt på ögonbrynen. Han hade närmast varit medkännande. Det var sådant som kunde hända. Magge Lundin hade inte gjort någon profit och femtio procent av ingenting var noll. Det fick skrivas av.

Magge Lundin var inte obegåvad. Han förstod att mindre men tämligen riskfri profit helt enkelt var en bra affärsidé.

Han hade aldrig någonsin funderat på att blåsa den blonde jätten. Det skulle vara dålig stil. Den blonde jätten och hans kompanjoner accepterade en lägre profit så länge redovisningen var hederlig. Om han lurade jätten skulle denne komma på besök och Magge Lundin var övertygad om att han inte skulle överleva det besöket. Det var följaktligen inget snack om saken.

"När kan du leverera?"

Den blonde jätten släppte sportbagen på marken.

"Det är levererat."

Magge Lundin brydde sig inte om att öppna väskan och kontrollera innehållet. Istället sträckte han fram handen som tecken på att de hade ett avtal som han utan prut ämnade uppfylla.

"Det är en sak till", sa jätten.

"Vad?"

"Vi skulle vilja anlita dig för ett specialjobb."

"Låt höra."

Den blonde jätten tog fram ett kuvert ur innerfickan på sin jacka. Magge Lundin öppnade och plockade fram en passbild och ett ark med persondata. Han höjde på ögonbrynen frågande.

"Hon heter Lisbeth Salander och bor på Lundagatan på Södermalm i Stockholm."

"Okej."

"Hon befinner sig förmodligen utomlands nu men kommer att dyka upp igen förr eller senare."

"Okej."

"Min uppdragsgivare vill ha ett enskilt och ostört samtal med henne. Hon måste alltså levereras levande. Förslagsvis till den där lagerlokalen vid Yngern. Sedan behöver vi någon som städar upp efter samtalet. Hon måste försvinna spårlöst."

"Det ska vi nog kunna ordna. Hur vet vi när hon kommer hem igen?"

"Jag kommer att meddela dig när det blir aktuellt."

"Pröjs?"

"Vad sägs om tio lakan allt som allt? Det är ett ganska enkelt jobb. Åk in till Stockholm, plocka upp henne, leverera henne till mig."

De skakade hand igen.

VID DET ANDRA besöket på Lundagatan slog sig Lisbeth ned i den noppiga soffan och funderade. Hon måste fatta en del strategiska beslut och ett av dessa innebar att bestämma sig för om hon skulle behålla lägenheten eller inte.

Hon tände en cigarett, blåste rök upp mot taket och askade i en tom Coca-Cola-burk.

Hon hade ingen orsak att älska lägenheten. Hon hade flyttat in där med sin mamma och sin syster då hon var 4 år. Hennes mamma hade bott i vardagsrummet medan hon och Camilla hade delat på det lilla sovrummet. Då hon var 12 år och Allt Det Onda hade hänt hade hon först flyttats till en barnklinik och därefter, då hon fyllde 15, till olika fosterfamiljer. Lägenheten hade varit uthyrd i andra hand av hennes gode man, Holger Palmgren, som också hade sett till att den gick tillbaka till henne då hon fyllde 18 år och behövde tak över huvudet.

Lägenheten hade varit en fast punkt i hennes tillvaro under större delen av hennes liv. Fastän hon inte behövde lägenheten längre ogillade hon tanken att bara överge den. Det skulle innebära att främmande människor skulle trampa omkring på hennes golv.

Det logistiska problemet bestod i att all hennes offentliga post – i den mån hon nu alls fick post – gick till adressen på Lundagatan. Om hon sa upp lägenheten var hon tvungen att skaffa en annan adress. Lisbeth Salander ville inte vara en offentlig människa som bokfördes i olika register. Hon hade en paranoikers känsloregister och ingen större orsak att lita på myndigheter eller någon annan heller för den delen.

Hon tittade ut genom fönstret och såg brandväggen på bakgården som hon hade sett i hela sitt liv. Hon kände sig plötsligt lättad över beslutet att lämna lägenheten. Hon hade aldrig känt sig trygg där. Varje gång hon hade svängt in på Lundagatan och närmat sig sin port – nykter eller i aldrig så berusat tillstånd – hade hon varit uppmärksam på omgivningen, på parkerade bilar eller på förbipasserande. Hon var på goda grunder övertygad om att någonstans därute fanns människor som ville henne illa, och det var mest sannolikt att de människor som ville henne illa skulle angripa henne då hon kom eller gick från sin bostad.

Attackerna hade dock lyst med sin frånvaro. Det innebar inte att hon slappnade av. Adressen på Lundagatan var känd i vartenda offentligt register och under alla år hade hon aldrig haft resurser för att höja säkerheten till mer än att ständigt vara vaksam. Nu var situationen annorlunda. Hon ville absolut inte att någon skulle känna till hennes nya adress vid Mosebacke. Hennes instinkt manade henne att förbli så anonym som möjligt.

Men det löste inte problemet med vad hon skulle göra av lägenheten. Hon grubblade en stund och tog därefter fram mobiltelefonen och ringde till Mimmi.

"Hej, det är jag."

"Hej Lisbeth. Du menar att du hör av dig redan efter en vecka den här gången?"

"Jag är på Lundagatan."

"Okej."

"Jag undrar om du har lust att överta lägenheten?"

"Överta?"

"Du bor i en skokartong."

"Jag trivs här. Ska du flytta?"

"Jag har redan flyttat. Lägenheten står tom."

Mimmi tvekade i andra änden av luren.

"Och du undrar om jag vill överta den. Lisbeth, jag har inte råd."

"Det är en bostadsrätt som är helt betald. Avgiften till föreningen är på 1 480 i månaden, vilket förmodligen är mindre än du betalar för skokartongen. Och avgiften är betald ett år framåt."

"Men tänker du sälja? Jag menar, den måste vara värd en bra bit över en miljon."

"Drygt en och en halv om jag ska tro bostadsannonserna."

"Jag har inte råd."

"Jag tänker inte sälja. Du kan flytta in här i kväll, du kan bo här hur länge du vill och du behöver inte betala hyra på ett år. Jag får inte hyra ut i andra hand men jag kan skriva in dig i kontraktet som min sambo så slipper du trassel med föreningen."

"Men Lisbeth – friar du?" skrattade Mimmi.

Lisbeth var gravallvarlig.

"Jag har ingen nytta av lägenheten och jag vill inte sälja."

"Du menar att jag kan bo där gratis, typ. Menar du allvar?"

"Ja."

"Hur länge då?"

"Hur länge du vill. Är du intresserad?"

"Självklart. Jag får inte erbjudanden om en gratis lägenhet mitt på Söder varje dag."

"Det finns en hake."

"Jag antog det."

"Du får bo här hur länge du vill men jag kommer fortfarande att vara skriven här och få min post hit. Allt du behöver göra är att ta hand om posten åt mig och höra av dig om det kommer något som är av intresse."

"Lisbeth, du är den knäppaste tjej jag känner. Vad sysslar du egentligen med? Var ska du bo?"

"Vi kan ta det sedan", svarade Lisbeth undvikande.

DE KOM ÖVERENS om att mötas senare under eftermiddagen så att Mimmi kunde titta på lägenheten ordentligt. När hon avslutat samtalet kände sig Lisbeth genast mycket bättre till mods. Hon tittade på sitt armbandsur och konstaterade att hon hade gott om tid innan Mimmi skulle komma över. Hon lämnade lägenheten och promenerade ned till Handelsbanken på Hornsgatan där hon tog en kölapp och tålmodigt väntade på sin tur.

Hon legitimerade sig och förklarade att hon befunnit sig utomlands en tid och att hon ville titta på balansräkningen på sitt sparkonto. Hennes offentligt deklarerade sparkapital bestod av 82 670 kronor. Kontot hade varit orört i över ett år med undantag för en inbetalning på 9 312 kronor som gjorts under hösten. Det var hennes morsarv.

Lisbeth Salander tog ut en summa motsvarande arvet i kontanter. Hon funderade en stund. Hon ville använda pengarna till något som skulle ha gjort hennes mor nöjd. Något passande. Hon promenerade till posten på Rosenlundsgatan och satte anonymt in beloppet på en av Stockholms kvinnojourer. Hon visste inte riktigt varför hon gjorde det.

KLOCKAN VAR ÅTTA på fredagskvällen när Erika stängde av datorn och sträckte på sig. Hon hade tillbringat de senaste nio timmarna med att göra finishen på marsnumret av *Millennium*, och eftersom Malin Eriksson arbetade full tid med Dag Svenssons temanummer hade hon fått göra en stor del av redigeringen själv. Henry Cortez och Lottie Karim hade ryckt in men de var huvudsakligen skribenter och researchers och inte särskilt vana redigerare.

Erika Berger kände sig följaktligen trött och öm i baken, men hon var på det hela taget tillfreds med både dagen och livet i största allmänhet. Tidningens ekonomi var stabil, kurvorna pekade åt rätt håll, texter flöt in på deadline eller i varje fall inte dramatiskt försenade, personalen var nöjd och fortfarande efter mer än ett år hög på den adrenalinkick som Wennerströmaffären hade inneburit.

Efter att ha ägnat en stund åt att försöka massera sin nacke konstaterade hon att hon behövde en dusch och funderade på att utnyttja den lilla duschskrubben innanför pentryt. Men hon kände sig för slö och lade istället upp fötterna på skrivbordet. Hon skulle fylla 45 år om tre månader och den där omtalade framtiden började i allt högre grad ligga bakom henne. Hon hade fått ett finmaskigt nät av små rynkor och streck kring ögonen och munnen, men visste att hon fortfarande såg bra ut. Hon tillbringade två stenhårda pass på gymmet varje vecka, men hade noterat att det började bli allt svårare att klättra upp i masten under långseglingarna med maken. Det var hon som efter behov fick stå för klättrandet – Greger hade en fruktansvärd svindel.

Erika konstaterade också att hennes första 45 år trots ett antal *ups and downs* på det hela taget varit lyckosamma. Hon hade pengar, status, en utmärkt bostad och ett jobb hon gillade. Hon hade en ömsint man som älskade henne och som hon fortfarande efter femton års äktenskap var förälskad i. Och dessutom en behaglig och till synes outslitlig älskare, som förvisso inte tillfredsställde hennes själ men väl hennes kropp när hon behövde.

Hon log då hon tänkte på Mikael Blomkvist. Hon undrade när han skulle mobilisera mod att inviga henne i hemligheten att han hade något ihop med Harriet Vanger. Varken Mikael eller Harriet hade andats en stavelse om förhållandet, men Erika var inte tappad bakom en vagn. Att det var något på gång hade hon insett ett styrelsemöte i augusti då hon noterat en blick som utväxlats mellan Mikael och Harriet. På pin kiv hade hon försökt ringa till både Harriets och Mikaels mobiler senare på kvällen och inte särskilt förvånad noterat att de var avstängda. Det var förvisso inget slutgiltigt bevis, men också vid kommande styrelsemöten hade hon lagt märke till att Mikael varit oanträffbar på kvällen. Det hade nästan varit roande att se hur snabbt Harriet hade brutit upp från middagen efter årsmötet med en vag ursäkt om att hon behövde åka till hotellet och lägga sig. Erika snokade inte och hon var inte svartsjuk. Däremot tänkte hon vid något lämpligt tillfälle retas med dem båda om saken.

Hon lade sig inte det minsta i Mikaels kvinnoaffärer, men hon hoppades att hans affär med Harriet inte skulle resultera i framtida problem i styrelsen. Dock var det ingen djupare oro. Mikael hade många avslutade förhållanden bakom sig där han fortfarande var god vän med kvinnan i fråga, och endast vid sällsynta tillfällen hade han hamnat i bryderier.

Själv var Erika Berger oerhört glad över att vara Mikaels vän och förtrogna. Han var i vissa avseenden korkad och i andra avseenden så insiktsfull att han närmast framstod som ett orakel. Däremot hade Mikael aldrig förstått hennes kärlek till sin man. Han hade helt enkelt aldrig begripit varför hon betraktade Greger som en förtrollande människa, varm, spännande och generös, och framför allt utan många av de later som hon så innerligt avskydde hos många män. Greger var en man hon ville åldras tillsammans med. Hon hade velat ha barn med honom, men det hade inte varit möjligt och nu var det för sent. Men i valet av livspartner kunde hon inte föreställa sig ett bättre och stabilare alternativ – en människa hon helt och förbehållslöst kunde lita på och som alltid var där för henne då hon behövde det.

Mikael var annorlunda. Han var en man med så skiftande karaktärsdrag att han stundom framstod som någon med multipla personligheter. Som yrkesmänniska var han envis och nästan patologiskt fokuserad på sin uppgift. Han grep tag i en story och jobbade sig fram till den punkt då den närmade sig perfektion och han fört samman alla lösa trådar. När han var som bäst var han briljant och när han var usel var han i alla fall långt bättre än genomsnittet. Han tycktes äga en närmast intuitiv begåvning för att avgöra vilken story som dolde en begravd hund och vad som bara skulle bli en ointressant dussinvara. Erika Berger hade aldrig någonsin ångrat att hon inlett samarbetet med Mikael.

Hon hade heller aldrig ångrat att hon blivit hans älskarinna.

Den ende som hade förstått Erika Bergers passion för sex med Mikael Blomkvist var hennes man, och han förstod det därför att hon vågade diskutera sina behov med honom. Det handlade inte om otrohet utan om ett begär. Sex med Mikael Blomkvist gav henne en kick som ingen annan man förmådde ge henne, inklusive Greger.

Sex var viktigt för Erika Berger. Hon hade förlorat sin oskuld då hon var 14 år och ägnat en stor del av tonåren åt att frustrerat söka tillfredsställelse. Som tonåring hade hon testat allt från grovhångel med klasskamrater och en krånglig affär med en äldre lärare till telefonsex och veloursex med en neurotiker. Hon hade provat det mesta som intresserade henne inom erotiken. Hon hade lattjat med bondage och varit medlem i Club Xtreme som arrangerade fester av det slag som inte var helt socialt acceptabla. Hon hade vid flera tillfällen provat sex med andra kvinnor och besviket konstaterat att det inte var hennes bag och att kvinnor inte förmådde upphetsa henne ens bråkdelen så mycket som en man. Eller två. Tillsammans med Greger hade hon utforskat sex med två män – en av dem framstående gallerist – och både upptäckt att hennes make hade en stark bisexuell läggning och att hon själv nästan paralyserades av njutning av att känna hur två män samtidigt smekte och tillfredsställde henne, liksom att hon upplevde en svårtolkad lustkänsla av att se sin make bli smekt av en annan man. Den kicken hade hon och Greger upprepat med samma framgång med ett par regelbundet återkommande partners.

Hennes sexliv med Greger var följaktligen inte tråkigt eller otillfredsställande. Det var bara det att Mikael Blomkvist gav henne en helt annan upplevelse.

Han hade talang. Han var helt enkelt JBS. Jävla Bra Sex.

Så bra att det kändes som om hon nått den optimala balansen med

Greger som make och Mikael som älskare efter behov. Hon kunde inte vara utan någon av dem och tänkte inte välja mellan dem.

Och det var detta hennes make hade förstått, att hon hade ett behov bortom det han själv kunde erbjuda i form av aldrig så sinnrika akrobatiska övningar i bubbelpoolen.

Det Erika tyckte bäst om i relationen till Mikael var hans närmast obefintliga behov av att kontrollera henne. Han var inte det minsta svartsjuk och även om hon själv hade haft flera utbrott av svartsjuka när de först hade börjat umgås för tjugo år sedan så hade hon upptäckt att i hans fall behövde hon inte vara svartsjuk. Deras relation byggde på vänskap och han var gränslöst lojal i frågor om vänskap. Det var ett förhållande som kunde överleva de tyngsta prövningar.

Erika Berger var medveten om att hon tillhörde en krets av människor vars val av livsstil troligen inte skulle gå hem hos kristna husmorsföreningen i Skövde. Det bekymrade henne inte. Redan som tonåring hade hon beslutat sig för att vad hon gjorde i sängen och hur hon valde att leva sitt liv inte angick någon annan än henne. Men det irriterade henne att så många av hennes bekanta i alla fall tisslade och tasslade om hennes förhållande till Mikael Blomkvist och alltid bakom hennes rygg.

Mikael var man. Han kunde gå från säng till säng utan att någon höjde på ögonbrynen. Hon var kvinna och det faktum att hon hade en enda älskare och detta med sin mans goda minne – och att hon dessutom varit sin älskare trogen i tjugo år – resulterade i de mest intressanta middagskonversationer.

Fuck you all. Hon funderade en stund och lyfte därefter luren för att ringa sin man.

"Hej älskling. Vad gör du?"

"Skriver."

Greger Backman var inte bara konstnär; han var framför allt docent i konsthistoria och författare till ett flertal böcker i ämnet. Han deltog ofta i den offentliga debatten och han anlitades av stora arkitektföretag. Det senaste året hade han arbetat på en bok om vikten av konstnärlig utsmyckning av byggnader och varför människor trivdes i vissa byggnader och inte alls i andra. Boken hade börjat arta sig till en hatskrift om funktionalismen som (misstänkte Erika) nog skulle skapa en viss oro på den estetiska debattmarknaden.

"Hur går det?"

"Bra. Det flyter. Du då?"

"Jag är precis klar med senaste numret. Det ska till tryckeriet på torsdag."

"Grattis."

"Jag är helt tom."

"Det låter som om du har något i tankarna."

"Har du planerat något i kväll eller skulle du bli hemskt missnöjd om jag inte kommer hem i natt?"

"Hälsa Blomkvist att han utmanar ödet", sa Greger.

"Jag tror inte han bryr sig."

"Okej. Hälsa honom att du är en häxa som inte går att tillfreds-ställa och att han kommer att åldras i förtid."

"Det vet han redan om."

"I så fall återstår bara för mig att begå självmord. Jag kommer att skriva till dess att jag somnar. Ha så kul."

De sa hejdå och därefter ringde Erika till Mikael. Han befann sig hemma hos Dag Svensson och Mia Bergman i Enskede och höll just på att avrunda en diskussion om några intrikata detaljer i Dags bok. Hon undrade om han var upptagen för natten eller om han kunde tänka sig att ge massage till en ömmande rygg.

"Du har nycklar", sa Mikael. "Känn dig som hemma."

"Det ska jag", svarade hon. "Vi syns om någon timme."

Det tog henne tio minuter att promenera till Bellmansgatan. Hon klädde av sig och duschade och gjorde espresso i Mikaels apparat. Sedan kröp hon ned i Mikaels säng och väntade naken och förvän-tansfullt.

Den optimala tillfredsställelsen för henne skulle förmodligen vara en trekant med hennes man och Mikael Blomkvist, vilket med nära nog hundraprocentig säkerhet aldrig skulle förverkligas. Problemet var att Mikael var så straight att hon retfullt brukade beskylla ho-nom för att vara homofob. Han hade noll intresse av män. Man kunde tydligen inte få allt här i världen.

DEN BLONDE JÄTTEN rynkade irriterat ögonbrynen medan han försiktigt rattade bilen i drygt femton kilometer i timmen längs en så uselt underhållen skogsväg att han för en kort stund trodde att han feltolkat färdbeskrivningen. Det hade precis börjat skymma när vägen vidgade sig och han äntligen skymtade stugan. Han parkerade och slog av motorn och såg sig omkring. Han hade drygt femtio meter kvar.

Han befann sig i närheten av Stallarholmen, inte alls långt från Mariefred. Det var en enkel stuga från 1950-talet placerad mitt ute i skogen. Mellan några träd kunde han skymta en ljusare strimma av is på Mälaren.

Han kunde för sitt liv inte begripa varför någon skulle vilja tillbringa sin fritid i en isolerad skogsdunge. Han kände sig plötsligt obehaglig till mods när han stängde bildörren bakom sig. Skogen kändes hotfull och påträngande. Han kände sig iakttagen. Han började promenera mot gårdsplanen men hörde plötsligt ett prasslande som fick honom att tvärstanna.

Han stirrade ut i skogen. Det var tyst och vindstilla i kvällningen. Han blev stående i två minuter med nerverna på helspänn innan han i ögonvrån skymtade en skepnad som försiktigt rörde sig mellan träden. När han fokuserade blicken stod skepnaden absolut stilla ungefär trettio meter in i skogen och stirrade på honom.

Den blonde jätten kände en vag panik. Han försökte urskilja detaljer. Han såg ett dunkelt knotigt ansikte. Varelsen tycktes vara en dvärg, ungefär en meter hög, och var kamouflageklädd i något som påminde om en dräkt av grankvistar och mossa. En bayersk skogstomte? En irländsk leprechaun? Hur farliga var de?

Den blonde jätten höll andan. Han kände nackhåren resa sig.

Sedan blinkade han kraftigt och ruskade på huvudet. När han åter tittade hade varelsen flyttat sig ungefär tio meter till höger. *Det fanns ingenting där.* Han visste att han inbillade sig. Ändå kunde han så tydligt urskilja varelsen bland träden. Den rörde sig plötsligt och kom närmare. Den tycktes röra sig snabbt och ryckigt i en halvcirkel för att komma i anfallsposition.

Den blonde jätten hastade fram den sista biten till stugan. Han knackade aningen för hårt och aningen för angeläget på dörren. Så fort han hörde ljudet av mänskliga rörelser från stugan sjönk paniken undan. Han sneglade över axeln. *Det fanns ingenting där.*

Men han andades ut först då dörren öppnades. Advokat Nils Bjurman hälsade artigt och bad honom kliva in.

MIRIAM WU PUSTADE ut då hon kom upp efter att ha släpat ned den sista sopsäcken med Lisbeth Salanders kvarvarande ägodelar till grovsoprummet i källaren. Lägenheten var kliniskt ren och doftade av såpa, målarfärg och nybryggt kaffe. Det sistnämnda svarade Lisbeth för. Hon satt på en pall och betraktade tankfullt den nakna lägenheten där gardiner, mattor, rabattkuponger på kylskåpet och hennes vanliga bråte i hallen på något magiskt sätt hade försvunnit. Hon förundrades över hur stor lägenheten kändes.

Miriam Wu och Lisbeth Salander hade inte samma smak vare sig i fråga om kläder, inredning eller intellektuell stimulans. Rättelse: Miriam Wu hade smak och bestämda åsikter om hur hon ville att hennes bostad skulle se ut, vilka möbler hon ville ha och vilka kläder som var gångbara. Lisbeth Salander hade överhuvudtaget ingen smak, ansåg Mimmi.

Efter att hon hade kommit över och inspekterat Lisbeths lägenhet på Lundagatan med en spekulants ögon hade de resonerat sinsemellan och Mimmi hade konstaterat att det mesta måste bort. Särskilt den eländiga smutsbruna soffan i vardagsrummet. Ville Lisbeth behålla något? *Nej.* Därefter hade Mimmi tillbringat några heldagar och några timmar varje kväll i två veckors tid med att slänga gamla containermöbler, rensa rent i skåp, skura, skrubba badkaret och måla om väggar i kök, vardagsrum, sovrum och hall och lacka parketten i vardagsrummet.

Lisbeth hade inget intresse av sådana övningar men hade kommit över vid något tillfälle och fascinerat granskat Mimmi. När allt var klart var lägenheten tom så när som på ett litet skamfilat köksbord i massivt trä som Mimmi ämnade slipa upp och lacka om, två stadiga pallar som Lisbeth hade lagt beslag på i samband med en vindsröjning i huset och en robust golvhylla i vardagsrummet som Mimmi ansett att hon eventuellt kunde göra någonting av.

"Jag flyttar in i helgen. Är du säker att du inte ångrar dig?"

"Jag behöver inte lägenheten."

"Men det är en kanonlägenhet. Jag menar, det finns större och bättre lägenheter, men den ligger mitt på Söder och hyran är ju ingenting. Lisbeth, du går miste om en förmögenhet om du inte säljer."

"Jag har pengar så att jag klarar mig."

Mimmi tystnade, osäker på hur hon skulle tolka Lisbeths knapphändiga kommentarer.

"Var ska du bo?"

Lisbeth svarade inte.

"Kan man komma och hälsa på dig?"

"Inte just nu."

Lisbeth öppnade sin axelväska och plockade fram papper som hon sköt över till Mimmi.

"Jag har ordnat kontrakt med bostadsrättsföreningen. Det enklaste är att anteckna dig som min sambo och att jag säljer halva lägenheten till dig. Köpesumman är på en krona. Du måste underteckna kontraktet."

Mimmi tog emot pennan och skrev namnteckning och födelsedata på kontraktet.

"Är det allt?"

"Det är allt."

"Lisbeth, jag har i och för sig alltid ansett att du är lite knäpp, men inser du att du just nu har skänkt bort hälften av den här lägenheten till mig? Jag vill gärna ha lägenheten, men jag vill inte hamna i en situation då du plötsligt ångrar dig och det blir tjafs mellan oss."

"Det kommer aldrig att bli tjafs. Jag vill att du bor här. Det känns bra för mig."

"Men gratis? Utan ersättning? Du är inte klok."

"Du håller rätt på min post. Det är villkoret."

"Det tar mig säkert fyra sekunder i veckan. Tänker du komma över någon gång emellanåt för att ha sex?"

Lisbeth fixerade Mimmi med blicken. Hon var tyst en stund.

"Det vill jag gärna, men det ingår inte i kontraktet. Du kan nobba när du vill."

Mimmi suckade.

"Och jag som just började se fram emot att få känna mig som en *kept woman*. Du vet, någon som håller mig med lägenhet och pröjsar min hyra och kommer smygandes någon gång då och då för att rumla runt i sängen."

De satt tysta en stund. Sedan reste sig Mimmi beslutsamt och gick in i vardagsrummet och släckte den nakna taklampan.

"Kom hit."

Lisbeth följde efter henne.

"Jag har aldrig haft sex på golvet i en nymålad lägenhet där det inte finns en möbel. Jag såg en film med Marlon Brando en gång om ett par i Paris som gjorde det."

Lisbeth sneglade på golvet.

"Jag vill leka. Har du lust?"

"Jag har nästan alltid lust."

"I kväll tänker jag vara en dominerande bitch. Jag bestämmer. Klä av dig."

Lisbeth log ett skevt leende. Hon klädde av sig. Det tog minst tio sekunder.

"Lägg dig på golvet. På mage."

Lisbeth gjorde som Mimmi kommenderade. Parketten var kylig och hennes hud knottrades omedelbart. Mimmi använde Lisbeths t-tröja med texten *You have the right to remain silent* till att binda hennes händer på ryggen.

Lisbeth gjorde reflektionen att det var på ett snarlikt sätt som advokat Nils Jävla Gubbslemmet Bjurman hade fängslat henne drygt två år tidigare.

Där upphörde likheterna.

Tillsammans med Mimmi kände Lisbeth bara lustfylld förväntan. Hon var villigt följsam när Mimmi vältrade över henne på rygg och särade hennes ben. Hon betraktade henne i dunklet när hon drog av sig sin egen t-tröja och fascinerades av hennes mjuka bröst. Sedan knöt Mimmi sin t-tröja som ögonbindel över Lisbeths ansikte. Hon hörde frasandet av kläder. Några sekunder senare kände hon Mimmis tunga på sin mage och hennes fingrar på insidan av låren. Hon var mer upphetsad än hon varit på länge. Hon blundade hårt under ögonbindeln och överlät åt Mimmi att bestämma takten.

KAPITEL 8
MÅNDAG 14 FEBRUARI-LÖRDAG 19 FEBRUARI

DRAGAN ARMANSKIJ TITTADE upp då han hörde den lätta knackningen på dörrposten och såg Lisbeth Salander i dörröppningen. Hon balanserade två muggar från kaffeautomaten. Han lade långsamt ned pennan och sköt rapporten ifrån sig.

"Hej", sa hon.

"Hej", svarade Armanskij.

"Det här är ett vänskapsbesök", sa hon. "Får jag komma in?"

Dragan Armanskij blundade en sekund. Sedan pekade han på besöksstolen. Han sneglade på klockan. Den var halv sju på kvällen. Lisbeth Salander gav honom den ena muggen och slog sig ned. De mönstrade varandra en stund.

"Mer än ett år", sa Dragan.

Lisbeth nickade.

"Är du arg?"

"Borde jag vara arg?"

"Jag sa inte adjö."

Dragan putade med läpparna. Han var chockad, men samtidigt lättad över beskedet att Lisbeth Salander åtminstone inte var död. Han kände plötsligt också en våldsam irritation och trötthet.

"Jag vet inte vad jag ska säga", svarade han. "Du har ingen plikt att rapportera vad du sysslar med till mig. Vad vill du?"

Hans röst blev kyligare än han hade avsett.

"Jag vet inte riktigt. Jag vill nog mest säga hej."

"Behöver du jobb? Jag tänker inte anlita dig fler gånger."

Hon skakade på huvudet.

"Arbetar du någon annanstans?"

Hon skakade på huvudet igen. Hon tycktes försöka formulera ord. Dragan väntade.

"Jag har rest", sa hon till sist. "Jag kom tillbaka till Sverige nyligen."

Armanskij nickade eftertänksamt och granskade henne. Lisbeth Salander hade förändrats. Det fanns en ny sorts ... mognad i hennes val av kläder och uppträdande. Och hon hade stoppat bh:n med någonting.

"Du har förändrats. Var har du varit?"

"Lite här och där ...", svarade hon undvikande men fortsatte då hon såg hans irriterade blick.

"Jag åkte till Italien och fortsatte till Mellanöstern och vidare till Hongkong via Bangkok. Jag var ett tag i Australien och Nya Zeeland och hoppade mellan öarna i Stilla havet. Jag var på Tahiti i en månad. Sedan åkte jag genom USA och de senaste månaderna har jag tillbringat i Karibien."

Han nickade.

"Jag vet inte varför jag inte sa adjö."

"Därför att du ärligt talat inte bryr dig ett skit om andra människor", sa Dragan Armanskij sakligt.

Lisbeth Salander bet sig i underläppen. Hon funderade en stund. Det han sa var kanske sant, men hon upplevde ändå anklagelsen som orättvis.

"Det brukar vara så att människor inte bryr sig ett dugg om mig."

"Skitsnack", svarade Armanskij. "Du har ett attitydproblem och du behandlar folk som faktiskt försöker vara dina vänner som skit. Så enkelt är det."

Tystnad.

"Vill du att jag ska gå?"

"Du gör som du vill. Det har du alltid gjort. Men om du går nu så vill jag aldrig se dig igen."

Lisbeth Salander var plötsligt rädd. En människa hon faktiskt respekterade höll på att förkasta henne. Hon visste inte vad hon skulle säga.

"Det är två år sedan Holger Palmgren fick sin stroke. Du har inte besökt honom en enda gång", fortsatte Armanskij obevekligt.

Lisbeth stirrade chockad på Armanskij.

"Lever Palmgren?"

"Du vet alltså inte ens om han lever eller är död."

"Läkarna sa att han ..."

"Läkarna sa en hel del om honom", avbröt Armanskij. "Han var mycket illa däran och kunde inte kommunicera med omvärlden. Det senaste året har han repat sig väsentligt. Han har svårt att prata och man måste lyssna uppmärksamt för att förstå vad han säger. Han behöver hjälp med mycket men han kan till och med gå till toaletten på egen hand. Folk som bryr sig om honom hälsar på honom."

Lisbeth satt som förstummad. Det var hon som hade hittat Palmgren då han fått sin stroke två år tidigare. Hon hade larmat ambulans och läkarna hade skakat på huvudet och konstaterat att prognosen inte var uppmuntrande. Hon hade bosatt sig på sjukhuset den första veckan till dess att en läkare hade sagt att han låg i koma och att det var ytterst osannolikt att han skulle vakna igen. I det ögonblicket hade hon slutat oroa sig och avskrivit honom från sitt liv. Hon hade rest sig och lämnat sjukhuset utan att titta tillbaka. Och uppenbarligen utan att kontrollera fakta.

Hon rynkade ögonbrynen. Hon hade fått advokat Nils Bjurman på halsen i den vevan och han hade slukat en hel del av hennes uppmärksamhet. Men ingen, inte ens Armanskij hade berättat för henne att Palmgren levde, än mindre att han kanske var på bättringsvägen. Själv hade hon inte ens reflekterat över den möjligheten.

Hon kände plötsligt tårar i ögonen. Aldrig tidigare i sitt liv hade hon känt sig som en ynklig egoistisk skit. Och aldrig tidigare hade hon fått en så rasande lågmäld utskällning. Hon sänkte huvudet.

De satt i tystnad en stund. Det var Armanskij som bröt den.

"Hur har du det?"

Lisbeth ryckte på axlarna.

"Hur försörjer du dig. Har du arbete?"

"Nej, jag har inget arbete och jag vet inte vad jag vill jobba med. Men jag har pengar så jag klarar mig."

Armanskij granskade henne med forskande ögon.

"Jag kom bara förbi för att hälsa på ... jag söker inte jobb. Jag vet inte ... jag kanske skulle vilja göra jobb åt dig i alla fall om du har behov av mig någon gång, men då måste det vara något som intresserar mig."

"Jag antar att du inte vill berätta vad som hände uppe i Hedestad i fjol."

Lisbeth satt tyst.

"Någonting hände. Martin Vanger körde ihjäl sig efter att du varit här nere och lånat övervakningsutrustning och någon hotat er till livet. Och hans syster uppstod från de döda. Det var milt sagt en sensation."

"Jag har lovat att inte berätta."

Armanskij nickade.

"Och jag antar att du inte heller vill berätta något för mig om vilken roll du spelade i Wennerströmaffären."

"Jag hjälpte *Kalle Blomkvist* med research." Hennes röst var plötsligt betydligt kyligare. "Det var allt. Jag vill inte bli inblandad."

"Mikael Blomkvist har sökt dig med ljus och lykta. Han har hört av sig minst en gång i månaden och frågat om jag hört något från dig. Han bryr sig också."

Lisbeth förblev tyst men Armanskij noterade att hennes mun förvandlades till ett stramt streck.

"Jag vet inte om jag tycker om honom", fortsatte Armanskij. "Men han bryr sig faktiskt också om dig. Jag träffade honom en gång i höstas. Han ville inte heller prata om Hedestad."

Lisbeth Salander ville inte diskutera Mikael Blomkvist.

"Jag kom bara förbi för att säga hej och berätta att jag är tillbaka i stan. Jag vet inte om jag kommer att stanna. Det här är mitt mobilnummer och min nya e-postadress om du behöver nå mig."

Hon gav Armanskij en lapp och reste sig. Han tog emot. Hon var framme vid dörren då han ropade efter henne.

"Vänta en sekund. Vad ska du göra?"

"Jag ska gå och hälsa på Holger Palmgren."

"Okej. Men jag menar ... vad ska du jobba med?"

Hon betraktade honom eftertänksamt.

"Jag vet inte."

"Du måste ju försörja dig."

"Jag sa ju att jag har så att jag klarar mig."

Armanskij lutade sig bakåt och funderade. När det gällde Lisbeth Salander var han aldrig riktigt säker på hur han skulle tolka hennes ord.

"Jag har varit så irriterad på ditt försvinnande att jag nästan bestämt mig för att inte anlita dig igen." Han gjorde en grimas. "Du är så opålitlig. Men du är en fruktansvärt bra researcher. Jag kanske har ett jobb på gång som skulle passa dig."

Hon skakade på huvudet. Men hon återvände till hans skrivbord.

"Jag vill inte ha jobb av dig. Jag menar, jag behöver inga pengar. Jag menar allvar. Jag är ekonomiskt oberoende."

Dragan Armanskij rynkade ögonbrynen i en tvivlande gest. Till sist nickade han.

"Okej, du är ekonomiskt oberoende, vad det nu betyder. Jag tar dig på orden. Men om du behöver jobb ..."

"Dragan, du är den andra människa jag hälsar på sedan jag kom hem. Jag behöver inte dina pengar. Men i flera år har du varit en av de få personer som jag respekterar."

"Okej. Men alla människor måste försörja sig."

"Ledsen, men jag är inte längre intresserad av att göra personundersökningar åt dig. Hör av dig om du verkligen stöter på ett problem."

"Vilken sorts problem?"

"Problem av det slag som du inte kan få rätsida på. Om du kör fast och inte vet vad du ska göra. Om jag ska jobba åt dig så måste du komma med något som intresserar mig. Kanske på den operativa sidan."

"Operativa sidan? Du? Som försvinner spårlöst när det passar dig."

"Skitsnack. Jag har aldrig någonsin missat ett jobb som jag sagt ja till."

Dragan Armanskij betraktade henne hjälplöst. Begreppet operativ enhet var jargong, men det handlade om fältarbete. Det kunde handla om allt från livvaktsskydd till speciella bevakningsuppdrag för konstutställningar. Hans operativa personal var trygga och stabila veteraner, ofta med en bakgrund inom polisen. Dessutom var nittio procent av dem män. Lisbeth Salander var den diametrala motsatsen till alla de kriterier han hade formulerat för personalen på de operativa enheterna på Milton Security.

"Nja …", sa han tveksamt.

"Du behöver inte anstränga dig. Jag tar bara jobb som jag är intresserad av, så chansen att jag säger nej är stor. Hör av dig om du får ett riktigt knepigt problem. Jag är bra på gåtor."

Hon vände på klacken och försvann ut genom dörren. Dragan Armanskij skakade på huvudet. *Hon är knäpp. Hon är faktiskt knäpp.*

I nästa sekund var Lisbeth Salander tillbaka i dörröppningen.

"Förresten … Du har haft två grabbar som ägnat en månad åt att skydda den där skådespelerskan Christine Ruterford från tokstollen som skriver anonyma hotbrev. Ni tror att det är ett insiderjobb eftersom brevskrivaren känner till så många detaljer i hennes liv."

Dragan Armanskij stirrade på Lisbeth Salander. Det gick en elektrisk stöt genom honom. *Hon gjorde det igen.* Hon slängde ur sig en replik om ett ämne som hon absolut inte kunde veta ett dugg om. *Hon kunde inte veta.*

"Ja …?"

"Glöm det. Det är en fejk. Det är hon själv och hennes pojkvän som skrivit breven för att väcka uppmärksamhet. Hon kommer att få ett nytt brev de närmaste dagarna och de kommer att läcka till massmedia nästa vecka. Risken är stor att hon anklagar Miltons för att ha läckt. Stryk henne från listan med klienter."

Innan Dragan Armanskij hann säga något hade hon försvunnit. Han stirrade på den tomma dörröppningen. Hon kunde inte rimligen veta ett dugg om fallet. Hon måste ha en insider på Miltons som läckte information och höll henne uppdaterad. Men bara fyra fem personer på Miltons hade kunskap om ärendet – Armanskij själv, den operative chefen och det fåtal personer som utredde hotelserna ... och det var etablerade och stabila proffs. Armanskij gnuggade sig på hakan.

Han tittade ned på skrivbordet. Mappen med fallet Ruterford låg inlåst i hans skrivbordslåda. Kontoret var larmat. Han sneglade på klockan igen och konstaterade att Harry Fransson, chefen för tekniska avdelningen, hade gått för dagen. Han startade mailprogrammet i datorn och skickade ett meddelande där han bad Fransson komma upp till hans kontor nästa dag och installera en dold övervakningskamera.

LISBETH SALANDER PROMENERADE raka vägen hem till Mosebacke. Hon skyndade på stegen med en känsla av att det brådskade.

Hon ringde Södersjukhuset och lyckades efter en stunds tragglande i olika telefonväxlar lokalisera Holger Palmgren. Sedan fjorton månader tillbaka befann han sig på Erstavikens rehabiliteringshem i Älta. Hon såg plötsligt Äppelviken framför sig. Då hon ringde fick hon beskedet att han sov men att hon gärna kunde besöka honom nästa dag.

Lisbeth tillbringade kvällen med att vandra fram och tillbaka i sin lägenhet. Hon kände sig obehaglig till mods. Hon gick och lade sig tidigt och somnade nästan omedelbart. Hon vaknade sju, duschade och åt frukost på 7-Eleven. Vid åttatiden promenerade hon till biluthyrningsfirman vid Ringvägen. *Jag måste skaffa en egen bil.* Hon hyrde samma Nissan Micra som hon kört till Äppelviken några veckor tidigare.

Hon kände en plötslig nervositet då hon parkerade vid behandlingshemmet men tog mod till sig och gick in till receptionen där hon bad att få träffa Holger Palmgren.

En kvinna i receptionen med namnskylten Margit konsulterade sina papper och förklarade att han befann sig på sjukgymnastik och inte skulle vara tillgänglig förrän efter elva. Lisbeth kunde slå sig ned i väntrummet eller återkomma senare. Hon gick tillbaka till parkeringsplatsen och satte sig i bilen och rökte tre cigaretter medan hon väntade. Klockan elva gick hon åter in till receptionen. Hon anvisades att gå till matsalen, genom korridoren till höger och därefter till vänster.

Hon stannade i dörröppningen och såg Holger Palmgren i en halvtom matsal. Han satt med ansiktet mot henne men fokuserade all sin uppmärksamhet på en tallrik. Han höll gaffeln i ett klumpigt grepp med hela näven och styrde koncentrerat maten till sin mun. Ungefär var tredje gång misslyckades han och tappade innehållet.

Han var hopsjunken och såg ut att ha blivit hundra år gammal. Hans ansikte var märkligt stelt. Han satt i rullstol. Det var först i det ögonblicket som Lisbeth Salander förstod att han faktiskt levde och att Armanskij inte hade ljugit för henne.

HOLGER PALMGREN SVOR tyst medan han för tredje gången försökte samla ihop en portion makaronipudding på gaffeln. Han accepterade att han inte kunde gå ordentligt och att det fanns mycket han var oförmögen att göra. Men han avskydde att inte kunna äta ordentligt och att han stundom dreglade som ett spädbarn.

Intellektuellt visste han exakt hur han skulle göra. Sätta ned gaffeln i rätt vinkel, skjuta fram, lyfta och styra till munnen. Men det var något problem med själva koordinationen. Handen tycktes leva ett eget liv. När han beordrade lyft sköt handen långsamt åt sidan. När han styrde mot munnen ändrade handen riktning i sista stund och styrde mot kinden eller hakan.

Men han visste också att rehabiliteringen gav resultat. Så sent som sex månader tidigare hade handen skakat så kraftigt att han inte kunde få i sig en enda tugga. Nu gick måltiderna visserligen långsamt, men han åt i alla fall på egen hand. Han tänkte inte ge upp förrän han återigen hade full kontroll över sina lemmar.

Han sänkte gaffeln för att ta en ny tugga då en hand sköt fram snett bakifrån och milt tog besticket ifrån honom. Han såg handen plocka upp en portion av makaronipuddingen och lyfta maten. Han kände omedelbart igen den smala dockliknande näven och vred huvudet och mötte Lisbeth Salanders ögon mindre än en decimeter från sitt ansikte. Hennes blick var avvaktande. Hon verkade ängslig.

En lång stund satt Palmgren orörlig och stirrade på hennes ansikte. Hans hjärta bultade plötsligt på ett helt orimligt sätt. Sedan öppnade han munnen och tog emot maten.

Hon matade honom tugga för tugga. I vanliga fall avskydde Palmgren att bli assisterad vid matbordet, men han förstod Lisbeth Salanders behov. Det handlade inte om att han var ett hjälplöst kolli. Hon matade honom som en gest av ödmjukhet – i hennes fall en synnerligen ovanlig åkomma. Hon gjorde lagom stora portioner och väntade till dess att han hade tuggat färdigt. När han pekade på mjölkglaset med sugröret höll hon lugnt upp det så att han kunde dricka.

De växlade inte ett ord med varandra under hela måltiden. När han hade svalt den sista tuggan lade hon ned gaffeln och såg frågande på honom. Han skakade på huvudet. *Nej, jag vill inte ha påfyllning.*

Holger Palmgren lutade sig bakåt i rullstolen och tog ett djupt andetag. Lisbeth lyfte servetten och torkade honom om munnen. Han kände sig plötsligt som en maffiaboss i en amerikansk film där en *capo di tutti capi* visade sin vördnad. Han såg framför sig hur hon skulle kyssa hans hand och log åt den befängda fantasin.

"Tror du man kan få en kopp kaffe på det här stället?" frågade hon.

Han sluddrade. Hans läppar och tunga ville inte forma ljuden korrekt.

"Sverigbrd runt hrnt." *Serveringsbord runt hörnet.*

"Vill du ha? Mjölk utan socker som tidigare?"

Han nickade. Hon städade bort brickan och återkom efter någon minut med två kaffekoppar. Han noterade att hon drack svart kaffe, vilket var ovanligt. Han log när han såg att hon hade sparat sugröret från mjölkglaset till hans kaffekopp. De satt tysta. Holger Palmgren ville säga tusen saker men förmådde inte formulera en stavelse. Däremot möttes deras ögon gång på gång. Lisbeth Salander såg fasansfullt skuldmedveten ut. Till sist bröt hon tystnaden.

"Jag trodde att du var död", sa hon. "Jag visste inte att du levde. Hade jag vetat skulle jag aldrig ha ... jag skulle ha hälsat på dig för länge sedan."

Han nickade.

"Förlåt mig."

Han nickade igen. Han log. Hans leende var snett, en krökning av läpparna.

"Du låg i koma och läkarna sa att du skulle dö. De trodde att du skulle dö inom något dygn och jag gick bara därifrån. Jag är ledsen. Förlåt."

Han lyfte sin hand och lade den på hennes lilla näve. Hon fattade hans hand i ett fast grepp och andades ut.

"Tu hr rit rschunnen." *Du har varit försvunnen.*

"Du har pratat med Dragan Armanskij?"

Han nickade.

"Jag har rest. Jag var tvungen att ge mig av. Jag sa inte adjö till någon utan åkte bara. Har du varit orolig?"

Han skakade på huvudet.

"Du behöver aldrig någonsin oroa dig för mig."

"Jag hr ldrg rit orlg. Du klar… klar tig lltd. Men Armshij var orogl." *Jag har aldrig varit orolig för dig. Du klarar dig alltid. Men Armanskij var orolig.*

Hon log för första gången och Holger Palmgren slappnade av. Det var hennes vanliga skeva leende. Han granskade henne, jämförde sin minnesbild av henne med den flicka han såg framför sig. Hon hade förändrats. Hon var hel och ren och välklädd. Hon hade tagit bort ringen i läppen och … hmm … hennes getingtatuering på halsen var också borta. Hon såg vuxen ut. Han skrattade för första gången på många veckor. Det lät som en hostattack.

Lisbeth log ännu skevare och kände plötsligt en värme som hon inte känt på länge fylla hennes hjärta.

"Du r klrt dg brrr." *Du har klarat dig bra.* Han pekade på hennes kläder. Hon nickade.

"Jag klarar mig utmärkt."

"R den nye frvaltren?" *Hur är den nye förvaltaren?*

Holger Palmgren såg Lisbeths ansikte mörkna. Hennes mun stramade plötsligt en aning. Hon tittade på honom med troskyldiga ögon.

"Han är okej … jag kan hantera honom."

Palmgrens ögonbryn drog ihop sig till ett frågetecken. Lisbeth såg sig omkring i matsalen och bytte ämne.

"Hur länge har du varit här?"

Palmgren var inte tappad bakom en vagn. Han hade haft en stroke och hade svårt att prata och koordinera sina rörelser, men hans förståndsgåvor var intakta och hans radar noterade omedelbart en falsk ton i Lisbeth Salanders röst. Under de år han hade känt henne hade han kommit till insikt om att hon aldrig någonsin direkt ljög för honom men att hon inte alltid var helt öppenhjärtig. Hennes sätt att ljuga för honom bestod i att avleda uppmärksamheten. Det var uppenbarligen något problem med hennes nye förvaltare. Vilket inte förvånade Holger Palmgren.

Plötsligt kände han djup ånger. Hur många gånger hade han inte tänkt kontakta sin kollega Nils Bjurman för att undersöka hur Lisbeth Salander hade det men avstått? Och varför hade han inte tagit itu med hennes omyndighetsförklaring medan han fortfarande hade kraft? Han visste varför – han hade egoistiskt velat hålla kvar sin kontakt med henne levande. Han älskade den jävla besvärliga ungen som om hon var den dotter han aldrig fått och han ville ha en anledning att behålla relationen. Dessutom var det för besvärligt och för tungt för ett kolli på ett vårdhem att börja arbeta när han hade svårt att ens öppna gylfen då han stapplade till toaletten. Han kände det som om det i själva verket var han som hade svikit Lisbeth Salander. *Men hon överlever alltid ... Hon är den mest kompetenta människa jag någonsin träffat.*

"Tsrt."

"Jag förstod inte."

"Tngsrätt."

"Tingsrätten? Vad menar du?"

"Mste hva din o...oo...oomdghtsfrk..."

Holger Palmgrens ansikte blev rött och förvridet då han inte kunde formulera orden. Lisbeth lade en hand på hans arm och pressade varligt.

"Holger ... oroa dig inte för mig. Jag har planer på att ta itu med min omyndighetsförklaring den närmaste tiden. Det är inte ditt jobb längre att oroa dig, men det är inte osannolikt att jag kommer att behöva din hjälp. Är det okej? Kan du vara min advokat om jag behöver dig?"

Han skakade på huvudet.

"Fr gmal." Han knackade med en knoge mot bordsytan. "Dumm... gbbe."

"Ja, du är en jävla dum gubbtjuv om du har den attityden. Jag behöver en advokat. Jag vill ha dig. Du kanske inte kan hålla en slutplädering i rätten men du kan ge mig råd när det är dags. Okej."

Han skakade på huvudet igen. Sedan nickade han.

"Rbt?"

"Jag förstår inte."

"Vad rbetr du md? Nte Rmskich." *Vad arbetar du med? Inte Armanskij.*

Lisbeth tvekade en minut medan hon funderade hur hon skulle förklara sin livssituation. Det blev komplicerat.

"Holger, jag jobbar inte längre åt Armanskij. Jag behöver inte längre jobba åt honom för att försörja mig. Jag har egna pengar och mår bra."

Palmgrens ögonbryn drog återigen ihop sig.

"Jag kommer att besöka dig många gånger från och med nu. Jag ska berätta för dig ... men låt oss inte stressa. Just nu vill jag göra något annat."

Hon böjde sig ned och lyfte upp en väska på bordet och plockade upp ett schackbräde.

"Jag har inte fått sopa banan med dig på två år."

Han resignerade. Hon hade något fuffens för sig som hon inte ville berätta om. Han var övertygad om att han skulle ha invändningar, men han litade tillräckligt mycket på henne för att veta att vad hon än sysslade med så var det möjligen Juridiskt Tveksamt, men inget brott mot Guds Lagar. Till skillnad från flertalet andra var nämligen Holger Palmgren förvissad om att Lisbeth Salander var en genuint moralisk människa. Problemet var att hennes moral inte alltid överensstämde med vad lagen stipulerade.

Hon placerade schackpjäserna framför honom och han insåg med en känsla av chock att det var hans eget bräde. *Hon måste ha stulit det från lägenheten efter att han insjuknat. Som ett minne?* Hon gav honom vitt. Han var plötsligt lycklig som ett barn.

LISBETH SALANDER STANNADE hos Holger Palmgren i två timmar. Hon hade krossat honom tre gånger då en sköterska avbröt deras smågnabbande vid schackbrädet och förklarade att det var dags för eftermiddagspasset på sjukgymnastiken. Lisbeth plockade ihop schackpjäserna och vek ihop brädet.

"Kan du berätta hur sjukgymnastiken fungerar?" sa hon till sköterskan.

"Det är styrketräning och koordinationsträning. Och vi gör framsteg, eller hur?"

Den sista frågan var riktad till Holger Palmgren. Han nickade.

"Redan nu kan du gå flera meter. Till sommaren kommer du att själv kunna promenera i parken. Är det här din dotter?"

Lisbeth och Holger Palmgrens blickar möttes.

"Sterdotr." *Fosterdotter.*

"Vad trevligt att du kommit på besök." *Översättning: Var i helvete har du hållit hus hela den här tiden?* Lisbeth ignorerade den underförstådda kritiken. Hon böjde sig fram och kysste honom på kinden.

"Jag kommer och hälsar på dig igen på fredag."

Holger Palmgren reste sig mödosamt från rullstolen. Hon promenerade med honom till en hiss där deras vägar skildes. Så fort hissdörrarna hade stängt gick hon till receptionen och frågade vem hon kunde tala med som var ansvarig för patienterna och hänvisades till en dr A. Sivarnandan som hon hittade på ett kontor längre ned i korridoren. Hon presenterade sig och förklarade att hon var Holger Palmgrens fosterdotter.

"Jag vill veta hur han mår och vad som kommer att hända med honom."

Dr A. Sivarnandan slog upp Holger Palmgrens journal och läste de inledande sidorna. Han hade koppärrig hy och en tunn mustasch som irriterade Lisbeth. Till sist tittade han upp. Till hennes förvåning talade han med en tydlig finsk brytning.

"Jag har inga anteckningar om att herr Palmgren har en dotter eller fosterdotter. Faktiskt, hans närmaste släkting tycks vara en 86-årig kusin bosatt i Jämtland."

"Han tog hand om mig från det att jag var 13 år till dess att han fick sin stroke. Då var jag 24."

Hon grävde i innerfickan på sin jacka och slängde en penna på skrivbordet framför dr A. Sivarnandan.

"Jag heter Lisbeth Salander. Skriv in mitt namn i hans journal. Jag är den närmaste anhörig han har här i världen."

"Det är möjligt", svarade A. Sivarnandan ståndaktigt. "Men om du är hans närmaste anhörig så har du sannerligen dröjt med att höra av dig. Han har så vitt jag vet bara haft några enstaka besök av en person som inte är släkt med honom men som ska meddelas ifall hans hälsotillstånd försämras eller om han skulle avlida."

"Det borde vara Dragan Armanskij."

Dr A. Sivarnandan höjde på ögonbrynen och nickade eftertänksamt.

"Det stämmer. Du känner honom."

"Du kan ringa honom och verifiera vem jag är."

"Det behövs inte. Jag tror dig. Jag fick meddelande om att du har suttit och spelat schack med herr Palmgren i två timmar. Men jag kan ändå inte diskutera hans hälsotillstånd med dig utan hans godkännande."

"Och något sådant tillstånd kommer du aldrig att få av den tjurige jäveln. Han lider nämligen av vanföreställningen att han inte ska belasta mig med sina plågor och att han fortfarande har ett ansvar för mig och inte tvärtom. Så här är det, i två år har jag trott att Palmgren var död. Jag fick veta att han levde i går. Hade jag vetat att han ... det är komplicerat att förklara, men jag vill veta vad han har för prognos och om han kommer att bli bra igen."

Dr A. Sivarnandan lyfte pennan och skrev prydligt in Lisbeth Salanders namn i Holger Palmgrens journal. Han bad om personnummer och telefonnummer.

"Okej, nu är du formellt hans fosterdotter. Det här är kanske inte helt enligt regelboken men med tanke på att du är den första som besöker honom sedan i julas då herr Armanskij tittade förbi ... Du har träffat honom i dag och själv kunnat konstatera att han har problem med koordinationen och svårt att tala. Han har haft en stroke."

"Jag vet. Det var jag som hittade honom och ringde ambulans."

"Aha. Då ska du veta att han vårdades akut i tre månader. Han var medvetslös en lång period. Oftast vaknar inte patienter ur en sådan koma, men ibland händer det. Han var uppenbarligen inte redo att dö. Han flyttades först till en demensavdelning för kroniskt långtidssjuka som är helt oförmögna att ta hand om sig själva. Mot alla odds visade han tecken på förbättring och flyttades hit till rehabiliteringen för nio månader sedan."

"Vad har han för framtid?"

Dr A. Sivarnandan slog ut med händerna.

"Har du en kristallkula som är bättre än min? Sanningen – jag har ingen aning. Han kan dö av en hjärnblödning i natt. Eller han kan leva ett relativt normalt liv i tjugo år till. Jag vet inte. Man kan väl säga att det är Gud som avgör."

"Och om han lever i tjugo år till?"

"Det har varit en mödosam rehabilitering för honom, och det är först de allra senaste månaderna som vi verkligen kunnat notera tydliga förbättringar. För sex månader sedan kunde han ännu inte äta utan hjälp. Så sent som för en månad sedan kunde han knappt resa sig ur sin stol, vilket bland annat beror på att hans muskler förtvinat av allt sängliggande. Nu kan han i alla fall gå hjälpligt korta sträckor."

"Kommer han att bli bättre?"

"Ja. Till och med väsentligt bättre. Det var den första tröskeln som var svår, men nu noterar vi framsteg varje dag. Han har förlorat nästan två år av sitt liv. Om några månader, till sommaren, hoppas jag att han ska kunna promenera i parken här utanför."

"Talet?"

"Hans problem är att både talcentrum och hans rörelseförmåga slogs ut. Han var verkligen ett kolli under en lång tid. Sedan dess har han tvingats lära sig att ta kontroll över sin kropp och att prata igen. Han har svårt att komma ihåg vilka ord han ska använda och han måste lära sig orden på nytt. Men samtidigt är det inte som att lära ett barn att tala – han förstår betydelsen av ordet, men han kan inte formulera det. Ge honom ett par månader till så kommer du att märka att hans tal förbättrats jämfört med i dag. Samma sak gäller för orienteringsförmågan. För nio månader sedan hade han svårt att skilja på höger och vänster, eller på upp och ned i hissen."

Lisbeth Salander nickade eftertänksamt. Hon funderade i två minuter. Hon upptäckte att hon gillade dr A. Sivarnandan med det indiska utseendet och den finska brytningen.

"Vad står A för?" frågade hon plötsligt.

Han tittade roat på henne.

"Anders."

"Anders?"

"Jag är född i Sri Lanka men adopterades till Åbo då jag bara var några månader gammal."

"Okej Anders, hur kan jag hjälpa till?"

"Besök honom. Ge honom intellektuell stimulans."

"Jag kan komma varje dag."

"Jag vill inte att du ska vara här varje dag. Om han tycker om dig så vill jag att han ska se fram emot dina besök och inte bli uttråkad av dem."

"Kan någon form av specialistvård förbättra hans odds? Jag betalar vad det kostar."

Han log plötsligt mot Lisbeth Salander men blev med ens allvarlig.

"Jag är rädd för att det är vi som är specialistvården. Jag önskar förstås att vi hade bättre resurser och att vi slapp alla nedskärningar, men jag försäkrar dig att han får mycket kompetent vård."

"Och om du inte behövde bry dig om nedskärningarna, vad hade du då kunnat erbjuda honom?"

"Idealet för patienter som Holger Palmgren vore naturligtvis att jag kunde erbjuda honom en personlig tränare på heltid. Men det var länge sedan vi hade den sortens resurser i Sverige."

"Anställ en."

"Förlåt?"

"Anställ en personlig tränare till Holger Palmgren. Leta rätt på den bästa du kan hitta. Gör det redan i morgon. Och se till att precis allt han behöver i teknisk utrustning och annat finns tillgängligt. Jag ska se till att pengar finns fonderade redan i slutet av den här veckan för att betala lön och den utrustning som kan behövas."

"Skämtar du?"

Lisbeth tittade med sin hårda, raka blick på dr Anders Sivarnandan.

MIA BERGMAN BROMSADE och svängde in sin Fiat till trottoarkanten utanför Gamla stans tunnelbana. Dag Svensson öppnade dörren och gled in på passagerarplatsen i farten. Han böjde sig fram och gav henne en kyss på kinden medan hon lotsade in bilen bakom en SL-buss.

"Hej", sa hon utan att ta blicken från trafiken. "Du såg så allvarlig ut, har det hänt något?"

Dag Svensson suckade och drog på sig säkerhetsbältet.

"Nej, inget allvarligt. Lite trassel med texten bara."

"Vad då?"

"En månad till deadline. Jag har gjort nio av de tjugotvå konfrontationer vi planerade. Jag har problem med Björck på Säpo. Fanskapet är långtidssjukskriven och svarar inte på telefon i hemmet."

"Ligger han på sjukhus?"

"Vet inte. Har du försökt få information från Säpo någon gång? De erkänner inte ens att han arbetar där."

"Har du provat med hans föräldrar?"

"Döda båda två. Han är ogift. Han har en bror som är bosatt i Spanien. Jag vet helt enkelt inte hur jag ska få tag på honom."

Mia Bergman sneglade på sin sambo medan hon navigerade via Slussen till tunneln mot Nynäsvägen.

"I värsta fall måste vi lyfta avsnittet om Björck. Blomkvist kräver att alla vi anklagar ska få en chans att kommentera innan vi hänger ut dem."

"Och det vore synd att missa en representant för hemliga polisen som springer hos horor. Vad ska du göra?"

"Leta rätt på honom förstås. Hur mår du själv? Inga nerver?"

Han petade henne försiktigt i sidan av mellangärdet.

"Faktiskt inte. Nästa månad ska jag disputera och bli doktor och jag känner mig lugn som en filbunke."

"Du kan ämnet. Varför vara nervös?"

"Titta i baksätet."

Dag Svensson vände sig om och såg en kasse.

"Mia – den är tryckt", utbrast han.

Han höll upp en tryckt avhandling.

From Russia with Love
Trafficking, organiserad brottslighet och samhällets motåtgärder
Av Mia Bergman

"Jag trodde att den inte skulle komma förrän nästa vecka. Fan ... vi måste korka upp en flaska vin då vi kommer hem. Grattis doktorn!"

Han böjde sig fram och pussade henne på kinden igen.

"Lugn, jag blir inte doktor förrän om tre veckor. Och håll fingrarna i styr medan jag kör."

Dag Svensson skrattade. Sedan blev han allvarlig igen.

"Förresten, smolk i glädjebägaren och allt det där ... du intervjuade en tjej som heter Irina P. för något år sedan."

"Irina P., 22 år, från Sankt Petersburg. Hon kom hit första gången 1999 och har gjort några vändor. Hurså?"

"Jag träffade Gulbrandsen i dag. Polisen som höll i bordellutredningen i Södertälje. Läste du i förra veckan att de hade hittat en tjej som flöt i Södertälje kanal? Det var rubriker i kvällstidningarna. Det var Irina P."

"Nej, så förfärligt."

De åkte under tystnad upp förbi Skanstull.

"Hon är med i avhandlingen", sa Mia Bergman till sist. "Hon finns under pseudonymen Tamara."

Dag Svensson slog upp intervjuavsnittet i *From Russia with Love* och bläddrade fram Tamara. Han läste med koncentration medan Mia passerade Gullmarsplan och Globen.

"Hon blev hitplockad av någon som du kallar Anton."

"Jag kan inte använda riktiga namn. Jag har blivit förvarnad om att jag kan få kritik för det på disputationen, men jag kan inte namnge tjejerna. De skulle riskera att bli ihjälslagna. Och jag kan följaktligen inte namnge torskarna heller eftersom de skulle kunna lista ut vilken av tjejerna jag pratat med. Så i alla fallstudier har jag bara pseudonymer och avidentifierade personer så att det inte finns några specifika detaljer.

"Vem är Anton?"

"Han heter förmodligen Zala. Jag har aldrig riktigt kunnat identifiera honom men jag tror att han är polack eller jugoslav och egentligen heter något annat. Jag pratade med Irina P. fyra fem gånger och det var först vid det sista mötet som hon namngav honom. Hon höll på att reda ut sitt liv och tänkte lägga av men hon var riktigt rejält rädd för honom."

"Hmm ...", sa Dag Svensson.

"Vad då?"

"Jag undrar just ... Jag stötte på namnet Zala för någon vecka sedan."

"Var då?"

"Jag gjorde en konfrontation med Sandström – den där jävla torsken till journalist. Fy fan. Det är en riktig skitstövel."

"Hurså?"

"Han är egentligen inte riktig journalist. Han gör reklamtidningar för företag. Men han har alltså rejält störda fantasier om våldtäkt som han förverkligar med den där tjejen ..."

"Jag vet. Det var jag som intervjuade henne."

"Men har du noterat att han gjort layouten till en informationsfolder om sexuellt överförbara sjukdomar åt Folkhälsoinstitutet?"

"Det visste jag inte."

"Jag konfronterade honom i förra veckan. Han blev förstås fullkomligt knäckt då jag lade fram all dokumentation och frågade var-

för han springer hos tonårshoror från Östblocket för att få leva ut
våldtäktsfantasier. Så småningom fick jag en sorts förklaring av ho-
nom."

"Jaså?"

"Sandström hade hamnat i en situation där han inte bara var kund
utan också gick ärenden åt sexmaffian. Han gav mig de namn han
kände till, däribland Zala. Han sa inget speciellt om honom, men
det är ett rätt ovanligt namn."

Mia Bergman sneglade på honom.

"Du vet inte vem han är?" frågade Dag.

"Nej. Jag har aldrig kunnat identifiera honom. Han är bara ett
namn som dyker upp då och då. Tjejerna verkar jävligt rädda för
honom och ingen har velat berätta något mer."

KAPITEL 9
SÖNDAG 6 MARS-FREDAG 11 MARS

DR A. SIVARNANDAN hejdade stegen mot matsalen då han upptäckte Holger Palmgren och Lisbeth Salander. De satt böjda över ett schackbräde. Hon hade tagit för vana att komma en gång i veckan, oftast söndagar. Hon anlände alltid vid tretiden och tillbringade ett par timmar med att spela schack med honom. Hon lämnade honom vid åttatiden på kvällen då det var dags för honom att gå och lägga sig. Han hade noterat att hon inte behandlade honom det minsta vördsamt eller som en sjukling – tvärtom tycktes de ständigt smågnabbas och hon lät honom gärna passa upp på henne genom att hämta kaffe.

Dr A. Sivarnandan rynkade ögonbrynen. Han blev inte klok på denna besynnerliga flicka som betraktade sig som Holger Palmgrens fosterdotter. Hon hade ett särpräglat utseende och tycktes bevaka omgivningen med största misstänksamhet. Det var stört omöjligt att skämta med henne.

Det tycktes också närmast omöjligt att konversera vanligt med henne. Då han vid ett tillfälle frågat vad hon arbetade med hade hon svarat undvikande.

Några dagar efter sitt första besök hade hon återkommit med en bunt papper som förkunnade att en ideell stiftelse hade bildats med det uttalade syftet att bistå sjukhemmet med Holger Palmgrens rehabilitering. Stiftelsens ordförande var en advokat med en adress i Gibraltar. Styrelsen bestod av en ledamot, även han advokat med adress i Gibraltar, samt en revisor vid namn Hugo Svensson med adress i Stockholm. Stiftelsen fonderade 2,5 miljoner kronor som dr A. Sivarnandan kunde förfoga över efter eget huvud, men med det uttalade syftet att pengarna skulle användas för att ge Holger Palmgren all tänkbar vård. För att kunna använda fonden var Sivarnandan tvungen att rekvirera pengar från revisorn, som därefter skötte utbetalningarna.

Det var ett ovanligt, för att inte säga unikt, arrangemang.

Sivarnandan hade funderat några dagar över om det fanns något oetiskt i upplägget. Han kunde inte hitta några omedelbara invändningar och beslutade därför att anställa Johanna Karolina Oskarsson, 39 år, som Holger Palmgrens personliga assistent och tränare. Hon var en legitimerad sjukgymnast med kompletterande betyg i psykologi och med bred erfarenhet från rehabiliteringsvården. Hon var formellt anställd av stiftelsen och till Sivarnandans stora häpnad utbetalades den första månadslönen i förskott så fort anställningskontraktet hade undertecknats. Fram till dess hade han vagt undrat om det var någon sorts befängd bluff.

Det tycktes också ge resultat. Under den gångna månaden hade Holger Palmgrens koordinationsförmåga och allmäntillstånd förbättrats väsentligt, vilket kunde avläsas i de tester han genomgick varje vecka. Sivarnandan undrade hur mycket av förbättringen som hade med träningen att göra och hur mycket som var tack vare Lisbeth Salander. Det rådde ingen tvekan om att Holger Palmgren ansträngde sig till det yttersta och såg fram emot hennes besök som ett förtjust barn. Han tycktes road av att regelbundet få stryk i schack.

Dr Sivarnandan hade gjort dem sällskap vid ett tillfälle. Det var ett märkligt parti. Holger Palmgren spelade vitt och hade öppnat sicilianskt och gjort allting rätt.

Han hade funderat länge och väl på varje drag. Oavsett vilka fysiska handikapp som uppstått efter stroken så var det inget fel på hans intellektuella skärpa.

Lisbeth Salander hade suttit och läst en bok om ett så udda ämne som frekvenskalibrering av radioteleskop i viktlöst tillstånd. Hon satt på en kudde för att komma upp i bättre nivå vid bordet. När

Palmgren gjort sitt drag hade hon tittat upp och flyttat någon pjäs till synes helt utan eftertanke, varefter hon återgått till boken. Palmgren hade kapitulerat efter 27:e draget. Salander hade tittat upp och med rynkad panna granskat brädet ett par sekunder.

"Nej", hade hon sagt. "Du har en chans att få remi."

Palmgren hade suckat och ägnat fem minuter åt att granska brädet. Till sist hade han spänt ögonen i Lisbeth Salander.

"Bevisa det."

Hon roterade brädet och övertog hans pjäser. Hon fick remi på 39:e draget.

"Herregud", sa Sivarnandan.

"Hon bara är sådan. Spela aldrig om pengar med henne", sa Palmgren.

Sivarnandan hade själv spelat schack sedan han var barn och som tonåring ställt upp i skolmästerskapen i Åbo där han kommit tvåa. Han betraktade sig som en kompetent amatör. Han insåg att Lisbeth Salander var en ruggig schackspelare. Hon hade uppenbarligen aldrig spelat för en klubb, och då han nämnde att partiet tycktes ha varit en variant av ett klassiskt parti av Lasker såg hon helt oförstående ut. Hon tycktes aldrig ha hört talas om Emanuel Lasker. Han kunde inte motstå frestelsen att undra över om hennes talang var medfödd och om hon i så fall hade andra talanger som kunde intressera en psykolog.

Men han frågade ingenting. Han konstaterade att Holger Palmgren tycktes må bättre än någonsin sedan hon anlänt till Ersta.

ADVOKAT NILS BJURMAN kom hem sent på kvällen. Han hade tillbringat fyra veckor i ett sträck i sommarstugan utanför Stallarholmen. Han var modstulen. Inget hade hänt som i sak förändrat hans miserabla livssituation. Mer än att den blonde jätten levererat besked att de var intresserade av hans förslag – det skulle kosta honom hundra tusen kronor.

En hög med försändelser hade samlats på golvet under brevlådeinkastet. Han plockade upp dem och lade dem på köksbordet. Han hade utvecklat ett ointresse för allt som hade med arbete och omvärlden att göra, och det var först senare på kvällen som hans blick föll på bunten med post. Han bläddrade igenom den förstrött.

Ett av breven kom från Handelsbanken. Han sprättade upp kuvertet och fick nästan en chock då han upptäckte att det var en kopia på ett uttag motsvarande 9 312 kronor från Lisbeth Salanders konto.

Hon är tillbaka.

Han gick in i sitt arbetsrum och lade dokumentet på sitt skrivbord. Han betraktade det med hatfyllda ögon i över en minut medan han samlade tankarna. Han var tvungen att leta rätt på telefonnumret. Sedan lyfte han luren och slog numret till en mobiltelefon med kontantkort. Den blonde jätten svarade med en lätt brytning.

"Ja?"

"Det är Nils Bjurman."

"Vad vill du?"

"Hon är tillbaka i Sverige."

En kort tystnad uppstod i andra änden.

"Det är bra. Ring inte fler gånger på det här numret."

"Men ..."

"Du ska få besked inom kort."

Till hans stora irritation bröts samtalet. Bjurman svor invärtes. Han gick bort till barskåpet och hällde upp ungefär en deciliter Kentucky bourbon. Han drog i sig glaset i två svep. *Jag måste dra ned på spriten*, tänkte han. Därefter hällde han upp ytterligare två centiliter och tog med glaset tillbaka till skrivbordet där han återigen tittade på beskedet från Handelsbanken.

MIRIAM WU MASSERADE Lisbeth Salanders rygg och nacke. Hon hade knådat intensivt i tjugo minuter medan Lisbeth huvudsakligen nöjt sig med en eller annan suck av belåtenhet. Att få massage av Mimmi var våldsamt skönt och hon kände sig som en kattunge som bara ville purra och vifta med tassarna.

Hon kvävde en suck av besvikelse då Mimmi klatschade henne på rumpan och sa att det fick räcka. En stund låg hon stilla i den fåfänga förhoppningen att Mimmi skulle fortsätta men då hon hörde

Mimmi sträcka sig efter sitt vinglas vältrade hon sig över på rygg.

"Tack", sa hon.

"Jag tror att du sitter stilla framför en dator hela dagarna. Det är därför du får ont i ryggen."

"Jag har bara sträckt en muskel."

Bägge låg nakna i Mimmis säng på Lundagatan. De drack rödvin och var lagom fnittriga. Sedan Lisbeth återupptagit bekantskapen med Mimmi var det som om hon inte kunde få nog av henne. Det hade blivit en ovana att ringa henne var och varannan dag – på tok för ofta. Hon betraktade Mimmi och påminde sig om att inte tillåta sig att bli alltför fäst vid någon igen. Det skulle kunna sluta med att någon blev sårad.

Miriam Wu lutade sig plötsligt baklänges över sängkanten och öppnade lådan i nattduksbordet. Hon plockade upp ett litet platt paket inslaget i blommigt presentpapper med en rosett i guldsnöre och kastade det i famnen på Lisbeth.

"Vad är det här?"

"Din födelsedagspresent."

"Jag fyller inte år förrän om över en månad."

"Din födelsedagspresent från i fjol. Då var det omöjligt att få tag på dig. Jag hittade den då jag packade flyttkartongerna."

Lisbeth satt tyst en kort stund.

"Ska jag öppna den?"

"Tja, om du har lust."

Hon ställde ned vinglaset och skakade på paketet och öppnade försiktigt. Hon plockade ut ett vackert cigarettetui med ett lock i svart och blåfärgad emalj och några små kinesiska tecken som dekoration.

"Du borde sluta röka", sa Miriam Wu. "Men om du ska hålla på så kan du i alla fall ha cigaretterna i en estetisk förpackning."

"Tack", sa Lisbeth. "Du är den enda som någonsin ger mig födelsedagspresenter. Vad betyder tecknen?"

"Hur i all världen skulle jag veta det? Jag begriper inte kinesiska. Det är bara en liten pryl som jag hittade på en loppmarknad."

"Det är ett vackert etui."

"Det är bara billigt krafs. Men det såg ut som om det var gjort för dig. Vi har slut på vin. Ska vi gå ut och ta en öl?"

"Betyder det att vi måste kliva upp ur sängen och klä på oss?"

"Jag är rädd för det. Men vad är det för vits med att bo på Söder om man inte går på krogarna här då och då."

Lisbeth suckade.

"Kom igen", sa Miriam Wu och petade på smycket i Lisbeths navel. "Vi kan gå tillbaka hit igen efter krogen."

Lisbeth suckade igen och satte ned ena foten på golvet och sträckte sig efter sina trosor.

DAG SVENSSON SATT vid sitt lånade skrivbord i en hörna på *Millenniums* redaktion när han plötsligt hörde rassel från låset i ytterdörren. Han tittade på klockan och insåg att den redan var nio på kvällen. Mikael Blomkvist verkade också förvånad över att upptäcka att någon befann sig på redaktionen.

"Flitens lampa och allt det där. Hej Micke. Jag har petat i boken och glömde tiden. Vad gör du här?"

"Skulle bara hämta en bok jag glömde. Går allt bra?"

"Jo, nja, nej … Jag har ägnat tre veckor åt att försöka spåra den där jävla Björck på Säpo. Det verkar som om han kidnappats av någon utländsk underrättelsetjänst. Han är som uppslukad av jorden."

Dag berättade om sina vedermödor. Mikael drog fram en stol och satte sig och funderade en stund.

"Har du provat med lotteritricket?"

"Vad?"

"Hitta på ett namn, skriv ett brev som meddelar att han vunnit en mobiltelefon med GPS-navigator eller vad tusan som helst. Printa ut det så att det ser snyggt och anständigt ut och posta till hans adress – i det här fallet den där boxadressen han har. Han har alltså redan vunnit mobiltelefonen. Dessutom är han en av tjugo personer som kan gå vidare och vinna 100 000 kr. Allt han behöver göra är att ställa upp i en marknadsundersökning för olika produkter. Undersökningen kommer att ta en timme att genomföra och sköts av en professionell intervjuare. Och sedan … tja."

Dag Svensson stirrade på Mikael med vidöppen mun.

"Menar du allvar?"

"Varför inte? Du har försökt allt annat och även en doldis på Säk borde kunna räkna ut att oddsen att vinna 100 000 är rätt schysta om han är en av tjugo utvalda."

Dag Svensson gapskrattade.

"Du är inte klok. Är det lagligt?"

"Jag har svårt att tro att det är olagligt att ge bort en mobiltelefon."

"Du är fan i mig inte klok."

Dag Svensson fortsatte att skratta. Mikael tvekade en kort stund. Han var egentligen på väg hem till sig och gick sällan på krogen, men han gillade Dag Svenssons sällskap.

"Har du lust att gå och ta en öl?" frågade han spontant.

Dag Svensson tittade på klockan.

"Visst", sa han. "Gärna. En snabb öl. Låt mig slå en signal till Mia. Hon är ute med några tjejer och ska plocka upp mig på väg hem."

DE GICK TILL Kvarnen mest för att det var bekvämt och nära. Dag Svensson småskrattade medan han i huvudet komponerade brevet till Björck på RPS/Säk. Mikael sneglade lite tvivlande på sin lättroade medarbetare. De hade turen att få ett bord alldeles intill entrén och beställde var sin stor stark. Med huvudena ihop började de pokulera om det ämne som för närvarande uppslukade Dag Svenssons tid.

Mikael såg inte att Lisbeth Salander stod i baren tillsammans med Miriam Wu. Lisbeth tog ett kliv bakåt så att hon fick Mimmi mellan sig och Mikael Blomkvist. Hon betraktade honom bakom Mimmis axel.

Det var första gången hon gått ut på krogen sedan hon återvänt och naturligtvis måste hon snubbla över honom. *Kalle Jävla Blomkvist.*

Det var första gången hon hade sett honom på över ett år.

"Vad är det för fel?" frågade Mimmi.

"Inget", sa Lisbeth Salander.

De fortsatte att prata. Eller rättare sagt, Mimmi fortsatte att berätta en historia som handlade om en flata hon träffat under en resa till London några år tidigare. Det handlade om ett besök på en konsthall och en allt dråpligare situation som utvecklades när Mimmi försökte ragga upp henne. Lisbeth nickade då och då och missade som vanligt helt poängen med storyn.

Mikael Blomkvist hade inte förändrats nämnvärt, konstaterade hon. Han såg oförskämt bra ut; ledig och avslappnad men med ett seriöst ansiktsuttryck. Han lyssnade till vad hans bordsgranne sa och nickade med jämna mellanrum. Det tycktes vara ett allvarligt samtal.

Lisbeth flyttade blicken till Mikaels kamrat. En blond kortsnaggad snubbe, några år yngre än Mikael, som talade med ett fokuserat ansiktsuttryck och tycktes förklara någonting. Hon hade aldrig sett honom tidigare och hade ingen aning om vem han var.

Helt plötsligt kom ett helt sällskap fram till Mikaels bord och skakade hand med honom. Mikael fick en klapp på kinden av en kvinna som sa något som sällskapet skrattade åt. Mikael såg besvärad ut men skrattade också.

Lisbeth Salander rynkade ett ögonbryn.

"Du lyssnar inte på vad jag säger", sa Mimmi.

"Det gör jag visst."

"Du är uruselt krogsällskap. Jag ger upp. Ska vi gå hem och knulla istället?"

"Om ett tag", svarade Lisbeth.

Hon ställde sig en aning närmare Mimmi och lade en hand på hennes höft. Mimmi tittade ned på sin partner.

"Jag har lust att kyssa dig på munnen."

"Gör inte det."

"Är du rädd att folk ska tro att du är en flata?"

"Jag vill inte väcka uppmärksamhet just nu."

"Låt oss gå hem då."

"Inte just nu. Vänta ett tag."

DE BEHÖVDE INTE vänta länge. Redan tjugo minuter efter att de anlänt fick mannen i Mikaels sällskap ett samtal på sin mobil. De tömde ölglasen och reste sig samtidigt.

"Kolla", sa Mimmi. "Det där är Mikael Blomkvist. Han blev mer kändis än en rockstjärna efter Wennerströmaffären."

"Jaså", sa Lisbeth.

"Missade du den grejen? Det var ungefär då du drog utomlands."

"Jag har hört talas om den."

Lisbeth dröjde i ytterligare fem minuter innan hon tittade på Mimmi.

"Du ville kyssa mig på munnen."

Mimmi tittade häpet på henne.

"Jag retades bara."

Lisbeth ställde sig på tå och drog ned Mimmis ansikte till sin nivå och gav henne en lång tungkyss. När de skildes fick de applåder.

"Du är ju knäpp", sa Mimmi.

LISBETH SALANDER KOM inte hem till sig förrän vid sjutiden på morgonen. Hon drog ut halslinningen på t-tröjan och sniffade. Hon funderade på att ta en dusch men struntade i det och lämnade istället sina kläder i en hög på golvet och gick och lade sig. Hon sov till fyra på eftermiddagen då hon klev upp och gick ned till Söderhallarna och åt frukost.

Hon funderade på Mikael Blomkvist och sin egen reaktion över att plötsligt befinna sig i samma lokal som han. Hon hade blivit irriterad över hans närvaro, men hon konstaterade också att det inte längre gjorde ont att se honom. Han hade förvandlats till ett litet blip nere vid horisonten, ett mindre störningsmoment i tillvaron.

Det fanns betydligt värre störningar i livet.

Men hon önskade plötsligt att hon hade haft mod att gå fram till honom och säga hej.

Eller möjligen bryta benen av honom, hon var inte säker på vilket.

Hursomhelst var hon plötsligt nyfiken på vad han sysslade med.

Hon gjorde några ärenden under eftermiddagen och kom hem vid sjutiden då hon kopplade upp sin PowerBook och startade Asphyxia 1.3. Ikonen *MikBlom/laptop* låg fortfarande kvar på servern i Holland. Hon dubbelklickade och öppnade en identisk kopia av Mikael Blomkvists hårddisk. Det var det första besöket i hans dator sedan hon lämnat Sverige mer än ett år tidigare. Hon noterade tillfredsställt att han ännu inte hade uppgraderat till senaste MacOS, vilket skulle ha inneburit att Asphyxia hade slagits ut och buggningen avbrutits. Hon konstaterade också att hon måste skriva om programvaran så att en uppgradering inte störde.

Volymen på hårddisken hade ökat med närmare 6,9 gigabyte sedan hennes föregående besök. En stor del av ökningen bestod av pdf-filer och Quarkdokument. Dokumenten tog inte stor plats; det gjorde däremot bildmapparna, trots att bilderna var komprimerade. Sedan han återgått som ansvarig utgivare hade han tydligen börjat arkivera en kopia av varje nummer av *Millennium*.

Hon sorterade hårddisken i datumordning med de äldsta dokumenten längst upp och noterade att Mikael i stor utsträckning hade ägnat de senaste månaderna åt en mapp som hade titeln <Dag Svensson> och uppenbarligen utgjorde ett bokprojekt. Därefter öppnade hon Mikaels mail och läste omsorgsfullt igenom adresslistan i hans korrespondens.

En adress fick Lisbeth att haja till. Den 26 januari hade Mikael fått e-post från Harriet Jävla Vanger. Hon knackade upp mailet och läste några kortfattade rader om ett kommande årsmöte på *Millennium*. Mailet avslutades med upplysningen att Harriet hade bokat samma hotellrum som förra gången.

Lisbeth smälte informationen en stund. Sedan ryckte hon på axlarna och laddade ned Mikael Blomkvists mail, Dag Svenssons bokmanuskript som hade arbetsnamnet *Iglarna* och undertiteln *Horindustrins samhällsbärare*. Hon hittade även en kopia av en avhandling med titeln *From Russia with Love* författad av en kvinna vid namn Mia Bergman.

Hon kopplade ned sig och gick ut i köket och satte på kaffebryggaren. Därefter satte hon sig i den nya soffan i vardagsrummet med sin PowerBook. Hon öppnade cigarettetuiet hon fått av Mimmi och tände en Marlboro Light. Återstoden av kvällen tillbringade hon med att läsa.

Vid niotiden hade hon avslutat Mia Bergmans avhandling. Hon bet sig eftertänksamt i underläppen.

Vid halv elva var hon klar med Dag Svenssons bok. Hon insåg att *Millennium* inom kort återigen skulle skapa rubriker.

VID HALV TOLV var hon i slutet av Mikael Blomkvists e-post när hon plötsligt satte sig upp och spärrade upp ögonen.

Hon kände en kall kåre längs ryggraden.

Det var ett mail från Dag Svensson till Mikael Blomkvist.

I en bisats nämnde Svensson att han hade funderingar kring en östeuropeisk gangster vid namn Zala som eventuellt skulle kunna bli ett eget kapitel – men konstaterade att det var ont om tid till stoppdatum. Mikael hade inte svarat på mailet.

Zala.

Lisbeth Salander satt orörlig och funderade till dess att skärmsläckaren gick igång.

DAG SVENSSON LADE ifrån sig sitt anteckningsblock och kliade sig i huvudet. Han betraktade eftertänksamt det enda ord som stod längst upp på den uppslagna sidan i hans anteckningsblock. Fyra bokstäver.

Zala.

Han ägnade tre minuter åt att konfunderad rita ett antal labyrintiska ringar kring namnet. Sedan reste han sig och hämtade en kopp kaffe från pentryt. Han sneglade på sitt armbandsur och konstaterade att han borde gå hem och sova, men han hade upptäckt att han trivdes med att sitta på *Millenniums* redaktion och arbeta sent på nätterna när det var tyst och stilla i lokalen. Tiden för stoppdatum närmade sig obönhörligt. Han hade grepp om manuskriptet, men för första gången sedan han inledde projektet kände han ett vagt tvivel. Han undrade om han möjligen hade missat en väsentlig detalj.

Zala.

Fram till dess hade han varit otålig att få manuskriptet färdigskrivet och boken publicerad. Nu önskade han plötsligt att han hade mera tid på sig.

Han funderade på det obduktionsprotokoll som kriminalinspektör Gulbrandsen hade låtit honom läsa. Irina P. hade hittats i Södertälje kanal. Hon hade utsatts för kraftigt våld och hade krosskador i ansikte och bröstkorg. Dödsorsaken var bruten nacke men åtminstone två av hennes övriga skador hade bedömts som dödliga. Hon hade fått sex revben knäckta och vänster lunga punkterad. Hon hade en brusten mjälte till följd av grov misshandel. Skadorna var svårtolkade. Patologen hade framkastat en teori om att eventuellt en träklubba inlindad i tyg hade använts. Varför en mördare skulle linda in ett mordvapen i tyg kunde inte förklaras, men krosskadorna innehöll inga karaktäristika från vanliga tillhyggen.

Mordet var fortfarande olöst och Gulbrandsen hade konstaterat att utsikterna att lösa fallet inte var dramatiskt stora.

Namnet Zala hade dykt upp vid fyra tillfällen i det material som Mia Bergman hade sammanställt under de senaste åren, men alltid i periferin, alltid nästan spöklikt undflyende. Ingen visste vem han var eller om han ens existerade. Några av flickorna hade omtalat honom som ett ickedefinierat hot som utgjorde en fara för olydiga. Han hade ägnat en vecka åt att lista ut mera om Zala och ställt frågor till poliser, journalister och flera källor med anknytning till sexhandeln som han hade arbetat fram.

Han hade på nytt kontaktat journalisten Per-Åke Sandström som han skoningslöst tänkte hänga ut i boken. Sandström hade vid det laget börjat inse allvaret i situationen. Han hade bönat och bett att Dag Svensson skulle ha förbarmande. Han hade erbjudit pengar. Dag Svensson hade ingen som helst avsikt att avstå från uthängningen. Däremot använde han sin makt till att pressa Sandström på information om Zala.

Resultatet var nedslående. Sandström var en korrumperad fan som sprungit ärenden åt sexmaffian. Han hade aldrig träffat Zala, men hade talat med honom på telefon och visste att han existerade.

Kanske. Nej, han hade inget telefonnummer. Nej, han kunde inte berätta vem som hade etablerat kontakten.

Dag Svensson hade drabbats av insikten att Per-Åke Sandström var rädd. Det var en rädsla bortom hotet om uthängning. Han var livrädd. *Varför?*

KAPITEL 10
MÅNDAG 14 MARS–SÖNDAG 20 MARS

RESORNA TILL HOLGER Palmgrens rehabilitering vid Erstaviken var en tidsödande procedur med kommunala färdmedel och det var nästan lika krångligt att hyra bil vid varje besök. I mitten av mars beslutade sig Lisbeth Salander för att köpa en bil och började med att skaffa parkeringsplats. Vilket var ett betydligt större problem än själva bilen.

Hon hade parkeringsplats i garaget under huset vid Mosebacke men ville inte att bilen skulle kunna kopplas vidare till fastigheten på Fiskargatan. Däremot hade hon flera år tidigare ställt sig i kö för en parkeringsplats i garaget till sin gamla bostadsrättsförening på Lundagatan. Hon ringde för att höra var i kön hon befann sig och fick beskedet att hon faktiskt stod högst upp. Inte bara det; från och med det kommande månadsskiftet skulle det dessutom finnas en ledig plats. Flyt. Hon ringde Mimmi och bad henne omgående skriva ett kontrakt med föreningen. Dagen därpå började hon jaga bil.

Hon hade tillräckligt gott om pengar att köpa vilken exklusivt mandarinfärgad Rolls Royce eller Ferrari som helst men var helt ointresserad av att äga något uppseendeväckande. Istället besökte hon två bilhandlare i Nacka och fastnade för en fyra år gammal vinröd Honda med automatlåda. Det tog henne en timme att till försäljarens förtvivlan envisas med att gå igenom varje detalj i motorn. Av principiella skäl prutade hon ned priset med några tusenlappar och betalade kontant.

Därefter körde hon över Hondan till Lundagatan där hon knackade på hos Mimmi och lämnade reservnycklar. Jovisst, Mimmi fick gärna använda bilen om hon frågade i förväg. Eftersom garageplatsen inte skulle vara ledig förrän vid månadsskiftet parkerade de ute på gatan tills vidare.

Mimmi var på väg till en dejt och bio med en väninna som Lisbeth aldrig hört talas om. Eftersom hon var vulgomålad och uppklädd i något läbbigt med vad som påminde om ett hundkoppel runt halsen antog Lisbeth att det var någon av Mimmis flammor, och när Mimmi frågade om hon ville följa med tackade hon nej. Hon hade inte minsta lust att hamna i en trekant tillsammans med någon av Mimmis långbenta väninnor som säkert var bottenlöst sexig men skulle få henne att känna sig som en idiot. Däremot hade Lisbeth ett ärende på stan och de gjorde sällskap på tunnelbanan till Hötorget där de skildes.

Lisbeth promenerade till OnOff på Sveavägen och hann in genom dörrarna två minuter före stängningsdags. Hon köpte en tonerkassett till sin laserskrivare och bad att få den utan kartong så att hon fick plats med den i sin rygga.

När hon kom ut från butiken var hon törstig och hungrig. Hon promenerade till Stureplan där hon av en slump bestämde sig för Café Hedon, ett ställe hon aldrig tidigare besökt eller ens hört talas om. Hon kände omedelbart igen advokat Nils Bjurman snett bakifrån och tvärvände i dörren. Hon ställde sig vid perspektivfönstret mot trottoaren och sträckte på nacken så att hon kunde iaktta sin förvaltare i skydd av en serveringsdisk.

Åsynen av Bjurman väckte inga dramatiska känslor hos Lisbeth Salander, varken ilska, hat eller rädsla. För Lisbeths vidkommande skulle världen utan tvekan vara en bättre plats utan honom, men han levde därför att hon hade beslutat att han var mer användbar för henne på det viset. Hon flyttade blicken till mannen mitt emot Bjurman och vidgade ögonen när han reste sig. *Klick*.

Det var en synnerligen storvuxen man, minst två meter och välbyggd. Till och med exceptionellt välbyggd. Han hade ett vekt ansikte med kort ljusblond snagg, men gav på det hela taget ett mycket potent intryck.

Lisbeth såg den blonde jätten böja sig fram och lågmält säga några ord till Bjurman, som nickade. De skakade hand och Lisbeth såg att Bjurman snabbt drog tillbaka sin hand.

Vad är du för en figur och vad har du med Bjurman att göra?

Lisbeth Salander promenerade snabbt en bit nedför gatan och ställde sig vid entrén till en tobaksaffär. Hon betraktade en löpsedel då blondinen kom ut från Hedon och utan att se sig omkring svängde vänster. Han passerade mindre än trettio centimeter från Lisbeths ryggtavla. Hon gav honom femton meters försprång innan hon följde efter.

DET BLEV INGEN lång promenad. Den blonde jätten gick direkt ned i tunnelbanan vid Birger Jarlsgatan och köpte biljett vid spärren. Han ställde sig på södergående perrong – vilket var det håll som Lisbeth i vilket fall skulle åt – och klev på tåget mot Norsborg. Han klev av vid Slussen och bytte till grön linje mot Farsta men klev av redan vid Skanstull och promenerade till Blombergs kafé på Götgatan.

Lisbeth Salander stannade utanför. Hon granskade eftertänksamt den man som den blonde jätten slog sig ned tillsammans med. *Klick.* Lisbeth konstaterade snabbt att något skumt var i görningen. Han var överviktig med magert ansikte och en kraftig ölmage. Håret var uppsatt i hästsvans och han hade en blond mustasch. Han var klädd i svarta jeans och jeansjacka och boots med hög klack. På ovansidan av höger hand hade han en tatuering vars motiv Lisbeth inte kunde urskilja. Han hade en guldlänk runt armleden och rökte Lucky Strike. Blicken var stirrig som på någon som var påtänd rätt ofta. Lisbeth noterade också att han hade en väst under jeansjackan. Hon kunde inte se hela västen men förstod att han var en biker.

Den blonde jätten beställde ingenting. Han verkade förklara något. Mannen med jeansjackan nickade med jämna mellanrum men tycktes inte bidra till konversationen. Lisbeth påminde sig själv att hon någon dag skulle göra slag i saken och köpa en distansmikrofon.

Redan efter drygt fem minuter reste sig den blonde jätten och lämnade Blombergs kafé. Lisbeth backade några steg men han tittade inte ens åt hennes håll. Han promenerade fyrtio meter och svängde uppför trapporna till Allhelgonagatan där han gick fram till en vit Volvo och öppnade bildörren. Han startade och svängde försiktigt ut på gatan. Lisbeth hann precis uppfatta bilnumret innan han försvann runt hörnet i nästa gatukorsning.

Lisbeth vände och skyndade tillbaka till Blombergs. Hon hade varit borta i mindre än tre minuter men bordet var redan tomt. Hon svängde runt och tittade upp och ned längs trottoaren utan att se mannen med hästsvansen. Sedan tittade hon tvärs över gatan och såg en skymt av honom precis då han sköt upp dörren till McDonald's.

Hon var tvungen att gå in för att upptäcka honom igen. Han satt vid den bortre kanten i sällskap med en annan man som var snarlikt klädd. Han hade sin väst på utsidan av jeansjackan. Lisbeth läste orden. SVAVELSJÖ MC. Dekorationen var ett stiliserat mc-hjul som såg ut som ett keltiskt kors med en yxa.

Lisbeth lämnade restaurangen och stod obeslutsamt kvar på Götgatan i en minut innan hon började promenera norrut. Hon hade en känsla av att hela hennes inre varningssystem plötsligt gått upp i högsta beredskap.

LISBETH STANNADE VID 7-Eleven och veckohandlade ett storpack Billys Pan Pizza, tre frysta fiskgratänger, tre baconpajer, ett kilo äpplen, två limpor, ett halvt kilo ost, mjölk, kaffe, en limpa Marlboro Light och kvällstidningarna. Hon tog Svartensgatan upp till Mosebacke och såg sig noga omkring innan hon slog in portkoden till fastigheten på Fiskargatan. Hon satte in en av baconpajerna i mikron och drack mjölk direkt ur förpackningen. Hon startade kaffebryggaren och satte sig därefter vid sin dator där hon klickade upp Asphyxia 1.3 och loggade in på den speglade kopian av advokat Bjurmans hårddisk. Hon tillbringade den kommande halvtimmen med att noga gå igenom innehållet i hans dator.

Hon hittade absolut inget av intresse. Bjurman tycktes sällan använda e-post och hon hittade bara ett dussin korta personliga mail till eller från bekanta. Inget av mailen hade någon anknytning till Lisbeth Salander.

Hon hittade en nytillkommen mapp med hårdporrbilder som antydde att han fortfarande hade intresse av kvinnor som förnedrades i sadistiska sammanhang. Tekniskt sett utgjorde det ingen överträdelse av hennes regel att han inte fick umgås med kvinnor.

Hon knackade upp mappen med dokument om Bjurmans uppdrag som Lisbeth Salanders förvaltare och läste noga varje månadsrapport. De korresponderade utan avvikelser med de kopior som hon instruerat honom att fortlöpande maila till en av hennes många hotmailadresser.

Allting helt normalt.

Möjligen en liten avvikelse ... Då hon öppnade Words dokumentinformation om de olika månadsrapporterna kunde hon konstatera att han brukade skapa dokumenten någon av de första dagarna i varje månad, att han ägnade varje rapport i genomsnitt fyra timmars redigeringstid och sände den till överförmyndarnämnden punktligt den 20:e varje månad. De befann sig nu i mitten av mars och han hade ännu inte påbörjat arbetet med den innevarande månadens rapport. *Slarv? Sent ute? Upptagen med annat? Något fuffens på gång?* En rynka bildades i Lisbeth Salanders panna.

Hon stängde av datorn och satte sig i fönstersmygen och öppnade cigarettetuiet hon fått av Mimmi. Hon tände en cigarett och tittade ut i mörkret. Hon hade slarvat med att hålla koll på Bjurman. *Han är hal som en ål.*

Hon kände en stor oro. *Först Kalle Jävla Blomkvist, sedan namnet Zala och nu Nils Jävla Gubbslemmet Bjurman tillsammans med en anabolstinn alfahane med kontakter i en outlawklubb.* Inom loppet av några dygn hade flera störningar uppstått i den ordnade tillvaro som Lisbeth Salander försökte skapa omkring sig.

KLOCKAN HALV TRE samma natt satte Lisbeth Salander nyckeln i portlåset i den fastighet på Upplandsgatan nära Odenplan där advokat Nils Bjurman bodde. Hon stannade utanför hans dörr, öppnade försiktigt brevinkastet och sköt ned en extremt ljudkänslig mikrofon som hon inhandlat på Counterspy Shop i Mayfair i London. Hon hade aldrig hört talas om Ebbe Carlsson, men det var samma butik där han köpt den famösa avlyssningsutrustning som i slutet av 1980-talet föranledde Sveriges justitieminister att hastigt avgå. Lisbeth placerade öronsnäckan på plats och justerade volymen.

Hon hörde ett dovt brummande från ett kylskåp och skarpa tickanden från åtminstone två klockor, varav den ena var en väggklocka i vardagsrummet till vänster om entrédörren. Hon justerade volymen och lyssnade utan att andas. Hon hörde alla möjliga knakanden och brus från fastigheten men inget ljud av mänsklig aktivitet. Det tog henne en minut att uppfatta och särskilja de svaga ljuden av tunga regelbundna andetag.

Nils Bjurman sov.

Hon drog upp mikrofonen och stoppade den i skinnjackans innerficka. Hon var klädd i mörka jeans och hade gymnastikskor med rågummisula. Hon satte ljudlöst i nyckeln i låset och sköt upp dörren en aning. Innan hon öppnade helt plockade hon fram en elpistol från jackans ytterficka. Hon hade inte tagit något annat vapen med sig. Hon ansåg sig inte behöva ytterligare förstärkning för att kunna hantera Bjurman.

Hon klev in i hallen, stängde ytterdörren och tassade på ljudlösa fötter mot den inre hallen vid hans sovrum. Hon tvärstannade då hon såg ljuset från en tänd lampa, men vid det laget kunde hon redan höra hans snarkningar. Hon smög strax vidare in i hans sovrum. Han hade en tänd lampa i fönstret. *Vad är det för fel, Bjurman? Lite mörkrädd?*

Hon ställde sig bredvid hans säng och betraktade honom i flera minuter. Han hade åldrats och verkade ovårdad. Det luktade i rummet på ett sätt som antydde att han inte skötte sin hygien.

Hon kände inte ett uns av medlidande. Under en sekund blixtrade en antydan till skoningslöst hat i hennes ögon. Hon noterade ett glas på nattduksbordet och böjde sig fram och sniffade. Sprit.

Till sist lämnade hon sovrummet. Hon gjorde en kort tur genom köket, hittade inget anmärkningsvärt, fortsatte genom vardagsrummet och stannade vid dörren till arbetsrummet. Hon stack ned handen i jackfickan och plockade upp ett dussin små knäckebrödsbitar som hon försiktigt placerade i dunklet på parkettgolvet. Om någon smög genom vardagsrummet skulle knastret förvarna henne.

Hon satte sig bakom advokat Nils Bjurmans arbetsbord och placerade elpistolen lätt tillgänglig framför sig. Hon började metodiskt söka igenom lådorna och gick igenom korrespondens med Bjurmans privata banktillgodohavanden och ekonomiska uppställningar. Hon noterade att han hade blivit slarvigare och mer sporadisk i sina uppdateringar, men hittade inget av intresse.

Den understa skrivbordslådan var låst. Lisbeth Salander rynkade ögonbrynen. Vid hennes besök ett år tidigare hade alla lådor varit olåsta. Hennes blick blev ofokuserad medan hon visualiserade bilden av lådans innehåll. Den hade innehållit en kamera, ett teleobjektiv, en liten Olympus fickbandspelare, ett läderbundet fotoalbum och en liten ask med halsband, smycken och en guldring med inskription *Tilda och Jacob Bjurman • 23 april 1951*. Lisbeth kände till att det var hans föräldrars namn och att bägge var avlidna. Hon antog att det var en vigselring som bevarades som minne.

Alltså, han låser in sådant som han uppfattar som värdefullt.

Hon övergick till att granska jalusiskåpet bakom skrivbordet och plockade fram de två pärmar som innehöll hans uppdrag som hennes förvaltare. Under femton minuter bläddrade hon noggrant igenom papper för papper. Rapporterna var oklanderliga och antydde att Lisbeth Salander var en snäll och skötsam flicka. Fyra månader tidigare hade han lagt in ett antagande att hon i hans ögon framstod så rationell och kompetent att det fanns orsak att vid nästkommande års översyn ta upp en diskussion om det verkligen fanns giltiga skäl till förvaltarskapet. Det var elegant formulerat och utgjorde den första byggstenen i upphävandet av hennes omyndighetsförklaring.

Pärmen innehöll även handskrivna minnesanteckningar som visade att Bjurman kontaktats av en Ulrika von Liebenstaahl vid överförmyndarnämnden för ett allmänt samtal om Lisbeths allmäntillstånd. Orden "nödvändigt med psykiatrisk utvärdering" fanns understrukna.

Lisbeth putade med läpparna och ställde tillbaka pärmarna och såg sig omkring.

Ytligt sett kunde hon inte hitta något att anmärka på. Bjurman tycktes sköta sig helt i enlighet med hennes instruktioner. Hon bet sig i underläppen. Det kändes i alla fall som om något var på tok.

Hon hade rest sig från stolen och var på väg att släcka skrivbordslampan när hon hejdade sig. Hon plockade fram pärmarna igen och ögnade igenom dem på nytt. Förbryllad.

Pärmarna borde ha innehållit mer. Ett år tidigare hade det funnits en summering av hennes utveckling sedan barndomen från överförmyndarnämnden. Den saknades. *Varför skulle Bjurman plocka ut papper från en aktiv dokumentation?* Hon rynkade ögonbrynen. Hon kunde inte komma på någon riktigt bra orsak. Såvida han inte samlade ytterligare dokumentation på någon annan plats. Hon lät blicken svepa över jalusihyllan och den understa skrivbordslådan.

Hon hade ingen dyrk med sig och tassade istället tillbaka till Bjurmans sovrum och fiskade upp hans nyckelknippa från kavajen som hängde över en herrbetjänt i trä. Samma föremål som ett år tidigare fanns i lådan. Men samlingen hade kompletterats med en platt kartong vars omslagsbild visade en Colt 45 Magnum.

Hon tänkte igenom den research om Bjurman som hon gjort nästan två år tidigare. Han ägnade sig åt skytte och var medlem i en skytteklubb. Enligt det offentliga vapenregistret hade han en licens för en Colt 45 Magnum.

Hon kom motvilligt till slutsatsen att det inte var onaturligt att han höll lådan låst.

Hon gillade inte läget men hon kunde inte hitta någon omedelbar förevändning att väcka Bjurman och spöa skiten ur honom.

MIA BERGMAN VAKNADE halv sju. Hon hörde morgon-TV på låg volym från vardagsrummet och kände doften av nybryggt kaffe. Hon hörde också knattrandet av tangenter från Dag Svenssons iBook. Hon log.

Hon hade inte sett Dag arbeta så hårt på en story tidigare. *Millennium* hade varit ett bra drag. Han brukade vara på tok för styv i korken och det verkade som om umgänget med Blomkvist och Berger och de andra hade en välgörande effekt på honom. Han hade allt oftare kommit hem modstulen efter att Blomkvist hade påpekat brister och skjutit något resonemang i sank. Därefter hade han arbetat dubbelt så hårt.

Hon undrade om det var rätt ögonblick att störa hans koncentrationsförmåga. Hennes mens var tre veckor försenad. Hon var inte säker och hade inte gjort något graviditetstest ännu.

Hon undrade om det var dags.

Hon var snart 30 år. Om mindre än en månad skulle hon disputera. Doktor Bergman. Hon log igen och beslutade att inte säga något till Dag innan hon själv var säker och möjligen vänta till dess att han var klar med sin bok och hon satt på disputationsfesten.

Hon drog sig i tio minuter innan hon klev upp och gick ut i vardagsrummet med ett lakan runt kroppen. Han tittade upp.

"Klockan är inte sju än", sa hon.

"Blomkvist är kaxig igen", svarade han.

"Har han varit stygg mot dig? Rätt åt dig. Du gillar honom, va?"

Dag Svensson lutade sig bakåt i vardagsrumssoffan och mötte hennes blick. Efter en stund nickade han.

"*Millennium* är ett bra ställe att jobba på. Jag pratade med Mikael då vi var på Kvarnen innan du hämtade mig häromkvällen. Han undrade vad jag hade tänkt göra då det här projektet var klart."

"Aha. Och vad sa du?"

"Att jag inte visste. Jag har flummat runt som frilans i så många år nu. Jag skulle vilja ha något stadigare."

"*Millennium*."

Han nickade.

"Micke har sonderat terrängen och frågade om jag skulle vara intresserad av halvtid. Samma kontrakt som Henry Cortez och Lottie Karim går på. Jag får ett skrivbord och en basinkomst från *Millennium* och kan ta in resten på egna knäck."

"Vill du det?"

"Om de kommer med ett konkret erbjudande kommer jag att säga ja."

"Okej, men klockan är fortfarande inte sju än och det är lördag."

"Äsch. Jag tänkte bara pilla lite med texten."

"Jag tycker att du ska komma tillbaka till sängen och pilla med något annat."

Hon log mot honom och vek upp en flik av lakanet. Han satte datorn i viloläge.

LISBETH SALANDER ÄGNADE en stor del av de närmast följande dygnen åt research framför sin PowerBook. Sökandet spretade åt en mängd olika håll och hon var inte alltid på det klara med exakt vad hon sökte.

En del av faktasamlandet var enkelt. Från Mediaarkivet sammanställde hon en översikt av Svavelsjö MC:s historik. Klubben dök först upp i tidningsnotiserna 1991 under namnet Tälje Hog Riders i samband med att polisen gjorde ett tillslag mot klubbhuset, vid denna tid beläget i ett nedlagt skolhus utanför Södertälje. Tillslaget hade föranletts av att oroliga grannar larmat om skottlossning vid gamla skolan; polisen ryckte ut med stor insatsstyrka och avbröt en synnerligen ölstinn fest som urartat till en skyttetävling med en AK4 som sedan visade sig ha stulits i början av 1980-talet från det nedlagda regementet I 20 i Västerbotten.

Svavelsjö MC hade enligt en kartläggning i en kvällstidning sex eller sju medlemmar och ett dussintal hangarounds. Samtliga fullvärdiga medlemmar hade vid något tillfälle straffats för brott, huvudsakligen på tämligen amatörmässig men stundom våldsam nivå. Två personer i klubben stack ut från mängden. Ledare för Svavelsjö MC var en Carl-Magnus "Magge" Lundin som porträtterades i *Aftonbladets* nätupplaga i samband med att polisen år 2001 gjorde ett tillslag i klubblokalen. Lundin var dömd vid fem tillfällen i slutet av 1980-talet och början av 1990-talet. Tre av rättegångarna hade handlat om stölder, häleri och narkotikaförseelser. En av domarna handlade om grövre brottslighet, däribland en grov misshandel som gett arton månader. Lundin hade frigivits 1995 och kort därefter avancerat till posten som *president* för Tälje Hog Riders, som nu alltså kallade sig Svavelsjö MC.

Klubbens nummer två var enligt polisens gängenhet en Sonny Nieminen, 37 år, som förekom i inte mindre än tjugotre avsnitt i straffregistret. Han hade inlett sin karriär som 16-åring då han dömdes till skyddstillsyn och vård enligt socialtjänstlagen för misshandel och stöld. Under de kommande tio åren hade Sonny Nieminen dömts för fem fall av stöld, ett fall av grov stöld, två fall av olaga hot, två narkotikabrott, utpressning, våld mot tjänsteman, två fall av olaga vapen och ett fall av grovt olaga vapen, rattonykterhet och inte mindre än sex fall av misshandel. Han hade dömts enligt en för Lisbeth Salander obegriplig skala till skyddstillsyn, böter och upprepade vändor på en eller två månader i fängelse till dess att han 1989 plötsligt dömts till tio månaders fängelse för grov misshandel och rån. Han var ute några månader senare och höll sig i skinnet fram till oktober 1990 då han under ett krogbesök i Södertälje hamnade i ett slagsmål som slutade med dråp och ett sexårigt fängelsestraff. Nieminen hade kommit ut igen 1995, numera som Magge Lundins närmaste vän.

1996 hade han gripits för delaktighet i ett väpnat rån mot en värdetransport. Han hade inte själv deltagit i rånet men försett tre unga män med de vapen som behövts för uppgiften. Det blev den andra större voltan. Han dömdes till fyra års fängelse och släpptes 1999. Därefter hade Nieminen mirakulöst nog undvikit att gripas av polisen för ytterligare brott. Enligt en tidningsartikel från 2001, där Nieminen inte namngavs men där bakgrunden var så detaljerad att det inte var särskilt svårt att räkna ut vem som åsyftades, var han misstänkt för delaktighet i åtminstone ett mord på en medlem i en konkurrerande outlawklubb.

Lisbeth beställde fram passfoton på Nieminen och Lundin. Nieminen hade ett bildskönt ansikte med mörkt lockigt hår och farliga ögon. Magge Lundin såg ut som en komplett idiot. Hon hade inga svårigheter att identifiera Lundin som den man som träffat den blonde jätten på Blombergs konditori och Nieminen som den man som väntat på McDonald's.

VIA BILREGISTRET SPÅRADE hon ägaren till den vita Volvo som den blonde jätten hade kört iväg med. Det visade sig vara biluthyrningsfirman Auto-Expert i Eskilstuna. Hon lyfte telefonluren och fick prata med en Refik Alba på företaget i fråga.

"Mitt namn är Gunilla Hansson. Min hund blev i går påkörd av en person som smet. Skitstöveln körde en bil vars registreringsnummer visar att den hyrts från er. Det var en vit Volvo."

Hon lämnade registreringsnumret.

"Jag beklagar."

"Jag vill ha mer än så. Jag vill ha namnet på skitstöveln så att jag kan skicka ersättningskrav."

"Har du polisanmält saken?"

"Nej, jag vill göra upp i godo."

"Jag beklagar, men jag kan inte lämna ut namn på våra kunder om det inte finns en polisanmälan."

Lisbeth Salanders röst mörknade. Hon undrade om det var god företagssed att tvinga henne att polisanmäla företagets kunder istället för att göra upp i godo. Refik Alba beklagade igen och sa att han dessvärre inte kunde göra något åt saken. Hon argumenterade i ytterligare ett par minuter men fick inte fram något namn på den blonde jätten.

NAMNET ZALA VAR ytterligare en återvändsgränd. Med två avbrott för Billys Pan Pizza tillbringade Lisbeth Salander merparten av ett dygn vid datorn. Hennes enda sällskap var en 1,5-literflaska Coca-Cola.

Hon hittade hundratals människor med namnet Zala – allt från en italiensk elitidrottare till en tonsättare i Argentina. Hon hittade inget av det hon sökte.

Hon provade namnet Zalachenko men hittade inget av värde.

Frustrerad vacklade hon slutligen in i sitt sovrum och sov tolv timmar i sträck. När hon vaknade var klockan elva på förmiddagen. Hon satte på kaffebryggaren och tappade upp ett bad i jacuzzin. Hon hällde på badskum och bar in kaffe och smörgåsar och åt frukost i badet. Hon önskade plötsligt att hon hade haft sällskap av Mimmi. Men hon hade ännu inte ens avslöjat var hon bodde.

Vid tolvtiden klev hon upp ur badet, frotterade sig och satte på en morgonrock. Hon satte på datorn igen.

Namnen Dag Svensson och Mia Bergman gav bättre utdelning.

Via Googles sökmotor kunde hon snabbt sätta ihop en kortfattad summering av vad de hade gjort under de föregående åren. Hon laddade ned kopior av några av Dags artiklar och hittade en bildbyline av honom. Utan större förvåning konstaterade hon att det var den man hon sett i sällskap med Mikael Blomkvist på Kvarnen några kvällar tidigare. Namnet hade fått ett ansikte och vice versa.

Hon hittade flera texter om eller av Mia Bergman. Några år tidigare hade hon väckt uppmärksamhet med en rapport om särbehandling av män och kvinnor i domstolar. Denna hade föranlett både ett antal ledarstick och inlägg på olika kvinnoorganisationers debattsidor; Mia Bergman hade själv bidragit med flera av de sistnämnda inläggen. Lisbeth Salander läste uppmärksamt. Vissa feminister ansåg att Bergmans slutsatser var viktiga, medan andra kritiserade henne för att "sprida borgerliga illusioner". Exakt vari de borgerliga illusionerna bestod framgick dock inte.

Vid tvåtiden på eftermiddagen gick hon in i Asphyxia 1.3, men istället för *MikBlom/laptop* valde hon *MikBlom/office*, Mikael Blomkvists bordsdator på *Milleniums* redaktion. Hon visste av erfarenhet att Mikaels kontorsdator knappt innehöll något av värde. Bortsett från att han ibland använde bordsdatorn för att surfa på Internet arbetade han nästan enbart på sin iBook. Däremot hade Mikael administratörsrättigheter för hela *Milleniums* redaktion. Hon hittade snabbt den nödvändiga informationen med lösenord för *Milleniums* interna nätverk.

För att kunna gå in i andra datorer på *Millenium* räckte det inte med den speglade hårddisken på servern i Holland; även originalet till *MikBlom/office* måste vara på och uppkopplat till det interna nätverket. Hon hade tur. Mikael Blomkvist befann sig uppenbarligen på sin arbetsplats och hade bordsdatorn igång. Hon väntade i tio minuter men kunde inte notera några tecken på aktivitet, vilket hon tolkade som att Mikael hade startat datorn då han kommit in på kontoret och möjligen använt den till att surfa på Internet och därefter låtit den vara påslagen medan han gjorde annat eller använde sin laptop.

Det måste göras försiktigt. Under den kommande timmen hackade sig Lisbeth Salander försiktigt från dator till dator och lagrade hem e-post från Erika Berger, Christer Malm och en för henne obekant medarbetare vid namn Malin Eriksson. Till sist hittade hon Dag Svenssons bordsdator, enligt systeminformationen en äldre Macintosh PowerPC med bara 750 megabytes hårddisk, alltså en överbliven burk som med stor sannolikhet bara användes som ordbehandlare av tillfälliga medarbetare. Den var uppkopplad, vilket betydde att Dag Svensson i det ögonblicket satt på *Millenniums* redaktion. Hon lagrade hem hans e-post och sökte igenom hårddisken. Hon hittade en mapp som kort och gott var döpt till <Zala>.

DEN BLONDE JÄTTEN var missnöjd och kände sig obehaglig till mods. Han hade precis hämtat 203 000 kronor i kontanter, vilket var oväntat mycket för de tre kilo metamfetamin som han levererat till Magge Lundin i slutet av januari. Det var också en god förtjänst för några timmars praktiskt arbete – att hämta amfetaminet från kuriren, förvara det en stund och leverera till Magge Lundin och därefter inkassera femtio procent av profiten. Det rådde ingen tvekan om att Svavelsjö MC kunde omsätta den summan varje månad, och Magge Lundins gäng var bara en av tre liknande operationer – de övriga två fanns i Göteborgs- respektive Malmötrakten. Tillsammans kunde gängen ta in mer än en halv miljon kronor i ren vinst varje månad.

Ändå kände han sig så obehaglig till mods att han körde in till vägkanten och parkerade och stängde av motorn. Han hade inte sovit på drygt trettio timmar och kände sig dimmig. Han öppnade dörren och sträckte på benen och urinerade vid vägkanten. Det var kyligt och stjärnklart. Han stod vid ett fält inte långt från Järna.

Konflikten var närmast ideologisk till sin natur. Tillgången på metamfetamin var oändligt mindre än fyrtio mil från Stockholm. Efterfrågan på den svenska marknaden var odiskutabelt stor. Resten var en fråga om logistik – hur transportera den efterfrågade produkten från punkt A till punkt B eller närmare bestämt från ett källarkontor i Tallinn till Frihamnen i Stockholm?

Detta ständigt återkommande problem – hur bära sig åt för att garantera en regelbunden transport från Estland till Sverige? Det var kärnpunkten och den verkligt svaga länken eftersom allt de hade efter flera års ansträngningar var ständiga improvisationer och tillfälliga lösningar.

Problemet var att det alltför ofta den senaste tiden uppstått gnissel. Den blonde jätten var stolt över sin organisationsförmåga. Under loppet av några år hade han skapat ett väloljat maskineri av kontakter som odlats med avvägda portioner morot och piska. Det var han som hade gjort fotarbetet, identifierat partners, förhandlat fram överenskommelser och sett till att leveranserna hamnat på rätt plats.

Moroten var det incitament underleverantörer som Magge Lundin erbjöds – en god och rimligt riskfri profit. Systemet var oklanderligt. Magge Lundin behövde inte lyfta ett finger för att få varorna levererade till sig – inga krångliga uppköpsresor eller påtvungna förhandlingar med personer som kunde vara allt från narkotikapoliser till ryska maffian och som lika gärna kunde blåsa honom på allting. Lundin visste att den blonde jätten levererade och därefter inkasserade sina femtio procent.

Piskan behövdes då det allt oftare den senaste tiden hade tillstött komplikationer. En lösmynt gatulangare som hade fått på tok för stor insyn i varukedjan hade så när implicerat Svavelsjö MC. Den blonde hade varit tvungen att gripa in och bestraffa.

Den blonde jätten var bra på att bestraffa.

Han suckade.

Han kände att hela verksamheten höll på att bli alltför svår att överblicka. Verksamheten var helt enkelt för mångsidig.

Han tände en cigarett och sträckte på benen vid vägkanten.

Metamfetaminet var en utmärkt, diskret och hanterbar inkomstkälla – stor profit mot små risker. Vapenaffärerna var i viss mån berättigade om de okloka sidospåren kunde identifieras och undvikas. Med tanke på risken var det helt enkelt inte ekonomiskt försvarbart att leverera två handeldvapen för några tusenlappar till ett par korkade snorungar som tänkte råna kiosken i grannhuset.

Enstaka fall av industrispionage eller smuggling av elektroniska komponenter österut – även om marknaden hade avtagit dramatiskt på senare år – hade ett visst berättigande.

Däremot var horor från Baltikum helt oförsvarbara ur ekonomisk synvinkel. Hororna var småpengar och egentligen bara en komplikation som när som helst kunde ge upphov till hycklande skriverier i massmedia och debatter i den besynnerliga politiska enhet som kallades för den svenska riksdagen och vars spelregler i den blonde jättens ögon i bästa fall var oklara. Fördelen med hororna var att de var i det närmaste juridiskt riskfria. Alla gillar en hora – åklagare, domare, snutjävlar och en och annan riksdagsman. Ingen skulle gräva alltför djupt för att stävja verksamheten.

Inte ens en död hora skulle nödvändigtvis orsaka politiska förvecklingar. Om polisen kunde gripa en uppenbart misstänkt inom loppet av några timmar och den misstänkte fortfarande hade blodstänk på sina kläder så skulle det naturligtvis resultera i en fällande dom och några års fängelse eller vård på någon obskyr anstalt. Men om någon misstänkt inte hittats inom fyrtioåtta timmar visste den blonde av erfarenhet att polisen snart skulle få viktigare ting att utreda.

Men den blonde jätten gillade inte hortraden. Han gillade inte hororna med sina spacklade ansikten och gälla fylleskratt. De var orena. De var humankapital av det slag som kostade lika mycket som de inbringade. Och eftersom det handlade om humankapital fanns alltid risken att någon av hororna skulle bli tokig och få för sig att de kunde hoppa av eller börja sladdra till polisen eller till journalister eller andra utomstående. Därmed skulle han tvingas rycka in och bestraffa. Och om avslöjandet var tillräckligt tydligt skulle kedjan av åklagare och poliser tvingas agera – annars skulle det bli ett jävla liv i den där förbannade riksdagen. Hortraden var strul.

Bröderna Atho och Harry Ranta var typexempel på strul. De var två onyttiga parasiter som hade fått på tok för mycket insyn i verksamheten. Helst av allt hade han velat vira in dem i en kätting och dumpa dem i hamnen. Istället hade han kört dem till Estlandsfärjan och tålmodigt väntat medan de bordade fartyget. Semestern föranleddes av att en jävla journalist hade börjat snoka i deras affärer och det hade beslutats att de skulle vara osynliga till dess att saken hade blåst över.

Han suckade igen.

Framför allt gillade inte den blonde jätten sidospår som Lisbeth Salander. Hon var helt ointressant för hans vidkommande. Hon utgjorde ingen som helst profit.

Han gillade inte advokat Nils Bjurman och kunde inte begripa varför man beslutat att göra honom till viljes. Men nu var bollen i rullning. Order hade utgått, uppdraget hade lagts ut på entreprenad hos Svavelsjö MC.

Men han gillade inte alls läget. Han hade onda aningar.

Han höjde blicken och tittade ut över det mörka fältet och kastade cigarettfimpen i diket. Helt plötsligt skymtade han rörelse i ögonvrån och frös. Han fokuserade blicken. Det fanns ingen belysning utom en svag månskära men han kunde i alla fall tydligt urskilja konturerna av en svart skepnad som kröp mot honom ungefär trettio meter från vägen. Varelsen rörde sig långsamt och gjorde små korta pauser.

Den blonde jätten kände plötsligt kallsvett i pannan.

Han hatade varelsen på fältet.

I mer än en minut stod han nästan paralyserad och stirrade förhäxad på skepnadens långsamma men målmedvetna framryckning. När varelsen var så nära att han kunde se ögon glimma i mörkret tvärvände han och sprang tillbaka till bilen. Han slet upp dörren och fumlade med nycklarna. Han kände paniken växa till dess att han äntligen fick igång motorn och slog på helljuset. Varelsen hade kommit upp på vägen och den blonde jätten kunde äntligen urskilja detaljer i skenet från billyktorna. Det såg ut som en enorm stingrocka som hasade sig framåt. Den hade en gadd som en skorpion.

En sak var helt klar. Varelsen kom inte från denna världen. Det var ett monster som kommit upp ur underjorden.

Han fick in en växel och rivstartade. När bilen passerade såg han att varelsen gjorde ett utfall men inte nådde fram till bilen. Först flera kilometer senare slutade han skaka.

LISBETH ÄGNADE NATTEN åt att utforska den research som Dag Svensson och *Millennium* bedrivit om trafficking. Så småningom hade hon en relativt bra överblick även om den byggde på kryptiska brottstycken som hon pusslade samman genom innehållet i e-posten.

Erika Berger skickade en fråga till Mikael Blomkvist om hur konfrontationerna fortlöpte; han svarade kortfattat att de hade problem att hitta mannen från Tjekan. Hon tolkade detta som att en av de personer som skulle hängas ut i reportaget arbetade på Säkerhetspolisen. Malin Eriksson skickade en summering av en sidoresearch till Dag Svensson med kopia till Mikael Blomkvist och Erika Berger. Både Svensson och Blomkvist svarade med kommentarer och förslag till kompletteringar. Mikael och Dag utbytte e-post några gånger varje dygn. Dag Svensson redogjorde för en konfrontation han haft med en journalist vid namn Per-Åke Sandström.

Från Dag Svenssons e-post kunde hon också konstatera att han kommunicerade med en person vid namn Gulbrandsen på en yahoo-adress. Det tog en stund innan hon förstod att Gulbrandsen måste vara polis och att meningsutbytet pågick *off the record*, via en icke offentlig adress istället för Gulbrandsens polisadress. Gulbrandsen var följaktligen en källa.

Mappen med namnet <Zala> var frustrerande kortfattad och innehöll endast tre Worddokument. Det längsta av dessa dokument, 128 kB, hade dokumentnamnet [Irina P] och innehöll en fragmentarisk skildring av en prostituerad kvinnas liv. Det framgick att hon var död. Lisbeth läste med uppmärksamhet Dag Svenssons summering av obduktionsprotokollet.

Så vitt Lisbeth kunde förstå hade Irina P. utsatts för så exceptionellt grovt övervåld att tre av de skador hon tillfogats var dödande var för sig.

Lisbeth kände igen en formulering i texten som var ett ordagrant citat från Mia Bergmans avhandling. I avhandlingen handlade det om en kvinna med namnet Tamara. Lisbeth utgick från att Irina P. och Tamara var samma person och läste med stor uppmärksamhet intervjuavsnittet i avhandlingen.

Det andra dokumentet hade namnet [Sandström] och var betyd-ligt kortare. Det innehöll samma summering som Dag Svensson hade mailat till Blomkvist och som visade att en journalist vid namn Per-Åke Sandström var en av de torskar som utnyttjat en flicka från Baltikum, men att han också sprungit ärenden åt sexmaffian och att han fått ersättning i form av droger eller sex. Lisbeth fascinerades av att Sandström vid sidan av sin produktion av företagstidningar ock-så hade skrivit flera frilansartiklar i en dagstidning där han indigne-rat fördömde sexhandeln och bland annat avslöjat att en icke namn-given svensk affärsman hade gjort ett besök på en bordell i Tallinn.

Namnet Zala nämndes inte i vare sig dokumentet [Sandström] *el-ler* [Irina P] men Lisbeth drog slutsatsen att eftersom bägge doku-menten låg i en mapp med dokumentnamnet <Zala> så måste det existera en koppling. Det tredje och sista dokumentet i mappen var dock döpt till [Zala]. Det var kortfattat och uppställt i punktform.

Enligt Dag Svensson hade namnet Zala figurerat vid nio tillfällen i samband med narkotika, vapen eller prostitution sedan mitten av 1990-talet. Ingen tycktes veta vem Zala var men olika källor hade angett honom som jugoslav, polack eller eventuellt tjeck. Alla upp-gifter var andrahandskällor; ingen av de personer som Dag Svensson diskuterat med tycktes någonsin ha träffat Zala.

Dag Svensson hade utförligt diskuterat Zala med *källa G* (Gul-brandsen?) och framfört teorin att Zala kunde vara ansvarig för mordet på Irina P. Det framgick inte vad *källa G* ansåg om teo-rin, men däremot att Zala ett år tidigare hade varit föremål för en diskussionspunkt under ett möte med "särskilda utredningsgrup-pen om organiserad brottslighet". Namnet hade dykt upp så många gånger att polisen hade börjat ställa frågor och försökt bilda sig en uppfattning om huruvida Zala existerade eller inte.

Så vitt Dag Svensson kunnat utröna hade namnet Zala dykt upp för första gången i samband med ett rån mot en värdetransport i Örkelljunga 1996. Rånarna hade kommit över 3,3 miljoner kronor men klantat sig så dramatiskt att polisen redan efter ett dygn hade kunnat identifiera och gripa ligan. Efter ytterligare ett dygn hade ännu en person gripits. Det var yrkesförbrytaren Sonny Nieminen, medlem i Svavelsjö MC, som enligt uppgift hade tillhandahållit de vapen som använts vid rånet och senare dömdes för detta till ett fyraårigt fängelsestraff.

Inom en vecka efter värdetransportrånet 1996 hade ytterligare tre personer häktats för delaktighet i rånet. Härvan omfattade därmed åtta personer varav sju styvnackat hade vägrat prata med polisen. Den åttonde, en blott 19-årig pojke vid namn Birger Nordman, hade brutit samman och babblat sig genom polisförhören. Rättegången blev en promenadseger för åklagaren, vilket resulterade i (misstänkte Dag Svenssons poliskälla) att Birger Nordman två år senare hittades nedgrävd i ett sandtag i Värmland efter att ha avvikit från en permission.

Enligt *källa G* misstänkte polisen att Sonny Nieminen hade varit huvudman bakom hela ligan. Det misstänktes även att Nordman hade dödats på uppdrag av Sonny Nieminen, men någon dokumentation existerade inte. Nieminen betraktades dock som synnerligen farlig och hänsynslös. På kåken hade Nieminen dykt upp i samband med Ariska Brödraskapet, en nazistisk fängelseorganisation som i sin tur hade koppling till Brödraskapet Wolfpack och vidare till både outlawklubbar i MC-världen och till diverse våldsamma nazistiska pappskalleorganisationer som Svenska Motståndsrörelsen och liknande.

Det som intresserade Lisbeth Salander var dock något helt annat. En av de uppgifter framlidne rånaren Birger Nordman hade lämnat under polisförhören var påståendet att de vapen som använts vid rånet hade kommit från Nieminen, som i sin tur fått dem från en för Nordman obekant jugoslav vid namn "Sala".

Dag Svensson hade dragit slutsatsen att det handlade om en doldis i den kriminella miljön. Eftersom ingen passande person med namnet Zala förekom i folkbokföringen gissade Dag att namnet var ett smeknamn, men att det också kunde handla om en särdeles förslagen bov som medvetet uppträdde under falskt namn.

Den sista punkten innehöll en kort redogörelse för journalisten Sandströms uppgifter om Zala. Vilket inte var särskilt mycket. Enligt Dag Svensson hade Sandström vid ett tillfälle pratat på telefon med en person med detta namn. Av anteckningarna framgick inte vad samtalet hade handlat om.

Vid fyratiden på morgonen stängde Salander sin PowerBook och satte sig i fönstersmygen och tittade ut mot Saltsjön. Hon satt stilla i två timmar och rökte eftertänksamt den ena cigaretten efter den andra. Hon var tvungen att fatta en del strategiska beslut och hon var tvungen att göra en konsekvensanalys.

Hon insåg att hon måste spåra Zala och en gång för alla avsluta deras mellanhavanden.

PÅ LÖRDAGSKVÄLLEN VECKAN före påsk besökte Mikael Blomkvist en gammal flickvän på Slipgatan vid Hornstull. Han hade för ovanlighetens skull tackat ja till en inbjudan till en fest. Hon var numera gift och inte det minsta intresserad av intimt umgänge med Mikael, men hon arbetade inom media och de brukade heja på varandra då de emellanåt stötte ihop. Hon hade precis skrivit färdigt en bok som hade varit i vardande i minst tio år och som handlade om något så märkligt som kvinnosynen inom massmedia. Mikael hade vid ett tillfälle bidragit med material till boken, vilket var orsaken till att han blivit inbjuden.

Mikaels roll hade enkelt bestått i att göra research på en enkel fråga. Han hade plockat fram de jämställdhetsplaner som TT, *Dagens Nyheter*, *Rapport* och ett antal andra media skrytsamt höll sig med och därefter prickat av hur många män respektive kvinnor i företagens ledningar ovanför redaktionssekreterarnivå. Resultatet blev pinsamt. Vd – man. Styrelseordförande – man. Chefredaktör – man. Utrikeschef – man. Redaktionschef – man ... och så vidare till dess att den första kvinnan dök upp, oftast som ett undantag i form av en Christina Jutterström eller en Amelia Adamo.

Festen var privat och gästerna bestod huvudsakligen av olika personer som på ett eller annat sätt hade hjälpt henne med boken.

Det var en uppsluppen afton med god mat och avstressat prat. Mikael hade tänkt gå hem relativt tidigt men flertalet gäster var gamla bekanta som sällan träffades. Dessutom var det ingen i sällskapet som började dribbla alltför mycket om Wennerströmaffären. Till-

ställningen drog ut på tiden och först vid tvåtiden på söndagsmor-
gonen bröt kärntruppen av gäster upp. De följdes åt till Långholms-
gatan och skingrades.

Mikael såg nattbussen passera innan han hunnit fram till hållplat-
sen, men natten var ljum och han beslutade sig för att promenera
hem istället för att vänta på nästa buss. Han följde Högalidsgatan
fram till kyrkan och svängde upp på Lundagatan, vilket omedelbart
väckte minnen.

Mikael hade hållit sitt löfte från december att sluta besöka Lunda-
gatan i det fåfänga hoppet att Lisbeth Salander skulle dyka upp vid
horisonten igen. Denna natt stannade han till på andra sidan gatan
framför hennes port. Han fick en impuls att gå över gatan och prova
att ringa på hennes dörr, men insåg det osannolika i förhoppningen
att hon plötsligt skulle dyka upp och det än mindre sannolika att
hon skulle vilja prata med honom igen.

Slutligen ryckte han på axlarna och fortsatte promenaden mot
Zinkensdamm. Han hade hunnit nästan ytterligare sextio meter då
han hörde ett ljud och vred på huvudet och hans hjärta slog ett dub-
belslag. Det var svårt att missta sig på den spinkiga kroppen. Lisbeth
Salander hade just kommit ut på gatan och promenerade bort från
honom. Hon stannade vid en parkerad bil.

Mikael öppnade munnen för att ropa till henne då rösten fastnade
i strupen. Plötsligt såg han en skepnad lösgöra sig från en av bilarna
som stod parkerade längs trottoaren. Det var en man som gled upp
bakom Lisbeth Salanders rygg. Mikael uppfattade honom som lång
och med en distinkt mage. Han hade hästsvans.

LISBETH SALANDER HÖRDE ett ljud och såg en rörelse i ögonvrån
i samma ögonblick som hon skulle sätta nyckeln i dörren till den
vinröda Hondan. Han kom upp mot henne snett bakifrån och hon
snodde runt en sekund innan han var framme vid henne. Hon iden-
tifierade honom omedelbart som Carl-Magnus "Magge" Lundin, 36
år, Svavelsjö MC, som några dagar tidigare hade mött den blonde
jätten på Blombergs kafé.

Hon registrerade Magge Lundin som drygt 120 kilo tung och aggressiv. Hon använde nycklarna som knogjärn och tvekade inte en mikrosekund innan hon med en reptilsnabb rörelse slet upp ett djupt skärsår i hans kind, från näsroten till örat. Han grep luft när Lisbeth Salander därefter tycktes sjunka genom marken.

MIKAEL BLOMKVIST SÅG Lisbeth Salander slå ut med näven. I samma ögonblick som hon träffade sin angripare sjönk hon ned på marken och rullade mellan hjulen under bilen.

LISBETH VAR UPPE på andra sidan bilen sekunder senare, beredd till strid eller flykt. Hon mötte fiendens blick över motorhuven och beslutade sig omedelbart för det sistnämnda alternativet. Han blödde från kinden. Innan han ens hunnit fokusera blicken på henne var hon på väg över Lundagatan i riktning mot Högalidskyrkan.

Mikael stod paralyserad med gapande mun när angriparen plötsligt fick fart och rusade efter Lisbeth Salander. Han såg ut som en stridsvagn som jagade en leksaksbil.

Lisbeth tog trapporna till övre Lundagatan med två trappsteg åt gången. På toppen av trappan sneglade hon över axeln och såg förföljaren sätta foten på det första trappsteget. *Han är snabb.* Hon höll på att snubbla men registrerade i sista sekunden bråten av trianglar och sandhögar där Gatukontoret hade rivit upp gatan.

Magge Lundin var nästan uppe då Lisbeth Salander kom in i hans synfält igen. Han hade tid att registrera att hon kastade någonting men hann inte reagera förrän den fyrkantiga gatstenen träffade honom i sidan av pannan. Det var ingen bra träff, men stenen hade en avsevärd kraft och slet upp ett andra sår i hans ansikte. Han kände hur han förlorade fotfästet och hur världen tumlade då han ramlade baklänges nedför trappan. Han lyckades bryta fallet då hans hand fick grepp om ledstången men han förlorade flera sekunder.

MIKAELS FÖRLAMNING LOSSNADE då mannen försvann vid trappan. Han vrålade efter honom att han skulle ge fan i det där.

Lisbeth var halvvägs över gården när hon uppfattade Mikael Blomkvists röst. *Vad i helvete?* Hon bytte riktning och sneglade över räcket vid avsatsen. Hon såg Mikael Blomkvist tre meter under henne längre ned på gatan. Hon tvekade en tiondels sekund innan hon åter satte fart.

SAMTIDIGT SOM MIKAEL började springa mot trappan registrerade han att en Dodge Van startade utanför Lisbeth Salanders port alldeles intill den bil hon hade försökt öppna. Fordonet svängde ut från trottoaren och passerade Mikael i riktning mot Zinkensdamm. Han såg ett ansikte skymta när fordonet passerade. Nummerplåten var oläsbar i nattbelysningen.

Mikael sneglade obeslutsamt på fordonet men fortsatte att springa efter Lisbeths förföljare. Han kom i kapp vid toppen av trappan. Mannen hade stannat med ryggen mot Mikael och stod orörlig och tittade sig omkring.

Precis då Mikael var framme vid honom vände han sig om och gav Mikael en kraftig backhand över ansiktet. Mikael var helt oförberedd. Han dråsade nedför trappan med huvudet först.

LISBETH HÖRDE MIKAELS halvkvädna rop och stannade nästan. *Vad i helvete händer?* Sedan kastade hon en blick över axeln och såg Magge Lundin drygt fyrtio meter bort sätta fart mot henne. *Han är snabbare. Han kommer att hinna i kapp.*

Hon slutade tveka och vek av till vänster och satte högsta fart uppför ett par trappor till gårdsterrassen mellan husen. Hon kom upp på en gårdsplan som inte erbjöd minsta gömställe och avverkade sträckan fram till nästa hörn på en tid som skulle ha imponerat på Carolina Klüft. Hon svängde höger och insåg att hon var på väg in i en återvändsgränd och gjorde en 180 graders gir. Precis då hon nådde gaveln på nästa hus skymtade hon Magge Lundin i toppen av trappan till gårdsplanen. Hon fortsatte utom synhåll i ytterligare några meter och dök huvudstupa in i ett buskage av rhododendron som växte i en rabatt längs hela gaveln.

Hon hörde Magge Lundins tunga fotsteg men kunde inte se honom. Hon låg helt stilla inne i buskaget och tryckte sig mot väggen.

Lundin passerade hennes gömställe och stannade mindre än fem meter bort. Han dröjde i tio sekunder innan han fortsatte att jogga längs gården. Efter någon minut kom han tillbaka. Han stannade på samma plats som tidigare. Den här gången stod han stilla i trettio sekunder. Lisbeth spände sina muskler beredd till omedelbar flykt om hon skulle bli upptäckt. Sedan rörde han sig igen. Han passerade mindre än två meter från henne. Hon hörde hans steg försvinna över gården.

MIKAEL HADE SMÄRTA i nacke och käke då han mödosamt och vimmelkantigt kom på fötter igen. Han kände blodsmak från en sprucken läpp. Han försökte ta några steg men snubblade.

Han kom upp till toppen av trappan igen och såg sig omkring. Han såg angriparen jogga hundra meter längre ned på gatan. Mannen med hästsvansen stannade och spanade mellan husen och fortsatte sedan att springa längs gatan. Mikael gick fram till kanten och tittade efter honom. Han sprang över Lundagatan och klev in i den Dodge Van som startat vid Lisbeths port. Bilen försvann omedelbart runt hörnet ned mot Zinkensdamm.

Mikael promenerade långsamt längs övre Lundagatan och spanade efter Lisbeth Salander. Han kunde inte se henne någonstans. Han kunde överhuvudtaget inte se en levande människa och häpnade över hur ödslig en Stockholmsgata plötsligt kan vara klockan tre en söndagsmorgon i mars. Efter en stund gick han tillbaka till Lisbeths port på nedre Lundagatan. När han passerade bilen där överfallet ägt rum trampade han på något och hittade Lisbeths nyckelknippa. Då han böjde sig ned för att ta upp den såg han hennes axelväska under bilen.

Mikael stod kvar en lång stund och väntade, osäker på vad han borde göra. Till sist gick han bort till porten och provade nycklarna. De passade inte.

LISBETH SALANDER STANNADE under buskarna i femton minuter utan att röra sig mer än för att snegla på klockan. Strax efter tre hörde hon en port öppnas och stängas och steg i riktning mot gårdens cykelställ.

När ljuden avtagit reste hon sig långsamt på knä och stack upp huvudet ur buskaget. Hon granskade varje vinkel och vrå på gårdsplanen men kunde inte se Magge Lundin. Så tyst hon kunde promenerade hon tillbaka till gatan, hela tiden beredd att göra en helomvändning och fly. Hon stannade vid murkrönet och spanade längs Lundagatan då hon såg Mikael Blomkvist framför hennes port. Han höll hennes väska i handen.

Hon stod blick stilla, dold bakom en lyktstolpe när Mikael Blomkvists blick svepte över krönet. Han såg henne inte.

Mikael Blomkvist stod kvar utanför hennes port i närmare trettio minuter. Hon iakttog honom tålmodigt och orörlig till dess att han gav upp och började gå ned mot Zinkensdamm. När han försvunnit utom synhåll avvaktade hon ytterligare en stund innan hon började fundera på vad som hade hänt.

Mikael Blomkvist.

Hon kunde för sitt liv inte begripa hur han hade kunnat dyka upp på scenen ur tomma intet. I övrigt gav angreppet inte utrymme för många tolkningar.

Carl Jävla Magnus Lundin.

Magge Lundin hade träffat den blonde jätte som hon hade sett en skymt av tillsammans med advokat Nils Bjurman.

Nils Jävla Gubbslemmet Bjurman.

Den förbannade sopan har hyrt någon jävla alfahane för att göra mig illa. Trots att jag gjort jävligt klart för honom vad konsekvensen kan bli.

Lisbeth Salander kokade plötsligt inombords. Hon var så rasande att hon kände blodsmak i munnen. Nu skulle hon bli tvungen att bestraffa honom.

DEL 3

ABSURDA EKVATIONER

23 mars – 2 april

De meningslösa ekvationer, som inte är riktiga för något
värde, kallas absurditeter.

$$(a+b)(a-b)=a^2-b^2+1$$

KAPITEL 11
ONSDAG 23 MARS-TORSDAG 24 MARS

MIKAEL BLOMKVIST SATTE rödpennan i marginalen på Dag Svens-
sons manuskript och gjorde ett utropstecken med en cirkel runt och
skrev ordet fotnot. Han ville ha en källhänvisning till ett påstående.

Det var onsdag, aftonen före skärtorsdagen, och *Millennium* hade
mer eller mindre påskledigt hela veckan. Monika Nilsson befann sig
utomlands. Lottie Karim hade åkt till fjällen med sin man. Henry
Cortez hade varit inne och svarat i telefon några timmar men Mikael
hade skickat hem honom eftersom ingen ringde och han själv i alla
fall skulle sitta kvar på redaktionen. Henry försvann lyckligt leende
på väg till sin senaste flickvän.

Dag Svensson hade inte synts till. Mikael satt ensam och knåpade
med hans manuskript. Boken skulle bli tolv kapitel och omfatta 290
sidor, hade de sent omsider kommit fram till. Dag Svensson hade le-
vererat slutversion på nio av de tolv kapitlen och Mikael Blomkvist
hade nagelfarit varje ord och returnerat texterna med krav på för-
tydliganden eller förslag på omformuleringar.

Dag Svensson var dock enligt Mikael en mycket skicklig skribent
och hans redigerande inskränkte sig huvudsakligen till marginella
randanmärkningar. Han fick anstränga sig för att hitta något han
verkligen kunde slå ned på. Under de veckor manuskripthögen hade
vuxit på Mikaels skrivbord hade de bara varit helt oense om ett enda
avsnitt på ungefär en sida som Mikael ville stryka och som Dag ben-
hårt kämpat för att behålla. Men det var petitesser.

Kort sagt hade *Millennium* en kanonbra bok snart på väg till tryckeriet. Att boken skulle väcka dramatiska rubriker behövde inte Mikael tveka om. Dag Svensson var så skoningslös då han hängde ut torskarna och knöt ihop storyn att ingen skulle kunna undgå att begripa att det var något fel på själva systemet. Den biten var författarskap. Den andra biten var de fakta som Dag Svensson presenterade och som utgjorde själva stommen i boken. Det var journalistisk research av det slag som borde vara k-märkt.

Under de gångna månaderna hade Mikael lärt sig tre saker om Dag. Han var en noggrann journalist som inte lämnade många lösa trådar. Han saknade den tungsinta retorik som präglade så många andra socialreportage och förvandlade dem till pekoral. Boken var mer än ett reportage – det var en krigsförklaring. Mikael log stillsamt. Dag Svensson var ungefär femton år yngre än Mikael men han kände igen den passion som han själv en gång hade besuttit då han dragit ut till strid mot usla ekonomijournalister och knåpat ihop en skandalbok som ännu inte hade förlåtits på vissa redaktioner.

Problemet var att Dag Svenssons bok måste hålla hela vägen. Den reporter som sticker ut hakan på det sättet måste antingen ha hundra procent torrt på fötterna eller avstå från att publicera. Dag Svensson låg på nittioåtta procent. Det fanns svaga punkter som måste nagelfaras ytterligare och påståenden som han inte hade dokumenterat på ett sätt som Mikael var nöjd med.

Vid halvsextiden öppnade han sin skrivbordslåda och plockade fram en cigarett. Erika Berger hade infört totalt rökförbud på redaktionen men han var ensam och ingen skulle vara inne under helgen. Han fortsatte att arbeta i ytterligare fyrtio minuter innan han samlade ihop arken och lade kapitlet på Erika Bergers skrivbord för genomläsning. Dag Svensson hade lovat att maila en slutversion av de återstående tre kapitlen nästa morgon, vilket skulle ge Mikael en möjlighet att gå igenom materialet under helgen. På tisdagen efter påskhelgen var ett möte inplanerat där Dag, Erika, Mikael och redaktionssekreteraren Malin Eriksson skulle träffas för att fastställa slutversion av både boken och *Milleniums* artiklar. Därefter återstod bara layout, vilket var Christer Malms huvudvärk, och att skicka till tryckeriet. Mikael hade inte ens tagit in offerter från tryckerierna – han hade bestämt sig för att än en gång anlita Hallvigs Reklam i Morgongåva, de hade tryckt hans bok om Wennerströmaffären och gav ett pris och en service som få andra tryckerier kunde konkurrera med.

MIKAEL TITTADE PÅ klockan och kostade på sig att smygröka ytterligare en cigarett. Han satte sig vid fönstret och tittade ned på Götgatan. Han petade eftertänksamt med tungan på såret på insidan av läppen. Det hade börjat läka. Han undrade för tusende gången vad som egentligen hade hänt utanför Lisbeth Salanders port på Lundagatan.

Det enda han visste med säkerhet var att Lisbeth Salander befann sig i livet och att hon var tillbaka i stan.

Under dagarna som gått hade han dagligen försökt få kontakt med henne. Han hade skickat mail till den adress hon hade använt mer än ett år tidigare men inte fått något svar. Han hade promenerat till Lundagatan. Han började misströsta.

Namnskylten på dörren hade ändrats till Salander-Wu. Det fanns 230 personer med efternamnet Wu i folkbokföringen, varav drygt 140 var bosatta i Stockholms län. Ingen dock på Lundagatan. Mikael hade ingen aning om vilken av dessa Wu som hade flyttat in till Salander, om hon hade skaffat pojkvän eller om lägenheten var uthyrd i andra hand. Ingen hade öppnat då han knackat på.

Till sist hade han satt sig och skrivit ett vanligt gammaldags brev till henne.

Hej Sally,

Jag vet inte vad som hände för ett år sedan men vid det här laget har till och med en trögtänkt jävel som jag räknat ut att du brutit all kontakt med mig. Det är din rätt och ditt privilegium att avgöra vem du vill umgås med och jag tänker inte tjata. Jag konstaterar bara att jag fortfarande betraktar dig som min vän, att jag saknar ditt sällskap och gärna tar en kopp kaffe med dig om du har lust.

Jag vet inte vad du syltat in dig i, men tumultet på Lundagatan var oroväckande. Om du behöver hjälp så kan du ringa när som helst. Jag står som bekant i djup skuld till dig.

Dessutom har jag din väska. Om du vill ha tillbaka den är det bara att du hör av dig. Om du inte vill träffa mig så räcker det med att du ger mig en adress som jag kan posta den till. Jag kommer inte att söka upp dig eftersom du så tydligt markerat att du inte vill ha med mig att göra.

Mikael

Han hade naturligtvis inte hört ett ljud från henne.

När han kommit hem på morgonen efter överfallet på Lundagatan hade han öppnat hennes väska och lagt upp innehållet på köksbordet. Det bestod av en plånbok med en id-handling från posten och ungefär 600 svenska kronor i kontanter och 200 amerikanska dollar samt ett månadskort från SL. Där fanns ett öppnat paket Marlboro Light, tre Bic-tändare, en ask halstabletter, en öppen förpackning med pappersnäsdukar, en tandborste, tandkräm och tre tamponger i ett sidofack, ett oöppnat paket kondomer med en plastetikett som visade att de inhandlats på Gatwick Airport i London, en inbunden anteckningsbok med styva svarta pärmar i A5-format, fem kulspetspennor, en tårgaspatron, en liten påse med läppstift och makeup, en FM-radio med öronsnäcka men utan batterier och gårdagens *Aftonbladet*.

Det mest fascinerande föremålet i väskan var en hammare som låg lätt tillgänglig i ett ytterfack. Attacken hade dock kommit så överraskande att Lisbeth varken hunnit göra bruk av hammaren eller tårgaspatronen. Hon hade uppenbarligen bara använt nycklarna som knogjärn – det fanns spår av blod och hud på dem.

Hennes nyckelknippa bestod av sex nycklar. Tre av dessa var typiska lägenhetsnycklar – portnyckel, lägenhetsnyckel och nyckel till säkerhetslås. De passade dock inte till porten på Lundagatan.

Mikael hade slagit upp och bläddrat igenom anteckningsboken sida för sida. Han kände igen hennes prydliga knapphändiga handstil och kunde tämligen omgående konstatera att det inte precis var en flickas hemliga dagbok. Ungefär tre fjärdedelar av boken var fylld med vad som såg ut att vara matematiskt klotter. Längst upp på första sidan fanns en ekvation som till och med Mikael kände igen.

$$(x^3+y^3=z^3)$$

Mikael Blomkvist hade aldrig haft svårt för att räkna. Han hade gått ut gymnasiet med högsta betyg i matematik, vilket dock inte på något sätt innebar att han var en god matematiker utan bara att han kunde tillgodogöra sig innehållet i skolans undervisning. Men sidorna i Lisbeth Salanders bok innehöll klotter av ett slag som Mikael varken begrep eller ämnade försöka begripa. En ekvation sträckte sig över ett helt uppslag och avslutades med överstrykningar och ändringar. Han hade svårt att avgöra om det ens var seriösa matematiska formler och uträkningar, men eftersom han kände till Lisbeth Salanders egenheter antog han att ekvationerna var korrekta och säkerligen hade någon esoterisk betydelse.

Han bläddrade fram och tillbaka en lång stund. Ekvationerna var lika begripliga som om han hade fått ett häfte med kinesiska tecken framför sig. Men han begrep vad hon försökte göra. $(x^3+y^3=z^3)$. Hon hade blivit fascinerad av Fermats gåta, en klassiker som till och med Mikael Blomkvist hade hört talas om. Han suckade djupt.

Den allra sista sidan i blocket innehöll några ytterst knapphändiga och kryptiska anteckningar som absolut inte hade med matematik att göra men som ändå såg ut som en formel.

(Blondie + Magge) = NEB

De var understrukna och inringade och förklarade inte ett dugg. Längst ned på sidan fanns telefonnumret till Auto-Expert biluthyrning i Eskilstuna.

Mikael gjorde inga försök att tolka anteckningarna. Han drog slutsatsen att anteckningarna var klotter som tillkommit medan hon funderat på något.

MIKAEL BLOMKVIST FIMPADE och satte på sig kavajen, kopplade på larmet på redaktionen och promenerade till terminalen vid Slussen där han tog bussen ut till yuppiereservatet vid Stäket i Lännersta. Han var inbjuden att äta middag hos sin syster Annika Blomkvist, gift Giannini, som fyllde 42 år.

ERIKA BERGER INLEDDE sin helgledighet med en tre kilometer lång, bekymrad och ursinnig joggingrunda som slutade vid ångbåtsbryggan i Saltsjöbaden. Hon hade slarvat med timmarna på gymmet de senaste månaderna och kände sig stel och otränad. Hon promenerade tillbaka. Hennes make var föredragshållare på en utställning på Moderna museet och det skulle dröja åtminstone till åttatiden innan han kom hem, varvid Erika tänkte öppna ett gott vin och starta bastun och förföra sin man. Det skulle i alla fall skingra tankarna på det aktuella problem som hon grubblade över.

Fyra dagar tidigare hade hon lunchdejtats av vd:n för ett av Sveriges största medieföretag. Över salladen hade han med allvar i rösten förklarat sin intention att rekrytera henne som chefredaktör för företagets största dagstidning. *Styrelsen har diskuterat flera namn och vi är ense om att du skulle vara en stor tillgång för tidningen. Det är dig vi vill ha.* Med jobberbjudandet följde en lön som fick hennes inkomster från *Millennium* att framstå som ett skämt.

Erbjudandet hade kommit som en blixt från en klar himmel och gjort henne mållös. Varför just jag?

Han hade varit märkligt luddig men efter hand kom förklaringen att hon var känd, respekterad och en omvittnat duglig chef. Hennes sätt att dra upp *Millennium* ur den kvicksand tidningen befunnit sig i två år tidigare imponerade. Det var också så att Den Stora Draken behövde förnyas. Det fanns en gubbighet och patina över tidningen som innebar att tillväxten bland yngre prenumeranter stadigt minskade. Erika var känd som en uppkäftig journalist. Hon hade klös. Att sätta en kvinna och feminist som chef för Det Manliga Sveriges mest värdekonservativa institution var utmanande och fräckt. Alla var överens. Nåja, nästan alla. De som räknades var överens.

"Men jag delar inte tidningens politiska grundsyn."

"Vem bryr sig. Du är inte känd motståndare heller. Du ska vara chef – inte politruk – och ledarsidan sköter nog sig själv."

Han hade inte sagt det, men det var också en klassfråga. Erika kom från rätt bakgrund och miljö.

Hon hade svarat att hon spontant var attraherad av förslaget men att hon inte kunde svara omedelbart. Hon var tvungen att tänka på saken ordentligt och de hade kommit överens om att hon skulle lämna besked inom den närmaste tiden. Vd:n hade förklarat att om det var lönen som utgjorde grund för hennes tvekan så befann hon sig i en position där hon förmodligen kunde förhandla upp siffrorna ytterligare. Dessutom tillkom en exceptionellt häftig fallskärm. *Det är dags för dig att börja tänka på pensionsvillkor.*

Snart 45 år. Hon hade gjort hundåren som nybörjare och vikarie. Hon hade fått ihop *Millennium* och blivit chefredaktör på egna meriter. Det ögonblick då hon var tvungen att lyfta luren och säga ja eller nej närmade sig obönhörligt och hon visste inte hur hon skulle svara. Under den gångna veckan hade hon gång på gång tänkt diskutera saken med Mikael Blomkvist men hade inte kommit sig för. Istället kände hon att hon tvärtom hade mörkat för honom, vilket gav henne en tagg av dåligt samvete.

Det fanns uppenbara nackdelar. Ett ja skulle innebära att partnerskapet med Mikael avbröts. Han skulle aldrig följa henne till Den Stora Draken, hur sockrat erbjudande hon än skulle ge honom. Han behövde inte pengarna och han trivdes förträffligt med att i lugn takt peta med sina egna texter.

Erika trivdes med sin roll som chefredaktör på *Millennium*. Det hade gett henne en status inom journalistiken som hon ansåg var närmast oförtjänt. Hon hade varit redaktör men inte producent av nyheterna. Det var inte hennes bag – hon betraktade sig själv som en halvdan skrivande journalist. Däremot var hon en bra pratjournalist i radio eller TV och hon var framför allt en lysande redaktör. Dessutom gillade hon det *hands on*-arbete med redigering som chefredaktörskapet på *Millennium* förutsatte.

Men Erika Berger var frestad. Inte så mycket av lönen som av det faktum att jobbet innebar att hon definitivt skulle förvandlas till en av landets tyngsta aktörer i mediebranschen. *Det är ett erbjudande som aldrig kommer tillbaka*, hade vd:n sagt.

Någonstans nedanför Grand Hotel i Saltsjöbaden insåg hon till sin förtvivlan att hon inte skulle kunna säga nej. Och hon bävade för det ögonblick då hon skulle vara tvungen att berätta nyheten för Mikael Blomkvist.

SOM ALLTID ÄGDE middagen hos familjen Giannini rum i ett milt kaos. Annika hade två barn, Monica, 13, och Jennie, 10 år. Hennes man Enrico Giannini, som var Skandinavienchef för ett internationellt bioteknikföretag, hade vårdnaden om en Antonio, 16 år gammal, från ett tidigare äktenskap. Övriga gäster var Enricos mamma Antonia och Enricos bror Pietro, dennes fru Eva-Lotta, samt deras barn Peter och Nicola. Dessutom bodde Enricos syster Marcella med fyra barn i samma kvarter. Till middagen hade även inbjudits Enricos faster Angelina, som av släkten betraktades som spritt språngande galen eller i varje fall omåttligt excentrisk, samt hennes nye pojkvän.

Kaosfaktorn var följaktligen tämligen hög vid det generöst tilltagna matsalsbordet. Konversationen försiggick på en smattrande blandning av svenska och italienska, ibland samtidigt, och situationen blev inte mindre plågsam av att Angelina ägnade kvällen åt att diskutera varför Mikael ännu var ungkarl och föreslå ett antal lämpliga kandidater bland döttrarna i hennes bekantskapskrets. Till sist förklarade Mikael att han gärna skulle gifta sig men att hans älskarinna dessvärre redan var gift. Därmed tystnade även Angelina en kort stund.

Halv åtta på kvällen pep Mikaels mobiltelefon. Han hade trott att han stängt av telefonen och höll på att missa samtalet innan han grävt fram den ur innerfickan i kavajen som någon hade lagt på hatthyllan i hallen. Det var Dag Svensson.

"Stör jag?"

"Inte särskilt. Jag är på middag hos min syster och en pluton från hennes mans släkt. Vad händer?"

"Två saker. Jag har försökt få tag på Christer Malm men han svarar inte i telefon."

"Han och pojkvännen är på teater i kväll."

"Fan. Jag hade lovat att träffa honom på redaktionen i morgon förmiddag med de bilder och illustrationer som vi vill ha med i boken. Christer skulle titta på det över påskhelgen. Men nu har Mia plötsligt hittat på att hon vill åka upp till föräldrarna i Dalarna över påsk och visa sin avhandling. I så fall åker vi tidigt i morgon bitti."

"Okej."

"Det är pappersbilder, så jag kan inte maila. Skulle jag kunna buda över bilderna till dig redan i kväll?"

"Jo ... men hördu, jag är ute vid Lännersta. Jag stannar kvar här ett tag till och åker inåt stan sedan. Enskede blir bara en kort avstickare. Jag kan lika gärna svänga förbi hos dig och plocka upp bilderna på vägen. Är det okej om jag kommer framåt elvatiden?"

Det hade Dag Svensson ingenting emot.

"Den andra saken ... tror jag inte att du kommer att gilla."

"Shoot."

"Jag har snubblat över en grej som jag skulle vilja hinna kolla upp innan boken går i tryck."

"Okej – vad handlar det om?"

"Zala, stavas med Z."

"Vad är en Zala?"

"Zala är en gangster, troligen från öststaterna, möjligen från Polen. Jag nämnde honom i ett mail till dig för någon vecka sedan."

"Sorry, det har jag glömt."

"Han dyker upp lite här och där i materialet. Folk verkar skraja för honom och ingen vill snacka om honom."

"Jaha."

"För ett par dagar sedan snubblade jag över honom igen. Jag tror att han befinner sig i Sverige och att han borde ingå i listan över torskar i kapitel sju."

"Dag – du kan inte börja gräva fram nytt material tre veckor innan vi skickar boken till tryck."

"Jag vet. Men det här är lite av en kantboll. Jag pratade med en polis som också hört talas om Zala och ... jag tror att det kan vara lönt att ägna några dagar i nästa vecka åt att kolla upp honom."

"Varför det? Du har gott om fähundar i texten."

"Det här verkar vara en särskild fähund. Ingen vet riktigt vem han är. Jag har en känsla i magen att det skulle löna sig att rota ett varv till."

"Man ska aldrig förakta magkänslan", sa Mikael. "Men ärligt talat … vi kan inte skjuta upp deadline i det här läget. Tryckeriet är bokat och boken måste komma ut samtidigt som *Millennium*."

"Jag vet", svarade Dag Svensson modstulet.

MIA BERGMAN HADE just bryggt en kanna kaffe och hällt upp i bordstermosen då det ringde på dörren. Klockan var strax före nio. Dag Svensson var närmast dörren och i tron att det var Mikael Blomkvist som kommit tidigare än aviserat öppnade han utan att först titta genom dörrögat. Istället för Mikael Blomkvist tittade han ned på en kortväxt dockliknande flicka som såg ut att vara i tonåren.

"Jag söker Dag Svensson och Mia Bergman", sa flickan.

"Jag är Dag Svensson", sa han.

"Jag vill prata med er."

Dag tittade automatiskt på klockan. Mia Bergman kom ut i hallen och ställde sig nyfiket bakom sin sambo.

"Är det inte lite väl sent för ett besök?" sa Dag.

Flickan betraktade honom under tålmodig tystnad.

"Vad vill du prata om?" undrade han.

"Jag vill prata om boken du tänker publicera på *Millennium*."

Dag och Mia tittade på varandra.

"Och vem är du?"

"Jag är intresserad av ämnet. Får jag komma in eller ska vi diskutera här ute i trapphuset?"

Dag Svensson tvekade en sekund. Flickan var visserligen en vilt främmande människa och tidpunkten för besöket var udda, men hon verkade tillräckligt harmlös för att han skulle hålla upp dörren. Han visade in henne till matbordet i vardagsrummet.

"Vill du ha kaffe?" frågade Mia.

Dag sneglade irriterat på sin sambo.

"Vad sägs om att svara på frågan om vem du är?" sa han.

"Ja tack. Till kaffet alltså. Jag heter Lisbeth Salander."

Mia ryckte på axlarna och öppnade bordstermosen. Hon hade redan dukat fram koppar i väntan på Mikael Blomkvists besök. "Och vad får dig att tro att jag tänker publicera en bok på *Millennium*?" frågade Dag Svensson.

Han var plötsligt djupt misstänksam, men flickan ignorerade honom och tittade istället på Mia Bergman. Hon gjorde en grimas som kunde tolkas som ett skevt leende.

"Intressant avhandling", sa hon.

Mia Bergman såg häpen ut.

"Hur kan du veta något om min avhandling?"

"Jag råkade komma över en kopia", svarade flickan kryptiskt.

Dag Svenssons irritation tilltog.

"Nu får du faktiskt förklara för mig vad du vill", insisterade han.

Flickan mötte hans blick. Han lade plötsligt märke till att hennes irisar var så mörkbruna att hennes ögon blev korpsvarta i ljuset. Han insåg att han måste ha missbedömt hennes ålder – hon var äldre än han först hade trott.

"Jag vill veta varför du går omkring och ställer frågor om Zala, Alexander Zala", sa Lisbeth Salander. "Och jag vill framför allt veta exakt vad du vet om honom."

Alexander Zala, tänkte Dag Svensson chockad. Han hade aldrig tidigare hört något förnamn.

Dag Svensson granskade flickan framför honom. Hon lyfte kaffekoppen och tog en klunk utan att släppa honom med blicken. Hennes ögon saknade helt värme. Han kände plötsligt ett vagt obehag.

TILL SKILLNAD FRÅN Mikael och övriga vuxna i sällskapet (och trots att hon var födelsedagsbarnet) hade Annika Giannini bara druckit lättöl och avstått från både vin och nubbe till maten. Vid halv elva på kvällen var hon följaktligen nykter och eftersom hon betraktade sin storebror som en i vissa avseenden komplett idiot som emellanåt måste tas om hand så erbjöd hon sig generöst att skjutsa hem honom via Enskede. Hon hade ändå planerat att köra honom till busshållplatsen på Värmdövägen och det skulle inte ta så lång tid att åka in till stan.

"Varför skaffar du dig inte en egen bil?" klagade hon i alla fall då Mikael satte på sig säkerhetsbältet.

"Därför att till skillnad från dig bor jag på promenadavstånd från jobbet och behöver bil ungefär en gång per år. Dessutom hade jag inte kunnat köra eftersom din karl bjöd på brännvin från Skåne."

"Han börjar försvenskas. För tio år sedan skulle han ha bjudit på italiensk sprit."

De använde bilfärden åt bror-och-syster-prat. Bortsett från en ihärdig faster, två mindre ihärdiga mostrar och en eller annan avlägsen kusin eller syssling så var Mikael och Annika ensamma i släkten. Åldersskillnaden på tre år hade inneburit att de inte hade haft särskilt mycket gemensamt i tonåren, men istället hade de funnit varandra desto bättre i vuxen ålder.

Annika hade läst juridik och Mikael betraktade henne som den klart mer begåvade av de två. Hon hade seglat igenom studierna, avverkat några år i en tingsrätt och därefter varit biträde till en av Sveriges mer kända advokater innan hon sa upp sig och öppnade eget. Annika hade specialiserat sig på familjerätt, vilket efter hand hade omvandlats till ett jämställdhetsprojekt. Hon hade engagerat sig som advokat för misshandlade kvinnor, skrivit en bok i ämnet och blivit ett respekterat namn. Till råga på allt hade hon engagerat sig politiskt för socialdemokraterna, vilket föranledde Mikael att reta henne för att vara en politruk. Själv hade Mikael redan i tidiga år beslutat att han inte kunde kombinera partitillhörighet med bibehållen journalistisk trovärdighet. Han undvek till och med att rösta, och vid de tillfällen han hade gjort det så hade han alltid vägrat att avslöja vad han röstat på till och med för Erika Berger.

"Hur mår du?" undrade Annika då de passerade Skurubron.

"Jovars, jag mår bra."

"Så vad är problemet?"

"Problemet?"

"Jag känner dig, Micke. Du har sett tankfull ut hela kvällen."

Mikael satt tyst en stund.

"Det är en komplicerad historia. Jag har två problem just nu. Det ena handlar om en tjej jag lärde känna för två år sedan, som hjälpte mig i samband med Wennerströmaffären och därefter bara försvann ut ur mitt liv utan förklaring. Jag har inte sett röken av henne på mer än ett år förrän i förra veckan."

Mikael berättade om överfallet på Lundagatan.

"Har du gjort en polisanmälan?" frågade Annika genast.

"Nej."

"Varför inte?"

"Den här tjejen är exceptionellt privat. Det var hon som blev överfallen. Hon får göra anmälan."

Vilket Mikael misstänkte var något som sannolikt inte låg högst upp på Lisbeth Salanders dagordning.

"Tjurskalle", sa Annika och klappade Mikael på kinden. "Ska alltid sköta saker och ting själv. Vilket är det andra problemet?"

"Vi håller på med en story på *Millennium* som kommer att skapa rubriker. Jag har suttit hela kvällen och funderat på om jag skulle konsultera dig. Som advokat, menar jag."

Annika sneglade häpet på sin bror.

"Konsultera mig", utbrast hon. "Det var något nytt."

"Storyn handlar om trafficking och våld mot kvinnor. Du jobbar med våld mot kvinnor och du är advokat. Du jobbar visserligen inte med tryckfrihetsmål, men jag skulle väldigt gärna vilja att du läste igenom texten innan vi går i tryck. Det är både tidningsartiklar och en bok, så det är rätt mycket att läsa."

Annika var tyst när hon svängde ned på Hammarby fabriksväg och passerade Sickla sluss. Hon snirklade sig fram på smågator parallellt med Nynäsvägen till dess att hon kunde svänga upp på Enskedevägen.

"Vet du Mikael, jag har varit riktigt arg på dig en enda gång i hela mitt liv."

"Jaså", svarade Mikael häpet.

"Det var när du blev åtalad av Wennerström och dömdes till tre månaders fängelse för ärekränkning. Jag var så förbannad på dig att jag höll på att krevera."

"Varför det? Jag gjorde bort mig."

"Du har gjort bort dig åtskilliga gånger förr. Men den gången behövde du en advokat och den enda du inte vände dig till var mig. Istället satt du och tog emot skit i både massmedia och i rättegången. Du försvarade dig inte ens. Jag höll på att avlida."

"Det var speciella omständigheter. Du hade inte kunnat göra någonting."

"Jo, men det begrep jag först ett år senare då *Millennium* klev tillbaka in på banan och sopade banan med Wennerström. Fram till dess var jag så jävla besviken på dig."

"Det fanns ingenting du hade kunnat göra för att vinna rättegången."

"Du fattar inte poängen, storebror. Jag begriper också att det var ett hopplöst fall. Jag har läst domen. Men poängen var att du inte kom till mig och bad om hjälp. Typ, hej syrran, jag behöver en advokat. Det var därför jag aldrig dök upp i rätten."

Mikael funderade på saken.

"Sorry. Jag borde ha gjort det, antar jag."

"Ja, det borde du."

"Jag funkade inte det året. Jag orkade inte prata med någon alls. Jag ville bara lägga mig ned och dö."

"Vilket du inte gjorde precis."

"Förlåt mig."

Annika Giannini log plötsligt.

"Vackert. En ursäkt två år senare. Okej. Jag läser gärna texten. Är det bråttom?"

"Ja. Vi går snart i tryck. Sväng till vänster här."

ANNIKA GIANNINI PARKERADE tvärs över gatan från den port på Björneborgsvägen där Dag Svensson och Mia Bergman bodde. "Det tar bara någon minut", sa Mikael och joggade över gatan och slog portkoden. Så fort han kom innanför dörrarna insåg han att något var på tok. Han hörde upprörda röster eka i trapphuset och promenerade upp de tre våningarna till Dag Svensson och Mia Bergman. Det var först då han kom upp till plan tre som han insåg att tumultet rörde deras lägenhet. Fem grannar stod ute i trapphuset. Dörren till Dag och Mia var på glänt.

"Vad står på?" frågade Mikael mera av nyfikenhet än av oro.

Rösterna tystnade. Fem par ögon betraktade honom. Tre kvinnor och två män, samtliga i pensionsåldern. En av kvinnorna var klädd i nattlinne.

"Det lät som skott." Mannen som svarade var i 70-årsåldern och klädd i brun morgonrock.

"Skott?" sa Mikael med ett fåraktigt ansiktsuttryck.

"Alldeles nyss. De sköt inne i lägenheten för en minut sedan. Dörren stod öppen."

Mikael trängde sig fram och ringde på dörrklockan samtidigt som han gick in i lägenheten.

"Dag? Mia?" ropade han.

Han fick inget svar.

Plötsligt kände han en iskyla dra längs nacken. Han kände doften av svavel. Sedan klev han fram till vardagsrumsdörren. Det första han såg var käresötegudjävlar Dag Svensson framstupa i en enorm meterbred blodpöl framför matsalsmöbeln där han och Erika hade ätit middag några månader tidigare.

Mikael skyndade fram till Dag, samtidigt som han slet upp mobilen och slog 112 till SOS Alarm. Han fick omgående svar.

"Jag heter Mikael Blomkvist. Jag behöver ambulans och polis."

Han gav adressen.

"Vad gäller saken?"

"En man. Han tycks vara skjuten i huvudet och är livlös."

Mikael böjde sig ned och försökte känna puls på halsen. Sedan såg han den enorma kratern i Dags bakhuvud och insåg att han stod i vad som måste vara en väsentlig del av Dag Svenssons hjärnsubstans. Han drog långsamt tillbaka handen.

Ingen ambulanstransport i världen skulle kunna rädda Dag Svensson.

Helt plötsligt upptäckte han skärvorna av en av de kaffekoppar som Mia Bergman hade ärvt efter sin mormor och som hon var så rädd om. Han reste sig hastigt och såg sig omkring.

"Mia", skrek han.

Grannen i den bruna morgonrocken hade kommit in i hallen efter honom. Mikael vände sig om vid vardagsrumsdörren och pekade på grannen.

"Stanna där", vrålade han. "Backa tillbaka ut i trappan."

Grannen såg först ut som om han tänkte protestera men lydde befallningen. Mikael stod stilla i femton sekunder. Sedan gick han runt blodpölen och försiktigt förbi Dag Svensson fram till sovrumsdörren.

Mia Bergman låg på rygg på golvet framför sängens fotända. *Nejnejnejinte MiaocksåförgudsskuLl*. Hon hade skjutits genom ansiktet. Kulan hade gått in i underkanten av käken nedanför vänster öra. Utgångshålet i tinningen var stort som en apelsin och hennes högra ögonhåla gapade tom. Blodflödet var om möjligt ännu kraftigare än för hennes sambo. Kraften från kulan hade varit så våldsam att väggen vid sängens huvudända, flera meter från Mia Bergman, var fylld av blodstänk.

Mikael blev medveten om att han höll i mobilen i ett krampaktigt tag med linjen till larmcentralen fortfarande öppen och att han hade hållit andan. Han drog in luft i lungorna och höjde telefonen.

"Vi behöver polis. Två personer är skjutna. Jag tror att de är döda. Skynda."

Han hörde rösten från SOS Alarm säga något men förmådde inte uppfatta orden. Han kände det plötsligt som om det var något fel på hans hörsel. Det var helt tyst omkring honom. Han hörde inte ljudet av sin egen röst då han försökte säga någonting. Han sänkte mobilen och backade ut ur lägenheten. Då han kom ut i trapphuset insåg han att han skakade i hela kroppen och att hjärtat bultade på ett abnormt sätt. Utan ett ord trängde han sig igenom den förstenade skaran av grannar och satte sig på trappavsatsen. Han hörde avlägset grannarna ställa frågor till honom. *Vad har hänt? Har de gjort sig illa? Har det hänt något?* Ljuden från deras röster lät som om de kom genom en tunnel.

Mikael satt som bedövad. Han insåg att han befann sig i ett chocktillstånd. Han böjde ned huvudet mellan knäna. Sedan började han tänka. *Herregud – de har blivit mördade. De har alldeles nyss skjutits. Mördaren kan fortfarande vara kvar i lägenheten... nej, jag skulle ha sett honom. Lägenheten är bara 55 kvadrat.* Han kunde inte sluta skaka. Dag hade legat framstupa och han hade aldrig sett hans ansikte men bilden av Mias söndertrasade ansikte gick inte att utplåna från näthinnan.

Helt plötsligt återvände hörseln som om någon vridit på en volymkontroll. Han reste sig hastigt och tittade på grannen i den bruna morgonrocken.

"Du", sa han. "Ställ dig här och se till att ingen går in i lägenheten. Polis och ambulans är på väg. Jag går ned och släpper in dem genom porten."

Mikael tog trapporna med tre steg åt gången. På bottenvåningen råkade han kasta en blick mot källartrappan och tvärstannade. Han tog ett steg ned mot källaren. Halvvägs nedför trappan låg en revolver fullt synlig. Mikael konstaterade att det tycktes vara en Colt 45 Magnum – ett Palmemördarvapen.

Han betvingade impulsen att lyfta upp vapnet och lät det ligga. Istället gick han och ställde upp porten och stod sedan stilla i nattluften. Det var först då han hörde den korta signalen från bilhornet som han kom ihåg att hans syster satt och väntade på honom. Han gick tvärs över gatan.

Annika Giannini öppnade munnen för att säga något spydigt om sin brors senfärdighet. Sedan såg hon uttrycket i hans ansikte.

"Har du sett någon medan du suttit här och väntat?" frågade Mikael.

Hans röst lät hes och onaturlig.

"Nej. Vem skulle det vara? Vad har hänt?"

Mikael var tyst i några sekunder medan han granskade omgivningen. Allt var lugnt och stilla på gatan. Han grävde i kavajfickan och hittade ett hopskrynklat paket med en överbliven cigarett. När han tände den hörde han avlägset ljudet av sirener som närmade sig. Han tittade på klockan. Den var 23.17.

"Annika – det här kommer att bli en lång natt", sa han utan att titta på henne när polisbilen svängde upp på gatan.

FÖRST PÅ PLATS var poliserna Magnusson och Ohlsson. De hade varit på Nynäsvägen efter att ha svarat på ett larm som hade visat sig vara falskt. Magnusson och Ohlsson följdes av en ledarbil med kommissarien i yttre tjänst, Oswald Mårtensson, som hade befunnit sig vid Skanstull då områdesanropet från ledningscentralen hade gått ut. De anlände nästan samtidigt från vardera hållet och såg en man i jeans och mörk kavaj mitt på gatan som höjde handen till stopptecken. En kvinna klev samtidigt ut ur en parkerad bil några meter från mannen.

Alla tre poliserna avvaktade några sekunder. Larmcentralen hade rapporterat uppgifter om att två personer hade skjutits, och mannen höll ett mörkt föremål i vänster hand. Det tog några sekunder att förvissa sig om att det var en mobiltelefon. De klev ur bilarna samtidigt, justerade kopplen och tog sig en närmare titt på figurerna. Mårtensson tog omedelbart befälet.

"Är det du som slagit larm om skottlossning?"

Mannen nickade. Han tycktes ordentligt uppskakad. Han rökte en cigarett och darrade på handen då han förde den till munnen.

"Vad heter du?"

"Jag heter Mikael Blomkvist. Två personer sköts för bara några minuter sedan i den här fastigheten. De heter Dag Svensson och Mia Bergman. De finns på tredje våningen. Det står några grannar utanför dörren."

"Herregud", sa kvinnan.

"Vem är du?" frågade Mårtensson.

"Jag heter Annika Giannini."

"Bor ni här?"

"Nej", svarade Mikael Blomkvist. "Jag skulle besöka paret som skjutits. Det här är min syster som gav mig skjuts från en middagsbjudning."

"Du påstår alltså att två personer skjutits. Såg du vad som hände?"

"Nej. Jag hittade dem."

"Vi får gå upp och titta", sa Mårtensson.

"Vänta", sa Mikael. "Enligt grannarna föll skotten bara en kort stund innan jag anlände. Jag slog larm inom en minut efter att jag kommit hit. Sedan dess har det gått mindre än fem minuter. Det betyder att mördaren fortfarande befinner sig i närområdet."

"Men du har inget signalement?"

"Vi har inte sett någon person. Det är möjligt att någon av grannarna sett något."

Mårtensson tecknade till Magnusson som lyfte sin komradio och lågmält började rapportera till ledningscentralen. Han vände sig till Mikael.

"Kan du visa vägen", sa han.

Då de kom in genom porten stannade Mikael och pekade tyst mot källartrappan. Mårtensson böjde sig ned och granskade vapnet. Han gick hela vägen nedför trappan och kände på källardörren. Den var låst.

"Ohlsson, stanna och håll ett öga på det här", sa Mårtensson.

Utanför Dags och Mias lägenhet hade uppslutningen av grannar tunnats ut. Två grannar hade försvunnit in till sig, men mannen i den bruna morgonrocken stod fortfarande posterad. Han tycktes lättad då han såg uniformerna.

"Jag har inte släppt in någon", sa han.

"Det är bra", sa både Mikael och Mårtensson.

"Det tycks vara blodspår i trappan", sa polisman Magnusson.

Alla tittade på spåren efter fotsteg. Mikael tittade på sina italienska loafers.

"Det är förmodligen mina skor", sa Mikael. "Jag har varit inne i lägenheten. Det är en avsevärd mängd blod."

Mårtensson tittade forskande på Mikael. Han använde en penna för att peta upp lägenhetsdörren och konstaterade ytterligare blodspår i hallen.

"Till höger. Dag Svensson finns i vardagsrummet och Mia Bergman i sovrummet."

Mårtensson gjorde en snabb inspektion av lägenheten och kom ut redan efter några sekunder. Han pratade i komradion och begärde förstärkning från kriminaljouren. Medan han pratade anlände ambulanspersonalen. Mårtensson hejdade dem samtidigt som han avslutade samtalet.

"Två personer. Så vitt jag kan se är de bortom all hjälp. Kan en av er titta in och undvika att stöka till på brottsplatsen."

Det tog inte lång stund att konstatera att ambulanspersonalen var överflödig. En jourhavande läkare beslutade att kropparna inte behövde forslas till sjukhus för återupplivningsförsök. Det bedömdes att hoppet var ute. Mikael kände sig plötsligt kraftigt illamående och vände sig till Mårtensson.

"Jag går ut. Jag måste ha luft."

"Jag kan nog tyvärr inte släppa iväg dig."

"Det är lugnt", sa Mikael. "Jag sitter på bron utanför porten."

"Kan jag få se din legitimation."

Mikael halade upp plånboken och lade den i Mårtenssons hand. Sedan vände han utan ett ord och gick ned och satte sig på bron utanför huset där Annika fortfarande väntade tillsammans med polismannen Ohlsson. Hon satte sig bredvid honom.

"Micke, vad har hänt?" frågade Annika.

"Två människor som jag tyckte väldigt bra om har blivit mördade. Dag Svensson och Mia Bergman. Det var hans manuskript jag ville att du skulle läsa."

Annika Giannini insåg att det inte var läge att ansätta Mikael med frågor. Hon lade istället armen runt sin brors skuldror och höll om honom medan ytterligare polisbilar anlände. Redan hade en handfull nyfikna nattflanörer stannat till på trottoaren på andra sidan gatan. Mikael betraktade dem stumt medan polisen började sätta upp avspärrningar. En mordutredning tog sin början.

KLOCKAN VAR STRAX efter tre på morgonen då Mikael och Annika äntligen fick lämna kriminaljouren. De hade tillbringat en timme i Annikas bil utanför fastigheten i Enskede i väntan på att en jouråklagare skulle anlända för att sköta inledningen av förundersökningen. Därefter – eftersom Mikael var god vän till de två offren och eftersom han hade hittat dem och slagit larm – hade de blivit ombedda att följa med till Kungsholmen för att, som det hette, bistå utredningen.

Där hade de fått vänta en lång stund innan de blev förhörda av en kriminalinspektör Anita Nyberg från jouren. Hon hade rågblont hår och såg ut som en tonåring.

Jag börjar bli gammal, tänkte Mikael.

Vid halv tre på morgonen hade han druckit så många koppar avslaget bryggkaffe att han var nykter och illamående. Han hade plötsligt varit tvungen att avbryta förhöret och uppsöka en toalett där han kräktes hejdlöst. Hela tiden hade han bilden av Mia Bergmans söndertrasade ansikte på näthinnan. Han hade druckit flera muggar vatten och gång på gång sköljt sig i ansiktet innan han återvände till förhöret. Han försökte samla tankarna och svara så utförligt han kunde på Anita Nybergs frågor.

Hade Dag Svensson och Mia Bergman några fiender?

Nej, inte vad jag känner till.

Har de fått hotelser?

Inte vad jag känner till.

Hur var deras förhållande?

De verkade älska varandra. Dag berättade vid ett tillfälle att de tänkte skaffa barn då Mia var färdig doktor.

Använde de narkotika?

Jag har ingen aning. Jag tror inte det och om de gjorde det var det nog på nivån festjoint vid högtidliga tillfällen.

Hur kom det sig att du åkte hem till dem så sent på kvällen?

Mikael förklarade sammanhanget.

Var det inte ovanligt att åka hem till dem så sent på kvällen?

Jo. Förvisso. Det var första gången det skedde.

Hur kände du dem?

Genom arbetet. Mikael förklarade i oändlighet.

Och gång på gång frågorna som etablerade det besynnerliga tidsschemat.

Skotten hade hörts i hela huset. De hade avlossats med mindre än fem sekunders mellanrum. Den 70-årige mannen i brun morgonrock var närmaste granne och pensionerad major från kustartilleriet. Han hade rest sig från TV-soffan efter det andra skottet och omedelbart hasat sig ut i trapphuset. Med avdrag för att han hade problem med höfterna och svårt att resa sig så uppskattade han själv att det hade tagit kanske trettio sekunder innan han öppnade sin lägenhetsdörr. Varken han eller någon annan granne hade sett någon gärningsman.

Enligt alla uppskattningar från grannarna hade Mikael anlänt till lägenhetsdörren inom mindre än två minuter efter att skotten hade fallit.

Inräknat att han och Annika hade haft gatan under uppsikt i säkert närmare trettio sekunder medan Annika körde fram till rätt port, parkerade och växlade några ord innan Mikael gick över gatan och uppför trapporna så fanns det ett tidsfönster på uppskattningsvis mellan trettio och fyrtio sekunder. Under denna tid hade en dubbelmördare hunnit lämna lägenheten, ta sig nedför trapporna, dumpa vapnet på bottenvåningen, lämna fastigheten och försvinna utom synhåll innan Annika bromsade in. Och allt detta utan att någon enda människa hade sett så mycket som en skymt av gärningsmannen.

Alla konstaterade att Mikael och Annika måste ha missat mördaren med sekunders marginal.

Ett svävande ögonblick insåg Mikael att kriminalinspektör Anita Nyberg lekte med tanken att Mikael kunde ha varit gärningsmannen, att han bara gått ned en våning och låtsats anlända till platsen när grannarna samlades. Men Mikael hade alibi i form av sin syster och ett rimligt tidsschema. Hans förehavanden inklusive telefonsamtalet med Dag Svensson kunde bekräftas av ett stort antal medlemmar i familjen Giannini.

Till sist sa Annika ifrån. Mikael hade lämnat all rimlig och tänkbar hjälp. Han var synbart trött och mådde inte bra. Det var dags att avbryta och låta honom gå hem. Hon påminde om att hon var sin brors advokat och att han hade vissa av Gud eller åtminstone riksdagen fastställda rättigheter.

NÄR DE KOM UT på gatan stod de tysta en lång stund vid Annikas bil.

"Gå hem och sov", sa hon.

Mikael skakade på huvudet.

"Jag måste åka hem till Erika", sa han. "Hon kände dem också.

Jag kan inte bara ringa och berätta och jag vill inte att hon ska vakna och höra om det på nyheterna."

Annika Giannini tvekade en stund men insåg att hennes bror hade rätt.

"Saltsjöbaden alltså", sa hon.

"Orkar du?"

"Vad är lillasystrar till för?"

"Om du ger mig lift ut till Nacka centrum så kan jag ta taxi därifrån eller vänta på någon buss."

"Snack. Hoppa in så kör jag dig."

KAPITEL 12
SKÄRTORSDAG 24 MARS

ANNIKA GIANNINI VAR uppenbarligen också trött och Mikael
lyckades övertala henne att avstå från den timslånga omvägen runt
Lännerstasunden och istället släppa av honom i Nacka centrum.
Han pussade henne på kinden, tackade för all hjälp under natten
och väntade tills hon hade vänt bilen och försvunnit åt sitt håll innan
han ringde efter en taxi.

Det var över två år sedan Mikael Blomkvist senast hade varit ute i
Saltsjöbaden. Han hade bara varit ute och hälsat på Erika och hen-
nes man vid några enstaka tillfällen. Han antog att det var ett tecken
på omognad.

Exakt hur Erika och Gregers äktenskap fungerade hade Mikael
inte en aning om. Han hade känt Erika sedan tidigt 1980-tal. Han
ämnade fortsätta att ha ett förhållande med henne till dess att han
var för gammal för att orka upp ur rullstolen. Förhållandet hade
bara avbrutits under en kort period i slutet av 1980-talet då både
han och Erika hade gift sig på var sitt håll. Uppehållet hade varat i
mer än ett år innan de båda hade varit otrogna mot sina respektive.

För Mikaels del resulterade det i en skilsmässa. För Erikas del resul-
terade det i att Greger Backman konstaterade att en sådan mångårig
sexuell passion förmodligen var så stark att det vore orimligt att tro
att konventioner eller allmän samhällsmoral kunde hålla dem borta
från varandras sängar. Han förklarade också att han inte ville riskera
att förlora Erika Berger på det sätt som Mikael hade förlorat sin fru.

När Erika hade bekänt sin otrohet hade Greger Backman knackat på hos Mikael Blomkvist. Mikael hade väntat och fruktat hans besök – han kände sig som en skit. Men istället för att slå Mikael på käften hade Greger Backman föreslagit en krogrunda. De hade avverkat tre pubar på Södermalm innan de var tillräckligt runda under fötterna för en seriös konversation, vilket skedde på en parksoffa vid Mariatorget omkring soluppgången.

Mikael hade haft svårt att tro Greger Backman då han frankt förklarat att om Mikael försökte sabotera hans äktenskap med Erika Berger så skulle han komma på återbesök i nyktert tillstånd och med en knölpåk, men att om det bara handlade om köttets lusta och själens oförmåga till måttlighet och besinning så var det okej för hans vidkommande.

Mikael och Erika hade fortsatt sitt förhållande med Greger Backmans goda minne och utan att försöka dölja något för honom. Så vitt Mikael visste var Greger och Erika fortfarande lyckliga i sitt äktenskap. Han accepterade att Greger accepterade deras förhållande utan protester, så till den grad att Erika bara behövde lyfta telefonen och ringa och förklara att hon tänkte tillbringa natten hos Mikael om andan föll på, vilket den gjorde med viss regelbundenhet.

Greger Backman hade aldrig med ett enda ord kritiserat Mikael. Tvärtom tycktes han anse att Erikas och Mikaels förhållande var av godo och att hans egen kärlek till Erika fördjupades genom att han aldrig kunde ta henne för given.

Däremot hade Mikael aldrig känt sig bekväm i Gregers sällskap, vilket var en dyster påminnelse om att också aldrig så frigjorda förhållanden hade ett pris. Och följaktligen hade han enbart besökt Saltsjöbaden vid några enstaka tillfällen då Erika varit värdinna för större fester och där hans frånvaro skulle ha uppfattats som demonstrativ.

Nu stannade han framför deras 250 kvadratmeter stora villa. Trots olusten över att komma med dåliga nyheter satte han resolut fingret på ringklockan och höll knappen intryckt i närmare fyrtio sekunder till dess att han hörde steg. Greger Backman öppnade, med en handduk virad runt midjan och ett ansikte fyllt av sömndrucken vrede som övergick i yrvaken häpnad då han såg sin frus älskare på trappan.

"Hej Greger", sa Mikael.

"God morgon Blomkvist. Vad fan är klockan?"

Greger Backman var blond och mager. Han hade väldigt mycket hår på bröstet och nästan inget hår alls på huvudet. Han hade vecko- gammal skäggstubb och ett markant ärr över högra ögonbrynet som hade sitt upphov i en allvarlig seglingsolycka flera år tidigare.

"Strax efter fem", sa Mikael. "Kan du väcka Erika? Jag måste prata med henne."

Greger Backman antog att om Mikael Blomkvist hade övervun- nit sin ovilja mot att besöka Saltsjöbaden och träffa honom så måste något extraordinärt ha inträffat. Dessutom såg Mikael ut att vara i stort behov av en grogg eller åtminstone en säng att sova ut i. Han höll således upp dörren och släppte in Mikael.

"Vad har hänt?" frågade han.

Innan Mikael hann svara kom Erika Berger nedför trappan från övervåningen samtidigt som hon knöt skärpet till en vit morgonrock i frotté. Hon tvärstannade halvvägs då hon såg Mikael i hallen.

"Vad?"

"Dag Svensson och Mia Bergman", sa Mikael.

Hans ansikte avslöjade omedelbart vilket besked han hade kom- mit för att lämna.

"Nej." Hon lade en hand på sin mun.

"Jag har precis kommit från polisen. Dag och Mia blev mördade i natt."

"Mördade", sa både Erika och Greger samtidigt.

Erika såg på Mikael med tvivlande blick.

"På allvar?"

Mikael nickade tungt.

"Någon gick in i deras lägenhet i Enskede och sköt dem. Det var jag som hittade dem."

Erika satte sig i trappan.

"Jag ville inte att du skulle behöva höra om det på morgonnyhe- terna", sa Mikael.

KLOCKAN VAR EN minut i sju på skärtorsdagsmorgonen då Mikael och Erika klev in på *Milleniums* redaktion. Erika hade ringt och väckt Christer Malm och redaktionssekreteraren Malin Eriksson med budet att Dag och Mia hade mördats under natten. De bodde betydligt närmare och hade redan anlänt till mötet och fått fart på kaffebryggaren i pentryt.

"Vad i helvete händer?" frågade Christer Malm.

Malin Eriksson hyssjade och vred på volymen för sjunyheterna.

Två personer, en man och en kvinna, sköts sent i går kväll till döds i en lägenhet i Enskede. Polisen uppger att det handlar om ett dubbelmord. Ingen av de döda är sedan tidigare känd av polisen. Vad som ligger bakom dådet är inte känt. Vår reporter Hanna Olofsson är på plats.

"Det var strax före midnatt som polis larmades om skottlossning i en fastighet på Björneborgsvägen här i Enskede. Enligt en granne hade flera skott avlossats i lägenheten. Något motiv är inte känt och hittills har ingen gripits för dådet. Polisen har spärrat av lägenheten och en teknisk undersökning pågår."

"Det var kortfattat", sa Malin och sänkte volymen. Sedan började hon gråta. Erika gick bort till henne och lade armen runt hennes axlar.

"Fy fan", sa Christer Malm utan någon särskild adress.

"Sätt er", sa Erika Berger med bestämd röst. "Mikael ..."

Mikael berättade återigen vad som hade hänt under natten. Han pratade med entonig röst och använde saklig journalistprosa då han beskrev hur han funnit Dag och Mia.

"Fy fan", sa Christer Malm på nytt. "Det är ju inte klokt."

Malin övermannades på nytt av känslor. Hon började gråta igen och gjorde inget försök att dölja tårarna.

"Förlåt mig", sa hon.

"Jag känner precis likadant", sa Christer.

Mikael undrade varför han inte förmådde gråta. Han kände bara en stor tomhet, nästan som om han var bedövad.

"Det vi vet nu på morgonen är alltså inte så värst mycket", sa Erika Berger. "Vi måste prata om två saker. För det första ligger vi tre veckor från att gå i tryck med Dag Svenssons material. Ska vi fortfarande publicera? Kan vi publicera? Det är det ena. Det andra är en fråga som jag och Mikael diskuterade på vägen in till stan."

"Vi vet inte varför morden ägde rum", sa Mikael. "Det kan vara något privat i Dag och Mias liv eller det kan vara ett rent vansinnesdåd. Men vi kan inte utesluta att det hade något med deras arbete att göra."

En tystnad föll över bordet. Till sist harklade sig Mikael.

"Vi står som sagt i begrepp att publicera en jävligt tung story där vi nämner namn på personer som minst av allt vill bli uppmärksammade i sammanhanget. Dag började göra konfrontationerna för två veckor sedan. Min tanke var alltså om någon av dem ..."

"Vänta", sa Malin Eriksson. "Vi hänger ut tre poliser varav en jobbar på Säk och en på sedlighetsroteln, flera advokater, en åklagare och en domare och ett par snuskhumrar till journalister. Skulle alltså någon av dem ha begått ett dubbelmord för att hindra publiceringen?"

"Nja, jag vet inte", sa Mikael eftertänksamt. "De har en hel del att förlora men spontant tycker jag att de måste vara förbaskat obegåvade om de tror att de kan tysta en sådan här story genom att mörda en journalist. Men vi hänger också ut ett antal hallickar, och även om vi använder fingerade namn så är det inte så svårt att räkna ut vilka de är. Några av dem är tidigare dömda för våldsbrott."

"Okej", sa Christer. "Men du beskriver morden som rena avrättningarna. Om jag fattat poängen med Dag Svenssons story rätt så handlar det inte om särskilt begåvade typer. Är de kapabla att begå ett dubbelmord och komma undan med det?"

"Hur begåvad måste man vara för att avfyra två skott?" frågade Malin.

"Just nu spekulerar vi om sådant vi inte vet något om", avbröt Erika Berger. "Men vi måste faktiskt ställa frågan. Om Dags artiklar – eller Mias avhandling för den delen – var orsaken till morden så måste vi höja säkerheten här på redaktionen."

"Och en tredje fråga", sa Malin. Ska vi gå till polisen med namnen? Vad sa du till polisen i natt?"

"Jag svarade på alla frågor de ställde. Jag berättade vilken story Dag jobbade med, men jag fick inga frågor om detaljer och jag nämnde inga namn."

"Vi borde förmodligen göra det", sa Erika Berger.

"Det är inte helt självklart", svarade Mikael. "Vi kan möjligen ge dem en namnlista, men vad gör vi om polisen börjar ställa frågor om hur vi har fått tag på namnen? Vi får inte röja de källor som vill vara anonyma. Det rör flera av tjejerna som Mia pratat med."

"Vilken jävla soppa", sa Erika. "Vi är tillbaka vid den första frågan – ska vi publicera?"

Mikael höll upp en hand.

"Vänta. Vi kan ta en omröstning om saken, men jag är faktiskt ansvarig utgivare och för första gången någonsin tänker jag fatta ett beslut på alldeles egen hand. Svaret är nej. Vi kan inte publicera i nästa nummer. Det är alldeles orimligt att vi bara kör på enligt planerna."

Tystnaden lägrade sig åter över bordet.

"Jag vill väldigt gärna publicera, men vi måste förmodligen omformulera en hel del. Det var Dag och Mia som hade dokumentationen, och storyn byggde också på att Mia tänkte lämna en polisanmälan mot de personer som vi skulle namnge. Hon satt på expertkunskaper. Sitter vi på de kunskaperna?"

Det smällde i ytterdörren och Henry Cortez stod plötsligt i dörröppningen.

"Är det Dag och Mia?" frågade han andfått.

Alla nickade.

"Fy fan. Det är ju inte klokt."

"Hur hörde du det?" undrade Mikael.

"Jag hade varit ute med tjejen och vi var på väg hem då vi hörde det på taxiradion. Polisen efterlyste information om körningar till gatan. Jag kände igen adressen. Jag var tvungen att komma in."

Henry Cortez såg så skakad ut att Erika reste sig och gav honom en kram innan hon bad honom slå sig ned. Hon återknöt till diskussionen.

"Jag tror att Dag gärna skulle vilja att vi publicerade hans story."

"Och det tycker jag att vi ska göra. Definitivt boken. Men läget just nu är att vi måste skjuta fram publiceringen."

"Så vad gör vi nu?" frågade Malin. "Det är inte bara en artikel som måste bytas ut – det är ju ett temanummer och hela tidningen måste göras om."

Erika var tyst en stund. Sedan log hon dagens första utmattade leende.

"Hade du tänkt vara ledig i påsk, Malin?" undrade hon. "Glöm det. Vi gör så här ... Malin, du och jag och Christer sätter oss och planerar ett helt nytt nummer utan Dag Svensson. Vi får se om vi kan få loss några texter som vi hade planerat för juninumret. Mikael, hur mycket material hade du hunnit få av Dag Svensson?"

"Jag har slutversion på nio av tolv kapitel. Jag har näst sista version på kapitel tio och elva. Dag skulle maila slutversion – jag ska kolla mailen – men jag har bara en tumnagel på det avslutande kapitel tolv. Det är där han ska summera och dra slutsatser."

"Men du och Dag hade pratat igenom alla kapitel?"

"Jag vet vad han tänkte skriva, om det är det du menar."

"Okej, du får sätta dig med texterna – både boken och artikeln. Jag vill veta hur mycket som saknas och om vi kan rekonstruera sådant som Dag inte hade hunnit lämna. Kan du göra en förutsättningslös bedömning redan under dagen?"

Mikael nickade.

"Jag vill också att du funderar på vad vi ska säga till polisen. Vad är ofarligt och var börjar vi riskera att bryta mot källskyddet. Ingen på tidningen får säga något utan att du godkänt det."

"Det låter bra", sa Mikael.

"Tror du på allvar att Dags story kan ligga bakom morden?"

"Eller Mias avhandling ... jag vet inte. Men vi kan inte bortse från möjligheten."

Erika Berger funderade en stund.

"Nej, det kan vi inte göra. Du får hålla i det."

"Hålla i vad då?"

"Utredningen."

"Vilken utredning?"

"Vår utredning, för helvete." Erika Berger höjde plötsligt rösten. "Dag Svensson var journalist och arbetade för *Millennium*. Om han mördades på grund av sitt jobb så vill jag veta det. Alltså kommer vi att gräva i vad som hände. Du håller i den biten. Börja med att gå igenom allt material Dag Svensson har gett oss och fundera på om det kan vara motivet till mordet."

Hon sneglade på Malin Eriksson.

"Malin, om du hjälper mig att skissa upp ett helt nytt nummer i dag så gör jag och Christer grovjobbet. Men du har jobbat väldigt mycket med Dag Svensson och andra texter i temanumret. Jag vill att du bevakar utvecklingen i mordutredningen tillsammans med Mikael."

Malin Eriksson nickade.

"Henry ... kan du jobba i dag?"

"Självklart."

"Börja ringa till övriga medarbetare på *Millennium* och berätta. Sedan får du ta itu med att ringa runt till polisen och ta reda på vad som händer. Hör efter om det ska vara någon presskonferens och sådant. Vi måste vara uppdaterade."

"Okej. Jag ringer först medarbetarna och sedan sticker jag hem och duschar och äter frukost. Tillbaka om fyrtiofem minuter om jag inte åker direkt in på Kungsholmen."

"Vi håller kontakten under dagen."

En kort tystnad uppstod vid bordet.

"Okej", sa Mikael till slut. "Är vi klara?"

"Jag antar det", sa Erika. "Har du bråttom?"

"Jo. Jag måste ringa ett samtal."

HARRIET VANGER ÅT frukost bestående av kaffe och rostat bröd med ost och apelsinmarmelad på glasverandan i Henrik Vangers hus i Hedeby då hennes mobil ringde. Hon svarade utan att titta på displayen.

"Godmorgon Harriet", sa Mikael Blomkvist.

"Kors i taket. Jag trodde att du var en sådan som aldrig klev upp före åtta."

"Det gör jag inte heller, förutsatt att jag hunnit gå och lägga mig. Vilket jag inte har gjort i natt."

"Har det hänt något?"

"Har du lyssnat på nyheterna?"

Mikael berättade kortfattat om nattens händelser.

"Så förfärligt", sa Harriet Vanger. "Hur mår du?"

"Tack för att du frågade. Jag har mått bättre. Men orsaken att jag ringer dig är alltså att du sitter i *Milleniums* styrelse och borde vara informerad om detta. Gissningsvis kommer någon journalist snart att upptäcka att det var jag som hittade Dag och Mia, vilket kommer att föranleda vissa spekulationer, och då det läcker ut att Dag jobbade på ett jätteavslöjande för vår räkning så kommer frågor att ställas."

"Och du menar att jag borde vara förberedd. Okej. Vad får jag säga?"

"Säg som det är. Du är informerad om vad som hänt. Du är förstås chockad över de brutala morden, men du är inte insatt i det redaktionella arbetet och kan därmed inte kommentera några spekulationer. Det är polisens sak att utreda morden, inte *Milleniums.*"

"Tack för förvarningen. Är det något jag kan göra?"

"Inte just nu. Men om jag kommer på något så hör jag av mig."

"Bra. Och Mikael ... håll mig underrättad, please."

KAPITEL 13
SKÄRTORSDAG 24 MARS

REDAN KLOCKAN SJU på skärtorsdagsmorgonen hade det formella ansvaret som förundersökningsledare för utredningen av dubbelmordet i Enskede landat på åklagare Richard Ekströms skrivbord. Nattens jouråklagare, en relativt ung och oerfaren jurist, hade insett att Enskedemorden hade en potential utöver det vanliga. Han hade ringt och väckt biträdande länsåklagaren som i sin tur väckt biträdande länspolismästaren. Tillsammans hade de beslutat bolla arbetet till en nitisk och erfaren åklagare. Deras val hade fallit på Richard Ekström, 42 år.

Ekström var en smal och spänstig man på 167 centimeter, tunnhårigt blond och försedd med ett hakskägg. Han var alltid oklanderligt klädd och hade på grund av sin ringa längd skor med förhöjda klackar. Han hade inlett sin karriär som biträdande åklagare i Uppsala, varifrån han rekryterats som utredare till Justitiedepartementet där han arbetat med att jämka samman svensk lagstiftning med EU och gjort så bra ifrån sig att han en tid tjänstgjort som enhetschef. Han hade väckt uppmärksamhet med en utredning om organisatoriska brister i rättssäkerheten där han pläderat för ökad effektivitet, istället för de krav på ökade resurser som vissa polismyndigheter krävde. Efter fyra år på Justitie hade han gått vidare till åklagarmyndigheten i Stockholm där han hanterat flera mål med anknytning till uppmärksammade rån eller våldsbrott.

Inom statsförvaltningen antogs han vara socialdemokrat, men i verkligheten var Ekström totalt partipolitiskt ointresserad. Han började få en viss medial uppmärksamhet och i maktens korridorer var han en man som höga vederbörande höll ögonen på. Han var definitivt en potentiell kandidat för högre befattningar och tack vare sin förmodade ideologiska ådra hade han ett brett kontaktnät i både politiska och polisiära kretsar. Bland poliser rådde delade meningar om Ekströms kapacitet. Hans utredningar på Justitie hade inte gynnat de kretsar inom polisen som hävdade att bästa sättet att värna rättssäkerheten var att rekrytera fler poliser. Men Ekström hade å andra sidan utmärkt sig för att inte lägga fingrarna emellan då han drev ett mål till rättegång.

När Ekström hade fått en hastig föredragning från kriminaljouren om nattens händelser i Enskede konstaterade han snabbt att detta var ett ärende med stor kinetisk energipotential som utan tvivel skulle skapa turbulens i massmedia. Det var inget dussinmord. De två döda var en doktorerande kriminolog och en journalist – det sistnämnda ett ord han hatade eller älskade beroende på situationen.

Strax efter sju hade Ekström en hastig telefonkonferens med chefen för länskriminalen. Kvart över sju lyfte Ekström luren och väckte kriminalinspektör Jan Bublanski, bland kollegor bättre känd under öknamnet konstapel Bubbla. Bublanski var egentligen ledig under påskveckan för att kompensera ett övertidsberg som ackumulerats under det gångna året, men ombads nu avbryta ledigheten och per omgående inställa sig i polishuset i syfte att fungera som spaningsledare i utredningen om Enskedemorden.

Bublanski var 52 år och hade arbetat som polis i mer än halva sitt liv, sedan han var 23 år. Han hade tillbringat sex år i radiobil och avverkat både vapenroteln och stöldroteln innan han läst påbyggnadskurser och avancerat till länskriminalens våldsrotel. Han hade noga räknat varit delaktig i trettiotre mord- eller dråputredningar de senaste tio åren. Av dessa hade han varit spaningsledare för sjutton utredningar, varav fjorton var uppklarade och två ansågs polisiärt lösta, vilket innebar att polisen visste vem som var mördaren men inte hade tillräcklig bevisning för att lagföra personen i fråga. I ett enda återstående fall, numera sex år gammalt, hade Bublanski och hans medarbetare misslyckats. Det handlade om en känd alkoholist och bråkmakare som knivskurits till döds i sin bostad i Bergshamra. Brottsplatsen var en mardröm av fingeravtryck och DNA-spår från flera dussin personer som under årens lopp supit eller slagits i lägenheten. Bublanski och hans kollegor var övertygade om att mördaren stod att finna i mannens vidlyftiga bekantskapskrets av alkoholister och missbrukare, men mördaren hade trots intensivt utredningsarbete fortsatt att gäcka polisen. Utredningen hade i praktiken lagts till handlingarna.

På det hela taget hade Bublanski en god uppklarandestatistik och betraktades av sina kollegor som synnerligen välmeriterad.

Bland kollegorna ansågs dock Bublanski vara aningen kufisk, vilket delvis berodde på att han var jude och vid vissa högtidsdagar hade synts i kippa i polishusets korridorer. Detta hade vid ett tillfälle föranlett en kommentar från en sedermera avgången polismästare som var av den uppfattningen att det var olämpligt att bära kippa i polishuset, på samma sätt som han ansåg det olämpligt att en polis sprang omkring i turban. Någon vidare debatt blev det dock aldrig av det hela. En journalist hade snappat upp kommentaren och börjat ställa frågor, varefter polismästaren snabbt retirerat till sitt tjänsterum.

Bublanski tillhörde Söderförsamlingen och beställde vegetarisk mat om koscher inte fanns att tillgå. Han var dock inte mer ortodox än att han arbetade på sabbaten. Även Bublanski insåg redan tidigt att det aktuella dubbelmordet i Enskede inte var någon rutinutredning. Richard Ekström hade tagit honom åt sidan så fort denne kommit innanför dörrarna strax efter åtta.

"Det här verkar vara en eländig historia", hälsade Ekström. "Paret som skjutits är en journalist och en kriminolog. Och inte nog med det. De hittades av en annan journalist."

Bublanski nickade. Det närmast garanterade att ärendet skulle hårdbevakas och nagelfaras av massmedia.

"Och för att ytterligare strö salt i såren – den journalist som hittade paret var Mikael Blomkvist på tidningen *Millennium*."

"Ooops", sa Bublanski.

"Känd från cirkusen kring Wennerströmaffären."

"Vet vi någonting om motivet?"

"I nuläget inte ett dugg. Ingen av de skjutna är känd av oss. Det verkar vara ett skötsamt par. Flickan skulle doktorera om några veckor. Det här ärendet måste få högsta prioritet."

Bublanski nickade. För honom hade mord alltid hög prioritet.

"Vi tillsätter en grupp. Du får jobba så fort du kan och jag ska se till att du har alla resurser. Du får Hans Faste och Curt Svensson till hjälp. Du får också in Jerker Holmberg. Han arbetar med dråpet i Rinkeby men det verkar som om gärningsmannen avvikit utomlands. Han är en lysande brottsplatsundersökare. Du kan också använda span från Rikskriminalen efter behov."

"Jag vill ha in Sonja Modig."

"Är hon inte lite väl ung?"

Bublanski höjde på ögonbrynen och tittade förvånat på Ekström.

"Hon är 39 år och därmed bara några år yngre än du. Dessutom är hon mycket skärpt."

"Okej, du beslutar vilka du vill ha i gruppen, bara det går undan. Ledningen har redan varit på oss."

Vilket Bublanski tog som en mild överdrift. Ledningen hade i denna arla morgonstund knappt hunnit lämna frukostbordet.

POLISUTREDNINGEN BÖRJADE PÅ allvar med mötet strax före nio då kriminalinspektör Bublanski samlade sin trupp i ett konferensrum på länskriminalen. Bublanski betraktade samlingen. Han var inte helt nöjd med gruppens sammansättning.

Sonja Modig var den person i rummet som han hade störst förtroende för. Hon hade arbetat som polis i tolv år, varav fyra år på våldsroteln där hon deltagit i flera utredningar som Bublanski lett. Hon var noggrann och metodisk, men Bublanski hade tidigt noterat att hon även hade den egenskap som han personligen betraktade som den mest värdefulla i knepiga utredningar. Hon hade fantasi och förmåga att associera. Vid åtminstone två komplicerade utredningar hade Sonja Modig hittat märkliga och långsökta kopplingar som andra missat, vilket resulterat i genombrott i spaningarna. Dessutom hade Sonja Modig en sval intellektuell humor som Bublanski uppskattade.

Bublanski var också nöjd med att ha Jerker Holmberg i truppen. Holmberg var 55 år gammal och ursprungligen från Ångermanland. Han var en fyrkantig och tråkig människa som helt saknade den fantasi som gjorde Sonja Modig ovärderlig. Däremot var Holmberg enligt Bublanski den kanske bäste brottsplatsundersökaren inom hela den svenska poliskåren. De hade samarbetat i åtskilliga utredningar genom årens lopp och Bublanski var av den fasta övertygelsen att om det fanns något att hitta på brottsplatsen så skulle Holmberg göra det. Hans primära uppgift var följaktligen att ta kommandot över allt arbete i lägenheten i Enskede.

Kollegan Curt Svensson var relativt okänd för Bublanski. Det var en tystlåten och kraftigt byggd man med så stubinkort blont hår att han på håll tycktes vara helt skallig. Svensson var 38 år gammal och hade nyligen kommit till roteln från Huddingepolisen där han ägnat många år åt utredningar om gängbrottslighet. Han hade rykte om sig att besitta ett häftigt humör och hårda nypor, vilket var en omskrivning för att han möjligen använde metoder gentemot klientelet som inte var helt förenliga med det polisiära reglementet. Vid ett tillfälle tio år tidigare hade Curt Svensson anmälts för misshandel, vilket resulterat i en utredning där han dock friats på alla punkter.

Curt Svenssons rykte byggde dock på en helt annan händelse. I oktober 1999 hade Curt Svensson tillsammans med en kollega åkt till Alby för att hämta ett lokalt bus till förhör. Det lokala buset var inte okänd hos polisen. Han hade i flera år hållit grannarna i fastigheten i skräck och dragit på sig klagomål genom att ständigt bete sig hotfullt mot omgivningen. Nu var han efter tips till polisen misstänkt för att ha rånat en videobutik i Norsborg. Det var ett tämligen rutinartat ingripande som gick kolossalt på tok då buset istället för att snällt följa med hade dragit kniv. Kollegan hade fått flera avvärjningsskador i händerna och vänster tumme avskuren innan våldsmannen riktat sin uppmärksamhet mot Curt Svensson som för första gången i sin karriär tvingades avlossa sitt tjänstevapen. Curt Svensson avlossade tre skott. Det första av dessa var ett varningsskott. Det andra var verkanseld som dock hade missat våldsmannen, vilket i sig var en prestation eftersom avståndet hade varit mindre än tre meter. Det tredje skottet hade träffat olyckligt mitt i kroppen och slitit av stora kroppspulsådern, vilket resulterade i att våldsmannen förblödde inom loppet av några minuter. Den efterföljande utredningen hade sent omsider helt friat Curt Svensson från ansvar, något som gav upphov till en medial debatt där det statliga våldsmonopolet skärskådades och där Curt Svensson nämndes i samma andetag som de två bypoliser som hade slagit ihjäl Osmo Vallo.

Bublanski hade inledningsvis haft en del dubier om Curt Svensson men hade efter ännu ett halvt år inte upptäckt något som föranledde hans direkta kritik eller vrede. Tvärtom hade Bublanski efter hand börjat få en viss respekt för Curt Svenssons tystlåtna kompetens.

Den siste medlemmen i Bublanskis team var Hans Faste, 47 år gammal och en veteran sedan femton år på våldet. Faste var den direkta orsaken till att Bublanski inte var helt nöjd med gruppens sammansättning. Faste hade en plus- och en minussida. På plussidan stod att han hade bred erfarenhet och stor rutin från komplicerade utredningar. På minuskontot bokförde Bublanski sin åsikt att Faste var egocentrisk och hade en gapig humor som kunde störa varje normalbegåvad människa i omgivningen och som i allra högsta grad störde Bublanski. Det fanns personliga drag och egenskaper hos Faste som Bublanski helt enkelt ogillade. Men okej, då han hölls i strama tyglar var han en kompetent utredare. Faste hade dessutom blivit något av en mentor för Curt Svensson som inte tycktes ha några synpunkter på gapigheten. De dubblerade ofta under spaningarna.

Till mötet hade dessutom kallats kriminalinspektör Anita Nyberg från kriminaljouren för att informera om de förhör hon hållit med Mikael Blomkvist under natten, liksom kommissarie Oswald Mårtensson för att redogöra för vad som hade skett på plats i samband med larmet. Bägge var utmattade och ville hem och sova så fort som möjligt, men Anita Nyberg hade redan hunnit få fram bilder från brottsplatsen som skickades runt i gruppen.

Efter trettio minuters samtal hade de händelseförloppet klart för sig. Bublanski summerade.

"Med förbehållet att den tekniska undersökningen av brottsplatsen ännu pågår tycks det alltså vara på följande vis ... En okänd person som ingen av grannarna eller andra vittnen lagt märke till har gått in i en lägenhet i Enskede och dödat paret Svensson och Bergman."

"Vi vet ännu inte om det vapen som hittades är identiskt med mordvapnet, men det är redan skickat till SKL", sköt Anita Nyberg in. "Det har högsta prioritet. Vi har också hittat en portion av en kula – den som träffade Dag Svensson – relativt intakt i väggen mot sovrummet. Däremot är kulan som träffade Mia Bergman så fragmenterad att jag tvivlar på att den är användbar."

"Tack för det. En Colt Magnum är alltså en jävla cowboypistol som borde vara totalförbjuden. Har vi något serienummer?"

"Inte ännu", sa Oswald Mårtensson. "Jag skickade vapnet och kulfragmentet med bud till SKL direkt från brottsplatsen. Jag tyckte att det var bättre att de fick ta hand om det än att jag började fingra på det."

"Bra så. Jag har inte hunnit åka ut och titta på brottsplatsen än, men ni två har varit där. Vad är era slutsatser?"

Anita Nyberg och Oswald Mårtensson växlade blickar. Nyberg överlät åt sin äldre kollega att föra deras gemensamma talan.

"För det första tror vi att det var en ensam mördare. Det var en ren avrättning. Jag får en känsla av att det är en person som haft mycket stor orsak att döda Svensson och Bergman och gått till verket med stor beslutsamhet."

"Och vad grundar du den känslan på?" undrade Hans Faste.

"Lägenheten var välordnad och välstädad. Det handlar inte om rån eller misshandel eller något liknande. För det första har bara två skott avlossats. Bägge skotten träffade avsett mål i huvudet med stor precision. Det handlar alltså om någon som kan hantera vapen."

"Okej."

"Om vi tittar på skissen ... vi har rekonstruerat det så att mannen, Dag Svensson, sköts från mycket nära håll – förmodligen så nära att revolverpipan trycktes mot hans huvud. Det finns tydliga brännsår runt ingångshålet. Han var gissningsvis den som sköts först. Svensson kastades mot matsalsmöbeln. Mördaren torde ha stått på tröskeln till hallen eller alldeles innanför öppningen till vardagsrummet."

"Okej."

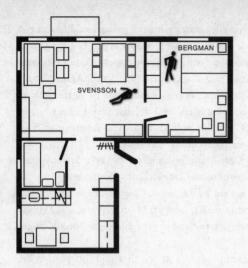

"Skotten föll enligt vittnen inom loppet av några sekunder. Mia Bergman sköts från håll. Gissningsvis befann hon sig i dörröppningen till sovrummet och försökte vrida sig bort. Kulan träffade henne under vänster öra och kom ut alldeles ovanför höger öga. Kraften kastade in henne i sovrummet där hon hittades. Hon ramlade mot kanten av sängens gavel och hasade ned på golvet."

"En skytt med vana att hantera vapen", instämde Faste.

"Mer än så. Det finns inga fotspår som tyder på att mördaren gått in i sovrummet för att kontrollera att han dödat henne. Han visste att han hade träffat och vände på klacken och lämnade lägenheten. Alltså, två skott, två döda och därefter ut. Dessutom ..."

"Ja?"

"Utan att föregå den tekniska undersökningen så misstänker jag att mördaren har använt jaktammunition. Döden torde ha varit ögonblicklig. Det var ohyggliga skador i bägge offren."

En kort tystnad uppstod runt bordet. Det var en debatt som ingen i församlingen ville bli påmind om. Det finns två typer av ammunition – hårda helmantlade kulor som går rakt genom kroppen och förorsakar jämförelsevis blygsamma skador och mjuk ammunition som expanderar i kroppen och förorsakar massiv skada. Det är väldigt stor skillnad på en person som träffas av en kula som är nio millimeter i diameter och en kula som expanderar till att bli två, kanske tre centimeter i diameter. Den sistnämnda typen kallas jaktammunition och har till syfte att orsaka massiv förblödning, vilket anses humant vid älgjakt eftersom syftet där är att så snabbt och smärtfritt som möjligt nedlägga ett byte. Däremot är jaktammunition i internationell lag förbjuden i krig eftersom den stackare som träffas av en expanderande kula nästan ofelbart avlider i stort sett var helst i kroppen träffpunkten sitter.

I sin visdom hade dock svensk polis två år tidigare infört jaktammunition i polisens arsenal. Exakt varför denna ammunition införts var en smula oklart, men helt klart var att om till exempel den riksbekante demonstranten Hannes Westberg som träffades i buken under Göteborgskravallerna 2001 hade blivit skjuten med jaktammunition så hade han inte överlevt.

"Så syftet var med andra ord att döda", sa Curt Svensson.

Han syftade på Enskede men bekände samtidigt sin ståndpunkt i den tysta debatt som pågick runt bordet.

Både Anita Nyberg och Oswald Mårtensson nickade.

"Och sedan har vi det osannolika tidsschemat", sa Bublanski.

"Exakt. Efter skotten lämnade mördaren omedelbart lägenheten, gick nedför trapporna, släppte vapnet och försvann ut i natten. Kort därefter – det måste handla om sekunder – anlände Blomkvist och hans syster i bil."

"Hmm", sa Bublanski.

"En möjlighet är att mördaren försvann genom källaren. Det finns en sidoentré han kan ha använt; ut på bakgården och via en gräsmatta ut på en parallellgata. Men det förutsätter att han hade nyckel till källardörren."

"Finns det något som tyder på att mördaren försvann den vägen?"

"Nej."

"Så vi har inte minsta beskrivning att gå på", sa Sonja Modig. "Men varför slängde han vapnet? Om han tagit det med sig – eller om han bara hade slängt det en bit från fastigheten – skulle det ha dröjt innan vi hittat det."

Alla ryckte på axlarna. Det var en fråga som ingen kunde besvara.

"Vad ska vi tro om Blomkvist?" frågade Hans Faste.

"Han var uppenbart chockad", sa Mårtensson. "Men han agerade korrekt och klartänkt och gav ett vederhäftigt intryck. Hans syster bekräftade telefonsamtalet och bilfärden. Jag tror inte att han var inblandad."

"Han är en kändisjournalist", sa Sonja Modig.

"Det här kommer att bli en mediecirkus", instämde Bublanski. "Desto större orsak att vi löser det så fort som möjligt. Okej ... Jerker, du får naturligtvis ta itu med brottsplatsen och grannarna. Faste, du och Curt får jobba med offren. Vilka är de, vad sysslar de med, vad har de för bekantskapskrets, vem kan ha motiv att döda dem? Sonja, du och jag går igenom vittnesmålen från natten. Därefter får du sammanställa tidsschemat över vad Dag Svensson och Mia Bergman gjorde under det sista dygnet innan de blev mördade. Vi siktar på att ha ett möte igen vid 14.30."

MIKAEL BLOMKVIST BÖRJADE arbetet med att sätta sig vid det skrivbord på redaktionen som stått till Dag Svenssons förfogande under våren. Han satt först helt stilla en lång stund som om han inte riktigt förmådde ta itu med uppgiften. Sedan kopplade han på datorn.

Dag Svensson hade en egen laptop och hade till stor del arbetat från hemmet, men han hade också suttit på redaktionen ungefär två dagar i veckan och betydligt oftare den sista tiden. På *Millennium* hade han haft tillgång till en äldre PowerMac G3, en dator som stod på skrivbordet och som tillfälliga medarbetare kunde använda. Mikael satte på den gamla G3:an. I datorn fanns en del bråte som Dag Svensson arbetat med. Han hade huvudsakligen använt G3:an för att söka på Internet, men där fanns också spridda mappar som han kopierat över från sin laptop. Däremot hade Dag Svensson en komplett backup i form av två zip-skivor som han hade inlåsta i skrivbordet. Han gjorde dagligen en kopia av nytt och uppdaterat material. Eftersom han dock inte varit inne på redaktionen de senaste dygnen var den senaste säkerhetskopian från söndagskvällen. Det saknades tre dagar.

Mikael gjorde en kopia av zip-skivan och låste in den i säkerhetsskåpet på sitt eget rum. Därefter ägnade han fyrtiofem minuter åt att snabbt gå igenom innehållet på originalskivan. Skivan innehöll ett trettiotal mappar och oräkneliga undermappar. Det var fyra års samlad research till Dag Svenssons projekt om trafficking. Han läste dokumentnamnen och sökte efter sådant som kunde innehålla kvalificerat hemligt material – namn på Dag Svenssons skyddade källor. Han noterade att Dag Svensson hade varit noga med källorna – allt sådant material låg i en mapp som döpts till <Källor/hemlig>. Mappen innehöll 134 dokument av varierande storlek, flertalet ganska små. Mikael markerade samtliga dokument och raderade dem. Han kastade inte dokumenten i papperskorgen utan släppte dem på en ikon för programmet Burn som inte bara kastade dokumenten utan raderade dem byte för byte.

Därefter angrep han Dag Svenssons mail. Dag hade fått en egen tillfällig e-postadress på *millennium.se*, som han använde både på redaktionen och i sin bärbara dator. Han hade också ett privat lösenord, vilket dock inte föranledde något problem eftersom Mikael hade administratörsrättigheter och snabbt kunde komma åt hela mailservern. Han laddade ned en kopia av Dag Svenssons e-post och brände en cd-skiva.

Slutligen tog han itu med det berg av papper i form av referensmaterial, anteckningar, pressklipp, domar och korrespondens som Dag Svensson hade samlat på sig under resans gång. Han tog det säkra före det osäkra och gick bort till kopieringsapparaten och gjorde en kopia på allt som såg ut att vara viktigt. Proceduren omfattade nästan två tusen sidor och tog tre timmar att slutföra.

Han sorterade ut allt material som på något sätt kunde ha anknytning till en hemlig källa. Det blev en bunt på drygt fyrtio sidor, huvudsakligen i form av anteckningar från två A4-block som Dag Svensson hade haft inlåsta i skrivbordet. Detta material lade Mikael i ett kuvert och bar in till sitt eget rum. Därefter placerade han allt övrigt material som tillhörde Dag Svenssons projekt på plats på hans skrivbord.

Först därefter andades han ut och gick ned till 7-Eleven där han drack kaffe och åt en pizza slice. Han antog felaktigt att polisen när som helst skulle anlända för att titta igenom Dag Svenssons arbetsbord.

BUBLANSKI FICK ETT oväntat genombrott i spaningarna redan strax efter tio på morgonen då docent Lennart Granlund på Statens kriminaltekniska laboratorium i Linköping ringde.

"Det gäller dubbelmordet i Enskede."

"Redan?"

"Vi fick in vapnet tidigt i morse och jag är inte helt klar med analysen, men jag har information som jag tror att du kanske är intresserad av."

"Bra. Berätta då vad du kommit fram till", manade konstapel Bubbla tålmodigt.

"Vapnet är en Colt 45 Magnum, tillverkad i USA 1981."

"Jaha."

"Vi har säkrat fingeravtryck och möjligen DNA – men den analysen kommer att ta lite tid. Vi har också tittat på kulorna som paret sköts med. Inte oväntat kom kulorna från vapnet. Det brukar vara så då vi hittar ett vapen i trapphuset vid en mordplats. Kulorna är väldigt fragmenterade men vi har en bit att jämföra med. Det är sannolikt att det är mordvapnet."

"Ett illegalt vapen, antar jag. Har du något serienummer?"

"Vapnet är helt legalt. Det ägs av en advokat Nils Erik Bjurman och inhandlades 1983. Han är medlem i polisens skytteklubb. Han har en adress på Upplandsgatan vid Odenplan."

"Vad fan säger du?"

"Vi har också som sagt hittat flera fingeravtryck på vapnet. Det är avtryck från åtminstone två personer."

"Jaha."

"Vi kan väl förutsätta att den ena uppsättningen tillhör Bjurman, för så vitt inte vapnet stulits eller sålts – men det har jag ingen information om."

"Aha. Vi har med andra ord en ledtråd som man säger på polisspråk."

"Vi har en träff i registret på den andra personen. Avtryck från höger tumme och pekfinger."

"Vem?"

"En kvinna född 78-04-30. Hon greps för en misshandel i Gamla stan 1995 och då togs avtrycken."

"Har hon något namn?"

"Jo. Hon heter Lisbeth Salander."

Konstapel Bubbla höjde på ögonbrynen och antecknade namn och personnummer på ett block på sitt skrivbord.

NÄR MIKAEL BLOMKVIST återkom till redaktionen efter den sena lunchen gick han direkt till sitt arbetsrum och stängde dörren, ett tecken på att han inte ville bli störd. Han hade ännu inte tid att ta itu med all sidoinformation som fanns i Dag Svenssons mail och anteckningar. Han var tvungen att sätta sig och göra en genomgång av både boken och artiklarna med helt nya ögon, nu med förutsättningen att författaren var död och därmed inte kunde svara på knepiga frågor.

Han måste avgöra om boken alls kunde utges i framtiden. Han måste också avgöra om det fanns något i materialet som kunde utgöra motiv för mord. Han öppnade sin dator och började arbeta.

JAN BUBLANSKI TOG ett kort samtal med förundersökningsledaren Richard Ekström för att informera om vad som framkommit från SKL. Det beslutades att Bublanski och kollegan Sonja Modig skulle uppsöka advokat Bjurman för ett samtal – det kunde omvandlas till ett förhör eller till och med ett gripande om så skulle vara befogat – medan kollegorna Hans Faste och Curt Svensson skulle koncentrera sig på Lisbeth Salander för att be henne förklara hur hennes fingeravtryck hade kunnat dyka upp på ett mordvapen.

Sökandet efter advokat Bjurman föranledde inledningsvis inga dramatiska problem. Hans adress fanns antecknad i skattelängden, vapenregistret och bilregistret och stod dessutom helt offentligt i telefonkatalogen. Bublanski och Modig åkte till Odenplan och lyckades smita in genom porten till fastigheten på Upplandsgatan när en yngre man kom ut just som de anlände.

Därefter blev det knepigare. När de ringde på dörren var det ingen som öppnade. De åkte därför vidare till Bjurmans kontor vid S:t Eriksplan och upprepade proceduren med samma nedslående resultat.

"Han kanske är i rätten", sa kriminalinspektör Sonja Modig.

"Han har kanske flytt till Brasilien efter att ha begått ett dubbelmord", sa Bublanski.

Sonja Modig nickade och sneglade på sin kollega. Hon trivdes i hans sällskap. Hon skulle inte ha haft något emot att flörta med honom om det inte hade varit så att hon var tvåbarnsmor och både hon och Bublanski var lyckligt gifta på var sitt håll. Hon sneglade på mässingsskyltarna på de andra dörrarna på våningsplanet och konstaterade att de närmaste grannarna bestod av en tandläkare Norman, ett företag som kallades N-Consulting och en advokat Rune Håkansson.

De knackade på hos Håkansson.

"Hej, jag heter Modig och det här är kriminalinspektör Bublanski. Vi är från polisen och har ett ärende till din kollega advokat Bjurman här intill. Du råkar inte veta var man får tag på honom?"

Håkansson skakade på huvudet.

"Jag ser sällan till honom nu för tiden. Han blev allvarligt sjuk för två år sedan och har i det närmaste avvecklat verksamheten. Skylten finns kvar på dörren men han är här bara någon gång varannan månad."

"Allvarligt sjuk?" frågade Bublanski.

"Jag vet inte riktigt. Han var alltid i full fart och sedan blev han sjuk. Cancer eller något, antar jag. Jag känner honom bara ytligt."

"Du tror eller du vet att han fick cancer?" frågade Sonja Modig.

"Nja ... jag vet inte. Han hade en sekreterare, Britt Karlsson eller Nilsson eller något sådant. En äldre kvinna. Hon blev uppsagd och det var hon som berättade att han hade blivit sjuk, men på vilket sätt vet jag inte. Det här var våren 2003. Jag såg honom inte förrän i slutet av året och då såg han tio år äldre ut, utmärglad och plötsligt gråhårig … jag drog mina slutsatser. Hurså? Har han gjort något?"

"Inte vad vi vet", svarade Bublanski. "Inte desto mindre söker vi honom i ett brådskande ärende."

De återvände till lägenheten på Odenplan och knackade återigen på dörren till Bjurmans lägenhet. Fortfarande inget svar. Till sist tog Bublanski fram sin mobiltelefon och slog numret till Bjurmans mobil. Han fick beskedet att *abonnenten du söker kan inte nås för tillfället, var vänlig och försök senare.*

Han provade att ringa numret till lägenheten. I trapphuset kunde de höra svaga ringsignaler från andra sidan dörren innan en telefonsvarare gick igång och bad uppringaren lämna ett meddelande. De tittade på varandra och ryckte på axlarna.

Klockan var ett på eftermiddagen.

"Kaffe?"

"Hellre en hamburgare."

De promenerade till Burger King vid Odenplan. Sonja Modig åt en Whopper och Bublanski tog en vegetarisk burgare innan de återvände till polishuset.

ÅKLAGARE EKSTRÖM KALLADE till möte vid konferensbordet i sitt tjänsterum klockan två på eftermiddagen. Bublanski och Modig tog plats bredvid varandra vid väggen intill fönstret. Curt Svensson kom två minuter senare och slog sig ned mitt emot. Jerker Holmberg kom in med en bricka med kaffe i pappersmuggar. Han hade gjort ett kort besök i Enskede och ämnade återvända senare under eftermiddagen då teknikerna var klara.

"Var är Faste?" undrade Ekström.

"Han är hos socialnämnden, han ringde för fem minuter sedan och sa att han skulle bli en stund försenad", svarade Curt Svensson.

"Okej. Vi kör i alla fall. Vad har vi?" inledde Ekström utan ceremonier. Han pekade först på Bublanski.

"Vi har sökt advokat Nils Bjurman. Han är inte hemma och inte på sitt kontor. Enligt en advokatkollega blev han sjuk för två år sedan och har i praktiken avvecklat sin verksamhet."

Sonja Modig fortsatte.

"Bjurman är 56 år gammal, finns inte i kriminalregistret. Han är huvudsakligen affärsjurist. Jag har inte hunnit titta mer på hans bakgrund."

"Men han äger alltså vapnet som användes i Enskede."

"Det är helt riktigt. Han har vapenlicens och är medlem i Polisens skytteklubb", sa Bublanski. "Jag pratade med Gunnarsson på vapen – han är ju ordförande i klubben och känner mycket väl till Bjurman. Han gick med i klubben 1978 och satt som kassör i styrelsen mellan 1984 och 1992. Gunnarsson beskriver Bjurman som en utmärkt skytt, lugn och sansad och inga konstigheter."

"Intresserad av vapen?"

"Gunnarsson sa att han uppfattade Bjurman som mera intresserad av föreningslivet än av själva skyttet. Han tyckte om att tävla men framstod inte som någon vapenfetischist. 1983 var han med i SM och hamnade på trettonde plats. De senaste tio åren har han trappat ned på skyttet och bara dykt upp på årsmöten och liknande."

"Har han flera vapen?"

"Han har haft licens för sammanlagt fyra handeldvapen sedan han gick med i skytteklubben. Förutom Colten en Beretta, en Smith & Wesson och en tävlingspistol av märket Rapid. Samtliga tre såldes för tio år sedan i klubben och licenserna övergick till andra medlemmar. Inga konstigheter."

"Men vi vet alltså inte var han befinner sig."

"Det stämmer. Men vi har bara sökt honom sedan tiotiden i förmiddags och han kanske är ute och promenerar på Djurgården eller ligger på sjukhus eller något."

I det ögonblicket kom Hans Faste in genom dörren. Han tycktes andfådd.

"Förlåt att jag är sen. Får jag gå rakt in?"

Ekström gjorde en inbjudande gest med handen.

"Lisbeth Salander är ett riktigt intressant namn. Jag har tillbringat dagen på socialen och hos överförmyndarnämnden." Han drog av sig skinnjackan och hängde den över ryggstödet innan han satte sig och slog upp ett anteckningsblock.

"Överförmyndarnämnden?" frågade Ekström med rynkade ögonbryn.

"Det här är en jävligt störd brud", sa Hans Faste. "Hon är omyndigförklarad och ställd under förvaltning. Gissa vem som är hennes förvaltare." Han gjorde en konstpaus. "Advokat Nils Bjurman som alltså äger det vapen som användes nere i Enskede."

Samtliga i rummet höjde på ögonbrynen.

Det tog Hans Faste femton minuter att dra den kunskap han inhämtat om Lisbeth Salander.

"Sammanfattningsvis", sa Ekström när Faste var klar, "har vi alltså fingeravtryck på mordvapnet från en kvinna som under tonåren åkte in och ut på psyket, som antas försörja sig som fnask och som tingsrätten omyndigförklarat och som har dokumenterat våldsam läggning. Vad fan gör hon alls ute på gatorna?"

"Hon har haft våldstendenser sedan hon gick i småskolan", sa Faste. "Hon tycks vara ett rejält psykfall."

"Men vi har ännu inget som direkt kopplar henne till paret i Enskede." Ekström trummade med fingertopparna. "Okej, det här dubbelmordet är kanske inte så svårlöst i alla fall. Har vi någon adress till Salander?"

"Hon är skriven på Lundagatan på Södermalm. Skattemyndigheten uppger att hon periodvis fått lön av Milton Security, säkerhetsföretaget."

"Och vad fan har hon gjort åt dem?"

"Jag vet inte. Men det är en ganska blygsam årsinkomst under några år. Hon kanske jobbar som städare eller något."

"Hmm", sa Ekström. "Det går att ta reda på. Men just nu har jag en känsla av att det brådskar att hitta Salander."

"Jag instämmer", sa Bublanski. "Vi får ta detaljerna efter hand. Vi har nu kommit så långt att vi har en misstänkt. Faste, du och Curt åker ned till Lundagatan och försöker plocka in Salander. Var försiktiga – vi vet ju inte om hon har fler vapen och vi vet inte hur galen hon är."

"Okej."

"Bubbla", avbröt Ekström. "Chefen för Milton Security heter Dragan Armanskij. Jag träffade honom i samband med en utredning för några år sedan. Han är pålitlig. Åk ned till honom och ta ett personligt samtal om Salander. Du borde hinna innan han försvinner för dagen."

Bublanski såg irriterad ut, vilket berodde dels på att Ekström använt Bublanskis öknamn, dels på att han formulerat sitt förslag som en order. Sedan nickade han kort och flyttade blicken till Sonja Modig.

"Modig, du får fortsätta att söka advokat Bjurman. Knacka på hos grannarna. Jag tror att det brådskar att få tag på honom också."

"Okej."

"Vi måste hitta kopplingen mellan Salander och paret i Enskede. Och vi måste placera Salander nere i Enskede vid tiden för mordet. Jerker, du får ta fram bilder på henne och kolla av med grannarna. Dörrknackning under kvällen. Plocka några uniformer som hjälper till."

Bublanski gjorde en paus och kliade sig i nacken.

"Fan, med lite tur har vi faktiskt löst det här eländet redan under kvällen. Jag trodde att det här skulle bli en långvarig affär."

"En sak till", sa Ekström. "Media ligger på. Jag har utlovat en presskonferens till klockan tre. Jag kan ta den om jag får någon från presstjänsten som bisittare. Jag gissar att en del journalister kommer att ringa direkt till er också. Det här med Salander och Bjurman håller vi tyst om så länge det går."

Alla nickade.

DRAGAN ARMANSKIJ HADE tänkt gå tidigare från jobbet. Det var skärtorsdag och han och hans fru planerade att åka ut till fritidshuset på Blidö under påskhelgen. Han hade precis stängt sin portfölj och satt på sig rocken då receptionen ringde och annonserade att en kriminalinspektör Jan Bublanski sökte honom. Armanskij kände inte Bublanski men det faktum att det var en polis som sökte honom var tillräckligt för att han skulle sucka och hänga tillbaka rocken på galgen vid hatthyllan. Han hade ingen lust att ta emot besöket, men Milton Security hade inte råd att nonchalera polisen. Han mötte Bublanski vid hissen i korridoren.

"Tack för att du tog dig tid", hälsade Bublanski. "Jag ska hälsa från min chef, åklagare Richard Ekström."

De skakade hand.

"Ekström, honom har jag haft att göra med ett par gånger. Det är några år sedan sist. Vill du ha kaffe?"

Armanskij stannade vid kaffeautomaten och tryckte fram två muggar innan han öppnade dörren till sitt rum och erbjöd Bublanski plats i den bekväma besöksfåtöljen vid fönsterbordet.

"Armanskij ... ryskt?" undrade Bublanski nyfiket. "Jag har också ett ski-namn."

"Min släkt kom från Armenien. Och du?"

"Polen."

"Vad kan jag hjälpa dig med?"

Bublanski plockade fram ett anteckningsblock och slog upp det.

"Jag arbetar med utredningen kring morden i Enskede. Jag antar att du har lyssnat på nyheterna i dag."

Armanskij nickade kort.

"Ekström sa att du inte är lösmynt."

"I min position tjänar man inget på att bli ovän med polisen. Jag kan hålla tyst, om det är det du undrar."

"Bra. Just nu söker vi en person som tidigare ska ha arbetat åt dig. Hennes namn är Lisbeth Salander. Känner du till henne?"

Armanskij kände hur en cementklump formades i hans mage. Han rörde inte en min.

"Av vilken orsak söker ni efter fröken Salander?"

"Låt säga att vi har orsak att betrakta henne som intressant i utredningen."

Cementklumpen i Armanskijs mage expanderade. Det gjorde nästan fysiskt ont. Sedan den dag han först träffade Lisbeth Salander hade han haft en stark känsla av att hennes liv var en färd mot en katastrof. Men han hade alltid föreställt sig henne som offer, inte som gärningsman. Han rörde fortfarande inte en min.

"Ni misstänker alltså Lisbeth Salander för dubbelmorden i Enskede. Har jag uppfattat det rätt?"

Bublanski tvekade en kort sekund innan han nickade.

"Vad kan du berätta om Salander?"

"Vad vill du veta?"

"För det första ... hur får vi tag på henne?"

"Hon bor på Lundagatan. Jag måste slå upp den exakta adressen. Jag har ett mobilnummer till henne."

"Adressen har vi. Mobilnumret är intressant."

Armanskij gick till sitt skrivbord och slog upp numret. Han läste högt medan Bublanski antecknade.

"Hon arbetar åt dig."

"Hon har eget företag. Jag lade ut jobb på henne av och till från 1998 och fram till för ungefär ett och ett halvt år sedan."

"Vilken sorts jobb gjorde hon?"

"Research."

Bublanski tittade upp från sitt anteckningsblock och höjde häpet på ögonbrynen.

"Research", upprepade han.

"Personundersökningar, närmare bestämt."

"Ett ögonblick ... talar vi om samma flicka?" undrade Bublanski. "Den Lisbeth Salander vi spanar efter saknar betyg från grundskolan och är omyndigförklarad."

"Det heter inte längre omyndigförklarad", påpekade Armanskij milt.

"Skit samma vad det heter. Den flicka vi söker framstår i dokumentationen som en djupt störd och våldsbenägen människa. Dessutom har vi en rapport från socialnämnden där det antyds att hon var prostituerad i slutet av 1990-talet. Det finns inget i hennes papper som pekar på att hon skulle kunna ha ett kvalificerat arbete."

"Papper är en sak. Människor en annan."

"Du menar att hon är kvalificerad att göra personundersökningar åt Milton Security?"

"Inte bara det. Hon är den överlägset bästa researcher jag någonsin träffat."

Bublanski sänkte långsamt sin penna och rynkade pannan.

"Det låter som om du har … respekt för henne."

Armanskij tittade ned på sina händer. Frågan markerade en skilje-väg. Han hade alltid vetat att Lisbeth Salander förr eller senare skul-le hamna ordentligt i klistret. Han kunde inte för sitt liv begripa vad som kunde ha förmått henne att bli inblandad i ett dubbelmord i En-skede – som gärningsman eller på annat sätt – men han accepterade också att han inte kände till särskilt mycket om hennes privatliv. *Vad har hon blivit inblandad i?* Armanskij mindes hennes plötsliga besök på hans kontor då hon kryptiskt förklarat att hon hade pengar så hon klarade sig och att hon inte behövde jobb.

Det kloka och förståndiga i detta ögonblick skulle vara att distan-sera sig själv och framför allt Milton Security från allt samröre med Lisbeth Salander. Armanskij gjorde reflektionen att Lisbeth Salander nog var den ensammaste människa han kände.

"Jag har respekt för hennes kompetens. Den hittar du inte i hen-nes betyg och meritförteckning."

"Du känner alltså till hennes bakgrund."

"Att hon står under förvaltarskap och att hon haft en trasslig upp-växt. Ja."

"Och ändå anlitade du henne."

"Just därför anlitade jag henne."

"Förklara."

"Hennes förre förvaltare, Holger Palmgren, var gamle J.F. Mil-tons advokat. Han tog sig an henne då hon var tonåring och han övertalade mig att ge henne jobb. Jag anställde henne först för att sortera post och sköta kopieringsapparaten och sådant. Sedan visa-de det sig att hon hade oanade talanger. Och den där socialrappor-ten om att hon eventuellt skulle vara prostituerad kan du glömma. Det är strunt. Lisbeth Salander hade en strulig tonårsperiod och var utan tvekan lite vild av sig – vilket dock inte är att betrakta som ett lagbrott. Prostitution är nog det sista hon skulle ägna sig åt."

"Hennes nye förvaltare heter Nils Bjurman."

"Honom har jag aldrig träffat. Palmgren fick en hjärnblödning för ett par år sedan. Kort därefter drog Lisbeth Salander ned på de arbe-

ten hon gjorde för mig. Det sista jobb hon gjorde för mig var i okto-
ber för ett och ett halvt år sedan."

"Varför slutade du anlita henne?"

"Det var inte mitt val. Det var hon som bröt förbindelsen och för-
svann utomlands utan ett ord till förklaring."

"Försvann utomlands?"

"Hon var borta i drygt ett år."

"Det kan inte stämma. Advokat Bjurman har skickat månadsrap-
porter om henne under hela det gångna året. Vi har kopior uppe på
Kungsholmen."

Armanskij ryckte på axlarna och log milt.

"När träffade du henne senast?"

"För ungefär två månader sedan, i början av februari. Hon dök
upp från ingenstans på ett artighetsbesök. Då hade jag inte hört av
henne på över ett år. Hon tillbringade hela fjolåret utomlands och
reste omkring i Asien och Karibien."

"Förlåt mig, men jag blir en smula förvirrad. Då jag kom hit hade
jag intrycket att Lisbeth Salander var en psykiskt sjuk flicka som
inte ens hade gått ut grundskolan och som stod under förvaltarskap.
Sedan berättar du att du anlitade henne som högt kvalificerad re-
searcher, att hon hade ett eget företag och att hon tjänade tillräck-
ligt med pengar för att ta ett år ledigt och åka jorden runt, och detta
utan att hennes förvaltare slår larm. Det är något som inte stämmer
här."

"Det är mycket som inte stämmer då det handlar om Lisbeth Sa-
lander."

"Får jag fråga ... hur bedömer du henne?"

Armanskij funderade en stund.

"Hon är nog en av de mest irriterande orubbliga människor jag
träffat i hela mitt liv", sa han slutligen.

"Orubblig?"

"Hon gör absolut ingenting som hon inte har lust att göra. Hon
bryr sig inte ett dyft om vad andra människor tycker om henne. Hon
är rasande kompetent. Och hon är absolut inte som andra männi-
skor."

"Galen?"

"Hur definierar du galen?"

"Är hon i stånd att mörda två människor med berått mod?"

Armanskij var tyst länge.

"Jag är ledsen", sa han till slut. "Jag kan inte besvara frågan. Jag är cyniker. Jag tror att alla människor har en inneboende kraft att döda andra människor. I desperation eller av hat eller åtminstone för att värna sig själv."

"Det betyder att du inte håller det för uteslutet i alla fall."

"Lisbeth Salander gör ingenting som hon inte har orsak att göra. Om hon har mördat någon så har hon ansett att hon haft goda skäl att göra det. Får jag fråga ... på vilka grunder misstänker ni att hon är inblandad i morden i Enskede?"

Bublanski tvekade en stund. Han mötte Armanskijs blick.

"Helt konfidentiellt."

"Absolut."

"Mordvapnet ägs av hennes förvaltare. Hennes fingeravtryck finns på det."

Armanskij bet ihop tänderna. Det var en graverande omständighet.

"Jag har bara hört om morden på *Ekot*. Vad handlade det om? Droger?"

"Är hon inblandad i droger?"

"Inte vad jag vet. Men hon hade som sagt en strulig tonårsperiod och omhändertogs för fylla vid några tillfällen. Jag antar att hennes journal kan ge besked om det fanns narkotika med i bilden."

"Problemet är att vi inte vet vad det finns för motiv för morden. Det var ett skötsamt par. Hon var kriminolog och höll just på att doktorera. Han var journalist. Dag Svensson och Mia Bergman. Ringer det ingen klocka?"

Armanskij skakade på huvudet.

"Vi försöker begripa kopplingen mellan dem och Lisbeth Salander."

"Jag har aldrig hört talas om dem."

Bublanski reste sig. "Tack för att du tog dig tid. Det har varit ett fascinerande samtal. Jag vet inte om jag blev så värst mycket klokare, men jag hoppas att det kan stanna mellan oss."

"Inga problem."

"Jag återkommer till dig om det skulle behövas. Och förstås, om Lisbeth Salander skulle höra av sig ..."

"Självklart", svarade Dragan Armanskij.

De skakade hand. Bublanski var framme vid dörren då han hejdade sig och vände sig till Armanskij igen.

"Du råkar inte känna till något om vilka personer Lisbeth Salander umgås med? Vänner, bekanta ..."

Armanskij skakade på huvudet.

"Jag känner inte till ett dugg om hennes privatliv. En av de få personer som betyder något i hennes liv är Holger Palmgren. Hon bör ha sökt kontakt med honom. Han finns på ett behandlingshem i Ersta."

"Hon fick aldrig besök då hon arbetade här?"

"Nej. Hon arbetade hemifrån och var huvudsakligen här bara för att avrapportera. Med få undantag träffade hon aldrig ens någon klient. Möjligen ..."

Armanskij slogs plötsligt av en tanke.

"Vad?"

"Det finns möjligen ytterligare en person som hon kanske sökt kontakt med. En journalist som hon umgicks med för två år sedan och som sökt henne under tiden hon befann sig utomlands."

"Journalist?"

"Hans namn är Mikael Blomkvist. Kommer du ihåg Wennerström-affären?"

Bublanski släppte dörrhandtaget och gick långsamt tillbaka till Dragan Armanskij.

"Det var Mikael Blomkvist som hittade paret i Enskede. Du har just etablerat en koppling mellan Salander och mordoffren."

Armanskij kände tyngden av cementklumpen i magen.

KAPITEL 14
SKÄRTORSDAG 24 MARS

SONJA MODIG FÖRSÖKTE ringa advokat Nils Bjurman tre gånger inom loppet av en halvtimme. Vid varje tillfälle möttes hon av beskedet att abonnenten inte kunde nås.

Vid halvfyratiden satte hon sig i bilen och körde till Odenplan och ringde på hans dörr. Resultatet var lika nedslående som tidigare under dagen. Hon ägnade de kommande tjugo minuterna åt att knacka dörr i fastigheten för att ta reda på om någon av grannarna kände till var Bjurman befann sig.

I elva av de nitton lägenheter hon ringde på hos var ingen hemma. Hon sneglade på klockan. Det var naturligtvis fel tid på dagen att bedriva dörrknackning. Och det skulle sannolikt inte bli lättare under påskdagarna. I de åtta lägenheter hon fick svar var alla hjälpsamma. Fem av dessa visste vem Bjurman var – en artig och belevad herre på fjärde våningen. Ingen kunde ge besked om var han befann sig. Så småningom lyckades hon utröna att Bjurman möjligen umgicks privat med en av sina närmaste grannar, en affärsman vid namn Sjöman. Hos Sjöman var det dock ingen som svarade då hon ringde på.

Frustrerad lyfte Sonja Modig sin telefon och ringde på nytt till Bjurmans telefonsvarare. Hon presenterade sig, lämnade sitt mobilnummer och bad Bjurman att omgående kontakta henne.

Hon gick tillbaka till Bjurmans dörr och slog upp sitt anteckningsblock och skrev en lapp där hon bad Bjurman ringa henne. Hon bifogade sitt visitkort och släppte ned det genom brevinkastet. I samma ögonblick som hon skulle stänga brevinkastet hörde hon att en telefon ringde inne i lägenheten. Hon böjde sig ned och lyssnade uppmärksamt medan fyra signaler gick fram. Hon hörde telefonsvararen klicka igång men kunde inte höra något meddelande.

Hon stängde brevinkastet och stirrade på dörren. Exakt vilken impuls som fick henne att sträcka fram handen och känna på handtaget kunde hon inte redogöra för men till sin stora förvåning upptäckte hon att dörren var olåst. Hon sköt upp dörren och tittade in i hallen.

"Hallå", ropade hon försiktigt och lyssnade. Hon hörde inga ljud.

Hon tog ett kliv in i hallen och stannade tveksamt. Det hon just hade gjort var möjligen att betrakta som hemfridsbrott. Hon hade ingen befogenhet att göra husrannsakan och ingen rätt att befinna sig i advokat Bjurmans lägenhet, även om dörren var olåst. Hon sneglade till vänster och såg en del av ett vardagsrum och hade precis beslutat sig för att backa ut ur lägenheten då hennes blick föll på hallbyrån. Hon såg en kartong till en revolver av märket Colt Magnum.

Plötsligt kände Sonja Modig ett starkt obehag. Hon öppnade jackan och drog sitt tjänstevapen, vilket hon nästan aldrig tidigare hade gjort.

Hon osäkrade vapnet och höll mynningen riktad mot golvet och gick fram till vardagsrummet och tittade in. Hon såg inget anmärkningsvärt men hennes obehag ökade. Hon backade tillbaka och sneglade in i köket. Tomt. Hon gick in i en inre hall och petade upp sovrumsdörren.

Advokat Nils Bjurman låg framstupa över sängen. Hans knän vilade på golvet. Det såg ut som om han ställt sig på knä för att be aftonbön. Han var naken.

Hon såg honom från sidan. Redan från sin position vid dörren kunde Sonja Modig avgöra att han inte var vid liv. Halva hans panna hade sprängts bort av ett skott mot bakhuvudet.

Sonja Modig backade ut ur lägenheten. Hon hade fortfarande

262

sitt tjänstevapen i handen då hon öppnade mobilen ute i trapphuset och ringde till kriminalinspektör Bublanski. Hon kunde inte nå honom. Hon ringde istället till åklagare Ekström. Hon noterade tiden. Klockan var arton minuter över fyra.

HANS FASTE BETRAKTADE porten till den adress på Lundagatan där Lisbeth Salander var folkbokförd och därmed förmodades vara bosatt. Han sneglade på Curt Svensson och därefter på sitt armbandsur. Tio över fyra.

Efter att ha införskaffat portkoden från fastighetsskötaren hade de redan varit inne i fastigheten och lyssnat vid dörren med namnskylten Salander-Wu. De hade inte kunnat uppfatta några ljud från lägenheten och ingen hade öppnat när de ringt på. De hade återvänt till bilen och placerat sig så att de hade porten under uppsikt.

Från bilen hade de telefonledes erfarit att den person i Stockholm som nyligen inkluderats i kontraktet till bostadsrätten på Lundagatan var en Miriam Wu, född 1974 och tidigare bosatt vid S:t Eriksplan.

De hade en passbild med Lisbeth Salanders ansikte fasttejpad ovanför bilradion. Faste reflekterade högljutt att hon såg ut som en skata.

"Fan, hororna ser allt jävligare ut. Du ska vara rätt nödbedd för att plocka upp henne."

Curt Svensson sa ingenting.

Tjugo över fyra blev de uppringda av Bublanski som meddelade att han var på väg från Armanskij till *Millennium*. Han bad Faste och Svensson att avvakta på Lundagatan. Lisbeth Salander skulle plockas in för förhör, men åklagaren ansåg ännu inte att hon kunde betraktas som bunden till morden i Enskede.

"Jaha", sa Faste. "Enligt Bubbla vill åklagaren först ha ett erkännande innan de anhåller någon."

Curt Svensson sa ingenting. De betraktade lojt personer som rörde sig i omgivningen.

Tjugo minuter i fem ringde åklagare Ekström på Hans Fastes mobil.

"Det har hänt saker. Vi har hittat advokat Bjurman skjuten till döds i sin lägenhet. Han har varit död åtminstone ett dygn."

Hans Faste satte sig upp i bilsätet.

"Uppfattat. Vad gör vi?"

"Jag har beslutat att Lisbeth Salander är lyst. Hon är anhållen i sin frånvaro som skäligen misstänkt för tre mord. Vi lägger ut ett länslarm. Hon ska gripas. Vi får bedöma henne som farlig och eventuellt beväpnad."

"Uppfattat."

"Jag skickar en piketstyrka till Lundagatan. De får gå in och säkra lägenheten."

"Det är uppfattat."

"Har ni haft kontakt med Bublanski?"

"Han är på *Millennium*."

"Och har tydligen stängt av mobilen. Kan ni försöka ringa honom och informera."

Faste och Svensson tittade på varandra.

"Frågan är alltså vad vi gör om hon dyker upp", sa Curt Svensson.

"Om hon är ensam och det ser bra ut plockar vi henne. Om hon hinner in i lägenheten så får piketstyrkan rycka in. Den här bruden är spritt språngande galen och tydligen på mördarstråt. Hon kan ha fler vapen i lägenheten."

MIKAEL BLOMKVIST VAR dödstrött när han dumpade manusbunten på Erika Bergers skrivbord och tungt satte sig i hennes besöksstol vid fönstret mot Götgatan. Han hade tillbringat eftermiddagen med att försöka reda ut vad som skulle ske med Dag Svenssons ofullbordade bok.

Ämnet var känsligt. Dag Svensson hade bara varit död i några timmar och redan satt hans arbetsgivare och funderade på hur hans journalistiska kvarlåtenskap skulle hanteras. Mikael var medveten om att en utomstående kunde uppfatta det som cyniskt och kallhamrat. Själv uppfattade han det inte på det sättet. Han kände det som om han befann sig i ett nästan viktlöst tillstånd. Det var ett speciellt syndrom som varje arbetande nyhetsjournalist kände till och som sparkade igång i stunder av kris.

När andra har sorg blir nyhetsjournalisten effektiv. Och trots den bedövande chock som präglade de närvarande medlemmarna av *Millenniums* redaktion på skärtorsdagens morgon tog yrkesrollen över och kanaliserades i brutalt arbete.

För Mikael var det en självklarhet. Dag Svensson var av samma skrot och korn och skulle ha gjort exakt detsamma om rollerna hade varit ombytta. Han skulle ha frågat sig vad han kunde göra för Mikael. Dag Svensson hade lämnat en kvarlåtenskap i form av ett bokmanuskript med en explosiv story. Dag Svensson hade arbetat i flera år med att samla material och sortera fakta, en uppgift som han hade lagt ned hela sin själ i och som han nu aldrig skulle få tillfälle att slutföra.

Framför allt hade han arbetat på *Millennium*.

Morden på Dag Svensson och Mia Bergman var inte ett nationellt trauma som till exempel mordet på Olof Palme och skulle inte följas av landssorg. Men för medarbetarna på *Millennium* var chocken förmodligen större – de var personligt berörda – och Dag Svensson hade ett brett kontaktnät bland många journalister som skulle kräva ett svar på frågorna.

Det var nu Mikaels och Erikas uppgift att både avsluta Dag Svenssons arbete med boken och att besvara frågorna om vem och varför.

"Jag kan rekonstruera texten", sa Mikael. "Jag och Malin måste gå igenom boken rad för rad och komplettera med research så att vi kan svara på frågor. Till stor del behöver vi bara följa Dags egna anteckningar, men vi har problem i kapitel fyra och fem som främst baseras på Mias intervjuer och där vi helt enkelt inte vet vilka källorna är men med några undantag tror jag att vi kan använda referenserna i hennes avhandling som primärkälla."

"Vi saknar det sista kapitlet."

"Det stämmer. Men jag har Dags utkast och vi pratade igenom det så många gånger att jag vet precis vad han tänkte säga. Jag föreslår att vi helt enkelt bryter ut summeringen och gör det som ett efterord där jag även förklarar hur han resonerade."

"Okej. Jag vill se det innan jag godkänner något. Vi kan inte lägga ord i hans mun."

"Ingen fara. Jag skriver kapitlet som en personlig betraktelse med mitt namn under. Det framgår solklart att det är jag som skriver och inte han. Jag berättar om hur det kom sig att han började jobba med boken och vilken sorts människa han var. Och jag slutar med att rekapitulera vad han sa vid säkert ett dussin samtal de senaste månaderna. Det finns mycket i hans utkast som jag kan citera. Jag tror att det kan bli värdigt."

"Fan ... jag vill publicera den här boken mer än någonsin", sa Erika.

Mikael nickade. Han förstod precis vad hon menade.

"Har du hört något nytt?" frågade han.

Erika Berger lade ned sina läsglasögon på skrivbordet och skakade på huvudet. Hon reste sig och hällde upp två kaffe från termosen och slog sig ned mitt emot Mikael.

"Jag och Christer har en skiss på nästa nummer. Vi plockar två artiklar som var tänkta till numret därpå och har lagt ut texter på frilansare. Men det blir ett spretigt nummer utan någon riktig styrsel."

De satt tysta en stund.

"Har du lyssnat på nyheterna?" frågade Erika.

Mikael skakade på huvudet.

"Nej. Jag vet vad som kommer att sägas."

"Morden toppar i hela nyhetsflödet. Andranyheten är ett utspel från centern."

"Vilket betyder att absolut inget annat hänt i landet."

"Polisen har inte namngett Dag och Mia än. De beskrivs som ett 'skötsamt par'. Det finns ännu inga referenser till att det var du som hittade dem."

"Jag tippar att polisen kommer att göra allt för att dölja det. Det är åtminstone till vår fördel."

"Varför skulle polisen dölja det?"

"Därför att polisen av principiella skäl inte gillar mediecirkus. Jag har ett visst nyhetsvärde och följaktligen tycker polisen att det är jättebra att ingen vet att det var jag som hittade dem. Jag skulle gissa att det läcker ut någon gång i natt eller i morgon bitti."

"Så ung och så cynisk."

"Vi är inte så unga längre, Ricky. Jag tänkte på det när jag blev förhörd av den där polisen i natt. Hon såg ut som om hon fortfarande gick på högstadiet."

Erika skrattade svagt. Hon hade visserligen fått sova några timmar under natten, men hon började också känna av tröttheten. Snart skulle hon överraskande framträda som chefredaktör för en av landets största tidningar. *Nej – det var inte läge att släppa den nyheten till Mikael.*

"Henry Cortez ringde för en stund sedan. En förundersökningsledare som heter Ekström höll någon sorts presskonferens vid tretiden", sa hon.

"Richard Ekström?"

"Ja. Känner du till honom?"

"Politisk nisse. Garanterad mediecirkus. Det är inte två torghandlare i Rinkeby som blivit mördade. Det här kommer att få stor publicitet."

"Han påstår i alla fall att polisen följer vissa spår och har förhoppningar om att lösa det här snabbt. Men på det hela taget sa han ingenting. Däremot var det fullsatt med journalister på presskonferensen."

Mikael ryckte på axlarna. Han gnuggade sig i ögonen.

"Jag kan inte bli av med bilden av Mias kropp på näthinnan. Fan, jag hade ju just lärt känna dem."

Erika nickade dystert.

"Vi får vänta och se. Någon jävla galning ..."

"Jag vet inte. Jag har tänkt på det hela dagen."

"Hur menar du?"

"Mia hade skjutits från sidan. Jag såg ett ingångshål på sidan av halsen och utgångshålet i pannan. Dag hade skjutits framifrån i pannan med utgångshål i bakhuvudet. Så vitt jag kunde se hade bara två skott avlossats. Det känns inte som ett vansinnesdåd."

Erika betraktade eftertänksamt sin partner.

"Vad försöker du säga?"

"Om det inte är ett vansinnesdåd så måste det finnas ett motiv. Och ju mer jag tänker på det, desto mer känns det som om det här manuset är ett jävla bra motiv."

Mikael pekade på pappersbunten på Erikas skrivbord. Erika följde hans blick. Sedan tittade de på varandra.

"Det behöver inte ha med själva boken att göra. De kanske hade snokat för mycket och lyckats ... jag vet inte. Någon kände sig hotad."

"Och anlitade en *hitman*. Micke – det händer i amerikanska filmer. Den där boken handlar om torskarna. Den namnger poliser, politiker, journalister ... Det skulle alltså vara någon av de som mördat Dag och Mia?"

"Jag vet inte, Ricky. Men vi skulle gå i tryck om tre veckor med det tuffaste knäcket om trafficking som någonsin publicerats i Sverige."

I det ögonblicket stack Malin Eriksson in huvudet i dörröppningen och sa att en kriminalinspektör Jan Bublanski ville prata med Mikael Blomkvist.

BUBLANSKI SKAKADE HAND med Erika Berger och Mikael Blomkvist och slog sig ned i den tredje stolen vid fönsterbordet. Han granskade Mikael Blomkvist och såg en hålögd människa med dygnsgammal skäggstubb.

"Har det framkommit något nytt?" frågade Mikael Blomkvist.

"Kanske det. Jag har förstått att det var du som hittade paret i Enskede och larmade polisen i går natt."

Mikael nickade trött.

"Jag vet att du berättat för kriminaljouren under natten, men jag undrar om du kan förtydliga några detaljer för mig."

"Vad vill du veta?"

"Hur kom det sig att du åkte hem till Svensson och Bergman så sent på kvällen?"

"Det är ingen detalj utan en hel roman", log Mikael trött. "Jag var på middag hos min syster – hon bor vid nybyggarghettot vid Stäket. Dag Svensson ringde mig på mobilen och förklarade att han inte skulle hinna komma förbi på redaktionen under skärtorsdagen – i dag alltså – som vi tidigare hade kommit överens om. Han skulle lämna bilder till Christer Malm. Orsaken var att han och Mia hade beslutat att åka hem till hennes föräldrar över påsk och de ville åka tidigt på morgonen. Han undrade om det var okej att han istället tittade förbi min bostad på morgonen. Jag svarade att eftersom jag var så pass nära kunde jag svänga förbi och hämta bilderna på väg hem från min syster."

"Så du åkte ned till Enskede för att hämta bilder."

Mikael nickade.

"Kan du tänka dig något motiv att mörda paret Svensson och Bergman?"

Mikael och Erika sneglade på varandra. Bägge satt tysta.

"Vad?" undrade Bublanski.

"Vi har förstås diskuterat saken under dagen och vi är lite oense. Eller egentligen inte oense – bara osäkra. Vi vill inte spekulera."

"Berätta."

Mikael förklarade innehållet i Dag Svenssons kommande bok och hur han och Erika hade funderat över om det kunde ha något samband med morden. Bublanski satt tyst en stund och smälte informationen.

"Så Dag Svensson stod i begrepp att hänga ut poliser."

Han gillade inte alls den vändning samtalet hade tagit och såg framför sig hur ett "polisspår" under överskådlig framtid skulle vandra fram och tillbaka i media i olika konspirativa sammanhang.

"Nej", svarade Mikael. "Dag Svensson stod i begrepp att hänga ut brottslingar, varav några råkade vara poliser. Där finns även några personer som tillhör min egen yrkesgrupp, nämligen journalister."

"Och den här informationen tänker ni gå ut med nu?"

Mikael sneglade på Erika.

"Nej", svarade Erika Berger. "Vi har ägnat dagen åt att stoppa det pågående arbetet med nästa nummer. Vi kommer med största sannolikhet att publicera Dag Svenssons bok, men det kommer att ske först då vi vet vad som har hänt, och i nuläget måste boken omarbetas en del. Vi kommer inte att sabotera polisutredningen om morden på två vänner, om det är det du är orolig för."

"Jag måste ta en titt på Dag Svenssons skrivbord, och eftersom det är en tidningsredaktion kan det vara känsligt att göra husrannsakan."

"Du hittar allt material i Dag Svenssons laptop", sa Erika.

"Jaha", sa Bublanski.

"Jag har gått igenom Dag Svenssons skrivbord", sa Mikael. "Jag har plockat bort några anteckningar som direkt identifierar källor som vill vara anonyma. Allt annat står till ditt förfogande och jag har satt en lapp på bordet att inget får flyttas eller röras. Problemet här är dock att innehållet i Dag Svenssons bok är hemligt till dess att det blir tryckt. Vi vill sålunda mycket ogärna att manuskriptet sprids till polisen och särskilt inte om vi ska hänga ut ett par poliser."

Fan, tänkte Bublanski. *Varför skickade jag inte hit någon direkt i morse.* Därefter nickade han och släppte ämnet.

"Okej. Vi har en person som vi vill höra i samband med morden. Jag har orsak att tro att det är en person du känner. Jag vill veta vad du vet om en kvinna vid namn Lisbeth Salander."

Mikael Blomkvist såg för en sekund ut som ett levande frågetecken. Bublanski noterade att Erika Berger gav Mikael ett skarpt ögonkast.

"Nu förstår jag inte."

"Du känner Lisbeth Salander?"

"Ja, jag känner Lisbeth Salander."

"Hur känner du henne?"

"Varför frågar du?"

Bublanski gjorde en irriterad gest med handen.

"Som jag sa vill vi höra henne upplysningsvis i samband med morden. Hur känner du henne?"

"Men ... det är orimligt. Lisbeth Salander har ingen koppling till Dag Svensson eller Mia Bergman."

"Då får vi i lugn och ro fastställa det", svarade Bublanski tålmodigt. "Men min fråga kvarstår. Hur känner du Lisbeth Salander?"

Mikael strök sig över skäggstubben och gnuggade sig i ögonen medan tankarna tumlade runt i hans huvud. Till sist mötte han Bublanskis blick.

"Jag anlitade Lisbeth Salander att göra research för mig i ett helt annat ärende för två år sedan."

"Vad handlade det om?"

"Jag är ledsen, men nu kommer vi in på frågor som handlar om grundlagen och källskydd och sådant. Tro mig på mitt ord att det inte hade ett dugg med Dag Svensson och Mia Bergman att göra. Det var ett helt annat ärende som i dag är avslutat."

Bublanski övervägde hans ord. Han gillade inte att någon påstod att det fanns hemligheter som inte kunde berättas ens vid en mordutredning, men han valde att tills vidare låta saken bero.

"När såg du senast Lisbeth Salander?"

Mikael övervägde svaret.

"Så här är det; under hösten för två år sedan umgicks jag med Lisbeth Salander. Det tog slut vid jultid det året. Därefter försvann hon från stan. Jag har inte sett skymten av henne på mer än ett år förrän för en vecka sedan."

Erika Berger höjde på ögonbrynen. Bublanski antog att detta var nyheter för henne.

"Berätta om mötet."

Mikael tog ett djupt andetag och beskrev därefter kortfattat händelsen utanför hennes port på Lundagatan. Bublanski lyssnade med stigande förvåning. Han försökte avgöra om Blomkvist diktade eller talade sanning.

"Så du pratade aldrig med henne?"

"Nej, hon försvann bland husen på övre Lundagatan. Jag väntade en lång stund men hon dök aldrig upp igen. Jag har skrivit ett brev till henne och bett henne höra av sig."

"Och du känner inte till någon som helst koppling mellan henne och paret i Enskede."

"Nej."

"Okej ... kan du beskriva den här personen som du tror överföll henne."

"Jag tror inte. Han gick till angrepp och hon försvarade sig och flydde. Jag såg honom på ungefär fyrtio till fyrtiofem meters håll. Det var mitt i natten och mörkt ute."

"Var du berusad?"

"Jag var en aning rund under fötterna men jag var inte stupfull. Han var blond med håret i hästsvans. Han var klädd i mörk midjekort jacka. Han hade kraftig ölmage. Då jag kom uppför trapporna på Lundagatan såg jag honom bara bakifrån men han vände sig om när han rappade till mig. Jag fick intrycket att han hade magert ansikte och ljusa tättsittande ögon."

"Varför har du inte berättat det här tidigare?" sköt Erika Berger in.

Mikael Blomkvist ryckte på axlarna.

"Det var en helg emellan och du åkte till Göteborg för att vara med i det där jävla debattprogrammet. Du var borta i måndags och i tisdags träffades vi bara som hastigast. Det gled åt sidan."

"Men med tanke på vad som hände i Enskede ... du har inte berättat det här för polisen", konstaterade Bublanski.

"Varför skulle jag berätta det för polisen? Jag kunde lika gärna berätta att jag ertappade en ficktjuv som försökte muddra mig i tunnelbanan på T-centralen för en månad sedan. Det finns ingen som helst relevant koppling mellan Lundagatan och vad som hände i Enskede."

"Men du gjorde ingen polisanmälan om överfallet?"

"Nej." Mikael tvekade en kort stund. "Lisbeth Salander är en mycket privat människa. Jag övervägde att gå till polisen men beslutade att det nog var hennes sak att göra anmälan. Jag ville i alla fall tala med henne först."

"Vilket du inte har gjort?"

"Jag har inte pratat med Lisbeth Salander sedan annandag jul för ett år sedan."

"Varför tog ert ... om förhållande är rätt ord, varför tog det slut?"

Mikael fick något mörkt i blicken. Han vägde sina ord en stund innan han slutligen svarade.

"Det vet jag inte. Hon bröt kontakten med mig från en dag till en annan."

"Hade något hänt?"

"Nej. Inte om du menar i form av gräl eller sådant. Ena dagen var vi goda vänner. Dagen därpå svarade hon inte i telefon. Sedan försvann hon ut ur mitt liv."

Bublanski övervägde Mikaels förklaring. Den lät uppriktig och styrktes av att Dragan Armanskij hade beskrivit hennes försvinnande från Milton Security med snarlika ord. Något hade uppenbarligen hänt med Lisbeth Salander under vintern ett år tidigare. Han vände sig till Erika Berger.

"Känner du också Lisbeth Salander?"

"Jag har träffat henne en enda gång. Kan du förklara för mig varför du ställer frågor om Lisbeth Salander i samband med Enskede?" frågade Erika Berger.

Bublanski skakade på huvudet.

"Hon är kopplad till mordplatsen. Det är allt jag kan säga. Däremot måste jag tillstå att ju mer jag hör om Lisbeth Salander desto mer förbryllad blir jag. Hur var hon som person?"

"I vilket avseende?" frågade Mikael.

"Hur skulle du beskriva henne?"

"Yrkesmässigt – en av de bästa grävare jag någonsin träffat."

Erika Berger sneglade på Mikael Blomkvist och bet sig i underläppen. Bublanski blev övertygad om att någon pusselbit saknades och att de kände till något som de inte ville berätta.

"Och som person?"

Mikael satt tyst en lång stund.

"Hon var en mycket ensam och udda människa. Socialt inbunden. Pratade ogärna om sig själv. Hon är samtidigt en människa med en stark egen vilja. Hon har moral."

"Moral?"

"Ja. En alldeles egen moral. Du kan inte lura henne att göra någonting mot hennes vilja. I hennes värld är saker och ting antingen 'rätt' eller 'fel', så att säga."

Bublanski reflekterade över att Mikael Blomkvist än en gång beskrev henne på samma sätt som Dragan Armanskij. Två män som hade känt henne hade bedömt henne precis likadant.

"Känner du Dragan Armanskij?" frågade Bublanski.

"Vi har träffats ett par gånger. Jag gick ut och drack en öl med honom i fjol då jag försökte ta reda på vart Lisbeth hade försvunnit."

"Och du säger att hon var en kompetent researcher", upprepade Bublanski.

"Den bästa jag träffat", upprepade Mikael.

Bublanski trummade för en sekund med fingrarna och sneglade ut genom fönstret på strömmen av människor nere på Götgatan. Han kände sig underligt kluven. Den rättspsykiatriska dokumentation som Hans Faste hade plockat fram från överförmyndarnämnden hävdade att Lisbeth Salander var en djupt psykiskt störd, våldsbenägen och närmast förståndshandikappad människa. De svar han fått från både Armanskij och Blomkvist avvek kraftigt från den bild som psykiatrisk expertis under flera års studier hade fastslagit. Bägge beskrev henne som en udda människa, men bägge hade också ett stänk av beundran i rösten.

Blomkvist använde dessutom uttrycket att han "umgicks" med henne under en period – vilket antydde en sexuell förbindelse av något slag. Bublanski undrade vilka regler som gällde för omyndigförklarade personer. Kunde Blomkvist ha gjort sig skyldig till någon form av övergrepp genom att utnyttja en person i beroendeställning?

"Och hur uppfattade du hennes sociala handikapp?" frågade han.

"Handikapp?" frågade Mikael.

"Förvaltarskapet och hennes psykiska problem."

"Förvaltarskapet?" ekade Mikael.

"Psykiska problem?" frågade Erika Berger.

Bublanski flyttade häpet blicken från Mikael Blomkvist till Erika Berger och tillbaka. *De visste inte. De visste faktiskt inte.* Bublanski var plötsligt irriterad på både Armanskij och Blomkvist och framför allt Erika Berger med sina eleganta kläder och sitt mondäna kontor med utsikt mot Götgatan. *Här sitter hon och talar om för and-*

ra människor vad de ska tycka. Men han riktade sin irritation mot Mikael.

"Jag fattar inte vad det är för fel på dig och Armanskij", sa han.

"Förlåt?"

"Lisbeth Salander har åkt in och ut på psyket sedan hon var tonåring", sa Bublanski till sist. "En rättspsykiatrisk undersökning och ett domslut i tingsrätten har fastställt att hon är inkompetent att sköta sina egna affärer. Hon är omyndigförklarad. Hon har en dokumenterat våldsam läggning och har haft trassel med myndigheterna i hela sitt liv. Och nu är hon i högsta grad misstänkt för ... delaktighet i ett dubbelmord. Och både du och Armanskij pratar om henne som om hon vore någon sorts prinsessa."

Mikael Blomkvist satt fullständigt stilla och stirrade på Bublanski.

"Låt mig uttrycka det så här", fortsatte Bublanski. "Vi sökte en koppling mellan Lisbeth Salander och paret i Enskede. Det visade sig att du, som hittade offren, var kopplingen. Vill du kommentera det på något sätt?"

Mikael lutade sig bakåt. Han slöt ögonen och försökte få rätsida på situationen. Lisbeth Salander misstänkt för morden på Dag och Mia. *Det stämmer inte. Det är inte rimligt.* Var hon kapabel att mörda? Mikael såg plötsligt hennes ansiktsuttryck framför sig, då hon två år tidigare hade gått loss på Martin Vanger med en golfklubba. *Hon skulle utan tvekan ha dödat honom. Hon gjorde inte det eftersom hon var tvungen att rädda mitt liv.* Han fingrade automatiskt på halsen där Martin Vangers strypsnara hade suttit. Men Dag och Mia ... *det är inte logiskt.*

Han var medveten om att Bublanski iakttog honom skarpt. Precis som Dragan Armanskij måste han göra ett val. Förr eller senare skulle han bli tvungen att avgöra i vilken ringhörna han skulle ställa sig om Lisbeth Salander anklagades för mord. *Skyldig eller oskyldig?*

Innan han hann säga någonting ringde telefonen på Erikas skrivbord. Hon svarade och räckte luren till Bublanski.

"Någon som heter Hans Faste vill tala med dig."

Bublanski tog luren och lyssnade uppmärksamt. Både Mikael och Erika kunde se att hans ansiktsuttryck förändrades.

"När går de in?"

Tystnad.

"Vad är adressen nu igen ...? Lundagatan ... okej, jag är i närheten och åker dit."

Bublanski reste sig hastigt.

"Förlåt, jag måste avbryta samtalet. Salanders nuvarande förvaltare har just hittats skjuten till döds och hon är nu lyst och anhållen i sin frånvaro för tre mord."

Erika Berger gapade. Mikael Blomkvist såg ut som om han träffats av blixten.

BESÄTTANDET AV LÄGENHETEN på Lundagatan var en taktiskt sett relativt okomplicerad procedur. Hans Faste och Curt Svensson lutade sig mot motorhuven på bilen och avvaktade medan piketstyrkans manskap, försedda med förstärkningsvapen, ockuperade trapphuset och intog gårdshuset.

Efter tio minuter hade piketstyrkan konstaterat vad Faste och Svensson redan visste. Det var ingen som öppnade dörren då någon ringde på.

Hans Faste tittade längs Lundagatan som till stor irritation för passagerare på buss 66 var avspärrad från Zinkensdamm till Högalidskyrkan. En buss hade fastnat innanför avspärrningarna i backen och kom varken framåt eller bakåt. Till sist gick Faste fram och beordrade en uniform att kliva åt sidan och släppa fram bussen. Ett stort antal nyfikna åskådare betraktade tumultet från höjden på övre Lundagatan.

"Det måste finnas ett enklare sätt", sa Faste.

"Enklare än vad då?" undrade Svensson.

"Enklare än att ta in stormtrupperna varje gång ett bus ska gripas nuförtiden."

Curt Svensson avstod från kommentarer.

"Det handlar ju i alla fall om en 150 centimeter lång brud som väger typ 40 kilo", sa Faste.

Det hade beslutats att det inte var nödvändigt att slå in dörren med en slägga. Bublanski anslöt sig medan de väntade på att en låssmed skulle borra upp låset och kliva åt sidan så att trupperna kunde inta lägenheten. Det tog ungefär åtta sekunder att okulärbesiktiga de 45 kvadratmetrarna och konstatera att Lisbeth Salander varken gömde sig under sängen, i badrummet eller i någon garderob. Därefter fick Bublanski klartecken att komma in.

De tre poliserna tittade sig nyfiket omkring i den oklanderligt välstädade och smakfullt möblerade lägenheten. Möblerna var enkla. Köksstolarna var målade i olika ljusa pastellfärger. På väggarna i rummen fanns konstnärliga svartvita fotografier inramade. På den möblerbara platsen i hallen fanns en hylla med cd-spelare och en stor skivsamling. Bublanski konstaterade att den bestod av allt från hårdrock till opera. Allting såg arty ut. Dekorativt. Smakfullt.

Curt Svensson undersökte köket och hittade ingenting anmärkningsvärt. Han bläddrade igenom en hög med tidningar och kontrollerade diskbänk, köksskåp och frysfacket i kylskåpet.

Faste öppnade garderober och byrålådor i sovrummet. Han visslade till då han hittade handbojor och en del sexleksaker. I en garderob hittade han en uppsättning latexkläder av det slag som hans mamma skulle ha blivit generad över att ens titta på.

"Här har det varit fest", sa han högt och höll upp en lackklänning som enligt en etikett var designad av "Domino Fashion" – vad det nu var för någonting.

Bublanski tittade på byrån i hallen där han upptäckte en liten hög oöppnade brev adresserade till Lisbeth Salander. Han bläddrade igenom bunten och konstaterade att det var räkningar och bankutdrag samt ett enda personligt brev. Det var från Mikael Blomkvist. Så långt stämde alltså Blomkvists historia. Därefter böjde han sig ned och plockade upp posten med fotavtryck från piketstyrkan nedanför brevinkastet. Posten bestod av tidningen *Thai Pro Boxing*, gratistidningen *Södermalmsnytt* och tre kuvert, samtliga adresserade till Miriam Wu.

Bublanski slogs av en obehaglig misstanke. Han gick in i badrummet och öppnade badrumsskåpet. Han hittade en kartong med

Alvedon och en halvfull tub med Citodon. Citodon var receptbelagt. Medicinen var utställd på en Miriam Wu. Det fanns en tandborste i badrumsskåpet.

"Faste, varför står det Salander-Wu på dörren?" frågade han.

"Ingen aning", svarade Faste.

"Okej, om jag frågar så här – varför ligger det post på hallgolvet adresserad till en Miriam Wu och varför finns det en receptbelagd tub Citodon i badrumsskåpet utställd på Miriam Wu? Varför finns det bara en tandborste? Och varför – när man betänker att Lisbeth Salander enligt uppgift är en tvärhand hög – tycks de där skinnbyxorna du just håller upp passa på en person som är åtminstone 175 centimeter lång?"

Det uppstod en kort förlägen tystnad i lägenheten. Curt Svensson bröt den.

"Skit", sa han.

KAPITEL 15
SKÄRTORSDAG 24 MARS

CHRISTER MALM KÄNDE sig trött och miserabel då han äntligen kom hem efter den oplanerade arbetsdagen. Han kände doften av något kryddstarkt från köket och gick in och kramade om sin pojkvän.

"Hur mår du?" frågade Arnold Magnusson.

"Som en påse skit", sa Christer.

"Jag har hört om det på nyheterna hela dagen. De har inte släppt namnen. Men det låter för jävligt."

"Det är för jävligt. Dag jobbade åt oss. Han var en vän och jag tyckte väldigt bra om honom. Jag kände inte hans flickvän Mia, men det gjorde både Micke och Erika."

Christer såg sig omkring i köket. De hade köpt lägenheten på Allhelgonagatan och flyttat in bara tre månader tidigare. Helt plötsligt kändes det som en främmande värld.

Telefonen ringde. Christer och Arnold tittade på varandra och beslutade sig för att ignorera samtalet. Sedan gick telefonsvararen igång och de hörde en välbekant stämma.

"Christer. Är du där? Lyft luren."

Det var Erika Berger som ringde för att uppdatera Christer om att polisen nu jagade Mikael Blomkvists förra researcher för morden på Dag och Mia.

Christer mottog nyheten med en känsla av overklighet.

HENRY CORTEZ HADE helt missat kalabaliken på Lundagatan av den enkla orsaken att han hela tiden befunnit sig utanför polisens presscenter på Kungsholmen och därmed i praktiken i informations-skugga. Inget nytt hade framkommit sedan den hastiga presskonfe-rensen tidigare på eftermiddagen. Han var trött, hungrig och irrite-rad över att hela tiden avvisas av de personer han försökte få kon-takt med. Först vid sextiden, då räden mot Lisbeth Salanders lägen-het redan var över, snappade han upp ett rykte om att polisen hade en misstänkt i spaningarna. Snöpligt nog kom informationen från en kollega i kvällspressen som hade tätare kontakt med sin hemma-redaktion. Kort därefter lyckades Henry äntligen klura ut åklagare Richard Ekströms privata mobilnummer. Han presenterade sig och ställde de relevanta frågorna om vem, hur och varför.

"Vilken tidning sa du att du kommer ifrån?" motfrågade Richard Ekström.

"Tidskriften *Millennium*. Jag var bekant med ett av mordoffren. Enligt en källa spanar polisen efter en specifik person. Vad är det som händer?"

"Jag kan inte berätta något just nu."

"När kan du göra det?"

"Vi kommer kanske att hålla ytterligare en presskonferens senare i kväll."

Åklagare Richard Ekström lät svävande. Henry Cortez drog i guldringen i sin örsnibb.

"Presskonferenser är till för nyhetsjournalister som går i tryck omedelbart. Jag jobbar på en månadstidning och vi har ett person-ligt intresse att få veta vad som händer."

"Jag kan inte hjälpa dig. Du får ge dig till tåls som alla andra."

"Enligt mina källor är det en kvinna som efterspanas. Vem är hon?"

"Jag kan inte uttala mig just nu."

"Kan du dementera att det är en kvinna som efterspanas?"

"Nej, jag menar att jag kan inte uttala mig ..."

KRIMINALINSPEKTÖR JERKER HOLMBERG stod på tröskeln till sovrummet och betraktade eftertänksamt den väldiga blodpölen på golvet där Mia Bergman hade återfunnits. När han vred på huvudet kunde han från dörröppningen se en motsvarande blodpöl där Dag Svensson hade legat. Han reflekterade över den omfattande blodsutgjutelsen. Det var väsentligt mer blod än han var van att skottskador gav upphov till, vilket antydde att den ammunition som använts hade orsakat fruktansvärda skador, vilket i sin tur antydde att kommissarie Mårtensson hade haft rätt i sitt antagande att mördaren använt jaktammunition. Blodet hade koagulerat i en svart och rostbrun massa som täckte så stora delar av golvytan att ambulanspersonal och tekniska roteln ofrånkomligen hade tvingats kliva i det och därmed fortplantat spåren genom lägenheten. Holmberg hade gymnastikskor med blå plastöverdrag.

Det var i det ögonblicket som den verkliga brottsplatsundersökningen enligt hans åsikt inleddes. Kvarlevorna efter de två offren hade burits ut från lägenheten. Jerker Holmberg var ensam kvar sedan två kvarvarande tekniker hade sagt godkväll och avlägsnat sig. De hade fotograferat offren och mätt blodstänk på väggar och konfererat om *splatter distribution areas* och *droplet velocity*. Holmberg visste vad orden betydde men hade bara ägnat den tekniska undersökningen förstrött intresse. Kriminalteknikernas arbete skulle utmynna i en omfattande rapport som i detalj skulle avslöja var mördaren stått placerad i förhållande till sina offer, på vilket avstånd han befunnit sig, i vilken ordning skotten fallit och vilka fingeravtryck som kunde vara av intresse. Men för Jerker Holmberg var det ointressant. Den tekniska undersökningen skulle inte innehålla en enda stavelse om vem mördaren var eller vilket motiv han eller hon – nu var det ju en kvinna som var huvudmisstänkt – hade haft för att utföra morden. Det var de frågor som han hade i uppgift att försöka besvara.

Jerker Holmberg gick in i sovrummet. Han placerade en sliten portfölj på en stol och plockade fram en fickbandspelare, en digitalkamera och ett anteckningsblock.

Han började med att öppna lådorna i en byrå bakom sovrumsdörren. De två översta lådorna innehöll underkläder, jumprar och ett smyckeskrin som uppenbarligen hade tillhört Mia Bergman. Han sorterade varje föremål på sängen och undersökte smyckeskrinet noga men kunde konstatera att det inte innehöll något av större värde. I den understa byrålådan hittade han två fotoalbum och två pärmar med hushållsekonomi. Han knäppte på bandspelaren.

"Beslagsprotokoll från Björneborgsvägen 8B. Sovrum, understa byrålådan. Två inbundna fotoalbum i A4-format. En pärm med svart rygg märkt hushåll och en pärm med blå rygg märkt köpehandlingar innehållande uppgifter om lån och amorteringar för lägenhet. En liten kartong innehållande handskrivna brev, vykort och personliga föremål."

Han bar ut föremålen till hallen och placerade dessa i en kappsäck. Han fortsatte med lådorna i borden på vardera sidan av dubbelsängen men hittade inget av intresse. Han öppnade garderoberna och sorterade kläder och kände efter i varje ficka och i skorna om det fanns något bortglömt eller undangömt föremål och vände därefter sitt intresse till hyllorna längst upp i garderoberna. Han öppnade kartonger och små förvaringsboxar. Med jämna mellanrum hittade han papper eller föremål som han av olika anledningar inkluderade i beslagsprotokollet.

Det stod ett skrivbord inklämt i ett hörn i sovrummet. Det var en mycket liten hemarbetsplats med en stationär dator av märket Compaq och en gammal skärm. Under bordet fanns en rullhurts och vid sidan av skrivbordet en låg golvhylla. Jerker Holmberg visste att det var vid arbetsplatsen han sannolikt skulle göra de viktigaste fynden – i den mån fynd stod att finna – och sparade skrivbordet till sist. Istället gick han ut i vardagsrummet och fortsatte brottsplatsundersökningen. Han öppnade vitrinskåpet och gick noga igenom varje skål, låda och hylla. Därefter vände han blicken till den stora bokhyllan i vinkel mot ytterväggen och väggen mot badrummet. Han tog fram en stol och började uppifrån genom att undersöka om något fanns dolt på taket av bokhyllan. Därefter gick han igenom hylla för hylla genom att snabbt plocka ut travar av böcker och gå igenom dessa och dessutom undersöka om något fanns gömt bakom böckerna. Efter fyrtiofem minuter ställde han tillbaka den sista boken i hyllan. Kvar på vardagsrumsbordet fanns en liten trave med böcker som han av någon orsak hade reagerat på. Han satte på bandspelaren och talade.

"Från hyllan i vardagsrummet. En bok av Mikael Blomkvist, Maffians bankir. *En bok på tyska med titeln* Der Staat und die Autonomen, *en bok på svenska med titeln* Revolutionär terrorism *samt den engelska boken* Islamic Jihad."

Boken av Mikael Blomkvist inkluderade han automatiskt därför att författaren var en person som tidigare dykt upp i förundersökningen. De tre sistnämnda verken kändes mer obskyra. Jerker Holmberg hade ingen aning om huruvida morden på något sätt var relaterade till någon politisk verksamhet – han hade inga uppgifter som tydde på att Dag Svensson och Mia Bergman alls var politiskt engagerade – eller om böckerna enbart var ett uttryck för ett allmänpolitiskt intresse eller till och med hamnat i bokhyllan som en biprodukt av journalistiskt arbete. Däremot konstaterade han att om två döda människor fanns i en lägenhet tillsammans med litteratur om politisk terrorism så fanns orsak att åtminstone notera saken. Följaktligen placerades böckerna i kappsäcken med beslagtagna föremål.

Därefter ägnade han några minuter åt att titta i lådorna i en svårt sliten antik byrå. Ovanpå byrån stod en cd-spelare och lådorna innehöll en stor skivsamling. Jerker Holmberg ägnade trettio minuter åt att öppna varje cd-fodral och fastställa att innehållet överensstämde med skivomslaget. Han hittade ett tiotal skivor som saknade tryck och följaktligen var hembrända eller möjligen piratkopierade; han placerade i tur och ordning de hembrända skivorna i cd-spelaren och konstaterade att de inte innehöll något annat än musik. Han fokuserade en lång stund på TV-hyllan närmast sovrumsdörren som innehöll en stor samling videokassetter. Han provspelade flera kassetter och konstaterade att det tycktes vara allt från inspelade actionfilmer till ett sammelsurium av bandade nyhetssändningar och reportage från *Kalla fakta, Insider* och *Uppdrag granskning.* Han placerade 36 videokassetter i beslagsprotokollet. Därefter gick han ut i köket och öppnade en termos med kaffe och gjorde en kort paus innan han fortsatte undersökningen.

Från en hylla i ett köksskåp samlade han ihop ett antal burkar och flaskor som uppenbarligen utgjorde lägenhetens medicinförråd. Samtliga placerades i en plastpåse som lades i påsarna med beslag. Han plockade ut matvaror från skafferi och kylskåp och öppnade varje burk, kaffepaket och igenkorkad flaska. I en kruka i köksfönstret hittade han 1 220 kronor och kvitton. Han antog att det var någon form av handkassa för matinköp och dagligvaror. Han hittade inget av dramatiskt intresse. I badrummet gjorde han inga beslag. Däremot konstaterade han att tvättkorgen var överfull och sorterade samtliga plagg. I hallgarderoben plockade han fram ytterkläder och gick igenom varje ficka.

Han hittade Dag Svenssons plånbok i innerfickan av en kavaj och lade denna till beslagsprotokollet. Han hade årskort på Friskis & Svettis, ett kontokort i Handelsbanken och inte fullt 400 kronor i kontanter. Han hittade Mia Bergmans handväska och ägnade några minuter åt att sortera innehållet. Hon hade också årskort på Friskis & Svettis, bankomatkort, medlemskort i Konsum och i något som hette Club Horisont och hade en jordglob som logga. Dessutom hade hon drygt 2 500 kronor i kontanter, vilket fick anses som en relativt stor men inte orimlig kontantsumma om de hade varit på väg att ge sig av på helgsemester. Att pengarna återfanns i plånboken minskade dock sannolikheten för att det rörde sig om ett rånmord.

"Från Mia Bergmans handväska placerad på kapphyllan i hallen. En fickalmanacka av typen ProPlan, en separat adressbok och en inbunden svart anteckningsbok."

Holmberg tog ytterligare en kaffepaus och konstaterade att han för ovanlighetens skull (än så länge) inte hittat något pinsamt eller personligt intimt i paret Svensson-Bergmans hem. Det finns inga undansmugna sexhjälpmedel, inga syndiga underkläder eller någon byrålåda med p-rullar. Han hade inte hittat några undanstoppade marijuanacigaretter eller något tecken på brottslig verksamhet. Det tycktes vara ett helt vanligt förortspar, möjligen (ur polisiär synvinkel) något tråkigare än det normala.

Slutligen återvände han till sovrummet och slog sig ned vid arbetsbordet. Han öppnade den översta skrivbordslådan. Under den kommande timmen sorterade han papper. Han konstaterade snabbt att skrivbordet och hyllan innehöll ett omfattande käll- och referensmaterial till Mia Bergmans doktorsavhandling *From Russia with Love*. Materialet var prydligt uppställt precis som en bra polisutredning och han försjönk en stund i vissa avsnitt i texterna. *Mia Bergman hade platsat på roteln*, konstaterade han för sig själv. En sektion i bokhyllan var halvtom och innehöll uppenbarligen material som tillhörde Dag Svensson. Det var huvudsakligen pressklipp av egna artiklar och klipp om ämnen som hade intresserat honom.

Han ägnade en stund åt att gå igenom datorn och konstaterade att den innehöll närmare fem gigabyte, allt från programvaror till brev och nedlagrade artiklar och pdf-filer. Det var med andra ord inget han tänkte läsa under kvällen. Han inkluderade hela datorn och kringströdda cd-skivor samt en zip-drive med ett trettiotal zip-skivor i beslaget.

Därefter satt han i olyckligt grubbel en kort stund. Datorn innehöll så vitt han kunde se Mia Bergmans material. Dag Svensson var journalist och borde ha en dator som viktigaste arbetsredskap, men i bordsdatorn hade han inte ens e-post. Följaktligen hade Dag Svensson en egen dator någonstans. Jerker Holmberg reste sig och gick fundersamt genom lägenheten. I hallen fanns en svart ryggsäck med ett tomt förvaringsfack för dator och några anteckningsblock som tillhörde Dag Svensson. Han kunde inte hitta någon laptop undanstoppad i lägenheten. Han plockade fram nycklarna och gick ned till gården där han undersökte Mia Bergmans bil och därefter ett källarförråd. Ej heller dessa innehöll någon dator.

Det märkliga med hunden var att den inte skällde, min käre Watson.

Han konstaterade att en dator tills vidare verkade saknas i beslagsprotokollet.

BUBLANSKI OCH FASTE träffade åklagare Ekström på hans tjänsterum vid halvsjutiden, omedelbart efter att de återkommit från Lundagatan. Curt Svensson hade efter telefonkontakt skickats till

Stockholms universitet för att höra Mia Bergmans handledare i arbetet med doktorsavhandlingen, Jerker Holmberg var kvar i Enskede och Sonja Modig ansvarade för brottsplatsundersökningen vid Odenplan. Det hade gått drygt tio timmar sedan Bublanski utsetts till spaningsledare och sju timmar sedan jakten på Lisbeth Salander inletts. Bublanski summerade vad som utspelats på Lundagatan.

"Och vem är Miriam Wu?" frågade Ekström.

"Vi vet inte så mycket om henne än. Hon finns inte i kriminalregistret. Det blir Hans Fastes uppgift att leta rätt på henne i morgon bitti."

"Men Salander finns inte på Lundagatan?"

"Så vitt vi kan se finns inget som tyder på att hon är bosatt där. Om inte annat så är samtliga kläder i garderoben i fel storlek för henne."

"Och vilka kläder sedan", sa Hans Faste.

"Hurså?" undrade Ekström.

"Det är inga kläder som du ger bort på Mors dag."

"Vi vet inget om Miriam Wu i nuläget", sa Bublanski.

"Va fan, hur mycket behöver vi veta? Hon har en garderob med horuniformer."

"Horuniformer?" undrade Ekström.

"Alltså läder och lack och korsetter och fetischistprylar och sexleksaker i en byrålåda. Det verkar inte vara billigt krafs heller."

"Du menar att Miriam Wu är prostituerad?"

"Vi vet inget om Miriam Wu i nuläget", upprepade Bublanski lite tydligare.

"Socialtjänstens utredning för några år sedan antydde att Lisbeth Salander fanns i horsvängen", sa Ekström.

"Socialtjänsten brukar veta vad de pratar om", sa Faste.

"Socialtjänstens rapport bygger inte på några anhållanden eller utredningar", sa Bublanski. "Salander blev avvisiterad i Tantolunden då hon var 16–17 år och befann sig i sällskap med en väsentligt äldre man. Samma år plockades hon in för fylleri. Även då i sällskap med en väsentligt äldre man."

"Du menar att vi inte ska dra för snabba slutsatser", sa Ekström.

"Okej. Men det slår mig att Mia Bergmans avhandling handlade om trafficking och prostitution. Det finns alltså en möjlighet att hon i sitt arbete fått kontakt med Salander och den här Miriam Wu och på något sätt provocerat dem, och att det på något sätt kan utgöra motiv för mord."

"Bergman kanske tog kontakt med hennes förvaltare och drog igång någon karusell", sa Faste.

"Det är möjligt", sa Bublanski. "Men det får utredningen klargöra. Det viktiga nu är att vi hittar Lisbeth Salander. Hon är uppenbarligen inte bosatt på Lundagatan. Det betyder att vi också måste hitta Miriam Wu och fråga henne hur hon hamnade i den lägenheten och vad hon har för relation till Salander."

"Och hur hittar vi Salander?"

"Hon finns där ute någonstans. Problemet är att den enda adress hon någonsin bott på är Lundagatan. Det finns ingen adressändring."

"Du glömmer att hon också varit intagen på S:t Stefans och bott hos olika fosterföräldrar."

"Jag glömmer inte." Bublanski kontrollerade sina papper. "Hon hade tre olika fosterfamiljer då hon var 15 år. Det gick inte så bra. Från det att hon skulle fylla 16 till dess att hon var 18 bodde hon hos ett par i Hägersten. Fredrik och Monika Gullberg. Curt Svensson kommer att besöka dem i kväll då han är klar med handledaren på universitetet."

"Hur gör vi med presskonferensen?" undrade Faste.

KLOCKAN SJU PÅ kvällen rådde en dunkel stämning på Erika Bergers rum. Mikael Blomkvist hade suttit helt tyst och nästan orörlig sedan kriminalinspektör Bublanski lämnat dem. Malin Eriksson hade cyklat till Lundagatan och bevakat insatsstyrkans tillslag. Hon hade återkommit med en rapport om att ingen tycktes ha gripits och att trafiken åter hade släppts fram. Henry Cortez hade ringt in och larmat om att han hade snappat upp att polisen nu spanade efter en ännu inte namngiven kvinna. Erika hade upplyst honom om vilken kvinna det handlade om.

Erika och Malin hade försökt diskutera vad som måste göras utan att komma fram till något vettigt. Situationen komplicerades av att Mikael och Erika kände till vilken roll Lisbeth Salander hade spelat i Wennerströmaffären – hon hade i egenskap av hacker på elitnivå varit Mikaels hemliga källa. Malin Eriksson hade ingen kännedom om detta och hade inte ens hört namnet Lisbeth Salander tidigare. Varför samtalet stundom innehöll kryptiska tystnader.

"Jag går hem", sa Mikael Blomkvist och reste sig plötsligt. "Jag är så trött att jag inte längre kan tänka. Jag måste sova."

Han tittade på Malin.

"Vi har mycket att göra framöver. I morgon är det långfredag och då tänker jag bara sova och sortera papper. Malin, kan du jobba i påsk?"

"Har jag något val?"

"Nej. Vi börjar på lördag klockan tolv. Vad sägs om att vi sitter hemma hos mig istället för på redaktionen."

"Okej."

"Jag tänker omformulera arbetsbeskrivningen vi beslutade om i morse. Nu handlar det inte längre om att enbart försöka utröna om Dag Svenssons avslöjande hade något med mordet att göra. Nu handlar det om att ta reda på vem som mördade Dag och Mia."

Malin undrade hur de skulle kunna åstadkomma något sådant, men sa ingenting. Mikael vinkade adjö till Malin och Erika och försvann utan någon ytterligare kommentar.

KVART ÖVER SJU gick spaningsledare Bublanski motvilligt efter förundersökningsledare Ekström upp på podiet i polisens presscenter. Presskonferensen hade aviserats till klockan sju men var drygt femton minuter försenad. Till skillnad från Ekström var Bublanski helt ointresserad av att stå i rampljuset framför ett dussin TV-kameror. Han kände sig närmast panikslagen av att befinna sig i fokus för den sortens uppmärksamhet och han skulle aldrig vänja sig eller börja tycka om att se sig själv i TV.

Ekström å andra sidan rörde sig hemtamt, justerade glasögonen och satte på sig en klädsamt allvarlig min. Han lät pressfotograferna smattra en stund innan han höjde händerna och bad om ordning i salen. Han pratade som om han hade ett manuskript.

"Hjärtligt välkomna till denna lite hastigt tillkomna presskonferens med anledning av morden i Enskede sent i går kväll och av att vi har ytterligare information att delge er. Mitt namn är åklagare Richard Ekström och det här är kriminalinspektör Jan Bublanski vid Länskriminalens våldsrotel som leder spaningsarbetet. Jag har ett meddelande som jag kommer att läsa upp och därefter kommer det att finnas möjlighet att ställa frågor."

Ekström tystnade och betraktade den del av presskåren som hade anslutit sig med mindre än trettio minuters varsel. Morden i Enskede var en stor nyhet och på väg att bli ännu större. Han konstaterade förnöjt att såväl *Aktuellt* och *Rapport* som TV4 var närvarande, och kände igen reportrar från TT och kvälls- och morgontidningar. Dessutom såg han ett stort antal reportrar han inte kände igen. Sammanlagt fanns minst tjugofem journalister i salen.

"Som ni känner till hittades två personer brutalt mördade i Enskede strax före midnatt i går kväll. Vid brottsplatsundersökningen återfanns även ett vapen, en Colt 45 Magnum. Statens kriminaltekniska laboratorium har under dagen fastställt att detta är mordvapnet. Ägaren till vapnet är känd och har under dagen eftersökts."

Ekström gjorde en konstpaus.

"Vid 17-tiden i kväll återfanns vapnets ägare död i sin bostad i närheten av Odenplan. Han har blivit skjuten och tros ha varit död vid tiden för dubbelmordet i Enskede. Polisen" – Ekström vände handen åt Bublanskis håll – "tror på goda grunder att det handlar om en och samma gärningsman som följaktligen efterspanas för tre mord."

Ett mummel utbröt bland de närvarande reportrarna då flera med låg röst samtidigt började tala i sina mobiltelefoner. Ekström höjde rösten en aning.

"Finns det någon misstänkt?" ropade en reporter från radion.

"Om du inte avbryter min framställan så kommer vi till den saken. Det finns i kväll en namngiven person som polisen vill höra med anledning av dessa tre mord."

"Vem är han?"

"Det är ingen han utan en hon. Polisen söker en 26-årig kvinna som har anknytning till vapnets ägare och som vi vet har befunnit sig på mordplatsen i Enskede."

Bublanski drog ihop ögonbrynen och såg sammanbiten ut. De hade nu kommit till den punkt på dagordningen där han och Ekström hade varit oense, nämligen frågan huruvida spaningsledningen skulle namnge den person som de misstänkte var en trippelmördare. Bublanski hade velat vila på hanen. Ekström var av åsikten att det inte gick att avvakta.

Ekströms argument var oantastliga. Polisen sökte en känd psykiskt sjuk kvinna som på goda grunder misstänktes för tre mord. Under dagen hade först länslarm och därefter rikslarm gått ut. Ekström hävdade att Lisbeth Salander måste betraktas som farlig och att det därför fanns ett stort allmänintresse av att hon så fort som möjligt omhändertogs.

Bublanskis argument hade varit vagare. Han menade att det fanns orsak att åtminstone avvakta den tekniska undersökningen från advokat Bjurmans lägenhet innan spaningsledningen entydigt band sig vid ett alternativ.

Ekströms argument var att Lisbeth Salander enligt all tillgänglig dokumentation var en psykiskt sjuk och våldsbenägen kvinna och att något uppenbarligen hade utlöst ett mordraseri. Det fanns inga garantier för att våldsdåden skulle upphöra.

"Vad gör vi om hon under det kommande dygnet går in i en ny lägenhet och skjuter ytterligare ett par personer?" hade Ekström frågat retoriskt.

På detta hade Bublanski inte haft något bra svar och Ekström hade konstaterat att det fanns gott om precedensfall. När trippelmördaren Juha Valjakkala från Åmsele hade jagats land och rike runt hade polisen gått ut med en offentlig efterlysning med namn och bild just av den orsaken att han betraktades som en fara för allmänheten. Samma argument kunde framföras om Lisbeth Salander, och följaktligen hade Ekström beslutat att hon skulle namnges.

Ekström höll upp en hand för att avbryta sorlet bland de närvarande reportrarna. Avslöjandet att en kvinna efterspanades för trippelmord skulle slå ned som en bomb. Han indikerade att Bublanski skulle börja prata. Bublanski harklade sig två gånger, rättade till sina glasögon och stirrade stint ned på papperet med de överenskomna formuleringarna.

"Polisen söker en 26-årig kvinna vid namn Lisbeth Salander. En bild från passregistret kommer att distribueras. Vi har för närvarande ingen kännedom om var hon befinner sig, men vi tror att hon kan finnas i Stockholmstrakten. Polisen vill ha allmänhetens hjälp att så fort som möjligt hitta den här kvinnan. Lisbeth Salander är 150 centimeter lång och har en smal kroppsbyggnad."

Han tog ett djupt och nervöst andetag. Han svettades och kände att han var blöt under armarna.

"Lisbeth Salander har tidigare vårdats vid en psykiatrisk klinik och anses kunna utgöra en fara för sig själv och för allmänheten. Vi vill understryka att vi i nuläget inte entydigt kan fastslå att hon är mördaren, men att det föreligger sådana omständigheter att vi omedelbart vill höra henne om vilken kännedom hon har om morden i Enskede och vid Odenplan."

"Så kan ni väl inte ha det", ropade en reporter från en kvällstidning. "Antingen är hon misstänkt för morden eller så är hon inte det."

Bublanski tittade hjälplöst på åklagare Ekström.

"Polisen spanar på bred front och vi tittar naturligtvis på olika scenarion. Men just nu föreligger en viss misstanke gentemot den namngivna kvinnan och polisen anser att det är synnerligen angeläget att kunna omhänderta henne. Misstankarna mot henne bygger på teknisk bevisning som framkommit vid brottsplatsundersökningen."

"Vilken sorts bevisning är det?" kom det omedelbart från golvet.

"Vi kan i nuläget inte gå in på den tekniska bevisningen."

Flera journalister talade i munnen på varandra. Ekström höll upp en hand och pekade sedan på en reporter från *Dagens Eko* som han tidigare haft att göra med och som han uppfattade som balanserad.

"Kriminalinspektör Bublanski sa att hon vårdats på en psykiatrisk klinik. Varför det?"

"Den här kvinnan har haft en ... en problematisk uppväxt och en hel del problem genom åren. Hon står under förvaltarskap och den person som ägde vapnet var hennes förvaltare."

"Vem är han?"

"Det är den person som sköts i sin bostad vid Odenplan. I nuläget vill vi inte namnge honom av hänsyn till att anhöriga ännu inte informerats."

"Vad har hon haft för motiv för morden?"

Bublanski tog mikrofonen.

"I nuläget vill vi inte gå in på någon motivbild."

"Finns hon i polisens register sedan tidigare?"

"Ja."

Därefter kom en fråga från en manlig reporter med tung karaktäristisk röst som hördes över mängden.

"Är hon farlig för allmänheten?"

Ekström tvekade en sekund. Sedan nickade han.

"Vi har den bakgrundsinformationen om henne att hon i trängda lägen kan anses våldsbenägen. Vi går ut med den här efterlysningen av den orsaken att vi mycket snabbt vill få kontakt med henne."

Bublanski bet sig i underläppen.

KRIMINALINSPEKTÖR SONJA MODIG var fortfarande kvar i advokat Bjurmans lägenhet klockan nio på kvällen. Hon hade ringt hem och förklarat läget för sin make. Efter elva års äktenskap hade maken accepterat att hennes arbete aldrig skulle bli en nio till fem-rutin. Hon satt bakom Bjurmans skrivbord i hans arbetsrum och sorterade papper som hon hittat i skrivbordslådorna, då hon hörde en knackning på dörrposten och såg konstapel Bubbla balansera två muggar kaffe och en blå påse med kanelbullar från Pressbyrån. Hon vinkade trött in honom.

"Vad får jag inte röra?" frågade Bublanski automatiskt.

"Teknikerna är klara här inne. De håller fortfarande på med sovrummet och köket. Kroppen är förstås kvar."

Bublanski drog fram en stol och satte sig mitt emot sin kollega. Modig öppnade påsen och tog en kanelbulle.

"Tack. Jag var så kaffesugen att jag höll på att dö."

De mumsade i tystnad.

"Jag hörde att det inte gick så bra på Lundagatan", sa Modig när hon svalde de sista resterna av bullen och slickade sig om fingrarna.

"Det var ingen hemma. Det finns oöppnad post till Salander men någon som heter Miriam Wu bor där. Vi har inte hittat henne än."

"Vem är hon?"

"Vet inte riktigt. Faste jobbar på hennes bakgrund. Hon skrevs in i kontraktet för drygt en månad sedan, men det verkar bara vara en person som bor i lägenheten. Jag tror att Salander har flyttat utan att meddela adressändring."

"Hon har kanske planerat det här."

"Vad? Trippelmord?" Bublanski skakade uppgivet på huvudet. "Vilken jävla soppa det här börjar bli. Ekström envisades med en presskonferens och vi kommer att få ett helvete med media den närmaste tiden. Har du hittat något?"

"Bortsett från Bjurman i sovrummet ... Vi har hittat en tom kartong till en Magnum. Den är på fingeravtryck. Bjurman har en pärm med kopior på månadsrapporter om Salander som han skickat till överförmyndarnämnden. Om man ska tro rapporterna är Salander en ängel av stora mått."

"Inte han också", utbrast Bublanski.

"Inte han också vad då?"

"Ytterligare en beundrare av Lisbeth Salander."

Bublanski summerade vad han fått veta från Dragan Armanskij och Mikael Blomkvist. Sonja Modig lyssnade utan att avbryta. När han tystnade drog hon fingrarna genom håret och gnuggade sig i ögonen.

"Det låter helt befängt", sa hon.

Bublanski nickade eftertänksamt och drog sig i underläppen. Sonja Modig sneglade på honom och undertryckte ett leende. Han hade ett grovt mejslat ansikte som såg nästan brutalt ut. Men när han var konfunderad eller osäker på någonting fick han ett trumpet drag. Det var i sådana ögonblick hon tänkte på honom som konstapel Bubbla. Hon hade aldrig använt öknamnet och visste inte riktigt hur det hade uppstått. Men det passade förträffligt bra.

"Okej", sa hon. "Hur säkra är vi?"

"Åklagaren verkar säker. Det har gått ut rikslarm på Salander i kväll", sa Bublanski. "Hon har tillbringat det senaste året utomlands och det är möjligt att hon försöker smita ut ur landet."

"Hur säkra är vi?"

Han ryckte på axlarna.

"Vi har gripit folk med betydligt mindre på fötterna", svarade han.

"Hennes fingeravtryck finns på mordvapnet i Enskede. Hennes förvaltare är också mördad. Utan att gå händelserna i förväg så gissar jag att det är samma vapen som användes därinne. Vi får veta i morgon – teknikerna har hittat ett tämligen väl bibehållet kulfragment i sängbottnen.

"Bra."

"Det finns några patroner till revolvern i nedersta skrivbordslådan. Kula med en urankärna och guldspets."

"Okej."

"Vi har en tämligen omfattande dokumentation på att Salander är tokig. Bjurman var hennes förvaltare och ägde vapnet."

"Mmm ...", sa konstapel Bubbla trumpet.

"Vi har en länk mellan Salander och paret i Enskede genom Mikael Blomkvist."

"Mmm ...", upprepade han.

"Du verkar tveksam."

"Jag får inte ihop bilden av Salander. Dokumentationen säger en sak och både Armanskij och Blomkvist säger något annat. Enligt dokumentationen är hon en närmast utvecklingsstörd psykopat. Enligt deras utsagor är hon en kompetent researcher. Det är en väldigt stor diskrepans mellan versionerna. Vi har inget motiv vad gäller Bjurman och inte ens en bekräftelse på att hon kände paret i Enskede."

"Hur mycket motiv behöver en psykotisk dårfink?"

"Jag har inte varit i sovrummet än. Hur ser det ut?"

"Jag hittade Bjurman framstupa mot sängen, med knäna på golvet som om han ställt sig för att be aftonbön. Han är naken. Skjuten i nacken."

"Ett skott? Precis som i Enskede."

"Så vitt jag kunde se var det bara ett skott. Men det verkar som om Salander, om det nu är hon som gjort det, har tvingat ned honom på knä framför sängen innan hon avlossat skottet. Kulan har gått snett uppifrån in i bakhuvudet och ut genom ansiktet."

"Nackskott. Ungefär som en avrättning alltså."

"Precis."

"Jag tänkte … någon borde ha hört skottet."

"Hans sovrum vetter mot bakgården och grannarna både ovanför och nedanför är bortresta över påsken. Fönstret var stängt. Dessutom har hon använt en kudde som ljuddämpare."

"Det var väldigt förslaget."

I samma ögonblick stack Gunnar Samuelsson från rättstekniska in huvudet genom dörröppningen.

"Hej Bubbla", hälsade han och vände sig till hans kollega. "Modig, vi tänkte flytta kroppen och har vänt honom. Det är någonting som du borde titta på."

De följde efter till sovrummet. Nils Bjurmans kvarlevor hade placerats på rygg på en rullbår, den första hållplatsen på färden till patologen. Ingen betvivlade vad dödsorsaken var. Hans panna var ett massivt decimeterbrett köttsår med en stor del av pannbenet hängande i en hudflik. Stänkmönstret över sängen och väggen talade sitt tydliga språk.

Bublanski putade trumpet med läpparna.

"Vad ska vi titta på?" frågade Modig.

Gunnar Samuelsson lyfte svepningen och blottade Bjurmans underliv. Bublanski satte på sig glasögon när han och Modig klev närmare och läste den tatuerade texten på Bjurmans mage. Bokstäverna var klumpiga och ojämna – det var uppenbart att den som gjort texten inte var någon van tatuerare. Men budskapet framgick med all önskvärd tydlighet: JAG ÄR ETT SADISTISKT SVIN, ETT KRÄK OCH EN VÅLDTÄKTSMAN.

Modig och Bublanski tittade häpet på varandra.

"Ser vi möjligen en antydan till ett motiv?" undrade Modig till sist.

MIKAEL BLOMKVIST KÖPTE fyra hekto pasta från 7-Eleven på vägen hem och ställde in pappkartongen i mikron medan han klädde av sig och ställde sig under duschen i tre minuter. Han hämtade en gaffel och åt stående direkt ur kartongen. Han var hungrig men saknade helt matlust och ville bara trycka i sig maten så fort som möjligt. När han var färdig öppnade han en Vestfyn folköl som han drack direkt ur flaskan.

Utan att först tända någon lampa ställde han sig vid fönstret med utsikt mot Gamla stan och stod stilla i över tjugo minuter medan han försökte låta bli att tänka.

Precis ett dygn tidigare hade han fortfarande befunnit sig på fest hos sin syster då Dag Svensson hade ringt på hans mobil. Då hade både Dag och Mia fortfarande varit vid liv.

Han hade inte sovit på trettiosex timmar och den tid då han ostraffat kunde hoppa över sömnen ett dygn var förbi. Han visste också att han inte skulle kunna somna utan att tänka på vad han hade sett. Det kändes som om bilderna från Enskede för alltid var ingraverade på hans näthinna.

Till sist stängde han av mobilen och kröp ned under täcket. Klockan elva hade han fortfarande inte somnat. Han klev upp och bryggde kaffe. Han satte på cd-spelaren och lyssnade på Debbie Harry som sjöng om Maria. Han svepte in sig i en filt och satte sig i vardagsrumssoffan och drack kaffe medan han grubblade på Lisbeth Salander.

Vad visste han egentligen om henne? Knappt någonting alls.

Han visste att hon hade fotografiskt minne och att hon var en jävel till hacker. Han visste att hon var en udda och inbunden kvinna som inte gärna pratade om sig själv och att hon helt saknade förtroende för myndigheter.

Han visste att hon kunde vara brutalt våldsam. Det var därför han fortfarande befann sig i livet.

Men han hade inte haft en aning om att hon var omyndigförklarad och stod under förvaltarskap och hade tillbringat en del av tonåren på psyket.

Han måste välja sida.

Någon gång efter midnatt beslutade han sig för att han helt enkelt inte ville tro på polisens slutsats att Lisbeth hade mördat Dag och Mia. Han var i alla fall skyldig henne en chans att förklara sig innan han dömde henne.

Han hade ingen aning om när han äntligen somnade, men halv fem på morgonen vaknade han i soffan. Han stapplade bort till sängen och somnade omedelbart om.

KAPITEL 16
LÅNGFREDAG 25 MARS-PÅSKAFTON 26 MARS

MALIN ERIKSSON LUTADE sig tillbaka i Mikael Blomkvists soffa. Hon lade obetänksamt upp fötterna på soffbordet – precis som hon skulle ha gjort hemma – och tog omedelbart ned dem igen. Mikael Blomkvist log vänligt.

"Det är okej", sa han. "Koppla av och känn dig som hemma."

Hon log tillbaka och lade upp fötterna igen.

Under långfredagen hade Mikael forslat alla kopior av Dag Svenssons kvarlåtenskap från *Millenniums* redaktion till sin lägenhet. Han hade sorterat materialet på golvet i vardagsrummet. Under påskaftonen hade han och Malin ägnat åtta timmar åt att nagelfara e-post, anteckningar, klotter i anteckningsblock och framför allt texterna i den kommande boken.

På morgonen hade Mikael fått besök av sin syster Annika Giannini. Hon hade haft med sig kvällstidningarna med krigsrubriker och Lisbeth Salanders passfoto i maxiformat på omslaget. Den ena tidningen höll sig till sakfrågan.

JAGAD FÖR
TRIPPEL
MORD

Den andra tidningen hade spetsat rubriken.

Polisen jagar
PSYKOTISK
MASS
MÖRDARE

De hade pratat i en timme medan Mikael förklarat sin relation till Lisbeth Salander och varför han tvivlade på att hon var skyldig. Slutligen hade han frågat sin syster om hon kunde tänka sig att representera Lisbeth Salander om hon greps.

"Jag har representerat kvinnor i olika våldtäkts- och misshandelsmål, men jag är inte i första hand brottmålsadvokat", svarade Annika.

"Du är den klyftigaste advokat jag känner och Lisbeth kommer att behöva någon som hon kan lita på. Jag tror att hon kommer att acceptera dig."

Annika Giannini funderade en stund innan hon med tvekan sa att hon kunde ta en diskussion med Lisbeth Salander om det blev aktuellt.

Klockan ett på påskaftons eftermiddag hade kriminalinspektör Sonja Modig ringt och bett att omgående få komma över och hämta Lisbeth Salanders axelväska. Polisen hade uppenbarligen öppnat och läst hans brev till Lisbeths adress på Lundagatan.

Modig kom redan tjugo minuter senare och Mikael bad henne att slå sig ned med Malin Eriksson vid matbordet i vardagsrummet. Han gick in i köket och hämtade Lisbeths väska som han hade ställt på en hylla intill mikron. Han tvekade en kort stund och öppnade därefter väskan och plockade ut hammaren och tårgaspatronen. *Undanhållande av bevismaterial.* Tårgaspatronen klassades som olaga vapen och skulle rendera ett straff. Hammaren skulle tveklöst ge upphov till vissa associationer om Lisbeths våldsamma läggning. Det behövdes inte, ansåg Mikael.

Han bjöd Sonja Modig på kaffe.

"Får jag ställa några frågor?" undrade kriminalinspektören.

"Var så god."

"I ditt brev till Salander som vi hittade på Lundagatan skriver du att du står i skuld till henne. Vad syftar du på där?"

"Att Lisbeth Salander gjort mig en stor tjänst."

"Vad handlade det om?"

"En tjänst av rent privat karaktär som jag inte tänker berätta om."

Sonja Modig betraktade honom uppmärksamt.

"Det här är faktiskt en mordutredning."

"Och jag hoppas att ni så snart som möjligt griper det svin som mördat Dag och Mia."

"Du tror inte att Salander är skyldig?"

"Nej."

"Vem tror du i så fall sköt dina vänner?"

"Jag vet inte. Men Dag Svensson tänkte hänga ut ett stort antal människor som hade väldigt mycket att förlora. Någon av dem kan vara den skyldige."

"Och varför skulle en sådan person skjuta advokat Nils Bjurman?"

"Det vet jag inte. Än."

Hans blick var trosvisst stadig. Sonja Modig log. Hon kände till att han hade öknamnet *Kalle Blomkvist*. Hon förstod plötsligt varför.

"Men du tänker ta reda på det?"

"Om jag kan. Det kan du hälsa Bublanski."

"Det ska jag göra. Och om Lisbeth Salander hör av sig till dig så hoppas jag att du meddelar oss."

"Jag räknar inte med att hon ska höra av sig och erkänna att hon är skyldig till morden, men om hon gör det ska jag göra allt för att övertala henne att ge upp och gå till polisen. Jag kommer i så fall också att på alla sätt försöka bistå henne – hon kommer att behöva en vän."

"Och om hon säger att hon inte är skyldig?"

"Så hoppas jag att hon kan kasta ljus över vad som hänt."

"Herr Blomkvist, oss emellan och utan att göra stor sak av det hela. Jag hoppas att du inser att Lisbeth Salander måste gripas och att du inte gör något dumt om hon hör av sig. Om du har fel och hon är skyldig så kan det vara förenat med livsfara att inte ta situationen på allvar."

Mikael nickade.

"Jag hoppas att vi inte behöver sätta span på dig. Du är medveten om att det är olagligt att bistå en efterspanad person. I det här fallet kan det bli straff för skyddande av brottsling."

"Och jag hoppas att ni viker några minuter åt att fundera över alternativa gärningsmän."

"Det ska vi. Nästa fråga. Har du någon aning om vad Dag Svensson arbetade på för dator?"

"Han hade en begagnad Mac iBook 500, vit med 14-tumsskärm. Samma utseende som min dator men med en större skärm."

Mikael pekade mot sin burk som stod på vardagsrumsbordet intill.

"Har du någon aning om var den datorn förvaras?"

"Dag brukade bära den i en svart ryggsäck. Jag utgår från att den finns i hans hem."

"Det gör den inte. Kan den finnas på hans arbetsplats?"

"Nej. Jag har gått igenom Dags skrivbord och där finns den inte."

De satt tysta en stund.

"Ska jag dra slutsatsen att Dag Svenssons dator saknas?" frågade Mikael till sist.

MIKAEL OCH MALIN hade identifierat ett försvarligt antal personer som teoretiskt kunde ha motiv att döda Dag Svensson. Varje namn hade förts upp på några stora klotterark som Mikael tejpat upp på vardagsrumsväggen. Namnlistan bestod genomgående av män som antingen var torskar eller hallickar och som figurerade i boken. Klockan åtta på kvällen hade de en lista som omfattade trettiosju namn, varav tjugonio kunde identifieras och åtta enbart figurerade under pseudonymer i Dag Svenssons framställning. Tjugo av de identifierade männen var torskar som vid olika tillfällen utnyttjat någon av tjejerna.

De hade också diskuterat om de skulle kunna trycka Dag Svenssons bok. Det praktiska problemet bestod i att ett stort antal påståenden byggde på den kunskap som Dag eller Mia hade besuttit personligen och som de kunde formulera, men som en skribent med mindre kunskap om ämnet ville verifiera eller sätta sig in i mer ordentligt.

De konstaterade att ungefär åttio procent av det befintliga manuskriptet kunde publiceras utan större problem, men att det skulle fordra en del research för att *Millennium* skulle våga publicera de återstående tjugo procenten. Deras tvekan hade inte att göra med att de betvivlade att innehållet var korrekt, utan berodde uteslutande på att de inte var tillräckligt insatta i ämnet. Om Dag Svensson hade levat skulle de utan tvivel ha kunnat publicera – då hade Dag och Mia kunnat ta itu med och tillbakavisa eventuella invändningar eller kritik.

Mikael tittade ut genom fönstret. Det hade mörknat och regnade. Han frågade om Malin ville ha mer kaffe. Det ville hon inte.

"Okej", sa Malin. "Vi har manuset under kontroll. Men vi har inte hittat något spår efter Dag och Mias mördare."

"Det kan vara något av namnen på väggen", sa Mikael.

"Det kan vara någon som inte har ett dugg med boken att göra. Eller det kan vara din väninna."

"Lisbeth", sa Mikael.

Malin sneglade i smyg på honom. Hon hade arbetat på *Millennium* i arton månader och börjat mitt i det värsta kaoset i samband med Wennerströmaffären. Efter åratal av vikariat och tillfälliga inhopp var arbetet på *Millennium* hennes livs första fasta anställning. Hon trivdes förträffligt. Att arbeta på *Millennium* var status. Hon hade ett nära förhållande till Erika Berger och den övriga personalen, men hade alltid känt sig en smula obekväm i Mikael Blomkvists sällskap. Det fanns ingen tydlig orsak till detta, men av alla medarbetare var Mikael den hon uppfattade som den mest slutne och otillgänglige.

Under det gångna året hade han kommit sent på dagarna och suttit mycket för sig själv på sitt rum eller inne hos Erika Berger. Han hade ofta varit frånvarande och under de första månaderna kändes det som om Malin oftare såg honom i någon TV-soffa än i verkliga livet på redaktionen. Han befann sig ofta på resa eller var till synes upptagen på annat håll. Han inbjöd inte till gemytlig samvaro och av de kommentarer hon snappat upp från andra medarbetare hade Mikael förändrats. Han var tystare och svårare att komma in på livet.

"Om jag ska jobba med att försöka ta reda på varför Dag och Mia sköts måste jag veta mer om Salander. Jag vet inte riktigt i vilken ände jag ska börja, om inte ..."

Hon lät meningen bli hängande i luften. Mikael sneglade på henne. Till sist slog han sig ned i fåtöljen i nittio graders vinkel från henne och lade upp sina fötter bredvid hennes.

"Trivs du på *Millennium*?" frågade han oväntat. "Jag menar, du har jobbat hos oss i ett och ett halvt år nu men jag har sprungit omkring så mycket att vi aldrig riktigt har hunnit bekanta oss med varandra."

"Jag trivs jättebra", sa Malin. "Är ni nöjda med mig?"

Mikael log.

"Erika och jag har gång på gång konstaterat att vi aldrig haft en så kompetent redaktionssekreterare. Vi tycker att du är ett fynd. Och förlåt att jag inte har sagt det tidigare."

Malin log tillfredsställt. Beröm från den store Mikael Blomkvist var i allra högsta grad välkommet.

"Men det var inte det jag egentligen frågade om", sa hon.

"Du undrar över Lisbeth Salanders förhållande till *Millennium*."

"Både du och Erika Berger är väldigt knapphändiga med information."

Mikael nickade och mötte hennes blick. Både han och Erika hade fullt förtroende för Malin Eriksson, men det fanns saker som han inte kunde diskutera med henne.

"Jag håller med dig", sa han. "Om vi ska gräva i morden på Dag och Mia så måste du ha mer information. Jag är en förstahandskälla och dessutom länken mellan henne och Dag och Mia. Sätt igång och ställ frågor så ska jag besvara dem så långt jag kan. Och när jag inte kan svara så säger jag till."

"Varför allt hemlighetsmakeri? Vem är Lisbeth Salander och vad har hon med *Millennium* att göra?"

"Så här är det. För två år sedan anlitade jag Lisbeth Salander som researcher för ett extremt komplicerat jobb. Det är det här som är problemet. Jag kan inte berätta vad Lisbeth gjorde för jobb åt mig. Erika vet vad det handlar om och hon är bunden av tystnadslöfte."

"För två år sedan ... det var innan du knäckte Wennerström. Ska jag utgå från att hon gjorde research i det sammanhanget?"

"Nej, det ska du inte utgå från. Jag kommer varken att bekräfta eller förneka. Men jag kan säga så mycket som att jag anlitade Lisbeth i ett helt annat ärende och att hon gjorde ett makalöst bra jobb."

"Okej, då var du bosatt i Hedestad och levde efter vad jag förstått som en eremit. Och Hedestad var ju inte obemärkt på mediekartan den sommaren. Harriet Vanger återuppstod från de döda och allt det där. Lustigt nog har vi på *Millennium* inte skrivit ett ord om Harriets återuppståndelse."

"Som sagt ... jag säger varken bu eller bä. Du får gissa i all oändlighet och sannolikheten att du träffar rätt skulle jag betrakta som nästan obefintlig." Han log. "Men att vi inte skrivit om Harriet beror på att hon sitter i vår styrelse. Vi låter andra media granska henne. Och vad gäller Lisbeth – tro mig på mitt ord, då jag säger att det hon gjorde för mig inte har någon som helst rimlig bäring på vad som skedde i Enskede. Det finns helt enkelt ingen koppling."

"Okej."

"Låt mig ge dig ett råd. Gissa inte. Dra inga slutsatser. Konstatera bara att hon arbetade för mig och att jag inte kan diskutera vad det handlade om. Låt mig också säga att hon gjorde något annat för mig. Under resans gång räddade hon mitt liv. Bokstavligt talat. Jag står i djup tacksamhetsskuld till henne."

Malin höjde förvånat på ögonbrynen. Det hade hon inte hört ett ord om på *Millennium*.

"Det betyder alltså att du känner henne rätt bra om jag förstår saken rätt."

"Så bra någon alls kan känna Lisbeth Salander, antar jag", svarade Mikael. "Hon är förmodligen den mest slutna människa jag någonsin träffat."

Mikael reste sig plötsligt och sneglade ut i mörkret utanför fönstret.

"Jag vet inte om du vill ha eller inte, men jag tänker hälla upp en vodka lime till mig", sa han till slut.

Malin log.

"Okej. Hellre det än mer kaffe."

DRAGAN ARMANSKIJ ANVÄNDE påskhelgen i stugan på Blidö till att fundera över Lisbeth Salander. Hans barn var vuxna och hade valt att inte tillbringa helgen med föräldrarna. Hans fru sedan tjugofem år, Ritva, hade inga större svårigheter att lägga märke till att han stundom befann sig långt borta. Han försjönk i tyst grubbel och svarade okoncentrerat på tilltal. Varje dag tog han bilen och åkte in till handelsboden och köpte dagstidningarna. Han satt vid verandafönstret och läste artiklarna om jakten på Lisbeth Salander.

Dragan Armanskij var besviken på sig själv. Han var besviken över att han så kapitalt hade missbedömt Lisbeth Salander. Att hon hade psykiska problem hade han varit medveten om i många år. Han var inte främmande för tanken att hon kunde bli våldsam och skada någon som hotade henne. Att hon gett sig på sin förvaltare – som hon utan tvivel borde ha uppfattat som en människa som lade sig i hennes personliga göranden och låtanden – var på en viss intellektuell nivå begripligt. Hon uppfattade försök att styra hennes liv som provocerande och möjligen som fientliga angrepp.

Däremot kunde han för sitt liv inte begripa vad som kunde ha förmått henne att åka ned till Enskede och skjuta ihjäl två personer som enligt alla tillgängliga källor var helt okända för henne.

Dragan Armanskij förväntade sig hela tiden att en länk mellan Salander och paret i Enskede skulle etableras – att någon av dem hade haft att göra med henne eller att någon av dem agerat på ett sådant sätt att hon blivit rasande. Men ingen sådan länk framkom i tidningarna, där det istället spekulerades om att den psykiskt sjuka Lisbeth Salander måste ha drabbats av någon sorts sammanbrott.

Vid två tillfällen ringde han till kriminalinspektör Bublanski och förhörde sig om utvecklingen, men inte heller spaningsledaren kunde förklara någon koppling mellan Salander och Enskede – mer än Mikael Blomkvist. Där stötte utredningen på patrull. Mikael Blomkvist kände både Salander och paret i Enskede, men det fanns inga som helst belägg för att Lisbeth Salander i sin tur kände eller ens hade hört talas om Dag Svensson och Mia Bergman. Följaktligen hade utredningen svårt att få rätsida på händelseförloppet. Om det inte hade varit så att mordvapnet med hennes fingeravtryck och den odiskutabla länken till hennes första offer, advokat Bjurman, hade funnits skulle polisen ha famlat i blindo.

MALIN ERIKSSON GJORDE ett besök i Mikaels badrum och återvände till soffan.

"Så låt oss summera", sa hon. "Uppdraget består i att avgöra om Lisbeth Salander mördat Dag och Mia som polisen påstår. Jag har ingen aning om var vi ska börja."

"Se det som ett grävjobb. Vi ska inte göra någon polisutredning. Däremot ska vi ligga på polisutredningen och lista ut vad de vet. Precis som vilket annat knäck som helst, med den skillnaden att vi inte nödvändigtvis ska publicera allt vi kommer fram till."

"Men om Salander är mördaren måste det finnas en koppling mellan henne och Dag och Mia. Och den enda kopplingen är du."

"Och jag är i det här fallet ingen koppling alls. Jag har inte träffat Lisbeth på över ett år. Jag vet inte ens hur hon skulle ha känt till deras existens."

Mikael tystnade plötsligt. Till skillnad från alla andra kände han till att Lisbeth Salander var en hacker av världsklass. Han insåg plötsligt att hans iBook var fylld med korrespondens med Dag Svensson och olika versioner av Dags bok och dessutom en elektronisk kopia av Mia Bergmans avhandling. Han visste inte om Lisbeth Salander kollat hans dator eller inte, men genom datorn hade hon kunnat lista ut att han kände Dag Svensson.

Problemet var bara att Mikael inte kunde föreställa sig något enda motiv för Lisbeth att för den sakens skull åka ned till Enskede och skjuta Dag och Mia. Tvärtom – det de arbetade med var ett reportage som handlade om våld mot kvinnor och som Lisbeth Salander borde ha uppmuntrat på alla sätt och vis. Om Mikael alls kände henne.

"Du ser ut som om du kom på något", sa Malin.

Mikael hade inte för avsikt att berätta ett ord om Lisbeths talanger i databranschen.

"Nej, jag är bara trött och snurrig i huvudet", svarade han.

"Nu är hon ju inte bara misstänkt för mordet på Dag och Mia utan även på sin förvaltare, och där är kopplingen solklar. Vad vet du om honom?"

"Inte ett dugg. Jag har aldrig hört talas om advokat Bjurman och visste inte ens att hon hade en förvaltare."

"Men sannolikheten att någon annan skulle ha mördat alla tre är ju försvinnande liten. Även om någon mördade Dag och Mia på grund av deras story så finns det inte minsta orsak i världen att döda Lisbeth Salanders förvaltare."

"Jag vet, och jag har grubblat mig fördärvad. Men jag kan tänka mig åtminstone ett scenario där en utomstående skulle kunna mörda både Dag och Mia och Lisbeths förvaltare."

"Hurdå?"

"Låt säga att Dag och Mia mördades på grund av att de rotade i sexhandeln och att Lisbeth på något sätt hade blivit inblandad som tredje part. Om Bjurman var Lisbeths förvaltare så finns ju möjligheten att hon helt enkelt anförtrott sig åt honom och att han därmed blivit ett vittne eller fått kännedom om något som ledde till att också han mördades."

Malin funderade en stund.

"Jag förstår vad du menar", sa hon tveksamt. "Men du har inte minsta belägg för den teorin."

"Nej. Inte alls."

"Vad tror du själv. Är hon skyldig eller inte?"

Mikael funderade en lång stund på svaret.

"Om jag säger så här – är hon kapabel att mörda? Svaret är ja. Lisbeth Salander har en våldsam läggning. Jag har sett henne i aktion när …"

"När hon räddade ditt liv?"

Mikael nickade.

"Jag kan inte berätta vad det handlade om. Men det var en man som tänkte döda mig och som var ytterst nära att lyckas. Hon kom emellan och misshandlade honom grovt med en golfklubba."

"Och inget av detta har du berättat för polisen?"

"Absolut inte. Det är mellan dig och mig."

"Okej."

Han tittade skarpt på henne.

"Malin, jag måste kunna lita på dig i det här sammanhanget."

"Jag kommer inte att berätta något om det vi diskuterar med någon annan. Inte ens Anton. Du är inte bara min chef – jag tycker om dig också och jag tänker inte skada dig."

Mikael nickade.

"Förlåt mig", sa han.

"Sluta be om ursäkt."

Han skrattade och blev sedan allvarlig igen.

"Jag är övertygad om att hade det behövts så skulle hon ha dödat honom för att försvara mig."

"Okej."

"Men samtidigt uppfattar jag henne som helt rationell. Udda, ja, men helt rationell enligt sina egna bevekelsegrunder. Hon använde våld därför att det var nödvändigt, inte därför att hon hade lust. För att döda måste hon ha orsak – hon måste vara extremt hotad och provocerad."

Han tänkte ytterligare en stund. Malin iakttog honom tålmodigt.

"Jag kan inte uttala mig om hennes förvaltare. Jag vet inte ett dugg om honom. Men jag kan helt enkelt inte se henne skjuta Dag och Mia. Jag tror inte på det."

De satt tysta länge. Malin sneglade på klockan och konstaterade att den hade blivit halv tio på kvällen.

"Det är sent. Jag borde gå hem", sa hon.

Mikael nickade.

"Vi har hållit på hela dan. Vi kan grubbla vidare i morgon. Nej, lämna disken, jag tar hand om den."

NATTEN TILL PÅSKDAGEN låg Armanskij sömnlös och lyssnade till Ritvas snusningar. Han fick heller ingen rätsida på dramat. Till sist klev han upp, satte på sig tofflor och morgonrock och gick ut till allrummet. Det var kyligt i luften och han lade på några vedträn i täljstenskaminen, öppnade en lättöl och satte sig och tittade ut i mörkret vid Furusundsleden.

Vad vet jag?

Dragan Armanskij kunde med säkerhet bekräfta att Lisbeth Salander var knäpp och oberäknelig. Därom rådde inget tvivel.

Han visste att något hade hänt vintern 2003 då hon plötsligt slutat arbeta för honom och försvunnit på sitt årslånga sabbatsår utomlands. Han var övertygad om att Mikael Blomkvist på något sätt var inblandad i hennes frånvaro – men Mikael visste heller inte vad som hade hänt.

Hon hade återkommit och besökt honom. Hon hade påstått att hon var "ekonomiskt oberoende", vilket Armanskij hade tolkat som att hon hade pengar nog att klara sig en tid framöver.

Hon hade tillbringat våren med att besöka Holger Palmgren. Hon hade inte tagit kontakt med Blomkvist.

Hon hade skjutit tre människor, varav två var till synes helt obekanta personer för henne.

Det stämmer inte. Det finns ingen logik.

Armanskij tog en klunk av ölen direkt ur flaskan och tände en cigarill. Han hade också dåligt samvete, vilket bidragit till hans olustkänslor under helgen.

Då Bublanski hade besökt honom hade han utan tvekan bistått med så mycket information han kunde så att Lisbeth Salander kunde gripas. Att hon måste gripas hade han inga dubier om – ju snabbare desto bättre. Men han hade dåligt samvete för att han hade så låg uppfattning om henne att han utan minsta ifrågasättande accepterat budskapet om hennes skuld. Armanskij var realist. Om polisen kom och påstod att en människa var misstänkt för mord så var sannolikheten stor att det förhöll sig på det viset. Alltså var Lisbeth Salander skyldig.

Vad polisen dock inte tog hänsyn till var om hon ansett sig ha fog för sitt handlande – om det kunde finnas någon förmildrande omständighet eller åtminstone en rimlig förklaring till hennes bärsärkagång. Polisens uppgift var att gripa och bevisa att hon hade avfyrat skottet – inte att gräva i hennes psyke och förklara exakt varför. De var nöjda om de kunde hitta ett någorlunda rimligt motiv till dåden, men var också i brist på förklaringar beredda att fastställa det hela som ett vansinnesdåd. *Lisbeth Salander gör en Mattias Flink*. Han skakade på huvudet.

Dragan Armanskij gillade inte den förklaringen.

Lisbeth Salander gjorde aldrig någonting mot sin vilja och utan att tänka igenom konsekvenserna.

Speciell – ja. Vansinnig – nej.

Alltså måste det finnas en förklaring, hur obskyr och otillgänglig den än kunde te sig för utomstående.

Någon gång vid tvåtiden på morgonen fattade han ett beslut.

DRAGAN ARMANSKIJ KLEV upp tidigt på söndagsmorgonen efter en natt av oroligt grubbel. Han tassade försiktig ned utan att väcka sin fru, kokade kaffe och gjorde smörgåsar. Därefter plockade han fram sin laptop och började skriva.

Han använde samma rapportformulär som Milton Security använde för personundersökningar. Han fyllde rapporten med så mycket väsentlig basfakta som han kunde komma på om Lisbeth Salanders personlighet.

Vid niotiden kom Ritva ned och hämtade kaffe från bryggaren. Hon undrade vad han gjorde. Han svarade undvikande och fortsatte envist att skriva. Hon kände sin man tillräckligt väl för att inse att han skulle vara förlorad den dagen.

MIKAEL HADE HAFT fel, vilket sannolikt berodde på att det var påskhelg och polishuset var förhållandevis obefolkat. Det dröjde ända till på påskdagens morgon innan massmedia upptäckte att det var han som hade hittat Dag och Mia. Först ut var en reporter från *Aftonbladet* som var gammal bekant till Mikael.

"Hej Blomkvist. Det är Nicklasson."

"Hej Nicklasson", sa Mikael.

"Det var du som hittade paret i Enskede."

Mikael bekräftade att så var fallet.

"Jag har en källa som påstår att de arbetade för *Millennium*."

"Din källa har delvis fel och delvis rätt. Dag Svensson gjorde ett frilansreportage för *Millennium*. Mia Bergman gjorde inte det."

"Åh fan. Det är ju en kanonstory."

"Jag antar det", sa Mikael trött.

"Varför har ni inte gått ut med någonting?"

"Dag Svensson var en god vän och arbetskamrat. Vi tyckte att det var god sed att åtminstone låta hans och Mias släktingar få veta vad som hänt innan vi gick ut med någon story."

Mikael visste att han inte skulle bli citerad på den punkten.

"Okej. Vad jobbade Dag med?"

"En story för *Millenniums* räkning."

"Vad handlade den om?"

"Vad tänker ni på *Aftonbladet* publicera för scoop i morgon?"

"Det var alltså ett scoop."

"Nicklasson, skit på dig."

"Äh, kom igen, Blomman. Tror du att morden hade något att göra med den story som Dag Svensson jobbade med?"

"Om du kallar mig Blomman en gång till så lägger jag på luren och pratar inte mer med dig i år."

"Förlåt då. Tror du att Dag Svensson mördades på grund av sitt arbete som undersökande journalist?"

"Jag har ingen aning om varför Dag mördades."

"Hade storyn han arbetade med något med Lisbeth Salander att göra?"

"Nej. Inte det ringaste."

"Vet du om Dag kände den här galningen Salander?"

"Nej."

"Dag har skrivit väldigt många texter om databrottslighet tidigare. Var det en sådan story han skrev för *Millennium*?"

Du ger dig inte, tänkte Mikael. Han var på vippen att be Nicklasson dra åt skogen när han plötsligt hejdade sig och tvärt satte sig upp i sängen. Han slogs av två parallella tankar. Nicklasson sa ytterligare något.

"Vänta en sekund Nicklasson. Häng kvar. Jag är strax tillbaka."

Mikael reste sig och höll handen över mikrofonen. Han befann sig helt plötsligt på en helt annan planet.

Sedan morden hade Mikael rådbråkat sin hjärna med hur han skulle kunna hitta ett sätt att kontakta Lisbeth Salander. Sannolikheten att hon skulle läsa vad han uttalade sig om var mycket stor, oavsett var hon befann sig. Om han förnekade att han kände henne så skulle hon kunna tolka det som att han hade övergivit henne eller sålt ut henne. Om han försvarade henne så skulle andra tolka det som att Mikael visste mer om morden än han hade berättat. Men om han uttalade sig på rätt sätt så kunde det betyda att Lisbeth fick en impuls att kontakta honom. Tillfället var alldeles för bra för att försittas. Han måste säga något. *Men vad?*

"Förlåt mig, nu är jag tillbaka. Vad sa du?"

"Jag frågade om Dag Svensson skrev om databrottslighet."

"Om du vill ha ett pratminus från mig så kan du få det."

"Kör."

"Du måste citera mig exakt."

"Hur skulle jag annars citera dig?"

"Den frågan vill jag helst inte behöva besvara."

"Vad vill du ha sagt?"

"Jag mailar till dig om femton minuter."

"Va?"

"Kolla din mail om femton minuter", sa Mikael och bröt samtalet.

Han gick bort till sitt skrivbord och startade upp sin iBook och Word. Sedan tänkte han koncentrerat i två minuter innan han började skriva.

[*Millenniums* chefredaktör Erika Berger är djupt skakad över mordet på frilansjournalisten och medarbetaren Dag Svensson. Hon hoppas att morden snabbt klaras upp.

Det var *Millenniums* ansvarige utgivare Mikael Blomkvist som hittade sin kollega och hans flickvän mördade under natten till skärtorsdagen.

– Dag Svensson var en fantastiskt bra journalist och en människa jag tyckte mycket bra om.

– Han hade flera idéer till reportage. Bland annat arbetade han med ett stort reportage om olaga dataintrång, säger Mikael Blomkvist till Aftonbladet.

Varken Mikael Blomkvist eller Erika Berger vill spekulera i vem som är skyldig till morden och vilket motiv som kan ligga bakom.]

Därefter lyfte Mikael sin telefon och ringde Erika Berger.

"Hej Ricky, du har just blivit intervjuad av *Aftonbladet*."

"Jaså."

Han läste snabbt de korta citaten.

"Varför?" frågade Erika.

"Därför att varje ord är helt sant. Dag har jobbat som frilans i tio år och ett av hans specialområden var just datasäkerhet. Jag diskuterade ämnet med honom flera gånger och vi övervägde också att köra en text av honom när vi var klara med storyn om trafficking."

Han var tyst i fem sekunder.

"Känner du till någon mer som är intresserad av frågor om dataintrång?" frågade han.

Erika Berger var tyst i tio sekunder. Sedan insåg hon vad Mikael försökte göra.

"Smart Micke. Riktigt jävla smart. Okej. Kör."

Nicklasson ringde tillbaka inom en minut efter att han fått Mikaels e-post.

"Det där var väl inte mycket till pratminus."

"Det är allt du får, vilket är mer än någon annan tidning får. Antingen kör du hela citatet eller ingenting alls."

SÅ FORT MIKAEL hade skickat sitt mail till Nicklasson satte han sig vid skrivbordet och startade sin iBook. Han funderade en kort stund och skrev därefter ett kort brev.

[Kära Lisbeth,

Jag skriver det här brevet och lämnar det på min hårddisk i förvissning om att du förr eller senare kommer att läsa det. Jag kommer ihåg hur du ockuperade Wennerströms hårddisk för två år sedan och misstänker att du då också passade på att hacka min dator. Vid det här laget är det uppenbart att du inte vill ha med mig att göra. Jag vet ännu inte varför du bröt förbindelsen med mig på det sätt som du gjorde, men jag tänker inte fråga och du behöver inte förklara dig.

Dessvärre, vare sig du vill det eller inte så har de gångna dagarnas händelser fört oss samman på nytt. Polisen påstår att du kallblodigt mördat två människor som jag tyckte väldigt bra om. Att morden var brutala behöver jag inte sväva i tvivel om – det var jag som fann Dag och Mia några minuter efter att de skjutits. Problemet är att jag inte tror att det var du som sköt dem. Åtminstone hoppas jag inte det. Om du, som polisen påstår, är en psykotisk mördare så betyder det att jag antingen totalt missbedömt dig eller att du förändrats dramatiskt under det gångna året. Och om det inte är du som är mördaren så betyder det att polisen jagar fel person.

I det här läget borde jag förmodligen uppmana dig att ge upp och överlämna dig till polisen. Jag misstänker dock att jag talar för döva öron. Men verkligheten är att din situation är ohållbar och förr eller senare kommer du att gripas. När du grips kommer du att behöva en vän. Om du inte vill ha med mig att göra så har jag en syster. Hon heter Annika Giannini och är advokat. Jag har pratat med henne och hon är villig att representera dig om du tar kontakt med henne. Du kan lita på henne.

Från *Millenniums* sida har vi inlett en egen undersökning om varför Dag och Mia mördades. Det jag gör just nu är att sammanställa en lista på de personer som hade goda skäl att tysta Dag Svensson. Jag vet inte om jag är inne på rätt spår men jag kommer att beta av listan person för person.

Mitt problem är att jag inte begriper hur advokat Nils Bjurman kommer in i bilden. Han finns ingenstans i Dags material och jag ser ingen som helst koppling mellan honom och Dag och Mia.

Hjälp mig. Please. Vad är kopplingen?

Mikael.

P.S. Du borde byta passbild. Den gör dig inte rättvisa.]

Han funderade en kort stund och döpte därefter dokumentet till [Till Sally]. Därefter skapade han en mapp som han döpte till <LISBETH SALANDER> och lade den fullt synlig på skrivbordet i sin iBook.

PÅ TISDAGSMORGONEN SAMMANKALLADE Dragan Armanskij ett möte vid det runda konferensbordet på sitt kontor på Milton Security. Han kallade tre personer.

Johan Fräklund, 62 år och tidigare kriminalinspektör vid Solnapolisen, var chef för Miltons operativa enhet. Det var Fräklund som hade det övergripande ansvaret för planläggning och analys. Armanskij hade rekryterat honom från statlig tjänst tio år tidigare och kommit att betrakta Fräklund som en av företagets absolut vassaste tillgångar.

Armanskij kallade också Sonny Bohman, 48, och Niklas Eriksson, 29. Även Bohman var före detta polis. Han hade uppfostrats i Norrmalmspiketen på 1980-talet och flytt till våldsroteln där han hållit i dussintals dramatiska utredningar. Under Lasermannens härjningar i början på 1990-talet hade Bohman varit en av flera nyckelspelare, och 1997 hade han efter viss övertalning och löfte om väsentligt högre lön gått till Miltons.

Niklas Eriksson betraktades som en rookie. Han hade utbildats på Polishögskolan men i allra sista stund innan han skulle ta sin examen fått veta att han hade ett medfött hjärtfel som inte bara fordrade en större operation – det innebar också att Eriksson framtida poliskarriär gick i putten.

Fräklund – som hade varit kollega med Erikssons pappa – hade kommit till Armanskij med förslaget att de skulle ge honom en chans. Eftersom det fanns en tjänst ledig på analysenheten hade Armanskij godkänt rekryteringen. Han hade inte behövt ångra sig. Eriksson hade arbetat på Miltons i fem år. Till skillnad från flertalet andra medarbetare på den operativa avdelningen saknade Eriksson fältvana – däremot framstod han som en skarpsinnig intellektuell tillgång.

"God morgon allesammans, sitt ned, börja läsa", sa Armanskij.

Han delade ut tre foldrar som innehöll ett femtiotal sidor kopierade pressklipp om jakten på Lisbeth Salander samt en tre sidor lång summering av hennes bakgrund. Armanskij hade tillbringat annandag påsk med att skriva ihop personakten. Eriksson var först klar med genomläsningen och lade ifrån sig mappen. Armanskij väntade till dess att även Bohman och Fräklund läst färdigt.

"Jag antar att ingen av herrarna har missat rubrikerna i kvällstidningarna under den gångna helgen", sa Dragan Armanskij.

"Lisbeth Salander", sa Fräklund med dyster stämma.

Sonny Bohman skakade på huvudet.

Niklas Eriksson tittade ut i luften med outgrundlig min och antydan till ett sorgset leende.

Dragan Armanskij betraktade trion med forskande ögon.

"En av våra anställda", sa han. "Hur mycket lärde ni känna henne under åren hon arbetade här?"

"Jag försökte skämta med henne en gång", sa Niklas Eriksson med en antydan till ett leende. "Det gick inte så bra. Jag trodde att hon skulle bita huvudet av mig. Hon var en extrem surkart som jag nog bara växlat tio meningar med allt som allt."

"Hon var rätt egen", medgav Fräklund.

Bohman ryckte på axlarna. "Hon var spritt språngande galen och en ren pest att ha att göra med. Jag visste att hon var knäpp, men inte att hon var så här jävla galen."

Dragan Armanskij nickade.

"Hon gick sina egna vägar", sa han. "Hon var inte lätthanterlig. Men jag anlitade henne därför att hon var den bästa researcher jag någonsin stött på. Hon levererade alltid resultat utöver det vanliga."

"Det där begrep jag aldrig", sa Fräklund. "Jag fattade inte hur hon kunde vara så erbarmligt kompetent och samtidigt så socialt hopplös."

Alla tre nickade.

"Förklaringen finns naturligtvis i hennes psykiska tillstånd", sa Armanskij och petade på en av foldrarna. "Hon var omyndigförklarad."

"Det där hade jag inte en aning om", sa Eriksson. "Jag menar, hon

hade ju inte en skylt på ryggen där det stod att hon var omyndigför-
klarad. Du sa aldrig någonting."

"Nej", erkände Armanskij. "Därför att jag ansåg att hon inte be-
hövde bli mer stigmatiserad än hon redan var. Alla människor måste
få en chans."

"Resultatet av det experimentet såg vi i Enskede", sa Bohman.

"Kanske det", sa Armanskij.

ARMANSKIJ TVEKADE EN stund. Han ville inte avslöja sin svag-
het för Lisbeth Salander inför de tre yrkesmän som nu betraktade
honom med förväntansfulla blickar. De hade haft en ganska neutral
ton under samtalet, men Armanskij visste också att Lisbeth Salander
var djupt avskydd av alla tre, liksom av samtliga övriga anställda på
Milton Security. Han fick inte framstå som svag eller förvirrad. Det
handlade alltså om att lägga fram saken på ett sätt som skapade ett
mått av entusiasm och professionalism.

"Jag har beslutat att för första gången någonsin använda en del
av Miltons resurser till ett rent internt ärende", sa han. "Det får inte
bli någon orimlig utgiftspost i budgeten, men jag tänker frikoppla er
två, Bohman och Eriksson, från era ordinarie uppdrag. Er uppgift,
om jag formulerar mig en smula svepande, är att 'fastställa sanning-
en' om Lisbeth Salander."

Bohman och Eriksson tittade tvivlande på Armanskij.

"Jag vill att du, Fräklund, håller i och leder utredningen. Jag vill
veta vad som hände och vad som förmådde Lisbeth Salander att
mörda sin förvaltare och paret i Enskede. Det måste finnas en rim-
lig förklaring."

"Förlåt, men det här låter som en rent polisiär uppgift", invände
Fräklund.

"Utan tvivel", replikerade Armanskij omedelbart. "Men vi har en
viss fördel i förhållande till polisen. Vi kände Lisbeth Salander och
vi har en inblick i hur hon fungerar."

"Nja", sa Bohman med tvivel i rösten. "Jag tror inte någon här på
firman kände Salander eller har en aning om vad som pågick i hen-
nes lilla huvud."

"Det spelar ingen roll", svarade Armanskij. "Salander arbetade för Milton Security. Jag anser att vi har ett ansvar att fastställa sanningen."

"Salander har inte arbetat för oss på ... vad är det, snart två år", sa Fräklund. "Jag tycker inte att vi har ett så stort ansvar för vad hon hittar på. Och jag tror inte att polisen skulle uppskatta att vi lade oss i en polisutredning."

"Tvärtom", sa Armanskij. Det var hans trumfkort och det gällde att spela ut det väl.

"Hurså?" undrade Bohman.

"I går hade jag ett par långa samtal med förundersökningsledaren, åklagare Ekström, och kriminalinspektör Bublanski som håller i utredningen. Ekström är pressad av situationen. Det här är inte en dussinuppgörelse bland gangsters utan en händelse med enorm mediepotential där en advokat, en kriminolog och en journalist blivit avrättade. Jag förklarade att eftersom den huvudmisstänkte är en före detta anställd på Milton Security så har även vi beslutat att inleda en undersökning i fallet."

Armanskij gjorde en paus innan han fortsatte.

"Ekström och jag är överens om att det viktiga just nu är att Lisbeth Salander grips så snabbt som möjligt innan hon hinner ställa till med någon mer skada för sig själv eller för andra", sa han. "Eftersom vi har bättre personkännedom om henne än polisen så kan vi bidra till utredningen. Jag och Ekström har alltså kommit överens om att ni två – han pekade på Bohman och Eriksson – flyttar över till Kungsholmen och ansluter er till Bublanskis team."

Alla tre tittade förvånade på Armanskij.

"Förlåt en enfaldig fråga ... men vi är civilister numera", sa Bohman. "Tänker polisen släppa in oss i en mordutredning så där utan vidare?"

"Ni jobbar underställda Bublanski, men ni rapporterar också till mig. Ni får full insyn i utredningen. Allt material vi har och som ni hittar går till honom. För polisen innebär det bara att Bublanskis team får förstärkning helt gratis. Och ni är ju inte precis civilister någon av er. Ni, Fräklund och Bohman, har jobbat som poliser i många år innan ni började här och till och med du, Eriksson, har ju gått polisskolan."

"Men det är mot principerna ..."

"Inte alls. Polisen plockar ofta in civila konsulter i olika utredningar. Det kan vara psykologer i sexbrottsutredningar eller tolkar till utredningar där utlänningar är inblandade. Ni ingår helt enkelt som civila konsulter med specialkännedom om den huvudmisstänkte."

Fräklund nickade långsamt.

"Okej. Miltons ansluter sig till polisens utredning och försöker bidra till att Salander grips. Något mer?"

"En sak: ert uppdrag från Miltons sida är att fastställa sanningen. Ingenting annat. Jag vill veta om Salander har skjutit dessa tre människor – och i så fall varför."

"Råder det någon tvekan om att hon är skyldig?" undrade Eriksson.

"De indicier polisen har är mycket besvärande för henne. Men jag vill veta om det finns någon ytterligare dimension i historien – om det finns någon medbrottsling som vi inte känner till och som kanske var den som höll i vapnet eller om det finns några andra omständigheter."

"Jag tror att det blir svårt att hitta förmildrande omständigheter när det gäller ett trippelmord", sa Fräklund. "I så fall måste vi utgå från att det finns en möjlighet att hon är helt oskyldig. Och det tror jag inte på."

"Inte jag heller", erkände Armanskij. "Men ert jobb är att på alla sätt bistå polisen och bidra till att hon så fort som möjligt grips."

"Budget?" undrade Fräklund.

"Löpande. Jag vill bli uppdaterad om vad det här kostar, och blir det orimligt så lägger vi ned. Men ni kan utgå från att ni jobbar på heltid på det här i åtminstone en vecka från och med nu."

Han tvekade återigen en stund.

"Jag är den som känner Salander bäst. Det betyder att ni får betrakta mig som en av aktörerna och att jag bör vara en av de personer som ni förhör", sa han till sist.

SONJA MODIG STRESSADE genom korridoren och hann in i förhörsrummet precis då stolarna hade slutat skrapa. Hon slog sig ned intill Bublanski som hade samlat hela utredningsgruppen inklusive förundersökningsledaren till denna tillställning. Hans Faste gav henne en irriterad blick och skötte därefter introduktionen; det var han som arrangerat mötet.

Han hade fortsatt att gräva i den socialvårdande byråkratins mångåriga sammandrabbningar med Lisbeth Salander, det så kallade "psykopatspåret" som han själv uttryckte det, och hade onekligen hunnit ackumulera ett omfattande material. Hans Faste harklade sig.

"Det här är dr Peter Teleborian, chefsläkare för psykiatriska kliniken på S:t Stefans i Uppsala. Han har haft vänligheten att komma ned till Stockholm för att bistå utredningen med sin kunskap om Lisbeth Salander."

Sonja Modig flyttade blicken till Peter Teleborian. Han var en kortvuxen man med brunt lockigt hår, stålbågade glasögon och ett litet pipskägg. Han var ledigt klädd i en beige manchesterkavaj, jeans och en ljus randig skjorta uppknäppt i halsen. Hans ansikte var skarpt och hans utseende var pojkaktigt. Sonja hade sett Peter Teleborian vid några tillfällen tidigare men aldrig pratat med honom. Han hade föreläst om psykiska störningar då hon gick sista terminen på Polishögskolan och vid ytterligare ett tillfälle i samband med en fortbildningskurs då han pratat om psykopater och psykopatiska beteenden bland ungdomar. Hon hade även suttit som åhörare vid en rättegång mot en serievåldtäktsman då han var inkallad som expertvittne. Efter att i flera år ha deltagit i den offentliga debatten var han en av landets mest kända psykiatriker. Han hade profilerat sig med en hårdför kritik av nedskärningarna i psykvården vilka hade resulterat i att mentalsjukhusen stängts och att människor som befann sig i uppenbar psykisk nöd lämnades vind för våg på gatorna, predestinerade att bli uteliggare och socialfall. Efter mordet på utrikesminister Anna Lindh hade Teleborian suttit som ledamot i den statliga kommission som utredde psykvårdens förfall.

Peter Teleborian nickade till församlingen och hällde upp Ramlösa i en plastmugg.

"Vi får se vad jag kan bidra med", inledde han försiktigt. "Jag avskyr att behöva bli sannspådd i sådana här sammanhang."

"Sannspådd?" frågade Bublanski.

"Ja. Det är ironiskt. Samma kväll som morden i Enskede utfördes satt jag i en debattpanel i TV och diskuterade den tidsinställda bomb som tickar lite varstans i vårt samhälle. Det är förfärligt. Jag hade väl inte Lisbeth Salander i tankarna just då, men jag gav en rad exempel – anonymiserade förstås – på patienter som helt enkelt borde befinna sig på vårdinrättningar istället för att springa omkring lösa på gatorna. Jag skulle gissa att ni inom polisen bara i år kommer att tvingas utreda åtminstone ett halvdussin mord eller dråp där gärningsmannen tillhör just denna numerärt ganska begränsade grupp patienter."

"Och du menar att Lisbeth Salander är en av dessa dårar?" frågade Hans Faste.

"Ordvalet 'dåre' är inte riktigt det vi borde använda. Men, ja, hon tillhör det klientel som samhället har övergett. Hon är utan tvekan en av dessa trasiga individer som jag inte hade släppt ut i samhället om jag hade fått råda."

"Du menar att hon borde ha varit inspärrad innan hon begick ett brott?" frågade Sonja Modig. "Det är inte riktigt förenligt med rättssamhällets principer."

Hans Faste rynkade ögonbrynen och gav henne ett irriterat ögonkast. Sonja Modig undrade varför Faste hela tiden tycktes vända taggarna mot henne.

"Du har helt rätt", svarade Teleborian och kom därmed indirekt till hennes undsättning. "Det är inte förenligt med rättssamhället, åtminstone inte i rättssamhällets nuvarande form. Det är en balansgång mellan respekt för individen och respekt för de potentiella offer som en psykiskt sjuk människa kan lämna efter sig. Inget fall är det andra likt och varje patient måste behandlas från fall till fall. Det är självklart så att vi inom den psykiatriska vården också begår misstag och släpper personer som inte borde befinna sig på gatorna."

"Nu behöver vi kanske inte fördjupa oss i socialpolitik i det här sammanhanget", sa Bublanski försiktigt.

"Du har rätt", instämde Teleborian. "Nu handlar det om ett specifikt fall. Men låt mig bara säga att det är viktigt att ni förstår att Lisbeth Salander är en sjuk människa i behov av vård precis som en patient med tandvärk eller hjärtfel. Hon kan bli frisk och hon hade kunnat vara frisk om hon hade fått den vård hon behövde då hon fortfarande var behandlingsbar."

"Du var alltså hennes läkare", sa Hans Faste.

"Jag är en av många personer som haft med Lisbeth Salander att göra. Hon var min patient i de tidiga tonåren och jag var en av de läkare som utvärderade henne inför beslutet att sätta henne under förvaltarskap då hon fyllde 18 år."

"Kan du berätta om henne?" bad Bublanski. "Vad kan ha förmått henne att åka ned till Enskede och mörda två för henne obekanta människor och vad kan ha förmått henne att mörda sin förvaltare?"

Peter Teleborian skrattade till.

"Nej, det kan jag inte berätta för dig. Jag har inte följt hennes utveckling på flera år och jag vet inte vilken grad av psykos hon befinner sig i. Men däremot kan jag på en gång säga att jag tvivlar på att paret i Enskede var obekanta för henne."

"Vad får dig att säga det?" undrade Hans Faste.

"En av svagheterna i behandlingen av Lisbeth Salander är att det aldrig ställts någon fullständig diagnos på henne. Det beror i sin tur på att hon inte har varit mottaglig för behandling. Hon har hela tiden vägrat att svara på frågor eller delta i någon form av terapeutisk behandling."

"Så ni vet inte om hon egentligen är sjuk eller inte?" undrade Sonja Modig. "Jag menar att det inte finns någon diagnos."

"Se det så här", sa Peter Teleborian. "Jag fick Lisbeth Salander då hon precis skulle fylla 13 år. Hon var psykotisk och hade tvångsföreställningar och led av uppenbar förföljelsemani. Jag hade henne som patient i två år då hon var tvångsintagen på S:t Stefans. Orsaken till att hon var tvångsintagen var i sin tur att hon under hela sin uppväxt hade uppvisat ett synnerligen våldsamt beteende mot skolkamrater, lärare och bekanta. Hon hade vid upprepade tillfällen rapporterats för misshandel. Men våldet hade i alla kända fall riktats mot personer i hennes bekantskapskrets, det vill säga mot någon som sagt eller gjort något som hon uppfattade som en kränkning av henne. Det finns inget exempel på att hon någonsin har angripit någon helt obekant människa. Det är därför jag tror att det finns en koppling mellan henne och paret i Enskede."

"Förutom attacken i tunnelbanan när hon var 17", sa Hans Faste.

"I det fallet får det väl anses klarlagt att det var hon som blev attackerad och att hon värjde sig", sa Teleborian. "Den person det då handlade om var en känd sexualförbrytare. Men det är också ett bra exempel på hennes sätt att agera. Hon hade kunnat gå därifrån eller söka skydd bland andra passagerare i vagnen. Istället valde hon att utföra en grov misshandel. Då hon känner sig hotad reagerar hon med övervåld."

"Vad är det egentligen för fel på henne?" frågade Bublanski.

"Vi har som sagt ingen riktig diagnos. Jag skulle säga att hon lider av schizofreni och ständigt balanserar på randen av en psykos. Hon saknar empati och kan i många avseenden beskrivas som en sociopat. Jag måste säga att jag tycker att det är överraskande att hon klarat sig så bra sedan hon fyllde 18 år. Hon har alltså befunnit sig ute i samhället, om än under förvaltarskap, i åtta år utan att begå någon handling som lett till polisanmälan eller gripande. Men hennes prognos ..."

"Hennes prognos?"

"Under den här tiden har hon inte fått någon behandling. Min gissning är att den sjukdom vi kanske hade kunnat häva och behandla för tio år sedan nu är en fast del av hennes personlighet. Jag förutspår att då hon väl grips så kommer hon inte att dömas till fängelsestraff. Hon måste få vård."

"Så hur fan kunde tingsrätten besluta att ge henne respass ut i samhället?" muttrade Hans Faste.

"Det får väl ses som en kombination av att hon hade en advokat med välsmort munläder och ett utslag av den ständiga liberalisering-

en och nedskärningarna. Det var i vilket fall ett beslut som jag mot-
satte mig då jag konsulterades av rättsmedicin. Men jag hade inget
att säga till om."

"Men en sådan prognos som du talar om måste väl vara en giss-
ning?" sköt Sonja Modig in. "Jag menar ... du vet egentligen inte
vad som hänt med henne sedan hon var 18."

"Det är mer än en gissning. Det är min erfarenhet."

"Är hon självdestruktiv?" undrade Sonja Modig.

"Du menar om hon kan tänkas begå självmord? Nej, det tvivlar
jag på. Hon är snarare en egomanisk psykopat. Det är hon som gäl-
ler. Alla andra människor i omgivningen är oviktiga."

"Du sa att hon kan reagera med övervåld", sa Hans Faste. "Hon
kan med andra ord betraktas som farlig?"

Peter Teleborian betraktade honom en lång stund. Sedan böjde
han huvudet och gnuggade sig i pannan innan han svarade.

"Ni anar inte hur svårt det är att säga exakt hur en människa
kommer att reagera. Jag vill inte att Lisbeth Salander ska fara illa
då ni griper henne ... men ja, i hennes fall skulle jag försöka se till
att gripandet sker med största möjliga försiktighet. Om hon är be-
väpnad finns en överhängande risk att hon kommer att använda
vapnet."

KAPITEL 18
TISDAG 29 MARS - ONSDAG 30 MARS

DE TRE PARALLELLA utredningarna om morden i Enskede malde vidare. Konstapel Bubblas utredning hade den statliga myndighetens fördelar. Ytligt sett såg lösningen ut att ligga inom räckhåll; de hade en misstänkt och ett mordvapen som var kopplat till den misstänkte. De hade en obestridlig koppling till det första mordoffret och en möjlig koppling via Mikael Blomkvist till de två andra offren. För Bublanski handlade det nu i praktiken bara om att hitta Lisbeth Salander och placera henne i en av tårtbitarna i Kronobergshäktet.

Dragan Armanskijs utredning var formellt underställd den officiella polisutredningen, men han hade också en egen agenda. Hans personliga avsikt var att på något sätt bevaka Lisbeth Salanders intressen – att hitta sanningen och helst en sanning i form av någon förmildrande omständighet.

Millenniums utredning var den besvärliga. Tidningen saknade helt de resurser som både polisen och Armanskijs organisation hade. Till skillnad från polisen var dock Mikael Blomkvist inte särskilt intresserad av att fastställa en rimlig motivbild till att Lisbeth Salander skulle ha åkt ned till Enskede och mördat två av hans vänner. Någon gång under påsken hade han beslutat sig för att han helt enkelt inte trodde på storyn. Om Lisbeth Salander på något sätt var inblandad i morden så måste det finnas helt andra skäl än den officiella utredningen antydde – att någon annan hållit i vapnet eller att något skett som låg utanför Lisbeth Salanders kontroll.

NIKLAS ERIKSSON VAR tyst under taxiresan från Slussen till Kungsholmen. Han var omtumlad över att äntligen och utan förvarning ha hamnat i en riktig polisutredning. Han sneglade på Sonny Bohman som återigen läste Armanskijs sammanställning. Sedan log han plötsligt för sig själv.

Uppdraget hade gett honom en fullkomligt oväntad möjlighet att förverkliga en ambition som varken Armanskij eller Sonny Bohman kände till eller anade. Helt plötsligt hade han hamnat i en position där han hade möjlighet att klämma åt Lisbeth Salander. Han hoppades att han kunde bidra till att hon greps. Han hoppades att hon skulle dömas till livstids fängelse.

Att Lisbeth Salander inte var en populär person på Milton Security var välbekant. De flesta medarbetare som någonsin haft med henne att göra upplevde henne som en plåga. Men varken Bohman eller Armanskij hade en aning om hur djupt Niklas Eriksson avskydde Lisbeth Salander.

Livet hade varit orättvist mot Niklas Eriksson. Han såg bra ut. Han var en man i sina bästa år. Han var dessutom intellektuellt begåvad. Ändå var han för evigt avstängd från alla möjligheter att någonsin bli det han alltid hade velat bli, nämligen polis. Hans problem var ett mikroskopiskt hål i hjärtsäcken som orsakade ett blåsljud och innebar att väggen i en kammare var försvagad. Han hade opererats och saken var åtgärdad, men med ett hjärtfel var han en gång för alla utsorterad och bedömd som en andra klassens människa.

När han hade fått möjlighet att börja på Milton Security hade han tackat ja. Han hade dock gjort det utan minsta entusiasm. Han betraktade Milton som en avstjälpningsplats för föredettingar – poliser som blivit för gamla och inte längre höll måttet. Han var en av dem som ratats – i hans fall utan egen förskyllan.

När han började på Miltons hade ett av hans första uppdrag bestått i att bistå operativa enheten med en säkerhetsanalys av personskyddet för en internationellt känd äldre sångerska som hade utsatts för hotelser från en alltför entusiastisk beundrare, därtill mentalpatient på rymmen. Jobbet hade varit en del av hans inskolning på

Milton Security. Sångerskan bodde ensam i en villa i Södertörn och Miltons hade installerat övervakningsutrustning, larm och under en period haft en livvakt på plats. Sent en kväll hade den entusiastiske beundraren försökt bryta sig in. Livvakten hade snabbt brottat ned personen i fråga, som därefter hade dömts för olaga hot och intrång och förpassats tillbaka till dårhuset.

Niklas Eriksson hade vid upprepade tillfällen under två veckor besökt villan i Södertörn tillsammans med andra anställda på Miltons. Han upplevde den åldrande sångerskan som en snobbig och distanserad käring som bara tittat förvånat på honom då han kopplat på charmen. Hon borde mest av allt vara glad om en beundrare fortfarande alls kom ihåg henne.

Han föraktade det sätt på vilket Miltons personal svassade för henne. Men han hade naturligtvis inte sagt ett ord om sina känslor.

En eftermiddag strax innan beundraren greps hade sångerskan och två anställda från Miltons befunnit sig vid en liten pool på baksidan medan han själv befann sig inne i huset för att ta bilder av fönster och dörrar som eventuellt behövde förstärkas. Han hade gått från rum till rum och kommit till hennes sovrum och plötsligt inte kunnat motstå frestelsen att öppna en byrå. Han hittade ett dussin fotoalbum från hennes storhetstid på 1970- och 1980-talet då hennes band hade turnerat ute i världen. Han hittade också en kartong med högst privata bilder av sångerskan. Bilderna var relativt oskyldiga men kunde med lite fantasi betraktas som "erotiska studier". *Gud, vilken dum kossa hon var.* Han hade stulit fem av de mest vågade bilderna som uppenbarligen tagits av någon älskare och sparats av privata skäl.

Han hade gjort kopior av bilderna och återställt originalen. Därefter hade han väntat i flera månader innan han sålt dem till en engelsk tabloid. Han hade fått 9 000 pund för bilderna. De hade vållat sensationella rubriker.

Han visste fortfarande inte hur Lisbeth Salander hade burit sig åt. Kort efter att bilderna hade publicerats fick han besök av henne. Hon visste att det var han som hade sålt bilderna. Hon hade hotat att avslöja honom för Dragan Armanskij om han någonsin gjorde något liknande. Hon skulle ha avslöjat honom om hon hade kunnat dokumentera sina påståenden – vilket hon uppenbarligen inte kunde. Men från den dagen hade han känt sig övervakad av henne. Han hade sett hennes grisögon så fort han vänt sig om.

Han hade känt sig trängd och frustrerad. Enda sättet att slå tillbaka mot henne var att underminera hennes trovärdighet genom att bidra till skitpratet om henne i kafferummet. Men inte ens det hade varit särskilt framgångsrikt. Han vågade inte utmärka sig eftersom hon av någon obegriplig anledning stod under Armanskijs beskydd. Han undrade vilken sorts hållhake hon hade på Miltons vd eller om det möjligen var så att gubbjäveln knullade henne i hemlighet. Men om nu ingen på Milton var särskilt förtjust i Lisbeth Salander så hade personalen desto mer respekt för Armanskij och accepterade hennes besynnerliga närvaro. Han hade upplevt det som en monumental lättnad då hon alltmer försvunnit ut i periferin och till sist slutat arbeta på Miltons.

Nu uppenbarade sig en möjlighet att ge henne betalt för gammal ost. Det var äntligen riskfritt. Hon kunde rikta vilka anklagelser som helst mot honom – ingen skulle tro henne. Inte ens Armanskij skulle tro på en patologiskt sjuk mördare.

KRIMINALINSPEKTÖR BUBLANSKI SÅG Hans Faste komma ut ur hissen tillsammans med Bohman och Eriksson från Milton Security. Det var Faste som hade fått hämta de nya medarbetarna i säkerhetsslussen. Bublanski var inte odelat förtjust i tanken på att ge utomstående tillträde till en mordutredning, men beslutet hade fattats över hans huvud och ... äsch, Bohman var i alla fall en riktig polis med rätt många kilometer bakom sig. Eriksson hade gått polisskolan och kunde inte vara en komplett idiot. Bublanski pekade mot konferensrummet.

Jakten på Lisbeth Salander var inne på sjätte dygnet och det var dags för en stor utvärdering. Åklagare Ekström deltog inte i mötet. Gruppen bestod av kriminalinspektörerna Sonja Modig, Hans Faste, Curt Svensson och Jerker Holmberg förstärkta av fyra kollegor från rikskriminalens spaningsenhet. Bublanski började med att presentera de nya medarbetarna från Milton Security och frågade om någon av dem ville säga några ord. Bohman harklade sig.

"Det var ju ett tag sedan jag var i det här huset men några av er känner mig och vet att jag var polis i många år innan jag gick till den privata sidan. Orsaken till att vi befinner oss här är alltså att Salander under flera år arbetade för oss och vi känner ett ansvar. Vår arbetsbeskrivning är att på alla sätt försöka bidra till att Salander grips så fort som möjligt. Vi kan bidra med en viss personkunskap om henne. Vi är alltså inte här för att trassla till utredningen eller lägga krokben för er."

"Hur var hon att jobba med?" frågade Faste.

"Det var ingen person man tog till sitt hjärta, precis", svarade Niklas Eriksson. Han tystnade då Bublanski höll upp en hand.

"Vi kommer att få orsak att prata i detalj under mötet. Men låt oss ta saker i tur och ordning och få ett grepp om var vi står. Efter det här mötet ska ni två till åklagare Ekström och underteckna en försäkran om tystnadsplikt. Men vi börjar med Sonja."

"Det är frustrerande. Vi fick ett genombrott bara några timmar efter mordet och kunde identifiera Salander. Vi hittade hennes bostad – eller åtminstone vad vi trodde var hennes bostad. Därefter – inte ett spår. Vi har haft ett trettiotal larm om att hon synts till men hittills har alla varit falska. Hon tycks ha gått upp i rök."

"Det är lite obegripligt", sa Curt Svensson. "Hon har ju ett speciellt utseende och tatueringar och borde inte vara så svår att hitta."

"Polisen i Uppsala ryckte ut med dragna vapen efter ett tips i går. De omringade och skrämde slag på en 14-årig pojke som var snarlik Salander. Föräldrarna var mycket upprörda."

"Jag antar att det ligger oss i fatet att vi jagar någon som ser ut som en 14-åring. Hon kan smälta in i ungdomsgrupper."

"Men med den uppmärksamhet som varit i media borde någon ha sett någonting", invände Svensson. "De kör henne på *Efterlyst* i veckan så vi får väl se om det leder till något nytt."

"Det har jag svårt att tro, med tanke på att hon redan funnits på förstasidan i varenda svensk tidning", sa Hans Faste.

"Vilket innebär att vi kanske måste tänka om", sa Bublanski.

"Hon kan ha lyckats avvika utomlands men det sannolika är att hon ligger och trycker någonstans."

Bohman räckte upp en hand. Bublanski nickade åt honom.

"Den bild vi har av henne är att hon inte är självdestruktiv. Hon är en strateg och planerar sina drag. Hon gör ingenting utan att analysera konsekvenserna. Det är i alla fall Dragan Armanskijs åsikt."

"Det är också den bedömning som hennes förra psykiatriker gör. Men vi väntar med karaktäristiken ett tag till", sa Bublanski. "Förr eller senare måste hon röra på sig. Jerker, vad har hon för resurser?"

"Nu ska ni få något annat att bita i", sa Jerker Holmberg. "Hon har ett bankkonto sedan flera år på Handelsbanken. Det är de pengar hon deklarerar för. Eller rättare sagt de pengar som advokat Bjurman deklarerade för. För ett år sedan innehöll kontot drygt 100 000 kronor. Hösten 2003 tog hon ut hela den summan."

"Hon behövde kontanter hösten 2003. Det var då hon enligt Armanskij slutade arbeta på Milton Security", sa Bohman.

"Möjligt. Kontot stod på noll i drygt två veckor. Men därefter satte hon in samma summa på kontot igen."

"Hon trodde att hon behövde pengarna till något men använde inte summan och satte tillbaka pengarna på banken?"

"Det är rimligt. I december 2003 använde hon kontot för att betala en del räkningar, bland annat hyran för ett år framåt. Summan sjönk till 70 000 kronor. Därefter har kontot inte rörts på ett år bortsett från en insättning på drygt 9 000 kronor. Jag har kollat – det var ett arv efter hennes mor."

"Okej."

"I mars i år tog hon ut arvet – den exakta summan var 9 312 kronor. Det är enda gången hon rört kontot."

"Så vad fan lever hon på?"

"Hör här. I januari i år öppnade hon ett nytt konto. Nu på SEB. Hon satte in en summa av två miljoner kronor."

"Vad?"

"Varifrån kom pengarna?" undrade Modig.

"Pengarna överfördes till hennes konto från en bank på Kanalöarna i England."

Tystnaden lägrade sig i konferensrummet.

"Jag begriper ingenting", sa Sonja Modig efter en stund.

"Det här är alltså pengar som hon inte deklarerat för", frågade Bublanski.

"Nej, men det behöver hon tekniskt sett inte göra förrän nästa år. Det anmärkningsvärda är att summan inte finns antecknad i advokat Bjurmans ekonomiska redovisning av hennes tillgodohavanden. Den är ju månatlig."

"Alltså – antingen kände han inte till det eller så hade de något fuffens ihop. Jerker, var står vi i den tekniska biten?"

"Jag hade en föredragning med förundersökningsledaren i går kväll. Detta är alltså vad vi vet. Ett: Vi kan binda Salander till båda brottsplatserna. Vi hittade hennes fingeravtryck på mordvapnet och på skärvorna av en krossad kaffekopp i Enskede. Vi väntar på svar på DNA-prover vi tagit ... men det är nog ingen tvekan om att hon befunnit sig i lägenheten."

"Okej."

"Två. Vi har hennes fingeravtryck på kartongen till vapnet i advokat Bjurmans lägenhet.

"Okej."

"Tre. Vi har äntligen ett vittne som placerar henne på mordplatsen i Enskede. En tobakshandlare har hört av sig och berättat att Lisbeth Salander var inne i hans butik och köpte ett paket Marlboro Light på mordkvällen."

"Och det här kläcker han ur sig flera dagar efter att vi bett att få information."

"Han har varit borta över helgen som alla andra. I vilket fall" – Jerker Holmberg pekade på en karta – "tobaksaffären ligger här på hörnet, drygt hundranittio meter från brottsplatsen. Hon kom in precis då han stängde klockan 22.00. Han kunde ge en perfekt beskrivning av henne."

"Tatueringen på halsen?" frågade Curt Svensson.

"Där var han lite svävande. Han tror att han såg en tatuering. Men han såg definitivt att hon var piercad i ögonbrynet."

"Vad mer?"

"Inte så mycket i rent teknisk bevisning. Men det räcker långt."

"Faste – lägenheten på Lundagatan?"

"Vi har hennes fingeravtryck men jag tror inte att hon bor där. Vi har vänt uppochned på allting och det tycks tillhöra Miriam Wu. Hon skrevs in i kontraktet så sent som i februari i år."

"Vad vet vi om henne?"

"Hon är ostraffad. Ökänd lesbian. Hon brukar uppträda i shower och sådant på Pridefestivalen. Låtsas plugga sociologi och är delägare i en porrbutik på Tegnérgatan. Domino Fashion."

"Porrbutik?" frågade Sonja Modig med höjda ögonbryn.

Hon hade vid ett tillfälle till sin mans förtjusning inhandlat ett sexigt underställ hos Domino Fashion. Vilket hon under inga omständigheter tänkte avslöja för karlarna i rummet.

"Tja, de säljer handbojor och horkläder och sådant. Behöver du en piska?"

"Det är alltså inte en porrbutik utan en modebutik för folk som gillar raffiga underkläder", sa hon.

"Skit samma."

"Fortsätt", sa Bublanski irriterat. "Vi har inga spår efter Miriam Wu."

"Inte ett ljud."

"Hon kan vara bortrest över helgen", föreslog Sonja Modig.

"Eller så har Salander kanske knäppt henne också", föreslog Faste. "Hon kanske vill göra rent hus bland sina bekanta."

"Miriam Wu är alltså lesbisk. Ska vi dra slutsatsen att Salander och hon är ett par?"

"Jag tror att vi ganska säkert kan dra slutsatsen att det finns en sexuell relation", sa Curt Svensson. "Jag bygger påståendet på flera saker. För det första har vi hittat Salanders fingeravtryck i och kring sängen i lägenheten. Vi har också hittat hennes fingeravtryck på ett par handbojor som uppenbarligen har använts som sexleksak."

"Då kanske hon kommer att uppskatta de handbojor jag har i beredskap åt henne", sa Hans Faste.

Sonja Modig stönade.

"Fortsätt", sa Bublanski.

"Vi fick in ett tips om att Miriam Wu stod och grovhånglade på Kvarnen med en tjej som bar Salanders signalement. Det var för drygt två veckor sedan. Tipsaren påstod att han vet vem Salander är och har stött ihop med henne på Kvarnen tidigare, fast hon har varit osynlig där det senaste året. Jag har inte hunnit kolla med personalen. Ska göra det i eftermiddag."

"I hennes journal på socialen står det inget om att hon skulle vara lesbisk. I tonåren stack hon ofta från fosterföräldrarna och raggade karlar i krogsvängen. Hon omhändertogs flera gånger i sällskap med äldre män."

"Vilket inte betyder ett skit om hon fnaskade", sa Hans Faste.

"Vad vet vi om hennes bekantskapskrets? Curt?"

"Nästan ingenting. Hon har inte blivit omhändertagen av polisen sedan hon var i 18-årsåldern. Hon känner Dragan Armanskij och Mikael Blomkvist, så mycket vet vi. Hon känner förstås också Miriam Wu. Samma källa som tipsade om att hon och Wu hade synts på Kvarnen säger att hon brukade hänga med en grupp tjejer där förr i tiden. Det är någon tjejgrupp som kallas Evil Fingers."

"Evil Fingers? Och vad är det?" undrade Bublanski.

"Verkar vara något ockult. De brukade gadda ihop sig och leva rövare."

"Säg inte att Salander är någon jävla satanist också", sa Bublanski. "Media kommer att bli tokiga."

"En grupp lesbiska satanister", föreslog Faste hjälpsamt.

"Hasse, du har en kvinnosyn från medeltiden", sa Sonja Modig. "Till och med jag har hört talas om Evil Fingers."

"Har du?" sa Bublanski överraskad.

"Det var ett tjejrockband i slutet av 1990-talet. Inga superstjärnor, men de var halvkända ett tag."

"Alltså hårdrockande lesbiska satanister", sa Hans Faste.

"Okej, sluta tjafsa", sa Bublanski. "Hasse, du och Curt tar reda på vilka som var med i Evil Fingers och pratar med dem. Har Salander fler bekanta?"

"Inte många bortsett från hennes förre förvaltare, Holger Palmgren. Men han ligger på långvården efter en stroke och är tydligen rätt sjuk. I ärlighetens namn kan jag inte säga att jag hittat någon bekantskapskrets. Nu har vi för all del inte hittat Salanders bostad och någon adressbok, men hon verkar inte ha några närmare bekanta."

"Ingen människa kan gå omkring som ett spöke utan att lämna spår i samhället. Vad tror vi om Mikael Blomkvist?"

"Vi har inte direkt haft span på honom, men vi har hört av oss till honom lite sporadiskt under helgen", sa Faste. "För den händelse att Salander skulle dyka upp alltså. Han åkte hem efter jobbet och tycks inte ha lämnat lägenheten under helgen."

"Jag har svårt att tro att han hade något med mordet att göra", sa Sonja Modig. "Hans story håller och han kan redogöra för allt han gjorde under kvällen."

"Men han känner Salander. Han är länken mellan henne och paret i Enskede. Och dessutom har vi hans vittnesmål om att två män överföll Salander en vecka före morden. Vad ska vi tro om det?" sa Bublanski.

"Bortsett från Blomkvist finns inte ett enda vittne till överfallet ... om det nu har ägt rum", sa Faste.

"Du tror att Blomkvist fantiserar eller ljuger?"

"Vet inte. Men hela storyn låter som en skröna. En fullvuxen karl skulle alltså inte klara av en liten tjej som väger typ 40 kilo."

"Varför skulle Blomkvist ljuga?"

"Kanske för att avleda uppmärksamheten från Salander."

"Men inget av detta går ihop riktigt. Blomkvist har ju lanserat teorin att paret i Enskede mördades på grund av den bok som Dag Svensson höll på att skriva."

"Snack", sa Faste. "Det är Salander. Varför skulle någon mörda hennes förvaltare för att tysta Dag Svensson? Och vem ... en polis?"

"Om Blomkvist går ut med sin teori kommer vi att få ett helvete med polisspår hit och dit", sa Curt Svensson.

Alla nickade.

"Okej", sa Sonja Modig. "Varför sköt hon Bjurman?"

"Och vad betyder tatueringen?" undrade Bublanski och pekade på fotografiet av Bjurmans mage.

JAG ÄR ETT SADISTISKT SVIN, ETT KRÄK OCH EN VÅLD-
TÄKTSMAN.

En kort tystnad föll över gruppen.

"Vad säger läkarna?" undrade Bohman.

"Tatueringen är mellan ett och tre år gammal. Det har något att
göra med graden av genomblödning i huden", sa Sonja Modig.

"Vi kan väl förutsätta att det är en tatuering som Bjurman inte
skaffat sig på egen hand."

"Nog för att det finns knasbollar, men det där kan väl knappast
vara ett standardmotiv bland tatueringsentusiaster."

Sonja Modig viftade med pekfingret.

"Patologen säger att tatueringen ser förskräcklig ut, vilket till och
med jag kunde konstatera. Den är alltså utförd av en ren amatör.
Nålen har gått olika djupt och det är en väldigt stor tatuering på en
väldigt känslig del av kroppen. På det hela taget måste det ha varit
en mycket smärtsam procedur som närmast kan jämställas med grov
misshandel."

"Bortsett från att Bjurman aldrig lämnat någon polisanmälan",
sa Faste.

"Jag skulle nog inte heller göra polisanmälan om någon tatuerade
ett sådant budskap på min mage", sa Curt Svensson.

"Jag har en grej till", sa Sonja Modig. "Det skulle eventuellt kun-
na styrka det budskap som finns i tatueringen – att Bjurman var ett
sadistiskt svin."

Hon öppnade en mapp med utprintade bilder och skickade runt.

"Jag har bara printat ut en provkarta. Men det här hittade jag i en
mapp på Bjurmans hårddisk. Det är bilder som laddats ned från Inter-
net. Datorn innehåller drygt två tusen bilder av likartad karaktär."

Faste visslade och höll upp en bild av en kvinna som var bunden i
en brutalt obekväm ställning.

"Det är kanske något för Domino Fashion eller Evil Fingers", sa
han.

Bublanski viftade irriterat att Faste skulle hålla truten.

"Hur ska vi tolka detta?" undrade Bohman.

"Tatueringen är drygt två år gammal", sa Bublanski. "Det var vid den tiden som Bjurman plötsligt blev sjuk. Varken patologen eller hans läkarjournal antyder att han hade någon allvarligare sjukdom bortsett från högt blodtryck. Vi kan alltså anta att det fanns ett samband."

"Salander förändrades under det året", sa Bohman. "Hon slutade plötsligt att arbeta för Miltons och försvann utomlands."

"Ska vi anta att det finns ett samband även där? Om budskapet i tatueringen är korrekt så hade alltså Bjurman våldtagit någon. Salander ligger ju onekligen bra till. Det skulle i så fall kunna vara ett gott motiv för mord."

"Det finns förstås andra sätt att tolka det här", sa Hans Faste. "Jag kan tänka mig ett scenario där Salander och kinesflickan driver någon sorts eskortservice med BDSM-inslag. Bjurman kan vara en sådan där galning som tänder på att få prygel av småflickor. Han kan ha stått i någon sorts beroendeförhållande till Salander där saker och ting gått på tok."

"Men det förklarar inte varför hon åkte ned till Enskede."

"Om Dag Svensson och Mia Bergman var på väg att avslöja sexhandeln kan de ha snubblat över Salander och Wu. Det kan ha funnits motiv för Salander att mörda."

"Vilket ännu bara är spekulationer", sa Sonja Modig.

De fortsatte konferensen i ytterligare en timme och avhandlade även det faktum att Dag Svenssons laptop saknades. Då de avbröt för lunch var alla frustrerade. Utredningen präglades av fler frågetecken än någonsin.

ERIKA BERGER RINGDE till Magnus Borgsjö, styrelseordförande för *Svenska Morgon-Posten,* så fort hon kom in till redaktionen på tisdagsmorgonen.

"Jag är intresserad", sa hon.

"Jag trodde väl det."

"Jag hade tänkt meddela mitt besked direkt efter påskhelgen. Men som du förstår har ett kaos utbrutit här på redaktionen."

"Mordet på Dag Svensson. Jag beklagar. En otäck historia."

"Då förstår du att det inte är läge för mig att berätta att jag tänker hoppa av båten just nu."

Han var tyst en stund.

"Vi har ett problem", sa Borgsjö.

"Vad?"

"Då vi pratade förra gången sa vi att tillträde var aktuellt den första augusti. Men saken är den att chefredaktör Håkan Morander som du ska efterträda är vid mycket dålig hälsa. Han har problem med hjärtat och måste varva ned. Han pratade med sin läkare för ett par dagar sedan och jag har i helgen fått veta att han tänker sluta den första juli. Tanken var att han skulle stanna kvar till in på hösten och att du kunde gå parallellt med honom augusti och september. Men som läget är nu så är det kris. Erika – vi kommer att behöva dig från första maj, allra senast femtonde maj."

"Gud. Det är ju bara veckor."

"Är du fortfarande intresserad?"

"Jo ... men det betyder att jag bara har en månad på mig att städa upp på *Millennium*."

"Jag vet. Jag är ledsen, Erika, men jag måste stressa dig. Men en månad borde vara tillräckligt med tid att ordna upp affärerna på en tidning som har ett halvdussin anställda."

"Men jag måste lämna mitt i ett kaos."

"Du måste lämna i vilket fall. Allt vi gör är att flytta fram tidpunkten några veckor."

"Jag har några villkor."

"Låt höra."

"Jag kommer att stanna kvar i *Millenniums* styrelse."

"Det kanske inte är så lämpligt. *Millennium* är visserligen betydligt mindre och dessutom en månadstidning, men rent tekniskt sett är vi konkurrenter."

"Det hjälps inte. Jag kommer inte att ha något med *Millenniums* redaktionella arbete att göra, men jag kommer inte att sälja ut min andel. Alltså kvarstår jag i styrelsen."

"Okej, det kan vi nog lösa."

De kom överens om att träffa styrelsen första veckan i april för att diskutera detaljer och skriva kontrakt.

MIKAEL BLOMKVIST FICK en känsla av déjà vu då han studerade listan med misstänkta som han och Malin sammanställt under helgen. Förteckningen bestod av trettiosju personer som Dag Svensson gick hårt åt i sin bok. Av dessa var tjugoen personer torskar som han hade identifierat.

Mikael mindes plötsligt hur han hade börjat spåra en mördare i Hedestad två år tidigare och hittat ett galleri av misstänkta som uppgick till närmare femtio personer. Det hade varit tröstlöst att spekulera i vem som eventuellt kunde vara skyldig.

Vid tiotiden på tisdagsmorgonen vinkade han in Malin Eriksson till sitt rum på redaktionen. Han stängde dörren och bad henne slå sig ned.

De satt tysta en stund och drack kaffe. Till slut sköt han över listan med de trettiosju namn som de tillsammans satt ihop under helgen.

"Vad ska vi göra?"

"Först ska vi dra den här listan med Erika om tio minuter. Sedan ska vi försöka pricka av dem en efter en. Det är möjligt att någon på den här listan har med morden att göra."

"Och hur prickar vi av dem?"

"Jag tänker fokusera på de tjugoen torskar som hängs ut i boken. De har mer att förlora än de övriga. Jag tänker följa Dag i fotspåren och besöka dem en efter en."

"Okej."

"Jag har två jobb till dig. För det första är det sju namn här som inte är identifierade, två torskar och fem profitörer. Ditt jobb de närmaste dagarna blir att försöka identifiera dem. Några av namnen förekommer i Mias avhandling; det kanske finns referenser som innebär att vi kan lista ut vad de egentligen heter."

"Okej."

"För det andra vet vi väldigt lite om Nils Bjurman, Lisbeths förvaltare. Det har stått en översiktlig CV i tidningarna men jag gissar att hälften är felaktigt."

"Så jag ska gräva upp hans bakgrund."

"Precis. Allt du hittar."

HARRIET VANGER RINGDE till Mikael Blomkvist vid femtiden på eftermiddagen.

"Kan du prata?"

"En stund."

"Den här flickan som efterspanas … det är samma tjej som hjälpte dig att spåra mig, eller hur?"

Harriet Vanger och Lisbeth Salander hade aldrig träffats.

"Jo", svarade Mikael. "Förlåt att jag inte haft tid att ringa och uppdatera dig. Men det är hon."

"Vad betyder det?"

"För ditt vidkommande … ingenting, hoppas jag."

"Men hon känner till allt om mig och det som hände för två år sedan."

"Ja, hon vet allt som hände."

Harriet Vanger var tyst i andra änden av luren.

"Harriet … jag tror inte att hon gjorde det. Jag måste utgå från att hon är oskyldig. Jag litar på Lisbeth Salander."

"Om man ska tro vad som står i tidningarna så …"

"Man ska inte tro vad som står i tidningarna. Det är så enkelt. Hon gav sitt ord att inte röja dig. Jag tror att hon kommer att hålla det resten av sitt liv. Jag uppfattade henne som väldigt principfast."

"Och om hon inte gör det?"

"Jag vet inte. Harriet. Jag gör allt jag kan för att ta reda på vad som egentligen hänt."

"Okej."

"Var inte orolig."

"Jag är inte orolig. Men jag vill vara förberedd på det värsta. Hur mår du, Mikael?"

"Inget vidare. Vi har varit igång sedan morden ägde rum."

Harriet Vanger var tyst en stund.

"Mikael … jag befinner mig i Stockholm just nu. Jag flyger till Australien i morgon och blir borta i en månad."

"Jaså."

"Jag bor på samma hotell."

"Jag vet inte. Jag känner mig extremt splittrad. Jag måste jobba i natt och skulle inte vara kul sällskap."

"Du behöver inte vara kul sällskap. Kom över och koppla av en stund."

MIKAEL KOM HEM vid ett på natten. Han var trött och funderade på att strunta i allt och gå och lägga sig, men startade istället sin iBook och kollade sin e-post. Inget av intresse hade kommit.

Han öppnade mappen <LISBETH SALANDER> och upptäckte ett helt nytt dokument. Dokumentet hade namnet [Till MikBlom] och låg intill dokumentet med namnet [Till Sally].

Det var nästan en chock att plötsligt se dokumentet i datorn. *Hon är här. Lisbeth Salander har varit inne i min dator. Hon kanske till och med är uppkopplad just nu.* Han dubbelklickade.

Han var inte säker på vad han hade förväntat sig. Ett brev. Ett svar. Bedyranden om oskuld. En förklaring. Lisbeth Salanders replik till Mikael Blomkvist var frustrerande kort. Hela meddelandet bestod av ett enda ord. Fyra bokstäver.

[Zala.]

Mikael stirrade på namnet.

Dag Svensson hade pratat om Zala vid det sista telefonsamtalet två timmar innan han mördades.

Vad vill hon ha sagt? Skulle Zala vara kopplingen mellan Bjurman och Dag och Mia? Hur? Varför? Vem är han? Och hur visste Lisbeth Salander det? Hur är hon inblandad?

Han öppnade dokumentinformationen och konstaterade att texten hade skapats mindre än femton minuter tidigare. Sedan log han plötsligt. Dokumentet hade *Mikael Blomkvist* som upphovsman. Hon hade skapat dokumentet i hans dator och med hans eget licensierade program. Det var bättre än e-post och lämnade inget ipnummer som kunde spåras, även om Mikael var ganska säker på att Lisbeth Salander i vilket fall inte skulle gå att spåra via nätet. Och det bevisade bortom allt tvivel att Lisbeth Salander hade gjort en *hostile takeover* – det uttryck hon själv använde – av hans dator.

Han ställde sig vid fönstret och tittade ut mot Stadshuset. Han kunde inte frigöra sig från känslan att i det ögonblicket vara iakttagen av Lisbeth Salander, nästan som om hon fanns i rummet och betraktade honom genom skärmen i hans iBook. Hon kunde i praktiken befinna sig var som helst i hela världen men han misstänkte att hon fanns betydligt närmare än så. Någonstans på Södermalm. Inom en radie av någon kilometer från där han stod.

Han funderade en kort stund och satte sig och skapade ett nytt Worddokument som han döpte till [Sally–2] och placerade på skrivbordet. Han skrev ett kärnfullt budskap.

[Lisbeth,
Jävla besvärliga människa. Vem fan är Zala? Är han kopplingen?
Vet du vem som mördade Dag & Mia – i så fall, tala om det för mig
så vi kan lösa det här eländet och gå hem och sova. /Mikael.]

Hon befann sig inne i Mikael Blomkvists iBook. Repliken kom inom loppet av en minut. Ett nytt dokument dök upp i mappen på hans skrivbord, denna gång med dokumentnamnet [KALLE BLOMKVIST].

[Du är journalisten. Lista ut det.]

Mikaels ögonbryn drog ihop sig. Hon gav honom fingret och använde det öknamn som hon visste att han avskydde. Och hon gav inte minsta ledtråd. Han knackade ihop dokumentet [Sally–3] och placerade det på skrivbordet.

[Lisbeth,
En journalist listar ut saker och ting genom att ställa frågor till människor som vet. Jag frågar dig. Vet du varför Dag och Mia mördades och vem som mördade dem? Tala i så fall om det för mig. Ge mig någonting att gå på. /Mikael.]

Han väntade modstulet på ytterligare en replik i flera timmar. Klockan fyra på natten gav han upp och gick och lade sig.

KAPITEL 19
ONSDAG 30 MARS–FREDAG 1 APRIL

PÅ ONSDAGEN HÄNDE inget av dramatiskt intresse. Mikael använde dagen till att finkamma Dag Svenssons material på alla referenser till namnet Zala. Precis som Lisbeth Salander gjort tidigare upptäckte han mappen <Zala> i Dag Svenssons dator och läste de tre dokumenten [Irene P], [Sandström] och [Zala] och i likhet med Lisbeth blev Mikael varse att Dag Svensson hade haft en poliskälla vid namn Gulbrandsen. Han lyckades spåra honom till kriminalpolisen i Södertälje, men då han ringde fick han beskedet att Gulbrandsen befann sig på tjänsteresa och skulle vara tillbaka först nästkommande måndag.

Han konstaterade att Dag Svensson ägnat väsentlig tid åt Irene P. Han läste obduktionsprotokollet och konstaterade att kvinnan hade mördats på ett utdraget och brutalt sätt. Mordet hade skett i slutet av februari. Polisen hade inga uppslag om vem gärningsmannen var men eftersom hon var prostituerad hade de utgått från att mördaren fanns bland hennes kunder.

Mikael undrade varför Dag Svensson lagt dokumentet om Irene P. i mappen <Zala>. Det antydde att han länkade Zala till Irene P., men det fanns inga sådana referenser i texten. Dag Svensson hade med andra ord gjort kopplingen i huvudet.

Dokumentet [Zala] var så kortfattat att det närmast såg ut som tillfälliga arbetsanteckningar. Mikael konstaterade att Zala (om han verkligen existerade) närmast framstod som en fantom i den kriminella världen. Det kändes inte riktigt realistiskt och texten saknade källhänvisningar.

Han stängde dokumentet och kliade sig i huvudet. Att utreda morden på Dag och Mia var en betydligt mer komplicerad uppgift än han hade föreställt sig. Och han kunde heller inte undgå att hela tiden ansättas av tvivel. Problemet var att han egentligen inte hade något som entydigt pekade mot att Lisbeth *inte* hade med morden att göra. Allt han gått på var sin egen känsla av att det var orimligt att hon skulle ha åkt ned till Enskede och mördat två av hans vänner.

Han visste att hon knappast saknade resurser; hon hade utnyttjat sina talanger som hacker till att stjäla ett fantasibelopp på flera miljarder kronor. Inte ens Lisbeth visste att han visste det. Bortsett från att han hade varit tvungen att (med hennes godkännande) förklara hennes talanger på dataområdet för Erika Berger så hade han aldrig avslöjat hennes hemligheter för någon utomstående.

Han ville inte tro att Lisbeth Salander var skyldig till morden. Han stod i en skuld till henne som han aldrig skulle kunna återgälda. Hon hade inte bara räddat hans liv när Martin Vanger stod i begrepp att mörda honom, hon hade också räddat hans professionella karriär och förmodligen tidskriften *Millennium* genom att leverera finansmannen Hans Wennerströms huvud på ett fat.

Sånt förpliktigade. Han kände en stor lojalitet mot Lisbeth Salander. Vare sig hon var skyldig eller inte tänkte han göra allt han kunde för att hjälpa henne då hon förr eller senare skulle gripas.

Men han erkände också att han inte visste ett dugg om henne. De mångordiga psykiatriska utlåtandena, det faktum att hon tvångsvårdats på en av landets mest ansedda psykiatriska anstalter och att hon till och med omyndigförklarats var alltsammans graverande indicier på att allt inte stod rätt till med henne. Chefsläkaren Peter Teleborian på S:t Stefans psykiatriska klinik i Uppsala hade fått stort utrymme i media. Av sekretesskäl hade han inte uttalat sig specifikt om Lisbeth Salander men däremot diskuterat kollapsen för vården av psykiskt sjuka. Han var inte bara en ansedd auktoritet i Sverige utan även internationellt respekterad som en framstående expert på psykisk sjukdom. Han hade varit mycket övertygande och hade lyckats klargöra sin sympati med offren och deras familjer samtidigt som det framgick att han var angelägen om Lisbeths välbefinnande.

Mikael funderade om han borde ta kontakt med Peter Teleborian och om denne kunde förmås att bistå på något sätt. Men han avstod. Han antog att Peter Teleborian tids nog skulle kunna hjälpa Lisbeth Salander när hon väl infångats.

Till sist gick han ut till pentryt och hämtade kaffe i en mugg med moderata samlingspartiets logga och gick in till Erika Berger.

"Jag har en lång lista på torskar och hallickar jag måste intervjua", sa han.

Hon nickade bekymrat.

"Det kommer nog att ta en eller två veckor att beta av alla på listan. De finns utspridda från Strängnäs till Norrköping. Jag skulle behöva en bil."

Hon öppnade handväskan och plockade fram nycklarna till sin BMW.

"Är det okej?"

"Klart att det är okej. Jag åker Saltsjöbanan lika ofta som jag kör in till jobbet. Och krisar det kan jag ta Gregers bil."

"Tack."

"Det finns dock ett villkor."

"Jaså?"

"Några av de där figurerna är riktiga råskinn. Om du ska ut och anklaga hallickar för morden på Dag och Mia så vill jag att du tar med dig den här och alltid har den i kavajfickan."

Hon lade en flaska med tårgas på skrivbordet.

"Var kommer den ifrån?"

"Jag köpte den i USA i fjol. Ska fan springa omkring som ensam tjej på nätterna utan vapen."

"Det blir ett jävla liv om jag använder den och åker dit för olaga vapeninnehav."

"Hellre det än att jag får skriva en dödsruna över dig. Mikael ... jag vet inte om du förstått det, men ibland är jag rätt orolig för dig."

"Jaså."

"Du tar risker och är så jävla styv i korken att du aldrig kan backa ut från en dumhet."

Mikael log och lade tillbaka tårgasen på Erikas skrivbord.

"Tack för omtanken. Men jag behöver den inte."

"Micke, jag insisterar."

"Helt okej. Men jag har redan förberett mig."

Han stoppade ned handen i kavajfickan och höll upp en burk. Det var den tårgaspatron som han hittat i Lisbeth Salanders väska och sedan dess burit med sig.

BUBLANSKI KNACKADE PÅ dörrkarmen till Sonja Modigs tjänsterum och slog sig ned på besöksstolen vid hennes skrivbord.

"Dag Svenssons dator", sa han.

"Jag har också tänkt på det", svarade hon. "Jag gjorde ju sammanställningen av Svenssons och Bergmans sista dygn i livet. Det finns fortfarande några luckor, men Dag Svensson var aldrig på *Millenniums* redaktion under dagen. Däremot rörde han sig på stan och vid fyratiden på eftermiddagen träffade han en gammal studiekamrat. Det var ett slumpartat möte på ett kafé på Drottninggatan. Studiekamraten uppger att Dag Svensson definitivt hade en dator i sin ryggsäck. Han såg den och kommenterade den till och med."

"Och vid elvatiden på kvällen efter att han blivit skjuten saknades datorn i hans bostad."

"Korrekt."

"Vad ska vi dra för slutsatser av det?"

"Han kan ju ha besökt något annat ställe och av någon anledning lämnat eller glömt datorn."

"Hur sannolikt är det?"

"Inte särskilt. Men han kan ha lämnat in den på service eller reparation. Sedan finns möjligheten att han har något annat ställe där han arbetar som vi inte känner till. Han har tidigare hyrt skrivbord hos en frilansbyrå vid S:t Eriksplan till exempel."

"Okej."

"Sedan finns förstås möjligheten att mördaren tog datorn med sig."

"Enligt Armanskij är Salander väldigt bra på datorer."

"Jo", nickade Sonja Modig.

"Hmm. Blomkvists teori är ju att Dag Svensson och Mia Bergman mördades på grund av den research Svensson arbetade med. Vilket alltså skulle finnas i datorn."

"Vi ligger lite efter. Tre mordoffer skapar så många lösa trådändar att följa upp att vi inte riktigt hinner med, men vi har faktiskt ännu inte gjort någon ordentlig husrannsakan på Dag Svenssons arbetsplats på *Millennium*."

"Jag har pratat med Erika Berger nu på morgonen. Hon säger att de är förvånade över att vi inte varit uppe och tittat på hans kvarlåtenskap."

"Vi har fokuserat för mycket på att hitta Salander så fort som möjligt men vet fortfarande på tok för lite om motivbilden. Kan du ...?"

"Jag har gjort upp med Berger att besöka *Millennium* i morgon."

"Tack."

PÅ TORSDAGEN SATT Mikael bakom sitt skrivbord och pratade med Malin Eriksson då han hörde att en telefon ringde inne på redaktionen. Han skymtade Henry Cortez genom dörröppningen och brydde sig inte om signalen. Sedan registrerade han någonstans i bakhuvudet att det var telefonen på Dag Svenssons skrivbord som ringde. Han avbröt sig mitt i en mening och flög upp på fötter.

"Stopp – rör inte telefonen!" vrålade han.

Henry Cortez hade precis lagt handen på luren. Mikael skyndade genom rummet. *Vad fan var det för namn ...?*

"Indigo Marknadsresearch, det här är Mikael. Kan jag hjälpa till?"

"Eh ... hej, mitt namn är Gunnar Björck. Jag har fått ett brev om att jag har vunnit en mobiltelefon."

"Gratulerar", sa Mikael Blomkvist. "Det är en Sony Ericsson av senaste modell."

"Och den kostar ingenting."

"Den kostar ingenting. Men för att få presenten så måste du ställa upp på en intervju. Vi gör marknadsundersökningar och djupanalyser för olika företag. Det kommer att ta ungefär en timme att svara på frågor. Om du ställer upp så går du vidare och får möjlighet att vinna 100 000 kronor."

"Jag förstår. Kan vi göra det på telefon?"

"Tyvärr. I undersökningen ingår att titta på olika företagssymboler och identifiera dem. Vi kommer också att fråga om vilken typ av reklambilder du attraheras av och visa olika alternativ. Vi måste skicka en av våra medarbetare."

"Jaha ... hur kommer det sig att jag har blivit utvald?"

"Vi gör den här typen av undersökningar ett par gånger per år. Just nu fokuserar vi på ett antal etablerade män i din åldersgrupp. Vi har plockat personnummer slumpvis."

Till sist gick Gunnar Björck med på att ta emot en medarbetare från Indigo Marknadsresearch. Han meddelade att han var sjukskriven och vilade upp sig i ett fritidshus i Smådalarö. Han lämnade en vägbeskrivning. De kom överens om att träffas på fredag morgon.

"YES!" utbrast Mikael då han lagt på luren. Han slog knytnäven genom luften. Malin Eriksson och Henry Cortez sneglade förbryllat på varandra.

PAOLO ROBERTO LANDADE på Arlanda klockan halv tolv på torsdag förmiddag. Han hade sovit under större delen av flighten från New York och kände för en gångs skull inte av någon jet lag.

Han hade tillbringat en månad i USA med att diskutera boxning och titta på uppvisningsmatcher och söka uppslag till en produktion som han tänkte sälja in till Strix Television. Han konstaterade vemodigt att han hade lagt proffskarriären på hyllan, både efter milda propåer från familjen och eftersom han helt enkelt började bli för gammal. Det var inte så mycket att göra åt mer än att hålla sig i form, vilket han gjorde genom intensiva träningspass minst en gång i veckan. Han var fortfarande i allra högsta grad ett namn inom boxningen och han antog att han i en eller annan bemärkelse skulle arbeta med sporten resten av sitt liv.

Han hämtade väskan vid rullbandet. Vid tullen blev han stoppad

och på väg att bli inplockad för kontroll. En av tullarna hade dock
ögonen med sig och kände igen honom.

"Hallå Paolo. Och du har inget mer än boxningshandskar i väskan, antar jag."

Paolo Roberto försäkrade att han inte hade det minsta smuggelgods med sig och blev insläppt i riket.

Han gick ut i ankomsthallen och kryssade mot nedgången till Arlanda Express när han tvärstannade och stirrade på Lisbeth Salanders ansikte på kvällstidningarnas löpsedlar. Först förstod han inte vad han såg. Han undrade om han trots allt hade jet lag. Sedan läste han åter rubriken.

JAKTEN PÅ
LISBETH
SALANDER

Han flyttade blicken till den andra löpsedeln.

EXTRA
PSYKOPAT
jagas för
TRIPPEL
MORD

Han gick tveksamt in i Pressbyrån och köpte både kvällstidningarna
och morgontidningarna och gick därefter bort till en cafeteria. Han
läste med stigande förvåning.

DÅ MIKAEL BLOMKVIST kom hem till sin lägenhet på Bellmansgatan vid elvatiden på torsdagskvällen var han trött och deprimerad.
Han hade tänkt göra en tidig kväll och försöka sova bort en smula
av sin sömnskuld, men han kunde inte motstå att koppla upp sin
iBook på nätet och kontrollera sin e-post.

Han hade inte fått något av större intresse, men knackade för säkerhets skull upp mappen <Lisbeth Salander>. Hans puls ökade genast då han upptäckte ett nytt dokument med titeln [MB2]. Han dubbelklickade.

[Åklagare E läcker information till media. Fråga honom varför han inte läckt den gamla polisutredningen.]

Mikael begrundade häpet det kryptiska budskapet. Vad menade hon? Vilken gammal polisutredning? Han förstod inte vad hon syftade på. Jävla besvärliga människa. Varför måste hon formulera varje budskap som en rebus? Efter en stund skapade han ett nytt dokument som han kallade [Kryptiskt].

[Hej Sally. Jag är trött som fan och har varit igång hela tiden sedan morden. Jag har inte lust att leka gissningslekar. Det är möjligt att du inte bryr dig eller tar situationen på allvar men jag vill veta vem som mördade mina vänner. /M]

Han väntade framför skärmen. Repliken [Kryptiskt 2] kom en minut senare.

[Vad gör du om det var jag?]

Han svarade med [Kryptiskt 3].

[Lisbeth, om det är så att du har blivit spritt språngande så kan förmodligen bara Peter Teleborian hjälpa dig. Men jag tror inte att du mördat Dag och Mia. Jag hoppas och ber att jag har rätt i mitt antagande.

Dag och Mia tänkte avslöja sexhandeln. Min hypotes är att det på något sätt kan ha utgjort motiv för morden. Men jag har inget att gå på.

Jag vet inte vad som gick på tok mellan oss, men du och jag diskuterade vänskap vid ett tillfälle. Jag sa att vänskap bygger på två saker – respekt och förtroende. Även om du inte tycker om mig så kan du faktiskt fortfarande ha förtroende för mig och lita på mig. Jag har aldrig avslöjat dina hemligheter. Inte ens vad som hände med Wennerströms miljarder. Lita på mig. Jag är inte din fiende./M]

Svaret dröjde så länge att Mikael hade gett upp hoppet. Men nästan femtio minuter senare materialiserades plötsligt [Kryptiskt 4].

[Jag ska tänka på saken.]

Mikael andades ut. Helt plötsligt kände han en liten strimma av hopp. Repliken innebar exakt vad som stod där. Hon skulle tänka på saken. Det var första gången sedan hon plötsligt försvann ut ur hans liv som hon överhuvudtaget kommunicerat med honom. Att hon skulle tänka på saken innebar att hon i alla fall skulle överväga om hon alls ville tala med honom. Han skrev [Kryptiskt 5].

[Okej. Jag väntar på dig. Men dröj inte för länge.]

KRIMINALINSPEKTÖR HANS FASTE fick samtalet på mobilen då han befann sig på Långholmsgatan vid Västerbron på väg till jobbet på fredagsmorgonen. Polisen hade inte resurser att sätta lägenheten på Lundagatan under permanent bevakning och hade därför vidtalat en granne, därtill pensionerad polis, att hålla ett vakande öga på lägenheten.

"Kinesflickan kom just in genom porten", sa grannen.

Hans Faste kunde knappt ha befunnit sig på ett mer fördelaktigt ställe. Han gjorde en illegal sväng förbi busskuren in på Heleneborgsgatan precis framför Västerbron och körde via Högalidsgatan till Lundagatan. Han parkerade mindre än två minuter efter att samtalet hade kommit och joggade över gatan och genom porten till gårdshuset.

Miriam Wu stod fortfarande vid dörren till sin lägenhet och stirrade på det sönderborrade låset och tejpremsorna över dörren då hon hörde stegen i trappan. Hon vände sig om och såg en vältränad och kraftigt byggd man med intensivt stirrande blick. Hon uppfattade honom som fientlig och släppte sin väska på golvet och gjorde sig beredd att demonstrera thaiboxning om så skulle behövas.

"Miriam Wu?" frågade han.

Till hennes förvåning höll han upp en polislegitimation.

"Ja", svarade Mimmi. "Vad är det fråga om?"

"Var har du hållit hus den senaste veckan?"

"Jag har varit borta. Vad har hänt? Har det varit inbrott?"

Faste stirrade på henne.

"Jag måste nog be dig följa med till Kungsholmen", sa han och lade en hand på Miriam Wus axel.

BUBLANSKI OCH MODIG såg en tämligen irriterad Miriam Wu eskorteras av Faste till förhörsrummet.

"Var så god och sitt. Mitt namn är kriminalinspektör Jan Bublanski och det här är min kollega Sonja Modig. Jag beklagar att vi tvingades plocka in dig på detta sätt, men vi har en del frågor vi måste få svar på."

"Jaha. Varför det? Han där är inte särskilt talför."

Mimmi viftade med tummen mot Faste.

"Vi har sökt dig i mer än en vecka. Kan du förklara var du har befunnit dig?"

"Jo, det kan jag. Men det har jag inte lust att göra och så vitt jag vet angår det inte dig."

Bublanski höjde på ögonbrynen.

"Jag kommer hem och hittar min dörr uppbruten med polistejp över karmarna och en anabolstinn hanne släpar iväg mig hit. Kan jag få en förklaring?"

"Gillar du inte hannar?" frågade Hans Faste.

Miriam Wu stirrade häpet på honom. Bublanski och Modig gav honom var sin skarp blick.

"Ska jag tolka detta som att du inte har läst några tidningar den gångna veckan? Har du befunnit dig utomlands?"

Miriam Wu kände sig omtumlad och började bli osäker.

"Nej, jag har inte läst några tidningar. Jag har befunnit mig i Paris och hälsat på mina föräldrar i två veckor. Jag kommer precis från Centralen."

"Du har åkt tåg?"

"Jag tycker inte om att flyga."

"Och du såg inga löpsedlar eller svenska tidningar i dag?"

"Jag klev nyss av nattåget och tog tunnelbanan hem."

Konstapel Bubbla tänkte efter. Det hade inte funnits något om Salander på löpsedlarna denna morgon. Han reste sig och lämnade rummet och återkom efter en minut med *Aftonbladets* påskdagsupplaga som hade Lisbeth Salanders passbild på hela första sidan.

Miriam Wu höll på att smälla av.

MIKAEL BLOMKVIST FÖLJDE vägbeskrivningen som Gunnar Björck, 62 år, gett honom till stugan i Smådalarö. Han parkerade och konstaterade att "stugan" var en modern villa med åretruntstandard och sjöglimt mot Jungfrufjärden. Han gick upp längs en grusgång och ringde på. Gunnar Björck var inte olik den passbild som Dag Svensson hade plockat fram.

"Hej", sa Mikael.

"Jaha, du hittade."

"Inga problem."

"Kom in. Vi kan sitta i köket."

"Det blir bra."

Gunnar Björck tycktes vara vid god hälsa men haltade något.

"Jag är sjukskriven", sa han.

"Inget allvarligt, hoppas jag", sa Mikael.

"Jag väntar på en operation för diskbråck. Vill du ha kaffe?"

"Nej tack", sa Mikael och slog sig ned på en köksstol och öppnade sin väska och plockade fram en mapp. Björck slog sig ned mitt emot honom.

"Jag tycker att du ser bekant ut. Har vi träffats tidigare?"

"Nej", svarade Mikael.

"Du ser väldigt bekant ut."

"Du har kanske sett mig i tidningarna."

"Vad sa du att du hette?"

"Mikael Blomkvist. Jag är journalist och arbetar på tidskriften *Millennium*."

Gunnar Björck såg konfunderad ut. Sedan föll polletten ned. *Kalle Blomkvist. Wennerströmaffären.* Men han hade ännu inte insett implikationerna.

"*Millennium.* Jag visste inte att ni gör marknadsundersökningar."

"Det gör vi bara undantagsvis. Jag vill att du ska titta på tre bilder och avgöra vilken modell som du gillar bäst."

Mikael placerade utprintade bilder på tre flickor på bordet. En av bilderna var nedladdad från en porrsida på Internet. De två övriga var förstorade passbilder i färg.

Gunnar Björck blev plötsligt likblek.

"Jag förstår inte."

"Inte? Det här är Lidia Komarova, 16 år från Minsk i Vitryssland. Bredvid finns Myang So Chin, känd som Jo-Jo från Thailand. Hon är 25 år. Och slutligen har du Jelena Barasowa, 19 år, från Tallinn. Du har köpt sex av samtliga dessa tre kvinnor och jag undrar vem av dem du gillade bäst. Se det som en marknadsundersökning."

BUBLANSKI TITTADE tvivlande på Miriam Wu som blängde tillbaka på honom.

"Om jag ska summera så påstår du att du har känt Lisbeth Salander i drygt tre år. Hon har utan ersättning skrivit över sin lägenhet på dig nu i vår och flyttat någon annanstans. Du har sex med henne lite då och då om hon hör av sig, men du vet inte var hon bor, vad hon sysslar med eller hur hon försörjer sig. Vill du att jag ska tro på det?"

"Jag skiter i vad du tror. Jag har inte gjort något brottsligt och hur jag väljer att leva mitt liv och vem jag har sex med angår varken dig eller någon annan."

Bublanski suckade. Han hade mottagit nyheten på morgonen att Miriam Wu plötsligt hade flutit upp med en känsla av befrielse. *Äntligen ett genombrott.* De besked han hade fått från henne var dock allt annat än klargörande. De var faktiskt extremt besynnerliga. Problemet var bara att han trodde på Miriam Wu. Hon svarade klart och tydligt och utan att tveka. Hon kunde ge besked om platser och tidpunkter då hon hade träffat Salander och hon gav en så detaljerad beskrivning av hur det gick till då hon flyttade till Lundagatan att både Bublanski och Modig drog slutsatsen att en sådan besynnerlig historia inte kunde vara annat än sann.

Hans Faste hade åhört förhöret med Miriam Wu med en stigande känsla av irritation, men hade lyckats hålla tyst. Han ansåg att Bublanski var på tok för slapp med *kinesflickan* som var uppenbart arrogant och använde många ord till att undvika att svara på den enda frågan av betydelse. Nämligen var ända in i glödheta helvetet den jävla horan Lisbeth Salander gömde sig?

Men Miriam Wu visste inte var Lisbeth Salander befann sig. Hon visste inte vad Salander arbetade med. Hon hade aldrig hört talas om Milton Security. Hon hade aldrig hört talas om Dag Svensson eller Mia Bergman och hon kunde följaktligen inte besvara en enda fråga av intresse. Hon hade ingen aning om att Salander stod under förvaltarskap, att hon i tonåren tidvis varit tvångsintagen och att hon hade mångordiga psykiatriska utlåtanden i sin meritförteckning.

Däremot kunde hon bekräfta att hon och Lisbeth Salander hade besökt Kvarnen och pussats och därefter gått hem till Lundagatan och skilts åt tidigt morgonen därpå. Några dagar senare hade Miriam Wu tagit tåget till Paris och helt missat alla rubriker i de svenska tidningarna. Bortsett från ett hastigt besök för att lämna bilnycklar hade hon inte sett Lisbeth sedan kvällen på Kvarnen.

"Bilnycklar?" undrade Bublanski. "Salander har ingen bil."

Miriam Wu förklarade att hon hade köpt en vinröd Honda som stod parkerad utanför bostaden. Bublanski reste sig och tittade på Sonja Modig.

"Kan du ta över förhöret?" sa han och lämnade rummet.

Han var tvungen att leta rätt på Jerker Holmberg och be honom göra en teknisk undersökning av en vinröd Honda. Och han behövde vara ensam och tänka.

SJUKSKRIVNE GUNNAR BJÖRCK, biträdande chef på Säkerhetspolisens utlänningsrotel, satt som ett askgrått spöke i köket med den vackra utsikten mot Jungfrufjärden. Mikael betraktade honom med tålmodigt neutral blick. Han var vid det laget övertygad om att Björck inte hade ett dugg med morden i Enskede att göra. Eftersom Dag Svensson aldrig hunnit göra någon konfrontation med honom så hade Björck följaktligen ingen aning om att han strax skulle bli uthängd med namn och bild i ett avslöjande reportage om sexhandelns torskar.

Björck hade bidragit med en enda detalj av intresse. Det visade sig att han var personligt bekant med advokat Nils Bjurman. De hade träffats i Polisens skytteklubb där Björck hade varit aktiv medlem i tjugoåtta år. Under en period hade han till och med suttit i styrelsen tillsammans med Bjurman. Det var ingen djupare bekantskap, men de hade vid några tillfällen umgåtts på fritiden och ätit middag ihop.

Nej, han hade inte träffat Bjurman på åtskilliga månader. Så vitt han kunde komma ihåg var sista tillfället han träffat honom i slutet av föregående sommar då de hade tagit varsin öl på en uteservering. Han beklagade att Bjurman mördats av den där psykopaten men han tänkte inte gå på begravningen.

Mikael grubblade över sammanträffandet men fick så småningom slut på frågor. Bjurman måste ha känt hundratals människor i förenings- och yrkesliv. Att han råkade känna en person som figurerade i Dag Svenssons material var varken osannolikt eller statistiskt konstigt. Mikael hade upptäckt att han själv var avlägset bekant med en journalist som också förekom i Dag Svenssons material.

Det var dags att avrunda. Björck hade genomgått alla förväntade faser. Först förnekande, därefter – då Mikael visat en del av dokumentationen – vrede, hotelser, mutförsök och slutligen böner. Mikael hade ignorerat alla utbrott.

"Förstår du att ni kommer att förstöra mitt liv om ni publicerar det här?" sa Björck slutligen.

"Ja", svarade Mikael.

"Och ändå kommer du att göra det."

"Absolut."

"Varför? Kan du inte ta hänsyn? Jag är sjuk."

"Intressant att du tar upp hänsyn som argument."

"Det kostar ingenting att vara human."

"Det har du rätt i. Medan du ojar dig om att jag håller på att förstöra ditt liv så har du ägnat dig åt att förstöra livet för flera unga tjejer som du har begått brott emot. Vi kan dokumentera tre av dem. Gud vet hur många andra du varit på. Var fanns din humanism då?"

Han reste sig och samlade ihop sin dokumentation och stoppade tillbaka den i datorväskan.

"Jag hittar ut på egen hand."

Han gick mot dörren men hejdade sig och vände sig åter mot Björck.

"Har du hört talas om en man som heter Zala?" frågade han.

Björck stirrade på honom. Han var fortfarande så omtumlad att han knappt hörde Mikaels ord. Namnet Zala betydde inget för honom. Sedan vidgades han ögon.

Zala!

Det är inte möjligt.

Bjurman!

Kan det vara möjligt?

Mikael märkte förändringen och tog ett steg tillbaka mot köksbordet.

"Varför frågar du om Zala?" sa Björck. Han såg närmast chockskadad ut.

"Därför att han intresserar mig", sa Mikael.

En kompakt tystnad uppstod i köket. Mikael kunde formligen se hur kugghjulen snurrade i Björcks huvud. Till sist plockade Björck upp ett paket cigaretter från brädet i köksfönstret. Det var den första cigarett han tänt sedan Mikael kommit in i huset.

"Om jag vet något om Zala ... vad är det värt för dig?"

"Det beror på vad du vet."

Björck tänkte efter. Känslor och tankar tumlade genom hans huvud.

Hur fan kunde Mikael Blomkvist känna till något om Zalachenko?

"Det är ett namn jag inte hört på länge", sa Björck slutligen.

"Du vet alltså vem han är?" frågade Mikael.

"Det sa jag inte. Vad är du ute efter?"

Mikael tvekade en sekund.

"Han är ett av namnen på min lista över personer som Dag Svensson rotade i."

"Vad är det värt?"

"Vad är vad då värt?"

"Om jag kan leda dig till Zala ... Kan du tänka dig att glömma mig i ert reportage?"

Mikael satte sig långsamt. Efter Hedestad hade han beslutat att aldrig mer i hela sitt liv köpslå om en story. Han tänkte inte köpslå med Björck, vad som än hände tänkte han hänga ut honom. Däremot hade Mikael insett att han var tillräckligt skrupelfri för att spela dubbelspel och göra en överenskommelse med Björck. Han kände inget dåligt samvete. Björck var en polis som hade begått brott. Om han kände till namnet på en möjlig mördare så var det hans jobb att ingripa – inte att använda informationen till köpslående för egen vinning. Följaktligen kunde Björck gärna få hoppas att han hade en väg ut om han levererade information om en annan brottsling. Han sträckte ned handen i kavajfickan och kopplade på bandspelaren som han hade stängt av då han rest sig från bordet.

"Berätta", sa han.

SONJA MODIG VAR rasande på Hans Faste, men visade inte med en min vad hon ansåg om honom. Det fortsatta förhöret med Miriam Wu sedan Bublanski lämnat rummet hade varit allt annat än stringent och Faste hade helt ignorerat alla ilskna ögonkast från henne.

Modig var också förvånad. Hon hade aldrig tyckt om Hans Faste och hans machostil, men hon hade uppfattat honom som en kompetent polis. Den kompetensen hade i dag helt lyst med sin frånvaro. Det var uppenbart att Faste kände sig provocerad av en vacker, intelligent och uttalat lesbisk kvinna. Det var lika uppenbart att Miriam Wu anade Fastes irritation och hänsynslöst spädde på den.

"Så du hittade löskuken i min byrå. Vad fantiserade du om då?"

Miriam Wu smålog nyfiket. Faste såg ut som om han skulle kre-vera.

"Håll käften och svara på frågan", sa Faste.

"Du frågade om jag brukar knulla Lisbeth Salander med den. Och jag svarar att det har du inte ett skit med att göra."

Sonja Modig sträckte upp handen.

"Förhöret med Miriam Wu avbryts för en paus klockan 11.12."

Modig slog av bandspelaren.

"Kan du vara snäll och sitta kvar, Miriam. Faste, får jag växla några ord med dig?"

Miriam Wu log sött då Faste gav henne ett rasande ögonkast och lommade efter Modig ut i korridoren. Modig snurrade runt på klacken och ställde sig med näsan två centimeter från Fastes näsa.

"Bublanski gav mig i uppdrag att överta förhöret med henne. Du tillför inte ett skit."

"Äh, vad då. Den där jävla surfittan slingrar sig som en orm."

"Ska det vara någon sorts freudiansk symbolik i valet av liknel-se?"

"Va?"

"Glöm det. Gå och leta rätt på Curt Svensson och utmana honom på luffarschack eller gå ned och skjut pistol i klubbrummet eller gör vad fan som helst. Men håll dig borta från det här förhöret."

"Vad fan är du på det viset för, Modig?"

"Du saboterar mitt förhör."

"Är du så tänd på henne att du vill förhöra henne ensam?"

Innan Sonja Modig hann besinna sig sköt hennes hand ut och gav Hans Faste en örfil. Hon ångrade sig i samma sekund men då var det redan för sent. Hon sneglade upp och ned i korridoren och konsta-terade att det gudskelov inte funnits några vittnen.

Hans Faste såg först förvånad ut. Sedan flinade han bara mot hen-ne, lade upp sin jacka på axeln och gick därifrån. Sonja Modig var på väg att ropa efter honom och be om ursäkt, men bestämde sig för att hålla tyst. Hon väntade i en minut medan hon lugnade ned sig. Sedan gick hon och hämtade två kaffe från automaten och gick till-baka till Miriam Wu.

De satt tysta med varandra en stund. Till sist tittade Modig på Miriam Wu.

"Förlåt mig. Det här är nog ett av de sämst skötta förhören i polishusets historia."

"Det verkar vara en kul man att jobba ihop med. Ska jag gissa att han är heterosexuell, frånskild och står för bögskämten vid fikapausen."

"Han är ... en relik från någonting. Det är allt jag kan säga."

"Och det är inte du?"

"Jag är i alla fall inte homofob."

"Okej."

"Miriam, jag ... vi, allihopa, har varit igång nästan dygnet runt i tio dagar nu. Vi är trötta och irriterade. Vi försöker lösa ett fruktansvärt dubbelmord i Enskede och ett lika fruktansvärt mord vid Odenplan. Din flickvän är kopplad till båda brottsplatserna. Vi har teknisk bevisning och det har gått rikslarm på henne. Förstår du att vi till varje pris måste få tag på henne innan hon gör någon annan illa eller kanske sig själv."

"Jag känner Lisbeth Salander ... Jag kan inte tro att hon mördat någon."

"Kan inte tro eller vill inte tro? Miriam, vi lägger inte ut rikslarm på någon utan goda skäl. Men så mycket kan jag säga, att min chef, kriminalinspektör Bublanski, inte heller är helt övertygad om att hon är skyldig. Vi diskuterar möjligheten att hon har någon medbrottsling eller att hon på något annat sätt blivit indragen i det här. Men vi måste få tag på henne. Du tror att hon är oskyldig, Miriam, men vad händer om du har fel? Du säger själv att du inte vet särskilt mycket om Lisbeth Salander."

"Jag vet inte vad jag ska tro."

"Hjälp oss att ta reda på sanningen då."

"Är jag gripen för något?"

"Nej."

"Kan jag gå härifrån när jag vill?"

"Tekniskt sett, ja."

"Och otekniskt sett?"

"Du kommer att förbli ett frågetecken i våra ögon."

Miriam Wu övervägde hennes ord. "Okej. Fråga på. Om jag blir irriterad på dina frågor så svarar jag inte."

Sonja Modig kopplade på bandspelaren igen.

KAPITEL 20
FREDAG 1 APRIL–SÖNDAG 3 APRIL

MIRIAM WU TILLBRINGADE en timme tillsammans med Sonja Modig. Vid slutet av förhöret kom Bublanski in i förhörsrummet och slog sig tyst ned och lyssnade utan att säga något. Miriam Wu hälsade artigt på honom men fortsatte att prata med Sonja.

Till slut tittade Modig på Bublanski och frågade om han hade några ytterligare frågor. Bublanski skakade på huvudet.

"Då förklarar jag förhöret med Miriam Wu avslutat. Klockan är 13.09."

Hon stängde av bandspelaren.

"Jag har förstått att det blev lite problem med kriminalinspektör Faste", sa Bublanski.

"Han var okoncentrerad", sa Sonja Modig neutralt.

"Han är en idiot", sa Miriam Wu upplysningsvis.

"Kriminalinspektör Faste har faktiskt många förtjänster men han är nog inte den mest lämplige att förhöra en ung kvinna", sa Bublanski och tittade Miriam Wu i ögonen. "Jag borde inte ha lämnat honom med den uppgiften. Jag ber om ursäkt."

Miriam Wu såg häpen ut.

"Ursäkten accepteras. Jag var rätt avig mot dig i början också."

Bublanski viftade undan det. Han tittade på Miriam Wu.

"Får jag fråga dig några saker så här på slutet? Med bandspelaren av."

"Var så god."

"Ju mer jag hör om Lisbeth Salander, desto mer förbryllad blir jag. Den bild jag får av de personer som känner henne är oförenlig med den bild som framträder i socialvårdens papper och rättsmedicinska dokument."

"Jaha."

"Kan du bara svara rakt uppochned."

"Okej."

"Den psykiatriska utvärderingen som gjordes då Lisbeth Salander var 18 år antyder att hon är mentalt efterbliven och förståndshandikappad."

"Trams. Lisbeth är förmodligen smartare än både du och jag."

"Hon har inte gått ut skolan och har inte ens betyg på att hon kan läsa och skriva."

"Lisbeth Salander läser och skriver väsentligt bättre än jag. Hon brukar sitta och kludda matematiska formler ibland. Rena algebran. Jag har ingen aning om sådan matematik."

"Matematik?"

"Det är en hobby hon skaffat sig."

Bublanski och Modig var tysta.

"Hobby?" undrade Bublanski efter en stund.

"Det är ekvationer av något slag. Jag vet inte ens vad tecknen betyder."

Bublanski suckade.

"Socialtjänsten skrev ett utlåtande sedan hon omhändertagits i Tantolunden i sällskap med en äldre man då hon var 17 år. Det antyds att hon försörjde sig som prostituerad."

"Lisbeth som hora. Skitsnack. Jag vet inte vad hon jobbar med, men jag är inte det minsta förvånad över att hon haft något jobb på Milton Security."

"Hur försörjer hon sig?"

"Jag vet inte."

"Är hon lesbisk?"

"Nej. Lisbeth har sex med mig, vilket inte är samma sak som att hon är flata. Jag tror inte att hon själv vet vad hon har för sexuell identitet. Gissningsvis är hon bisexuell."

"Det här med att ni använder handbojor och så ... är Lisbeth Salander sadistiskt lagd eller hur vill du beskriva henne?"

"Jag tror att du missförstått allt det där. Att vi använder handbojor ibland är ett rollspel och har inget med sadism eller våld och övergrepp att göra. Det är en lek."

"Har hon någonsin varit våldsam mot dig?"

"Nä. Det är snarast jag som är den dominanta parten i våra lekar."

Miriam Wu log sött.

EFTERMIDDAGSMÖTET KLOCKAN TRE resulterade i det första allvarliga grälet i utredningen. Bublanski summerade läget och förklarade därefter att han kände ett behov av att bredda spaningarna.

"Från första dagen har vi fokuserat all vår energi på att hitta Lisbeth Salander. Hon är i allra högsta grad misstänkt – och detta på sakliga grunder – men vår bild av henne möter envetet motstånd från samtliga personer som känner henne i dag. Varken Armanskij, Blomkvist eller nu Miriam Wu uppfattar henne som en psykotisk mördare. Jag vill därför att vi vidgar vårt tänkande en smula och börjar fundera över både alternativa gärningsmän och möjligheten att Salander kan ha haft en medhjälpare eller bara varit närvarande då skotten föll."

Bublanskis markering utlöste en häftig debatt i vilken han mötte hårt motstånd från Hans Faste och Sonny Bohman från Milton Security. Bägge hävdade att den enklaste förklaringen oftast var den korrekta och att tankar på en alternativ gärningsman framstod som rena konspirationsteorierna.

"Det är väl möjligt att Salander inte var ensam om saken, men vi har inga som helst spår av någon medbrottsling."

"Vi kan ju alltid köra fram Blomkvists polisspår", sa Hans Faste syrligt.

I debatten fick Bublanski endast stöd av Sonja Modig. Curt Svensson och Jerker Holmberg nöjde sig med enstaka kommentarer. Niklas Eriksson från Miltons var mol tyst under hela diskussionen. Till sist höll åklagare Ekström upp handen.

"Bublanski – jag förstår det som att du i alla fall inte vill avföra Salander från utredningen."

"Nej, självklart inte. Vi har hennes fingeravtryck. Men hittills har vi grubblat oss fördärvade på ett motiv som vi inte hittar. Jag vill att vi börjar tänka i andra banor. Kan fler personer ha varit inblandade? Kan det trots allt ha att göra med den bok om sexhandeln som Dag Svensson skrev? Blomkvist har rätt i att flera personer i boken har motiv att döda."

"Hur vill du göra?" frågade Ekström.

"Jag vill att två personer tittar på alternativa mördare. Sonja och Niklas kan hjälpas åt."

"Jag?" frågade Niklas Eriksson häpet.

Bublanski hade valt honom för att han var den yngste personen i rummet och den som möjligen var mest lämpad att ägna sig åt icke-ortodoxt tänkande.

"Du jobbar med Modig. Gå igenom allt vi vet hittills och försök hitta något vi har missat. Faste, du och Curt Svensson och Bohman jobbar vidare med att hitta Salander. Det är högsta prioritet."

"Vad ska jag göra?" frågade Jerker Holmberg.

"Fokusera på advokat Bjurman. Gör en ny undersökning av hans lägenhet. Kolla om vi har missat något. Frågor?"

Ingen hade några frågor.

"Okej. Vi ligger lågt med att Miriam Wu har dykt upp. Hon kan ha mer att berätta och jag vill inte att media ska kasta sig över henne."

Åklagare Ekström beslutade att de skulle arbeta enligt Bublanskis plan.

"JAHA", SA NIKLAS ERIKSSON och tittade på Sonja Modig. "Det är du som är polisen, så du får bestämma vad vi ska göra."

De stod i korridoren utanför konferensrummet.

"Jag tror att vi ska ta ett nytt snack med Mikael Blomkvist", sa hon. "Men först måste jag prata lite med Bublanski. Nu är det fredag eftermiddag och jag ska vara ledig lördag och söndag. Det betyder att vi inte kommer igång förrän på måndag. Använd helgen till att fundera över materialet."

De sa adjö till varandra. Sonja Modig gick in till Bublanski just som han skildes från åklagare Ekström.

"En minut."

"Sitt."

"Jag blev så förbannad på Faste att sinnet rann över."

"Han sa att du flög på honom. Jag förstod att någonting hade hänt. Det var därför jag kom in och bad om ursäkt."

"Han påstod att jag ville vara ensam med Miriam Wu för att jag var tänd på henne."

"Jag tror inte att jag hörde det där. Men det kvalificerar som sexuella trakasserier. Vill du lämna anmälan?"

"Jag gav honom en snyting. Det räcker."

"Okej, jag bedömer det som att du var extremt provocerad av honom."

"Det var jag."

"Hans Faste har problem med starka kvinnor."

"Jag har märkt det."

"Du är en stark kvinna och en väldigt bra polis."

"Tack."

"Men jag skulle uppskatta om du inte spöade upp personalen."

"Det ska inte upprepas. Jag har inte hunnit gå igenom Dag Svenssons skrivbord på *Millennium* i dag."

"Nu ligger vi redan efter med det. Gå hem och ta lite ledigt, vi tar itu med det med nya krafter på måndag."

NIKLAS ERIKSSON STANNADE till vid Centralen och drack kaffe på George. Han kände sig modstulen. Under hela veckan hade han förväntat sig att Lisbeth Salander skulle gripas vilket ögonblick som helst. Om hon gjorde motstånd vid gripandet kunde det med lite tur till och med resultera i att någon godhjärtad polis sköt henne.

Vilket var en tilltalande fantasi.

Men Salander var fortfarande på fri fot. Inte nog med det, nu började Bublanski fundera över alternativa gärningsmän. Det var inte en positiv utveckling.

Att vara underställd Sonny Bohman var illa nog – karln var ju faktiskt något av det tråkigaste och mest fantasilösa som stod att uppbringa på Miltons – och nu hade han dessutom blivit underställd Sonja Modig.

Hon var den som mest av allt ifrågasatte Salanderspåret och förmodligen den som fått Bublanski att tveka. Han undrade om konstapel Bubbla hade något ihop med den jävla fittan. Skulle inte förvåna. Han var som en toffel mot henne. Av alla poliser i utredningen var det bara Faste som hade stake nog att säga vad han tyckte.

Niklas Eriksson funderade.

Under morgonen hade han och Bohman haft ett kort möte med Armanskij och Fräklund på Miltons. En veckas spaningar hade varit resultatlösa och Armanskij var frustrerad över att ingen tycktes ha hittat någon förklaring till morden. Fräklund hade föreslagit att Milton Security skulle ta sig en funderare över deras engagemang – det fanns andra arbetsuppgifter för Bohman och Eriksson än att gratis bistå polismakten.

Armanskij hade funderat en stund och därefter beslutat att Bohman och Eriksson skulle fortsätta ytterligare en vecka. Om inget resultat uppnåtts då skulle projektet avbrytas.

Niklas Eriksson hade med andra ord en veckas frist innan dörren till utredningen skulle slå igen. Han var osäker på vad han skulle ta sig till.

Efter en stund lyfte han mobilen och ringde till Tony Scala, en frilansjournalist som brukade skriva trams för en herrtidning och som Niklas Eriksson hade träffat vid några tillfällen. Eriksson hälsade och sa att han hade information om utredningen kring morden i Enskede. Han förklarade hur det kom sig att han plötsligt hade hamnat mitt i centrum av den hetaste polisutredningen på många år. Scala nappade inte oväntat eftersom det kunde resultera i ett knäck för en större tidning. De kom överens om att träffas över en kopp kaffe en timme senare och valde Aveny på Kungsgatan.

Tony Scalas mest framträdande personlighetsdrag var att han var fet. Mycket fet.

”Om du vill ha information av mig måste du göra två saker.”

”*Shoot*.”

"För det första ska inte Milton Security nämnas i texten. Vår roll är bara konsulterande och om Miltons nämns kan någon börja misstänka att jag läcker information."

"Fast det är ju lite av en nyhet att Salander jobbat åt Miltons."

"Städning och sådant", avfärdade Eriksson honom. "Det är ingen nyhet."

"Okej."

"För det andra ska du vinkla texten så att det antyds att det är en kvinna som läckt information."

"Varför det?"

"För att leda misstankarna bort från mig."

"Okej. Vad har du att komma med?"

"Salanders lesbiska väninna har just dykt upp."

"Hoppsan. Den där tjejen som var skriven på Lundagatan och som varit försvunnen?"

"Miriam Wu. Är det värt något?"

"Jovars. Var har hon hållit hus?"

"Utomlands. Hon påstår att hon inte ens hört talas om morden."

"Är hon misstänkt på något sätt?"

"Nej, inte i nuläget. Hon har varit inne på förhör under dagen och släpptes för tre timmar sedan."

"Jaha. Tror du på hennes story?"

"Jag tror att hon ljuger som fan. Hon vet något."

"Okej."

"Men kolla upp hennes bakgrund. Här har vi en brud som ägnar sig åt sadomasochistisk sex tillsammans med Salander."

"Och det vet du?"

"Hon erkände under förhören. Vi hittade handbojor, läderställ och piskor och hela kittet vid husrannsakan."

Det där med piskorna var en liten överdrift. Okej, det var en ren lögn, men kinesfittan hade säkert lekt med piskor också.

"Du skämtar?" sa Tony Scala.

PAOLO ROBERTO TILLHÖRDE de sista besökarna då biblioteket stängde. Han hade tillbringat eftermiddagen med att läsa varje rad som skrivits om jakten på Lisbeth Salander.

Han gick ut på Sveavägen och kände sig modstulen och förvirrad. Och hungrig. Han gick till McDonald's där han beställde en hamburgare och satte sig i ett hörn.

Lisbeth Salander som trippelmördare. Han kunde bara inte tro det. Inte den späda lilla jävla knäppa tjejen. Frågan var om han borde göra något åt saken. Och i så fall vad.

MIRIAM WU HADE tagit taxi tillbaka till Lundagatan och betraktat förödelsen i sin nyrenoverade lägenhet. Skåp, garderober, förvaringsboxar och byrålådor hade tömts och innehållet sorterats. Det fanns kladd av fingeravtryckspulver i hela lägenheten. Hennes högst privata sexleksaker låg i en hög på sängen. Så vitt hon kunde se saknades ingenting.

Hennes första åtgärd blev att ringa till Södermalms Lås-Jour för att låta installera ett nytt dörrlås. Låssmeden skulle dyka upp inom en timme.

Hon satte på kaffebryggaren och skakade på huvudet. *Lisbeth, Lisbeth, vad fan har du trasslat in dig i?*

Hon tog fram mobilen och ringde Lisbeths nummer men fick bara beskedet att abonnenten inte kunde nås. Hon satt länge vid sitt köksbord och försökte få rätsida på verkligheten. Den Lisbeth Salander hon kände var ingen psykiskt sjuk mördare, men å andra sidan kände Miriam henne inte särskilt väl. Lisbeth var visserligen het i sängen, men kunde också vara kall som en fisk när hon var på det humöret.

Hon beslutade att inte bestämma sig för vad hon skulle tro innan hon träffat Lisbeth och fått en förklaring. Hon kände sig plötsligt gråtfärdig och ägnade flera timmar åt att städa.

Klockan sju på kvällen hade hon fått ett nytt lås och lägenheten var någorlunda beboelig igen. Hon duschade och hade precis slagit sig ned i köket iklädd en svart och guldfärgad orientalisk morgonrock i silke då det ringde på dörren. När hon öppnade mötte hon en exceptionellt fet och orakad man.

"Hej Miriam, jag heter Tony Scala och är journalist. Kan du svara på några frågor?"

Han hade en fotograf med sig som brände av en blixt i hennes ansikte.

Miriam Wu funderade på en dropkick och en armbåge mot näsroten men hade sinnesnärvaro nog att inse att det bara skulle bli ännu smaskigare bilder.

"Har du varit utomlands med Lisbeth Salander? Vet du var hon finns?"

Miriam Wu stängde dörren och låste med det nyinstallerade vredet. Tony Scala petade upp brevinkastet.

"Miriam, du måste prata med media förr eller senare. Jag kan hjälpa dig."

Hon formade handen till en klubba och drämde till brevinkastet. Hon hörde ett tjut av smärta då Tony Scalas finger kom i kläm. Sedan stängde hon innerdörren och gick och lade sig på sängen och blundade. *Lisbeth, jag ska strypa dig när jag får tag på dig.*

EFTER BESÖKET I SMÅDALARÖ hade Mikael Blomkvist tillbringat eftermiddagen med att besöka ytterligare en av de torskar som Dag Svensson planerat att namnge. Han hade därmed betat av sammanlagt sex av de trettiosju namnen under veckan. Den sistnämnde var en pensionerad domare bosatt i Tumba som vid flera tillfällen dömt i mål som gällde prostitution. Uppfriskande nog hade domarjäveln varken nekat, hotat eller bönat om nåd. Tvärtom hade han utan omsvep erkänt att javisst hade han knullat östfittor. Nej, någon ånger kände han inte. Prostitution var ett hedervärt yrke och han ansåg att han gjorde flickorna en tjänst genom att vara kund hos dem.

Mikael befann sig i höjd med Liljeholmen när Malin Eriksson ringde vid tiotiden på kvällen.

"Hej", sa Malin. "Har du kollat morgondrakens nätupplaga?"

"Nej, vad då?"

"Lisbeth Salanders väninna har just kommit hem."

"Vad? Vem?"

"Flatan som heter Miriam Wu och bor i hennes lägenhet på Lundagatan."

Wu, tänkte Mikael. *Salander-Wu på dörren.*

"Tack. Jag är på väg."

MIRIAM WU HADE sent omsider dragit ur jacket och stängt av mobilen. Nyheten hade gått ut på en av morgontidningarnas nätupplagor halv åtta på kvällen. Kort därefter ringde *Aftonbladet* och tre minuter senare *Expressen* för en kommentar. *Aktuellt* körde nyheten utan att namnge henne men klockan nio hade inte mindre än sexton reportrar från olika media försökt få en kommentar från henne.

Vid två tillfällen hade det ringt på dörren. Miriam Wu hade inte öppnat och hon hade släckt alla lampor i lägenheten. Hon hade lust att knäcka näsbenet på nästa journalist som trakasserade henne. Till sist satte hon på mobilen och ringde en väninna som bodde på promenadavstånd nere vid Hornstull och bad att få sova över hos henne.

Hon smet ut genom porten på Lundagatan mindre än fem minuter innan Mikael Blomkvist parkerade och förgäves ringde på hennes dörr.

BUBLANSKI RINGDE TILL Sonja Modig strax efter tio på lördagsmorgonen. Hon hade sovit till nio och därefter busat en stund med ungarna innan hennes man hade tagit med dem på promenad för att köpa lördagsgodis.

"Har du läst tidningarna i dag?"

"Faktiskt inte. Jag vaknade för bara någon timme sedan och har varit upptagen med ungarna. Har något hänt?"

"Någon i utredningen läcker information till pressen."

"Det har vi vetat hela tiden. Någon släppte Salanders rättsmedicinska rapport för flera dagar sedan."

"Det var åklagare Ekström."

"Var det?"

"Ja. Självklart. Även om han aldrig kommer att erkänna det. Han försöker trissa upp intresset därför att det gynnar honom. Men inte det här. En journalist som heter Tony Scala har pratat med en polis som släppt en mängd information om Miriam Wu. Bland annat detaljer från vad som sades på förhöret i går. Det var något vi ville hålla tyst om och Ekström är fly förbannad."

"Å fan."

"Journalisten namnger ingen. Källan beskrivs som en person med 'central position i utredningen'."

"Skit", sa Sonja Modig.

"Vid ett tillfälle i artikeln beskrivs källan som 'hon'."

Sonja Modig var tyst i tjugo sekunder medan betydelsen sjönk in. Hon var den enda kvinnan i utredningen.

"Bublanski ... jag har inte sagt ett ord till någon journalist. Jag har inte diskuterat utredningen med någon utanför korridoren. Inte ens med min man."

"Jag tror dig. Och jag tror inte för en sekund att du läcker information. Men det gör dessvärre åklagare Ekström. Och Hans Faste har helgjouren och spär på med antydningar."

Sonja Modig blev med ens alldeles matt.

"Vad händer nu?"

"Ekström kräver att du kopplas bort från utredningen medan anklagelsen utreds."

"Det här är inte klokt. Hur ska jag kunna bevisa ...?"

"Du behöver inte bevisa någonting. Det är utredaren som ska bevisa."

"Jag vet, men ... fan också. Hur lång tid kommer utredningen att ta?"

"Utredningen har redan ägt rum."

"Vad?"

"Jag frågade. Du sa att du inte hade läckt information. Alltså är utredningen klar och jag behöver bara skriva rapport. Vi syns nio på måndag på Ekströms rum och drar frågorna."

"Tack Bublanski."

"Det var så lite."

"Det finns ett problem."

"Jag vet."

"Om jag inte har läckt information så måste någon annan i gruppen ha gjort det."

373

"Har du något förslag?"

"Spontant är jag frestad att säga Faste ... men jag tror inte riktigt på det."

"Jag är benägen att hålla med dig. Men han kan också vara en riktig skitstövel och han var genuint upprörd i går."

BUBLANSKI PROMENERADE GÄRNA i mån av tid och väder. Det var en av de få former av motion han ägnade sig åt. Han bodde på Katarina Bangata på Södermalm, inte alls långt ifrån *Millenniums* redaktion, eller för den delen Milton Security, där Lisbeth Salander hade arbetat och Lundagatan där hon hade varit bosatt. Dessutom var det promenadavstånd till synagogan på S:t Paulsgatan. Under lördagseftermiddagen promenerade han till samtliga dessa platser.

Under den första biten av promenaden hade han sällskap av sin fru Agnes. De hade varit gifta i tjugotre år och han hade varit henne trogen utan minsta snedsteg under alla de åren.

De stannade till en stund i synagogan och pratade med rabbinen. Bublanski var polsk jude medan Agnes familj – den spillra som hade överlevt Auschwitz – härstammade från Ungern.

Efter synagogan skildes de åt – Agnes skulle handla medan hennes make ville fortsätta promenaden. Han kände ett behov av att vara för sig själv och grunna på den besvärliga utredningen. Han nagelfor de åtgärder som han vidtagit sedan utredningen landat på hans skrivbord på skärtorsdagens morgon och kunde inte hitta alltför många slarvfel.

Ett misstag var att han inte skickat någon att omedelbart gå igenom Dag Svenssons skrivbord på *Millenniums* redaktion. När han äntligen kom sig för att göra det – han gjorde det själv – så hade Mikael Blomkvist redan städat bort gud vet vad.

Ett annat misstag var att utredningen hade missat att Lisbeth Salander köpt bil. Jerker Holmberg hade dock rapporterat att bilen inte innehöll något av intresse. Bortsett från missen med bilen var utredningen så prydlig som den kunde förväntas vara.

Han stannade vid en kiosk vid Zinkensdamm och betraktade eftertänksamt en löpsedel. Passfoto på Lisbeth Salander hade krympts

till en liten men lätt igenkännbar vinjett i övre hörnet och fokus hade
flyttats till mer gångbara nyheter.

Polisen kartlägger
LESBISK
SATANISTLIGA

Han köpte tidningen och bläddrade fram till uppslaget som domine-
rades av en bild på fem tjejer i övre tonåren som var klädda i svarta
kläder, skinnjackor med nitar, trasiga jeans och extremt tajta t-trö-
jor. En av tjejerna höll upp en flagga med ett pentagram och en an-
nan visade pekfinger och lillfinger. Han läste bildtexten. *Lisbeth Sa-
lander umgicks med ett death metal-band som spelade på små klub-
bar. 1996 hyllade gruppen Church of Satan och hade en hit med lå-
ten Etiquette of Evil.*

Namnet *Evil Fingers* nämndes inte och deras ansikten var maska-
de. Bekanta till medlemmarna i rockgruppen skulle dock utan större
problem känna igen flickorna.

Det följande uppslaget fokuserade på Miriam Wu och illustrerades
med en bild som hämtats från en show på Berns som hon hade varit
med i. Hon porträtterades med bar överkropp och rysk officersmös-
sa. Bilden var tagen underifrån. I likhet med tjejerna i *Evil Fingers*
var hennes ögon maskerade. Hon omnämndes som 31-åringen.

Salanders väninna skrev om LESBISK BDSM-SEX
Den 31-åriga kvinnan är känd på Stockholms innekrogar. Hon
gjorde ingen hemlighet av att hon raggade kvinnor och att hon
ville dominera sin partner.

Reportern hade till och med hittat en flicka som kallades Sara och
som enligt egna uppgifter hade varit föremål för 31-åringens ragg-
försök. Hennes pojkvän hade blivit "störd" av tilltaget. Artikeln
fastslog att det handlade om en skum och elitistisk feministisk av-
art i gayrörelsens utkanter och som bland annat tog sig uttryck i en
"bondage workshop" på Pridefestivalen. I övrigt byggde texten på

citat från en sex år gammal och möjligen provocerande text av Miriam Wu från ett feministiskt fanzine som en reporter hade kommit över. Bublanski ögnade igenom texten och slängde därefter kvällstidningen i papperskorgen.

Han grubblade en stund över Hans Faste och Sonja Modig. Två kompetenta utredare. Men Faste var ett problem. Han gick folk på nerverna. Bublanski insåg att han måste ta ett snack med Faste, men han hade svårt att tro att han skulle vara upphovet till läckorna i utredningen.

När Bublanski tittade upp igen stod han på Lundagatan och betraktade Lisbeth Salanders port. Det hade inte varit ett medvetet beslut att promenera dit. Han blev helt enkelt inte klok på henne.

Han promenerade uppför trappan till övre Lundagatan där han blev stående en lång stund och grubblade på Mikael Blomkvists historia om att Salander skulle ha blivit överfallen. Inte heller den historien ledde fram till något. Det saknades polisanmälan, namn på personer och till och med ett ordentligt signalement. Blomkvist påstod att han inte hade kunnat se bilnumret på den skåpbil som försvann från platsen.

Om det alls hade hänt.

Med andra ord ännu en återvändsgränd.

Bublanski tittade ned på den vinröda Honda som hela tiden stått parkerad på platsen. Helt plötsligt promenerade Mikael Blomkvist fram till porten.

MIRIAM WU VAKNADE sent på dagen insnärjd i lakan och satte sig upp och såg sig omkring i det främmande rummet.

Hon hade tagit den plötsliga mediala uppmärksamheten som ursäkt för att ringa till en väninna och be att få sova över. Men hon hade lika mycket flytt, insåg hon, därför att hon varit rädd för att Lisbeth Salander skulle knacka på dörren.

Polisens förhör och tidningarnas skriverier hade påverkat henne mer än hon trott. Trots att hon hade beslutat att avvakta med sin slutsats till dess att Lisbeth fått en chans att förklara vad som hade hänt hade hon börjat misstänka att hon ändå var skyldig.

Hon sneglade ned på Viktoria Viktorsson, 37 år, Dubbel-V kallad och hundra procent flata. Hon låg på mage och mumlade i sömnen. Miriam Wu smög in i badrummet och ställde sig i duschen. Därefter gick hon ut och handlade frukostbröd. Det var först vid kassan i närbutiken intill Kafé Cinnamon på Verkstadsgatan som hennes blick föll på löpsedlarna. Hon flydde tillbaka till Dubbel-V:s lägenhet.

MIKAEL BLOMKVIST PROMENERADE förbi den vinröda Hondan till Lisbeth Salanders port, slog koden och försvann. Han var borta i två minuter innan han kom ut på gatan igen. Ingen hemma? Blomkvist tittade längs gatan, till synes obeslutsam. Bublanski betraktade honom tankfullt.

Det som oroade Bublanski var att om Blomkvist ljugit om överfallet på Lundagatan så antydde det att han spelade något spel som i värsta fall kunde innebära att han på något sätt var delaktig i morden. Men om han talade sanning – och det fanns ännu ingen orsak att betvivla att han gjorde det – så existerade en dold ekvation i hela dramat. Det innebar att det fanns fler aktörer än de synliga och att mordet kunde vara betydligt mer komplicerat än att en patologiskt störd flicka hade fått ett vansinnesutbrott.

När Blomkvist började röra sig mot Zinkensdamm ropade Bublanski efter honom. Han stannade och upptäckte polisen och gick därefter Bublanski till mötes. De möttes precis nedanför trappan.

"Hej Blomkvist. Söker du Lisbeth Salander?"

"Faktiskt inte. Jag söker Miriam Wu."

"Hon är inte hemma. Någon läckte till media att hon hade dykt upp."

"Vad hade hon att berätta?"

Bublanski tittade forskande på Mikael Blomkvist. *Kalle Blomkvist.*

"Promenera med mig", uppmanade Bublanski. "Jag behöver en kopp kaffe."

De passerade Högalidskyrkan i tystnad. Bublanski tog honom till Café Lillasyster vid Liljeholmsbron där Bublanski beställde en dubbel espresso med en matsked kall mjölk och Mikael en caffe latte. De satte sig i rökavdelningen.

"Det var länge sedan jag hade ett så frustrerande fall", sa Bublanski. "Hur mycket kan jag diskutera med dig utan att behöva läsa om det i *Expressen* i morgon?"

"Jag jobbar inte för *Expressen*."

"Du vet vad jag menar."

"Bublanski – jag tror inte att Lisbeth är skyldig."

"Och nu håller du på och privatspanar på egen hand? Är det därför de kallar dig Kalle Blomkvist?"

Mikael log plötsligt.

"Jag har förstått att de kallar dig Konstapel Bubbla."

Bublanski log stelt.

"Varför tror du inte att Salander är skyldig?"

"Jag vet inte ett dugg om hennes förvaltare, men hon hade helt enkelt inga skäl att mörda Dag och Mia. Särskilt inte Mia. Lisbeth avskyr män som hatar kvinnor och Mia höll just på att klämma åt en hel serie torskar. Det Mia gjorde var helt i linje med vad Lisbeth själv skulle ha gjort. Hon har moral."

"Jag får inte ihop bilden av henne. Ett efterblivet psykfall eller en kompetent researcher."

"Lisbeth är annorlunda. Hon är väldigt osocial, det är definitivt inget fel på hennes intelligens. Tvärtom, hon är förmodligen mer begåvad än både du och jag."

Bublanski suckade. Mikael Blomkvist gjorde samma bedömning som Miriam Wu.

"I vilket fall måste hon gripas. Jag kan inte gå in på detaljer, men vi har teknisk bevisning på att hon befann sig på mordplatsen och hon är personligen kopplad till mordvapnet."

Mikael nickade.

"Jag antar att det betyder att ni hittat hennes fingeravtryck där. Men det betyder inte att hon sköt."

Bublanski nickade.

"Dragan Armanskij tvivlar också. Han är för försiktig för att säga det rent ut, men han söker också belägg för hennes oskuld."

"Och du? Vad tror du?"

"Jag är polis. Jag griper folk och förhör dem. Just nu ser det mörkt ut för Lisbeth Salander. Vi har fällt mördare på betydligt svagare indicier."

"Du svarade inte på frågan."

"Jag vet inte. Om hon skulle vara oskyldig ... vem tror du skulle ha intresse av att mörda både hennes förvaltare och dina två vänner?"

Mikael plockade fram ett paket cigaretter och höll upp paketet till Bublanski som skakade på huvudet. Han ville inte ljuga för polisen och antog att han borde berätta något om sina funderingar kring mannen som kallades Zala. Han borde också berätta om kommissarie Gunnar Björck på Säk.

Men Bublanski och hans kollegor hade också tillgång till Dag Svenssons material som innehöll samma folder med titeln <Zala>. Allt de behövde göra var att läsa innantill. Istället körde de fram som en ångvält och hängde ut alla intima detaljer om Lisbeth Salander i massmedia.

Han hade ett uppslag men han visste inte vart det skulle leda. Han ville inte namnge Björck innan han var säker. *Zalachenko*. Där fanns kopplingen mellan både Bjurman och Dag och Mia. Problemet var bara att Björck inte hade berättat något.

"Låt mig gräva lite mer så ska jag komma med en alternativ teori."

"Inget polisspår, hoppas jag."

Mikael log.

"Nä. Inte än. Vad sa Miriam Wu?"

"Ungefär samma sak som du. De hade ett förhållande."

Han sneglade på Mikael.

"Inte min sak", sa Mikael.

"Miriam Wu och Salander har umgåtts i tre år. Hon kände inte till något om Salanders bakgrund och visste inte ens var hon arbetade. Svårt att smälta. Men jag tror att hon talar sanning."

"Lisbeth är väldigt privat", sa Mikael.

De satt tysta en stund.

"Har du Miriam Wus nummer?"

"Jo."

"Kan jag få det?"

"Nej."

"Varför inte?"

"Mikael, det här är ett polisärende. Vi behöver inga privatspanare med vilda teorier."

"Jag har inga teorier än. Men jag tror att svaret på gåtan finns i Dag Svenssons material."

"Du kan förmodligen få tag på Miriam Wu ganska lätt om du anstränger dig."

"Förmodligen. Men det enklaste sättet är att fråga någon som redan har numret."

Bublanski suckade. Mikael blev plötsligt väldigt irriterad på honom.

"Är poliser mer begåvade än vanliga människor som du kallar privatspanare?" frågade han.

"Nej, det tror jag inte. Men polisen har utbildning och till uppdrag att utreda brott."

"Privatpersoner har också utbildning", sa Mikael långsamt. "Och ibland är en privatspanare mycket bättre på att utreda än en riktig polis."

"Det tror du."

"Det vet jag. Fallet Joy Rahman. Ett antal poliser satt på sina arslen och blundade i fem år medan Rahman satt oskyldigt inspärrad för ett mord på en gammal tant. Han skulle fortfarande sitta inspärrad om inte en lärarinna hade ägnat flera år åt att göra en seriös utredning. Hon gjorde det och utan alla de resurser du förfogar över. Hon bevisade inte bara att han var oskyldig, hon kunde också peka ut en person som med stor sannolikhet var den verklige mördaren."

"Det gick prestige i Rahmanfallet. Åklagaren vägrade lyssna på fakta."

Mikael Blomkvist betraktade Bublanski.

"Bublanski ... jag ska berätta en sak för dig. I precis det här ögonblicket gick det prestige i Salanderfallet också. Jag hävdar att hon inte mördat Dag och Mia. Och jag ska bevisa det. Jag ska plocka fram en alternativ mördare åt dig, och när det sker kommer jag att skriva en artikel som du och dina kollegor kommer att tycka är jävligt jobbig att läsa."

PÅ VÄG HEM till Katarina Bangata kände Bublanski ett behov av att samtala med Gud om saken, men istället för att gå till synagogan gick han till katolska kyrkan vid Folkungagatan. Han slog sig ned på en av de bakre bänkarna och rörde sig inte på över en timme. Som jude hade han tekniskt sett inget i katolska kyrkan att göra men det var en fridfull plats som han regelbundet brukade besöka då han kände behov av att sortera sina tankar. Jan Bublanski ansåg att katolska kyrkan var en lika god plats att fundera på och han var övertygad om att Gud inte skulle misstycka. Dessutom fanns det en stor skillnad mellan katolicismen och judendomen. Till synagogan gick han för att han sökte sällskap och gemenskap med andra människor. Katoliker gick till kyrkan därför att de sökte vara i fred tillsammans med Gud. Hela kyrkan inbjöd till tystnad och påbjöd att besökare skulle lämnas i fred.

Han grubblade över Lisbeth Salander och Miriam Wu. Och han funderade över vad Erika Berger och Mikael Blomkvist hade mörkat för honom. Han var övertygad om att de visste något om Salander som de inte hade berättat. Han undrade vilken "research" Lisbeth Salander hade gjort för Mikael Blomkvist. En kort stund reflekterade han över om Salander hade arbetat för Blomkvist strax innan han avslöjade Wennerströmaffären, men efter lite eftertanke avfärdade han den möjligheten. Lisbeth Salander hade helt enkelt ingen koppling till den sortens dramatik och det verkade orimligt att hon skulle ha kunnat bidra med något av värde. Hur bra personundersökare hon än var.

Bublanski var bekymrad.

Han gillade inte Mikael Blomkvists tvärsäkra trosvisshet om att Salander var oskyldig. Det var en sak att han själv som polis ansattes av tvivel – det var hans yrke att tvivla. Det var en annan sak att

Mikael Blomkvist levererade en utmaning som privatspanare.

Han gillade inte privatspanare eftersom det oftast var liktydigt med konspirationsteorier som visserligen gav stora rubriker i tidningarna men som oftast skapade ett fullständigt onödigt merarbete för poliser.

Det här hade artat sig till den mest befängda mordutredning han någonsin varit inblandad i. På något sätt hade han tappat fokus. Ett spaningsmord ska följa en kedja av logiska konsekvenser.

Om en 17-årig pojke hittas knivhuggen till döds på Mariatorget handlar det om att kartlägga vilka skinnskallegäng eller ungdomsgäng som strulade vid Södra station en timme tidigare. Det finns vänner, bekanta, vittnen och ganska snart misstänkta.

Om en 42-årig man skjuts med tre skott vid ett krogbesök i Skärholmen och det visar sig att han var torped åt den jugoslaviska maffian så handlar det om att lista ut vilka uppkomlingar som försöker ta kontroll över cigarettsmugglingen.

Om en 26-årig kvinna med ordentlig bakgrund och ordnad livssituation hittas strypt i sin lägenhet handlar det om att ta reda på vem hennes pojkvän var eller vem hon sist hade pratat med på krogbesöket kvällen innan.

Bublanski hade gjort så många utredningar av det slaget att han skulle kunna göra dem i sömnen.

Den aktuella utredningen hade börjat så bra. De hade hittat en huvudmisstänkt redan efter några timmar. Lisbeth Salander var som klippt och skuren i rollen – ett uppenbart psykfall som haft våldsamma och okontrollerbara utbrott i hela sitt liv. I praktiken handlade det bara om att plocka upp henne och få ett erkännande eller, beroende på omständigheterna, att skicka henne till psyk. Därefter hade allt gått på tok.

Salander bodde inte där hon bodde. Hon hade vänner som Dragan Armanskij och Mikael Blomkvist. Hon hade ett förhållande med en ökänd flata som ägnade sig åt sex med handbojor och fick media att gå i spinn i en redan infekterad situation. Hon hade 2,5 miljoner kronor på banken och ingen känd arbetsplats. Sedan kommer Blomkvist med teorier om trafficking och konspirationer – och som kändisjournalist hade han en verklig politisk makt att skapa fullständigt kaos i utredningen med en enda välplacerad artikel.

Framför allt visade sig den huvudmisstänkte vara omöjlig att hitta, trots att hon var en tvärhand hög med ett särpräglat utseende och tatueringar över hela kroppen. Snart två veckor sedan morden och inte så mycket som en viskning om var hon befann sig.

GUNNAR BJÖRCK, SJUKSKRIVEN för diskbråck och biträdande byråchef vid Säkerhetspolisen, hade upplevt ett miserabelt dygn sedan Mikael Blomkvist klivit över hans tröskel. Han hade haft en kontinuerlig dov smärta i ryggen. Han hade vandrat fram och tillbaka i sin lånade bostad, oförmögen att koppla av och att ta initiativ. Han hade försökt tänka, men pusselbitarna ville inte falla på plats.

Han kunde inte begripa hur historien hängde samman.

När han först hade hört nyheterna om mordet på Nils Bjurman dagen efter att advokaten hade hittats död hade han gapat. Men han hade inte blivit förvånad då Lisbeth Salander nästan omedelbart utpekats som huvudmisstänkt och klappjakten på henne dragit igång. Han hade vaksamt följt varje ord som sagts på TV och han hade köpt alla dagstidningar som han kunde få tag på och uppmärksamt läst varje ord som skrivits.

Att Lisbeth Salander var psykiskt sjuk och kapabel att döda betvivlade han inte för en sekund. Han hade inte haft någon orsak att betvivla hennes skuld eller ifrågasätta polisutredningens slutsatser – tvärtom, all hans kunskap om Lisbeth Salander indikerade att hon verkligen var en psykotisk galning. Han hade varit på väg att ringa in och bistå utredningen med goda råd eller åtminstone kontrollera om saken sköttes på rätt sätt, men kom sent omsider till slutsatsen att ärendet faktiskt inte angick honom längre. Det var inte längre hans bord och det fanns kompetent folk som kunde hantera det. Dessutom kunde ett samtal från honom resultera i just den oönskade uppmärksamhet han ville undvika. Istället hade han kopplat av och bara följt den fortsatta nyhetsrapporteringen med förstrött intresse.

Mikael Blomkvists besök hade vänt uppochned på det lugnet. Det hade aldrig föresvävat Björck att Salanders mordorgie kunde angå honom personligen – att ett av hennes offer var ett medialt svin som stod i begrepp att hänga ut honom inför hela Sverige.

Än mindre hade det föresvävat honom att namnet Zala skulle dyka upp i historien som en osäkrad handgranat och allra minst att namnet skulle vara känt av Mikael Blomkvist. Det var så osannolikt att det trotsade sunt förnuft.

Dagen efter Mikaels besök hade han lyft luren och ringt till sin forne chef, 78 år gammal och bosatt i Laholm. Han var tvungen att på något sätt försöka lista ut sammanhanget utan att antyda att han ringde av andra skäl än ren nyfikenhet och professionell oro. Det hade blivit ett relativt kort samtal.

"Det är Björck. Jag antar att du har läst tidningarna."

"Det har jag. Hon har dykt upp igen."

"Och hon har inte förändrats nämnvärt."

"Det är inte vår sak längre."

"Du tror inte att ...?"

"Nej, det tror jag inte. Allt det där är dött och begravet. Det finns ingen koppling."

"Men Bjurman av alla människor. Jag antar att det inte var en slump att han blev hennes förvaltare."

Det var tyst några sekunder på linjen.

"Nej, det var ingen slump. Det verkade som en bra idé för tre år sedan. Vem hade kunnat ana det här?"

"Hur mycket kände Bjurman till?"

Hans före detta chef skrockade plötsligt i luren.

"Du vet mycket väl hur Bjurman var. Inte den mest begåvade aktören."

"Jag menar ... kände han till kopplingen? Kan det finnas något i hans kvarlåtenskap som leder vidare till ...?"

"Nej, naturligtvis inte. Jag förstår vad du frågar efter men oroa dig inte. Salander har alltid varit en kantboll i den här historien. Vi arrangerade så att Bjurman fick uppdraget men det var bara för att någon som vi hade koll på skulle vara hennes förvaltare. Hellre det än ett helt okänt kort. Om hon hade börjat pladdra om något så hade han kommit till oss. Nu löser sig det här till det allra bästa."

"Hur menar du?"

"Tja, efter det här kommer Salander att sitta på psyket under lång tid framåt."

"Okej."

"Oroa dig inte. Återgå till din sjukledighet i lugn och ro."

Men det var just det byråchef Gunnar Björck var oförmögen att göra. Det hade Mikael Blomkvist sett till. Han slog sig ned vid köksbordet och tittade ut över Jungfrufjärden medan han försökte summera sin egen situation. Han ansattes av hot från två flanker.

Mikael Blomkvist skulle hänga ut honom som torsk. Det fanns en överhängande risk att han skulle avsluta sin polisiära karriär med att dömas för brott mot sexköpslagen.

Men det allvarliga var att Mikael Blomkvist jagade Zalachenko. På något sätt var han inblandad i historien. Vilket skulle leda direkt till Gunnar Björcks ytterdörr.

Hans forne chef hade varit förvissad om att det inte fanns något i Bjurmans kvarlåtenskap som kunde leda vidare. Men det gjorde det. Utredningen från 1991. Och den hade Bjurman fått av Gunnar Björck.

Han försökte visualisera mötet med Bjurman mer än nio månader tidigare. De hade träffats i Gamla stan. Bjurman hade ringt honom en eftermiddag på jobbet och föreslagit en öl. De hade pratat om pistolskytte och allt möjligt men Bjurman hade sökt honom av ett speciellt skäl. Han behövde en tjänst. Han hade frågat om Zalachenko ...

Björck reste sig och gick fram till köksfönstret. Han hade varit lite rund under fötterna. Faktiskt ganska ordenligt rund under fötterna. Vad hade Bjurman frågat?

"Apropå det ... jag håller på med ett ärende där en gammal bekant dykt upp ..."

"Jaså, vem då?"

"Alexander Zalachenko. Kommer du ihåg honom?"

"Jovars. Honom glömmer man inte i första taget."

"Vart tog han vägen sedan?"

Tekniskt sett angick det inte Bjurman. Det fanns till och med rim-

liga skäl att sätta Bjurman under lupp enbart av det skälet att han
frågade ... om det inte hade varit för det faktum att han var Lisbeth
Salanders förvaltare. Han sa att han behövde den gamla utredning-
en. *Och jag gav honom den.*

Björck hade gjort ett dramatiskt misstag. Han hade utgått från att
Bjurman redan var informerad – allt annat hade ju framstått som
otänkbart. Och Bjurman hade framställt saken som om han bara
försökte ta en genväg genom den tröga byråkratiska gången där allt
var hemligstämplat och hysch-hysch och kunde dra ut på tiden i må-
nader. Särskilt i ett ärende som rörde Zalachenko.

*Jag gav honom utredningen. Den var fortfarande hemligstämp-
lad men det var ju ett rimligt och begripligt skäl och Bjurman var ju
inte den som pratade bredvid mun. Han var korkad, men han hade
aldrig varit lösmynt. Vad kunde det göra för skada ... det var ju så
många år sedan.*

Bjurman hade blåst honom. Han hade gett intryck av att det hand-
lade om formalia och byråkrati. Ju mer han funderade, desto mer
övertygad blev han om att Bjurman hade lagt orden väldigt exakt
och väldigt försiktigt.

Men vad fan hade Bjurman varit ute efter? Och varför hade Salan-
der mördat honom?

MIKAEL BLOMKVIST BESÖKTE Lundagatan ytterligare fyra gånger
under lördagen i hopp om att träffa Miriam Wu, men hon lyste med
sin frånvaro.

Han tillbringade en stor del av dagen på Kaffebar på Hornsgatan
med sin iBook och läste på nytt igenom den e-post som Dag Svens-
son hade fått på sin *millennium*.se-adress och innehållet i mappen
som var döpt till <Zala>. De sista veckorna före morden hade Dag
Svensson ägnat allt mer tid av sitt arbete åt att forska om Zala.

Mikael önskade att han kunde ringa till Dag Svensson och frå-
ga varför dokumentet om Irina P. fanns i mappen om Zala. Den
enda rimliga slutsats som Mikael kunde komma till var att Dag hade
misstänkt Zala för mordet på henne.

Vid femtiden på eftermiddagen hade Bublanski plötsligt ringt honom och gett honom telefonnumret till Miriam Wu. Han förstod inte vad som hade fått polismannen att ändra sig, men så fort han fått numret ringde han ungefär en gång i halvtimmen. Först vid elva-tiden på kvällen hade Miriam kopplat på mobilen och svarat. Det blev ett kort samtal.

"Hej Miriam. Jag heter Mikael Blomkvist."

"Och vem fan är du?"

"Jag är journalist och arbetar på en tidning som heter *Millennium*."

Miriam Wu uttryckte sina känslor på ett kärnfullt sätt.

"Jaså. Den Blomkvist. Far åt helvete, journalistäckel."

Därefter hade hon brutit samtalet innan Mikael haft en chans att förklara sitt ärende. Han tänkte onda tankar om Tony Scala och för-sökte ringa på nytt. Hon svarade inte. Till sist SMS:ade han till hen-nes mobil.

Snälla ring mig. Det är viktigt.

Hon hade inte ringt honom.

Sent på lördagsnatten stängde Mikael av datorn och klädde av sig och kröp ned i sängen. Han kände sig frustrerad och önskade att han hade haft sällskap av Erika Berger.

DEL 4

TERMINATOR
MODE

24 mars–8 april

En rot till en ekvation är ett tal som insatt istället för den
obekanta gör ekvationen till en identitet. Man säger att roten
satisfierar ekvationen. För att lösa en ekvation måste man
finna alla rötter. En ekvation som satisfieras av alla tänkbara
värden på de obekanta kallas en identitet.

$$(a+b)^2 = a^2 + 2ab + b^2$$

KAPITEL 21
SKÄRTORSDAG 24 MARS-MÅNDAG 4 APRIL

LISBETH SALANDER TILLBRINGADE den inledande veckan av polisjakten långt från all dramatik. Hon befann sig i lugn och ro i sin lägenhet på Fiskargatan vid Mosebacke. Hennes mobil var avstängd och SIM-kortet urplockat. Hon tänkte inte använda den mobilen igen. Hon följde med allt större ögon rubrikerna i tidningarnas Internetupplagor och nyhetssändningarna på TV.

Hon betraktade irriterat passbilden av sig själv som först lanserades på Internet och därefter toppade alla löp och vinjetter i TV:s nyhetssändningar. Hon såg inte klok ut.

Trots sin mångåriga strävan efter anonymitet hade hon förvandlats till en av rikets mest ökända och omskrivna personer. Med mild förvåning började hon inse att ett rikslarm på en kortväxt flicka som misstänktes för ett trippelmord var en av årets största nyhetshändelser, ungefär i nivå med Knutbysekten. Hon följde kommentarerna och förklaringarna i media med eftertänksamt höjda ögonbryn, fascinerad av att sekretessbelagda handlingar om hennes mentala tillkortakommanden tycktes ligga helt tillgängliga på vilken redaktion som helst. En rubrik väckte begravda minnen till liv.

GREPS FÖR MISSHANDEL I GAMLA STAN

En rättsreporter på TT hade överträffat konkurrenterna genom att komma över en kopia av den rättsmedicinska utredning som tillkommit då Lisbeth hade gripits för att ha sparkat en passagerare i ansiktet på Gamla stans tunnelbanestation.

Lisbeth mindes mycket väl händelsen i tunnelbanan. Hon hade varit vid Odenplan och var på väg tillbaka till sitt (tillfälliga) hem hos fosterföräldrarna i Hägersten. Vid Rådmansgatan hade en obekant och till synes nykter man klivit på och omedelbart zoomat in henne. Hon fick senare veta att han hette Karl Evert Blomgren och var en arbetslös 52-årig före detta bandyspelare från Gävle. Trots att vagnen var halvtom hade han satt sig bredvid henne och börjat tjafsa. Han hade lagt handen på hennes knä och försökt inleda en konversation av typen "du får 200 spänn om du hänger med mig hem". När hon ignorerade honom blev han påstridig och kallade henne för gammal surfitta. Det faktum att hon inte svarat på tilltal och dessutom bytt säte vid T-centralen hade inte avskräckt honom.

När de närmade sig Gamla stan hade han slagit armarna om henne bakifrån och stuckit upp händerna under hennes jumper samtidigt som han viskade i hennes öra att hon var en hora. Lisbeth Salander tyckte inte om att bli kallad hora av vilt främmande människor på tunnelbanan. Hon hade svarat med en armbåge i ögat och därefter tagit tag i en stolpe och hävt sig upp och sparkat honom med båda klackarna över näsroten. En viss blodsutgjutelse hade uppstått.

Hon hade haft en möjlighet att slinka ut ur vagnen när den stannade på perrongen men eftersom hon var klädd i högsta punkmode och hade blåfärgat hår så hade en vän av ordning kastat sig över henne och hållit henne nedtryckt på marken till dess att polis tillkallats.

Hon förbannade sitt kön och sin kroppsbyggnad. Om hon hade varit en grabb skulle ingen ha vågat kasta sig över henne.

Hon gjorde aldrig något försök att förklara varför hon sparkat Karl Evert Blomgren i ansiktet. Hon ansåg inte att det var lönt att försöka förklara något alls för uniformsklädda myndigheter. Av principiella skäl vägrade hon att ens svara på tilltal då psykologer försökt bedöma hennes mentala tillstånd. Som tur var hade flera andra passagerare observerat händelseförloppet, däribland en påstridig kvinna från Härnösand som råkade vara riksdagsledamot för centern. Kvinnan hade lämnat vittnesmål på plats om att Blomgren hade antastat Salander före våldsutbrottet. När det sedermera visade sig att Blomgren hade dömts två gånger för sedlighetsbrott beslutade åklagaren att avskriva målet. Det innebar dock inte att den sociala utredningen om henne avbröts. Denna resulterade en kort tid senare i att tingsrätten fattade beslut om att omyndigförklara Lisbeth Salander. Hon hade därefter hamnat under först Holger Palmgrens och därefter Nils Bjurmans förvaltarskap.

Nu låg alla dessa intima och sekretesskyddade detaljer ute på nätet till allmän beskådan. Hennes meritförteckning kompletterades med färgstarka beskrivningar av hur hon hamnat i konflikter med omgivningen sedan småskolan och hur hon tillbringat de första tonåren på en barnpsykiatrisk klinik.

DEN MEDIALA DIAGNOSEN av Lisbeth Salander varierade beroende på upplaga och tidning. Stundom beskrevs hon som psykotisk och vid andra tillfällen som schizofren med allvarliga drag av förföljelsemani. Samtliga tidningar beskrev henne som förståndshandikappad – hon hade ju inte ens kunnat tillgodogöra sig undervisningen i grundskolan och hade lämnat nian utan betyg. Att hon var obalanserad och våldsbenägen behövde allmänheten inte tveka om.

När massmedia upptäckte att Lisbeth Salander var bekant med den kända lesbianen Miriam Wu utbröt en regelrätt *feeding frenzy* i flera tidningar. Miriam Wu hade uppträtt i Benita Costas performance show på Pridefestivalen, en provocerande scenshow där Mimmi fotograferats med bar överkropp, skinnbyxor med hängslen och högklackade lackstövlar. Hon hade dessutom skrivit artiklar i en gaytidning som flitigt citerades i media och hon hade vid några tillfällen blivit intervjuad i samband med att hon uppträtt i olika shower. Kombinationen av en möjlig lesbisk massmördare och kittlande BDSM-sex var uppenbarligen en oslagbar upplagehöjare.

EFTERSOM MIRIAM WU inte återfanns under den första dramatiska veckan förekom skiftande spekulationer om att även hon hade fallit offer för Salanders våld eller att Miriam Wu kunde ha varit en medbrottsling. Dessa funderingar begränsades dock huvudsakligen till den enfaldiga chattsidan Exilen på Internet och förekom inte i större massmedia. Däremot spekulerade flera tidningar i möjligheten att eftersom det framkommit att Mia Bergmans avhandling handlade om sexhandeln så kunde detta vara Lisbeth Salanders motiv för morden, eftersom hon enligt socialtjänsten var prostituerad.

I slutet av veckan upptäckte media att Salander också hade kopplingar till ett gäng unga kvinnor som flörtade med satanism. Gruppen kallades för Evil Fingers och föranledde en äldre manlig kulturjournalist att skriva en text om ungdomars rotlöshet och de faror som döljer sig i allt från skinheadkultur till hiphop.

Vid det laget var allmänheten rätt mätt på information om Lisbeth Salander. Om samtliga påståenden i olika media lades samman så jagade polisen en psykotisk lesbisk kvinna som ingick i en liga av sadomasochistiska satanister som propagerade för BDSM-sex och hatade samhället i allmänhet och män i synnerhet. Eftersom Lisbeth Salander hade befunnit sig utomlands under föregående år fanns också möjligen vissa internationella kopplingar.

ENDAST VID ETT tillfälle reagerade Lisbeth med någon större emotion inför vad som framkom i mediebruset. En rubrik fångade hennes intresse.

"VI VAR RÄDDA FÖR HENNE"
– Hon hotade att döda, säger lärare och klasskamrater

Den som uttalade sig var en före detta lärare, numera textilkonstnär vid namn Birgitta Miåås, som lade ut texten om att Lisbeth Salander hade hotat sina klasskamrater och att även lärare hade varit rädda för henne.

Lisbeth hade faktiskt träffat Miåås. Det hade dock inte varit en klockren träff.

Hon bet sig i underläppen och konstaterade att hon vid tillfället i fråga hade varit 11 år. Hon mindes Miåås som en obehaglig vikarie i matematik som gång på gång försökt få henne att besvara en fråga som hon redan hade besvarat korrekt, men där facit i läroboken hävdade att hon hade fel. I själva verket hade läroboken fel, vilket enligt Lisbeth borde ha varit uppenbart för alla och envar. Men Miåås hade blivit alltmer påstridig och Lisbeth hade blivit alltmer ovillig att diskutera frågan. Till sist hade hon suttit med munnen som ett rakt streck och underläppen framskjuten till dess att Miåås i ren frustration hade tagit henne i axeln och skakat om henne för att väcka hennes uppmärksamhet. Lisbeth hade svarat med att kasta läroboken i skallen på Miåås, vilket hade föranlett viss kalabalik. Hon hade spottat och fräst och sparkat omkring sig då hennes klasskamrater försökt hålla fast henne.

Artikeln var ett uppslag i en kvällstidning och gav också utrymme för några pratminus i en sidotext där en av hennes forna klasskamrater poserade framför entrén till hennes gamla skola. Klasskamraten i fråga hette David Gustavsson och titulerade sig numera ekonomiassistent. Han påstod att eleverna var rädda för Lisbeth Salander eftersom "hon vid ett tillfälle hotat att döda". Lisbeth mindes David Gustavsson som en av hennes främsta plågoandar i skolan, en kraftig best med ett IQ i nivå med en gädda och som sällan försatte ett tillfälle att utdela förolämpningar och knuffar i skolkorridoren. En gång hade han överfallit henne bakom gymnastiksalen under en lunchrast och hon hade som vanligt slagit tillbaka. Rent fysiskt hade hon varit chanslös men hon hade attityden att döden var bättre än kapitulation. Just denna incident hade gått överstyr då ett stort antal klasskamrater hade samlats i ring för att se David Gustavsson gång på gång knuffa omkull Lisbeth Salander. Det hade varit roande till en viss punkt, men den dumma flickan begrep inte sitt bästa och stannade på marken och började dessutom inte ens gråta eller böna om nåd.

Efter ett tag hade det börjat bli för mycket även för klasskamraterna. David var så uppenbart överlägsen och Lisbeth så uppenbart försvarslös att David började samla minuspoäng. Han hade satt igång något som han inte kunde avsluta. Till sist hade han gett Lisbeth två riktiga knytnävsslag som dels klöv hennes läpp och dels tog luften ur henne. Klasskamraterna lämnade henne i en eländig hög bakom gymnastiksalen och försvann skrattande runt hörnet.

Lisbeth Salander hade gått hem och slickat sina sår. Två dagar senare hade hon återvänt med ett brännbollsträ. Mitt på skolgården hade hon rappat till David över örat. Då han chockad låg på marken hade hon tryckt brännbollsträet över hans strupe och böjt sig ned och viskat i hans öra att om han någonsin rörde henne igen så skulle hon slå ihjäl honom. När skolpersonalen upptäckt vad som pågick hade David forslats till sjuksyster medan Lisbeth forslats till rektor för bestraffning, journalanteckningar och fortsatt social utredning.

Lisbeth hade inte reflekterat över vare sig Miåås eller Gustavssons existensberättigande på drygt femton år. Hon gjorde en mental anteckning om att när hon fick lite tid över kontrollera vad de sysslade med nu för tiden.

DEN SAMMANTAGNA EFFEKTEN av alla skriverier var att Lisbeth Salander hade blivit känd och ökänd av hela svenska folket. Hennes bakgrund kartlades, nagelfors och publicerades in i minsta detalj, från utbrotten i småskolan till vården på den barnpsykiatriska klinik, S:t Stefans utanför Uppsala, där hon tillbringat mer än två år.

Hon spetsade öronen då chefsläkare Peter Teleborian intervjuades i TV. Han var åtta år äldre än då Lisbeth senast hade sett honom i samband med förhandlingen om omyndighetsförklaring i tingsrätten. Han hade pannan i djupa veck och kliade sig i ett tunt skägg då han bekymrat vände sig till studioreportern och förklarade att han hade tystnadsplikt och därmed inte kunde diskutera en enskild patient. Allt han kunde säga var att Lisbeth Salander var ett mycket komplicerat fall som fordrade kvalificerad vård och att tingsrätten mot hans rekommendationer hade beslutat att ställa henne under förvaltning ute i samhället istället för att ge henne den institutionella vård hon behövde. Det var en skandal, hävdade Teleborian. Han beklagade att tre människor nu hade fått sätta livet till som ett resultat av den missbedömningen och passade på att ge ett par slängar åt de nedskärningar inom den psykiatriska vården som regeringen tvingat igenom de senaste decennierna.

Lisbeth noterade att ingen tidning avslöjade att den vanligaste formen av vård på den slutna barnpsykiatriska avdelning som dr Teleborian ansvarade för var att placera "oroliga och ohanterliga patienter" i ett rum som kallades "stimulifritt". Inredningen i rummet bestod av en brits med ett spännbälte. Den akademiska förevändningen var att oroliga barn inte skulle få någon "stimuli" som kunde sätta igång utbrott.

När hon blev äldre hade hon upptäckt att det fanns en annan term för samma sak. *Sensory deprivation.* Att utsätta fångar för *sensory deprivation* klassades som inhumant enligt Genèvekonventionen. Det var ett vanligt förekommande inslag i experiment med hjärntvätt som olika diktaturregimer ägnat sig åt, och det fanns dokumentation som visade att de politiska fångar som erkände allehanda befängda brott under Moskvarättegångarna på 1930-talet hade utsatts för sådan behandling.

När Lisbeth betraktade Peter Teleborians ansikte i TV förvandlades hennes hjärta till en liten isklump. Hon undrade om han fortfarande använde samma vidriga rakvatten. Han hade varit ansvarig för vad som teoretiskt definierades som hennes vård. Hon hade aldrig begripit vad som förväntades av henne mer än att hon på något sätt måste behandlas och komma till insikt om sina gärningar. Lisbeth hade snabbt kommit till insikt om att en "orolig och ohanterlig patient" var liktydigt med en patient som ifrågasatte Teleborians resonemang och kunskap.

Följaktligen upptäckte Lisbeth Salander att den psykiatriska behandlingsmetod som varit den vanligast förkommande på 1500-talet ännu på tröskeln till 2000-talet praktiserades på S:t Stefans.

Hon hade tillbringat ungefär hälften av sin tid på S:t Stefans fastspänd på britsen i det "stimulifria" rummet. Det var uppenbarligen något av ett rekord.

Teleborian hade aldrig rört henne sexuellt. Han hade aldrig ens vidrört henne annat än i de mest oskyldiga sammanhang. Vid ett tillfälle hade han förmanande lagt sin hand på hennes axel då hon låg bältad på isoleringen.

Hon undrade om märkena efter hennes tänder fortfarande syntes på leden ovanför hans lillfinger.

Det hela hade utvecklats till en duell där Teleborian suttit med alla kort på hand. Hennes motdrag hade varit att totalt avskärma sig och fullständigt ignorera honom i rummet.

Hon var 12 år då hon transporterades av två kvinnliga poliser till S:t Stefans. Det var några veckor efter att Allt Det Onda hade skett. Hon mindes varje detalj. Först hade hon trott att allt på något sätt skulle ordna sig. Hon hade försökt förklara sin version för poliser, socialarbetare, sjukhuspersonal, sköterskor, läkare, psykologer och till och med en präst som ville att hon skulle be tillsammans med honom. När hon satt i baksätet på polisbilen och de passerade Wenner-Gren Center på väg norrut mot Uppsala visste hon fortfarande inte vart hon var på väg. Ingen hade informerat henne. Men det var då hon började ana att inget skulle ordna sig.

Hon hade försökt förklara för Peter Teleborian.

Resultatet av alla dessa ansträngningar var att hon natten då hon fyllde 13 år låg fastspänd på britsen.

Peter Teleborian var utan jämförelse den vidrigaste och mest obehaglige sadist Lisbeth Salander träffat i hela sitt liv. Han utklassade Bjurman med hästlängder. Bjurman hade varit en brutal slusk som hon hade kunnat hantera. Men Peter Teleborian var skyddad bakom en ridå av papper, utvärderingar, akademiska meriter och psykiatriskt mumbo-jumbo. Inte en enda av hans handlingar kunde någonsin anmälas eller klandras.

Han hade i statligt uppdrag att binda olydiga små flickor i spännbälte.

Och varje gång Lisbeth Salander låg fjättrad på rygg och han tajtade till selen och hon mötte hans blick så kunde hon läsa hans upphetsning. Hon visste. Och han visste att hon visste. Budskapet hade gått fram.

Natten hon fyllde 13 år beslutade hon sig för att aldrig mer växla ett enda ord med Peter Teleborian eller någon annan psykiatriker eller hjärndoktor. Det var hennes födelsedagspresent till sig själv. Hon hade hållit löftet. Och hon visste att det hade gjort Peter Teleborian frustrerad och kanske mer än något annat bidragit till att hon natt efter natt spändes fast i selen. Det var ett pris hon var beredd att betala.

Hon lärde sig allt om självbehärskning. Hon fick inga fler utbrott och kastade inte saker omkring sig de dagar hon var utsläppt från isoleringen.

Men hon talade inte med läkare.

Däremot pratade hon artigt och utan förbehåll med sköterskor, bespisningspersonal och städare. Detta noterades. En vänlig sköterska, vars namn var Carolina och som Lisbeth till en viss gräns hade tytt sig till, hade en dag frågat henne varför hon höll på som hon gjorde. Lisbeth hade tittat frågande på henne.

Varför pratar du inte med läkarna?

Därför att de inte lyssnar på vad jag säger.

Svaret var inte spontant. Det var hennes sätt att ändå kommunicera med läkarna. Hon var medveten om att alla sådana kommentarer inkorporerades i hennes journal och dokumenterade att hennes tystnad var ett helt rationellt beslut.

Det sista året på S:t Stefans hade det blivit allt ovanligare att Lisbeth placerades i isoleringscellen. De gånger det skedde var alltid då hon på ett eller annat sätt irriterat Peter Teleborian, vilket hon för all del tycktes göra så fort han fick syn på henne. Han försökte gång på gång bryta igenom hennes envetna tystnad och tvinga henne att erkänna hans existens.

En period hade Teleborian beslutat att Lisbeth skulle äta en typ av psykofarmaka som gjorde att hon fick svårt att andas och att tänka, vilket i sin tur hade skapat ångest. Från det ögonblicket vägrade hon att ta sin medicin, vilket föranledde ett beslut om att hon skulle tvångsmatas med tre tabletter dagligen.

Hennes motstånd hade varit så kraftigt att personalen hade tvingats hålla fast henne med våld, bända upp hennes mun och sedan tvinga henne att svälja. Vid det första tillfället hade Lisbeth omedelbart stoppat fingrarna i halsen och spytt upp lunchen över närmaste biträde. Detta hade resulterat i att tablettintaget därefter skedde när hon låg fastspänd. Lisbeth hade svarat med att lära sig spy utan att behöva stoppa fingrarna i halsen. Hennes våldsamma vägran och det merarbete detta innebar för personalen hade lett till att försöket hade avbrutits.

Hon hade just fyllt 15 då hon plötsligt flyttades tillbaka till Stockholm och vidare till en fosterfamilj. Flytten kom som en överraskning för henne. På den tiden hade dock Teleborian inte varit chef på S:t Stefans och Lisbeth Salander var övertygad om att det var den enda orsaken till att hon plötsligt hade blivit utskriven. Om Teleborian ensam hade fått bestämma skulle hon fortfarande ha legat fastspänd i britsen på isoleringen.

Nu såg hon honom på TV. Hon undrade om han fortfarande fantiserade om att hon skulle hamna i hans vård igen eller om hon blivit för gammal för att tillfredsställa hans fantasier. Hans angrepp mot tingsrättens beslut att inte institutionalisera henne var effektivt och väckte indignation hos den studioreporter som intervjuade honom men uppenbarligen inte hade en aning om vilka frågor hon skulle ställa. Det fanns ingen som kunde säga emot Peter Teleborian. Den förre överläkaren på S:t Stefans var avliden. Den tingsrättsdomare som presiderat vid Salanders fall, och som nu delvis fick ta på sig rollen som boven i dramat, hade gått i pension. Han vägrade att uttala sig för pressen.

EN AV DE MEST förbryllande texterna hittade Lisbeth i nätupplagan för en mellansvensk lokaltidning. Hon läste texten tre gånger innan hon stängde datorn och tände en cigarett. Hon satte sig på Ikea-kudden i fönstersmygen och betraktade uppgivet nattbelysningen utanför.

"Hon är bisexuell", säger barndomsvän

Den 26-åriga kvinna som jagas för tre mord beskrivs som en inbunden särling med stora svårigheter att anpassa sig till skolan. Trots många försök att dra in henne i gemenskapen stod hon utanför.

– Hon hade uppenbara problem med sin sexuella identitet, minns Johanna som var en av hennes få nära vänner i skolan.

– Det stod tidigt klart att hon var annorlunda och att hon var bisexuell. Vi var oroliga för henne.

Texten fortsatte med att beskriva några episoder som Johanna påminde sig. Lisbeth rynkade ögonbrynen. Själv kunde hon inte påminna sig vare sig episoderna eller att hon haft en nära vän som hette Johanna. Hon kunde faktiskt inte påminna sig att hon någonsin haft en person som kunde beskrivas som nära vän och som försökt dra in henne i gemenskapen då hon gick i skolan.

Texten var otydlig i fråga om när dessa episoder skulle ha utspelats men hon hade i praktiken lämnat skolan då hon var 12 år. Det innebar att hennes oroliga barndomskamrat måste ha upptäckt hennes bisexualitet redan på mellanstadiet.

Trots den närmast ursinniga flodvågen av befängda texter under den gångna veckan var intervjun med Johanna den som drabbade henne mest. Den var så uppenbart fabricerad. Antingen hade reportern råkat ut för en komplett mytoman eller så hade reportern själv diktat ihop en story. Hon lade reporterns namn på minnet och förde upp honom på listan över framtida studieobjekt.

INTE ENS DE förmildrande samhällskritiska reportagen med rubriker som "Samhället har brustit" eller "Hon fick aldrig den hjälp hon behövde" kunde förminska hennes roll som samhällets fiende nummer ett – en massmördare som i ett utbrott av galenskap hade avrättat tre hedervärda medborgare.

Lisbeth läste tolkningarna av sitt liv med viss fascination och noterade en uppenbar lucka i den offentliga kunskapen. Trots en som det verkade obegränsad tillgång till de mest sekretessbelagda och intima detaljerna om hennes liv hade media helt missat Allt Det Onda som skedde strax innan hon skulle fylla 13. Kunskapen om hennes liv sträckte sig från förskolan till 11-årsåldern och återupptogs då hon i 15-årsåldern släpptes från barnpsyk och placerades i en fosterfamilj.

Det tycktes som om någon inom polisutredningen försåg media med information men, av skäl som Lisbeth Salander inte kände till, beslutat att mörka avsnittet om Allt Det Onda. Detta förbryllade henne. Om polisen ville understryka hennes benägenhet för brutalt våld så var den utredningen den i särklass tyngsta belastningen i

hennes meritförteckning, långt bortom alla petitesser på skolgården
– den direkta orsaken till att hon transporterades till Uppsala och
institutionaliserades på S:t Stefans.

PÅ PÅSKDAGEN BÖRJADE Lisbeth kartlägga polisutredningen.
Från uppgifter i massmedia fick hon en bra bild av deltagarna. Hon
antecknade att åklagare Richard Ekström var förundersökningsle-
dare och den som vanligen uttalade sig på presskonferenser. Den
faktiska utredningen sköttes av kriminalinspektör Jan Bublanski, en
något överviktig man i en illasittande kavaj som flankerade Ekström
vid några av presskonferenserna.

Efter några dagar hade hon identifierat Sonja Modig som grup-
pens enda kvinnliga polis och den person som hittat advokat Bjur-
man. Hon noterade namnen Hans Faste och Curt Svensson, men
missade helt Jerker Holmberg som inte förekom i något reportage.
Hon skapade en fil i sin dator för varje individ och började fylla dem
med information.

Information om hur polisens undersökning framskred fanns na-
turligtvis i de datorer som de utredande poliserna förfogade över,
och vars databas lagrades i polishusets server. Lisbeth Salander viss-
te att det var förenat med exceptionella svårigheter att hacka sig in
i polisens intranät, men att det ingalunda var omöjligt. Hon hade
gjort det förr.

I samband med ett uppdrag hon gjort åt Dragan Armanskij fyra år
tidigare hade hon kartlagt polisnätets struktur och begrundat möj-
ligheterna att kunna ta sig in i kriminalregistret för att göra egna
slagningar. Hon hade gruvligen misslyckats med försöken att göra
externa intrång – därtill var polisens brandväggar för sofistikerade
och minerade med alla möjliga försåt som kunde resultera i obehag-
lig uppmärksamhet.

Polisens interna nätverk var uppbyggt enligt konstens alla regler
med egna kabeldragningar och avskärmat från yttre kopplingar och
Internet. Det som behövdes var med andra ord antingen en fysisk po-
lis med behörighet att gå in i nätverket som jobbade på hennes upp-
drag, eller det näst bästa – att polisens intranät trodde att hon var en

behörig person. I det avseendet hade dessbättre polisens säkerhets-experter lämnat en gigantisk lucka. Det fanns ett stort antal polisstationer runt om i landet med uppkoppling till nätverket, varav flera var små lokala enheter som var obemannade nattetid och som huvudsakligen saknade inbrottslarm eller bevakning. Närpolisstationen i Långvik utanför Västerås var en sådan station. Den var inhyst på ungefär 130 kvadrat i samma byggnad som det lokala biblioteket och Försäkringskassan och bemannades dagtid av tre poliser.

Lisbeth Salander hade misslyckats med att ta sig in i nätverket för den aktuella research hon bedrev, men hon hade beslutat att det kunde vara värt att lägga ned lite tid och energi på att skaffa sig *access* inför framtida research. Hon hade begrundat sina möjligheter och därefter sökt sommarjobb som städare på Långviks bibliotek. Vid sidan av blaskandet med moppar och skurhinkar hade det tagit henne cirka tio minuter på stadsbyggnadskontoret att kartlägga lokalerna i detalj. Hon hade nycklar till byggnaden men inte till polisens lokaler. Däremot hade hon upptäckt att hon utan större svårighet kunde klättra in i polisens lokal via ett badrumsfönster på andra våningen som lämnats på glänt nattetid i sommarhettan. Polisstationen bevakades endast av en Securitasvakt som åkte rundor någon gång varje natt. Löjeväckande.

Det hade tagit henne ungefär fem minuter att hitta användarnamn och lösenord under det lokala polisbefälets skrivbordsunderlägg och ungefär en natts experimenterande för att förstå nätverkets struktur och identifiera vilken access han hade och vilken access som var säkerhetsklassad bortom det lokala befälets horisont. Som bonus fick hon även de två lokalanställda polisernas användarnamn och lösenord. En av dessa var 32-åriga polisen Maria Ottosson, i vars dator hon hittade information om att hon både sökt och fått tjänst som utredare vid Stockholmspolisens bedrägerirotel. Lisbeth fick full utdelning på Ottosson som hade lämnat sin Dell PC laptop i en olåst skrivbordslåda. Maria Ottosson var följaktligen en polis med en privat PC som hon använde i jobbet. Lysande. Lisbeth startade datorn och matade in sin cd-skiva med programmet Asphyx 1.0, den allra första versionen av hennes spionprogram. Hon placerade programvaran på två ställen. Både som en aktiv integrerad del av Microsoft Explorer och som backup i Ottossons adressbok. Lisbeth räknade med att även om Ottosson köpte en helt ny dator skulle hon plocka med sig adressboken, och chansen var dessutom stor att hon skulle överföra adressboken till datorn på sin nya arbetsplats på bedrägeriroteln i Stockholm då hon tillträdde tjänsten några veckor senare.

Lisbeth hade även placerat programvaror i polisernas bordsdatorer som gjorde det möjligt för henne att hämta information utifrån, och genom att helt enkelt stjäla deras identiteter kunde hon göra slagningar i kriminalregistret. Däremot var hon tvungen att gå oerhört försiktigt fram så att intrången inte syntes. Polisens säkerhetsavdelning hade till exempel ett automatiskt larm om någon lokal polis gick in utanför arbetstid eller om antalet slagningar ökade alltför dramatiskt. Om hon fiskade efter information från utredningar som den lokala polisen inte rimligen kunde vara inblandad i så utlöstes ett larm.

Under det närmaste året arbetade hon tillsammans med sin hackerkollega Plague för att ta kontrollen över polisdatanätet. Detta visade sig vara förenat med så dramatiska svårigheter att de efter hand lade ned projektet, men under arbetets gång hade de ackumulerat närmare hundra befintliga polisidentiteter som de kunde låna efter behov.

Plague fick ett genombrott då han lyckades hacka hemmadatorn hos chefen för polisens datasäkerhetsavdelning. Denne var en civilanställd ekonom utan djupare egna datakunskaper, men med ett övermått av information i sin laptop. Lisbeth och Plague hade därmed möjlighet att om inte hacka så åtminstone fullständigt förstöra polisdatanätet med illasinnade virus av olika slag – en verksamhet som dock ingen av dem hade minsta intresse av. De var hackers, inte sabotörer. De ville ha tillgång till fungerande nätverk, inte förstöra dem.

Lisbeth Salander kontrollerade sin lista och konstaterade att ingen av de personer som hon hade stulit identiteten för arbetade med utredningen om trippelmorden – det hade varit att hoppas på för mycket. Däremot kunde hon utan större problem gå in och läsa detaljerna i rikslarmet, inklusive uppdaterade efterlysningar om sig själv. Hon upptäckte att hon hade varit synlig och jagad i bland annat Uppsala, Norrköping, Göteborg, Malmö, Hässleholm och Kalmar och att en hemlig datagrafik som gav en bättre uppfattning om hennes utseende hade sänts ut.

EN AV LISBETHS få fördelar i den mediala uppmärksamheten var att det existerade så få bilder av henne. Förutom en fyra år gammal passbild, som även användes på hennes körkort, och en bild i polisens spaningsregister då hon var 18 år (och då hon var fullständigt oigenkännbar) fanns några enstaka bilder som hämtats från gamla skolalbum och bilder tagna av en lärare på en skolutflykt i Nackareservatet då hon var 12 år. Bilderna från utflykten visade en suddig figur som satt för sig själv en bit från alla andra.

Nackdelen var att bilden från passregistret porträtterade henne med stirrande ögon, munnen i ett smalt streck och huvudet aningen framåtböjt. Den bekräftade bilden av en efterbliven asocial mördare, och media mångfaldigade budskapet. Det enda positiva med bilden var att hon var så olik sig att få människor skulle känna igen henne i verkliga livet.

HON FÖLJDE MED intresse profileringen av de tre mordoffren. På tisdagen började media trampa vatten och i brist på nya dramatiska avslöjanden i jakten på Lisbeth Salander fokuserades intresset på offren. Dag Svensson, Mia Bergman och Nils Bjurman porträtterades i en lång bakgrundstext i en av kvällstidningarna. Budskapet var att tre hedervärda medborgare hade slaktats av obegripliga skäl.

Nils Bjurman framstod som en respekterad och socialt engagerad advokat med medlemskap i Greenpeace och ett "engagemang för ungdomar". En spalt ägnades åt Bjurmans nära vän och kollega Jan Håkansson, som hade kontor i samma fastighet som Bjurman. Håkansson bekräftade bilden av Bjurman som en man som stred för småfolkets rättigheter. En tjänsteman vid överförmyndarnämnden beskrev honom som genuint engagerad i sin skyddsling Lisbeth Salander.

Lisbeth Salander log dagens första skeva leende.

Stort intresse fokuserades på Mia Bergman, dramats kvinnliga offer. Hon beskrevs som en söt och rasande intelligent ung kvinna med en redan imponerande meritförteckning och en lysande karriär framför sig. Chockade vänner, kurskamrater och en handledare citerades. Den vanliga frågan var "varför". Bilder visade blommor och tända ljus utanför porten till fastigheten i Enskede.

Dag Svensson fick i jämförelse ganska lite utrymme. Han beskrevs som en skarp och orädd reporter, men huvudintresset låg på hans sambo.

Lisbeth noterade med mild förvåning att det dröjde ända till påsksöndagen innan någon tycktes upptäcka att Dag Svensson hade arbetat med ett stort reportage för tidningen *Millennium*. Hennes förvåning ökade då hon upptäckte att det inte framgick i rapporteringen exakt vad han arbetade med.

HON LÄSTE ALDRIG citatet av Mikael Blomkvist i *Aftonbladets* nätupplaga. Det var först sent på tisdagen då citatet nämndes i en nyhetssändning i TV som hon upptäckte att Blomkvist lämnat direkt vilseledande information. Mikael påstod att Dag Svensson hade varit engagerad för att skriva ett reportage om "datasäkerhet och olaga dataintrång".

Lisbet Salander rynkade ögonbrynen. Hon visste att påståendet var felaktigt och undrade vilket spel *Millennium* egentligen spelade. Sedan förstod hon budskapet och log dagens andra sneda leende. Hon kopplade upp sig till servern i Holland och dubbelklickade på ikonen som var döpt till *MikBlom/laptop*. Hon hittade mappen <LISBETH SALANDER> och dokumentet [Till Sally] fullt synligt mitt på skrivbordet. Hon dubbelklickade och läste.

Därefter satt hon en lång stund stilla framför Mikaels brev. Hon brottades med motsägelsefulla känslor. Fram till dess hade det varit hon mot resten av Sverige, vilket i sin enkelhet var en ganska prydlig och överskådlig ekvation. Nu hade hon plötsligt fått en allierad, eller åtminstone en potentiell allierad som påstod att han trodde att hon var oskyldig. Och det var förstås den ende man i Sverige som hon under inga omständigheter ville träffa. Hon suckade. Mikael

Blomkvist var som alltid en jävla naiv *do gooder*. Lisbeth Salander hade inte varit oskyldig sedan hon var 10 år.

Det finns inga oskyldiga. Däremot finns det olika grader av ansvar.

Nils Bjurman var död därför att han hade valt att inte spela enligt de regler hon hade beslutat om. Han hade haft alla chanser, men ändå hade han anlitat någon jävla alfahane för att göra henne illa. Det var inte hennes ansvar.

Men *Kalle Blomkvists* agerande på scenen skulle inte underskattas. Han kunde vara användbar.

Han var bra på gåtor och han hade en envishet som saknade motstycke. Det hade hon lärt sig i Hedestad. Då han satte tänderna i någonting fortsatte han tills han stupade. Han var verkligen naiv. Men han kunde röra sig där hon inte kunde synas. Han kunde vara användbar till dess att hon i lugn och ro kunde lämna landet. Vilket var vad hon antog att hon snart skulle bli tvungen att göra.

Dessvärre kunde inte Mikael Blomkvist styras. Han måste själv vilja göra. Och han behövde en moralisk förevändning för att agera.

Han var med andra ord rätt förutsägbar. Hon funderade en stund och skapade därefter ett nytt dokument som hon döpte till [Till Mik-Blom] och skrev ett enda ord.

[Zala.]

Det borde ge honom något att fundera på.

Hon satt fortfarande kvar och funderade då hon noterade att Mikael Blomkvist plötsligt slagit på sin dator. Hans replik kom kort efter att han läst hennes svar.

[Lisbeth – jävla besvärliga människa. Vem fan är Zala? Är han kopplingen? Vet du vem som mördade Dag & Mia – i så fall, tala om det för mig så vi kan lösa det här eländet och gå hem och sova. /Mikael.]

Okej. Dags att kroka honom.

Hon skapade ytterligare ett dokument och döpte det till [KALLE BLOMKVIST]. Hon visste att det skulle reta honom. Sedan skrev hon det korta meddelandet.

[Du är journalisten. Lista ut det.]

Som väntat replikerade han omedelbart med en vädjan till henne att ta sitt förnuft till fånga, och han försökte spela på hennes känslor. Hon log och stängde hans hårddisk.

NÄR HON ÄNDÅ var igång med att snoka gick hon vidare och öppnade Dragan Armanskijs hårddisk. Hon läste eftertänksamt den rapport om henne som han hade författat på annandag påsk. Det framgick inte till vem rapporten var ställd, men hon utgick från att det enda rimliga var att Armanskij samarbetade med polisen för att hon skulle gripas.

Hon ägnade en stund åt att gå igenom Armanskijs e-post men hittade inget av intresse. Precis då hon tänkte stänga hårddisken snubblade hon över mailet till Milton Securitys tekniske chef. Armanskij lämnade instruktioner för installation av en dold övervakningskamera på sitt arbetsrum.

Hoppsan.

Hon tittade på dateringen och konstaterade att mailet var avsänt någon timme efter hennes vänskapsbesök i slutet av januari.

Det innebar att hon måste justera vissa rutiner i det automatiska övervakningssystemet innan hon gjorde något nytt besök på Armanskijs rum.

KAPITEL 22
TISDAG 29 MARS – SÖNDAG 3 APRIL

PÅ TISDAGENS FÖRMIDDAG gick Lisbeth Salander in i Rikskri-
minalens belastningsregister och gjorde en slagning på Alexander
Zalachenko. Han existerade inte i registret, vilket inte var förvånan-
de eftersom han så vitt hon kände till aldrig hade dömts för brott i
Sverige och inte ens fanns i folkbokföringen.

När hon gick in i kriminalregistret använde hon identiteten för
kommissarie Douglas Skiöld, 55 år och hemmahörande i Malmös
polisdistrikt. Hon fick en mild chock då hennes dator plötsligt pling-
ade till och en ikon i menyraden började blinka som signal att någon
sökte henne på chattprogrammet ICQ.

Hon tvekade ett ögonblick. Hennes första impuls var att dra ur
pluggen och koppla ned sig. Sedan tänkte hon efter. Skiöld hade inte
haft programmet ICQ i sin dator. Få äldre människor hade ICQ i sin
dator eftersom det var ett program som främst användes av ungdo-
mar och vana datoranvändare som ville chatta med varandra.

Vilket innebar att någon sökte *henne*. Och då fanns inte så många
alternativ att välja på. Hon kopplade upp ICQ och skrev orden <Vad
vill du Plague?>.

<Wasp. Du är svår att hitta. Kollar du aldrig din mail?>

<Hur gjorde du?>

<Skiöld. Jag har samma lista. Jag antog att du skulle använda nå-
gon av identiteterna med högst behörighet.>

<Vad vill du?>

<Vem är Zalachenko som du gjorde slagningen på?>

<MYOB>

<?>

<Mind Your Own Business>

<Vad händer?>

<Fuck O, Plague>

<Jag trodde att jag hade ett socialt handikapp, som du brukar säga. Om jag ska tro tidningarna så är jag ju hur normal som helst jämfört med dig.>

<"|'>

<Finger på dig själv. Behöver du hjälp?>

Lisbeth tvekade en stund. Först Blomkvist och nu Plague. Det fanns ingen hejd på alla som strömmade till hennes undsättning. Problemet med Plague var att han var en 160 kilo tung enstöring som nästan enbart kommunicerade med omvärlden via Internet och fick Lisbeth Salander att framstå som ett mirakel av social kompetens. Då hon inte svarade knackade Plague ytterligare en rad.

<Kvar? Behöver du hjälp att ta dig ut ur landet?>

<Nej>

<Varför sköt du?>

<Piss off>

<Tänker du skjuta fler och behöver jag i så fall vara orolig? Jag är nog den ende som kan spåra dig.>

<Sköt ditt så behöver du inte vara orolig.>

<Jag är inte orolig. Sök mig på hotmail om du behöver något. Vapen? Nytt pass?>

<Du är en sociopat>

<Jämfört med dig då?>

Lisbeth kopplade ned ICQ:n och satte sig i soffan och funderade. Efter tio minuter öppnade hon datorn igen och mailade till Plagues adress på hotmail.

[Åklagare Richard Ekström, som är förundersökningsledare, är bosatt i Täby. Han är gift och har två barn och bredband uppkopplat till villan. Jag skulle behöva access till hans laptop alternativt hemdator. Jag behöver läsa honom i realtid. Hostile takeover med speglad hårddisk.]

Hon visste att Plague själv sällan lämnade sin lägenhet i Sundbyberg så hon hoppades att han hade odlat fram någon finnig tonåring som kunde utföra fältarbetet. Hon signerade inte mailet. Det var överflödigt. Hon fick svar då han pingade på ICQ igen femton minuter senare.

    <Vad betalar du?>
    <10 000 till ditt konto + omkostnader och 5 000 till din medhjälpare.>
    <Jag hör av mig.>

PÅ TORSDAGSMORGONEN FICK hon mail från Plague. Allt mailet innehöll var en ftp-adress. Lisbeth häpnade. Hon hade inte förväntat sig något resultat på åtminstone två veckor. Att göra en *hostile takeover*, även med hjälp av Plagues geniala program och specialdesignade hårdvara, var en mödosam process som förutsatte att små bitar information smögs in i en dator kilobyte för kilobyte till dess att en enkel programvara hade skapats. Hur snabbt processen gick berodde på hur ofta Ekström använde sin dator och därefter borde det ta ytterligare några dagar att överföra all information till en speglad hårddisk. Fyrtioåtta timmar var inte bara makalöst utan teoretiskt omöjligt. Lisbeth var imponerad. Hon pingade upp hans ICQ.

    <Hur bar du dig åt?>
    <Fyra i hushållet har dator. Kan du tänka dig – de har ingen brandvägg. Säkerhet noll. Det var bara att plugga in på kabeln och ladda upp. Jag har haft omkostnader på 6 000 kronor. Klarar du det?>
    <Yep. Plus bonus för snabbt jobbat.>

Hon tvekade en stund och överförde därefter 30 000 kronor till Plagues konto via Internet. Hon ville inte skämma bort honom med överdrivna summor. Hon satte sig därefter till rätta på sin Ikeastol av modellen *Verksam* och öppnade förundersökningsledare Ekströms laptop.

Inom en timme hade hon läst alla rapporter som kriminalinspektör Jan Bublanski skickat till förundersökningsledaren. Lisbeth misstänkte att sådana rapporter enligt reglementet inte borde lämna polishuset men att Ekström helt enkelt ignorerade sådana bestämmelser då han tagit med sig jobbet hem till en privat Internetuppkoppling utan brandvägg.

Det bevisade bara återigen tesen att inget säkerhetssystem är bättre än den mest korkade medarbetaren. Genom Ekströms dator fick
hon flera väsentliga bitar information.

Först upptäckte hon att Dragan Armanskij hade satt två medarbetare att kostnadsfritt ansluta sig till Bublanskis spaningsgrupp, vilket i praktiken innebar att Milton Security sponsrade polisjakten på
henne. Deras uppgift var att på alla vis bidra till att Lisbeth Salander
infångades. *Tack för den, Armanskij. Det ska jag komma ihåg.* Hon
mulnade när hon upptäckte vilka medarbetarna var. Bohman hade
hon upplevt som fyrkantig men huvudsakligen korrekt i sitt uppförande gentemot henne. Nicklas Eriksson var en korrumperad nolla
som hade utnyttjat sin position på Milton Security till att lura en av
företagets klienter.

Lisbeth Salander hade en selektiv moral. Hon var inte alls främmande för att själv lura företagets kunder, förutsatt att det var välförtjänt, men hon skulle aldrig göra det om hon hade accepterat ett
jobb med den tystnadsplikt det innebar.

LISBETH UPPTÄCKTE SNART att den person som läckte information till media var förundersökningsledare Ekström själv. Det framgick av hans e-post där han besvarade följdfrågor om både Lisbeths
rättsmedicinska utredning och sambandet mellan henne och Miriam
Wu.

Den tredje biten information av betydelse var insikten att Bublanskis team inte hade minsta ledtråd till var de skulle söka Lisbeth Salander. Hon läste med intresse en rapport som redogjorde för
vilka åtgärder som vidtagits och vilka adresser som var satta under
sporadisk bevakning. Det var en kort lista. Självfallet Lundagatan,
men även Mikael Blomkvists adress, Miriam Wus gamla adress vid
S:t Eriksplan, samt Kvarnen där hon hade varit synlig. *Fan, varför*

skulle jag utmärka mig med Mimmi? Vilket idiotiskt infall.

På fredagen hade Ekströms spanare även hittat spåret till Evil Fingers. Hon gissade att det skulle resultera i att ytterligare adresser besöktes. Hon rynkade ögonbrynen. Tja, där försvann sannolikt tjejerna i den gruppen från hennes bekantskapskrets, även om hon inte hade haft någon kontakt med dem sedan hon återvänt till Sverige.

JU MER HON funderade på saken, desto mer konfunderad blev hon. Åklagare Ekström läckte all tänkbar skit om henne till media. Hon hade inga problem att förstå Ekströms syfte; han tjänade på publiciteten och beredde mark inför den dag då han skulle väcka åtal mot henne.

Men varför hade han inte läckt polisutredningen från 1991? Den var den direkta orsaken till att hon spärrades in på S:t Stefans. Varför mörkade han den historien?

Hon gick in i Ekströms dator och ägnade en timme åt att granska hans dokument. När hon var färdig tände hon en cigarett. Hon hade inte hittat en enda referens till händelserna 1991 i hans dator. Det ledde till en besynnerlig slutsats. Han kände faktiskt inte till polisutredningen.

Hon kände sig villrådig en stund. Sedan sneglade hon på sin Power-Book. Det var precis något för *Kalle Jävla Blomkvist* att sätta tänderna i. Hon startade datorn igen och gick in i hans hårddisk och skapade dokumentet [MB2].

[Åklagare E läcker information till media. Fråga honom varför han
inte läckt den gamla polisutredningen.]

Det borde vara tillräckligt för att få honom att gå igång. Hon satt tålmodigt och väntade i två timmar innan Mikael kom online. Mikael ägnade sig åt sin e-post och det dröjde femton minuter innan han upptäckte hennes dokument och ytterligare fem minuter innan han replikerade med dokumentet [Kryptiskt]. Han nappade inte. Han tjatade istället om att han ville veta vem som mördat hans vänner.

Det var ett argument som Lisbeth kunde förstå. Hon mjuknade en aning och svarade med [Kryptiskt 2].

[Vad gör du om det var jag?]

Vilket faktiskt var avsett som en personlig fråga. Han replikerade med [Kryptiskt 3]. Det skakade henne.

[Lisbeth, om det är så att du har blivit spritt språngande så kan förmodligen bara Peter Teleborian hjälpa dig. Men jag tror inte att du mördat Dag och Mia. Jag hoppas och ber att jag har rätt i mitt antagande.

Dag och Mia tänkte avslöja sexhandeln. Min hypotes är att det på något sätt kan ha utgjort motiv för morden. Men jag har inget att gå på.

Jag vet inte vad som gick på tok mellan oss, men du och jag diskuterade vänskap vid ett tillfälle. Jag sa att vänskap bygger på två saker – respekt och förtroende. Även om du inte tycker om mig så kan du faktiskt fortfarande ha förtroende för mig och lita på mig. Jag har aldrig avslöjat dina hemligheter. Inte ens vad som hände med Wennerströms miljarder. Lita på mig. Jag är inte din fiende./M]

Mikaels referens till Peter Teleborian gjorde henne först rasande. Sedan insåg hon att Mikael inte försökte jävlas. Han hade ingen aning om vem Peter Teleborian var och hade förmodligen bara sett honom i TV där han framstod som en ansvarsfull och internationellt respekterad expert på barnpsykiatri.

Men det som verkligen skakade henne var referensen till Wennerströms miljarder. Hon hade ingen aning om hur han hade listat ut det. Hon var övertygad om att hon inte gjort något misstag och att ingen människa i hela världen visste vad hon hade gjort.

Hon läste om brevet flera gånger.

Referensen om vänskap gjorde henne obehaglig till mods. Hon visste inte hur hon skulle svara.

Till sist skapade hon [Kryptiskt 4].

[Jag ska tänka på saken.]

Hon kopplade ned sig och satte sig i fönstersmygen.

DET VAR FÖRST vid elvatiden på fredagskvällen, nio dagar efter morden, som Lisbeth Salander lämnade lägenheten vid Mosebacke. Hennes förråd av Billys Pan Pizza och andra matvaror liksom sista brödsmulan och ostkanten hade då varit slut i flera dagar. De sista tre dagarna hade hon livnärt sig på ett paket havregryn som hon impulsköpt med baktanken att börja äta nyttigare mat. Hon upptäckte att en deciliter havregryn tillsammans med lite russin och två deciliter vatten efter en minut i mikron blev en ätbar havregrynsgröt.

Det var inte enbart bristen på mat som fick henne att börja röra på sig. Hon hade en människa att söka rätt på. Dessvärre kunde hon inte förverkliga den ambitionen instängd i en lägenhet vid Mosebacke torg. Hon gick till sin garderob, plockade fram den blonda peruken och beväpnade sig med det norska passet i namnet Irene Nesser.

Irene Nesser existerade i verkligheten. Hon var utseendemässigt snarlik Lisbeth Salander och hade förlorat sitt pass tre år tidigare. Det hade hamnat i Lisbeths händer genom Plagues försorg och hon hade alternerat med Irene Nessers persona vid behov i snart arton månader.

Lisbeth plockade bort ringarna ur ögonbryn och näsborre och sminkade sig framför badrumsspegeln. Hon klädde sig i mörka jeans, en enkel men varm brun tröja med gul stickning och promenadboots med klack. Hon hade ett litet förråd av tårgaspatroner i en kartong och plockade fram en. Hon tog även fram en elpistol som hon inte rört på ett år och satte den på laddning. Hon placerade ett ombyte kläder i en nylonbag. Sent på kvällen lämnade hon lägenheten. Hon började med att promenera till McDonald's på Hornsgatan. Hon valde den restaurangen därför att det var mindre sannolikt att någon av hennes forna kollegor från Milton Security skulle stöta på henne där än på McDonald's i närheten av Slussen eller vid Medborgarplatsen. Hon åt en Big Mac och drack en stor Cola.

Efter måltiden tog hon 4:an över Västerbron till S:t Eriksplan. Hon promenerade till Odenplan och befann sig utanför framlidne advokat Bjurmans adress på Upplandsgatan strax efter midnatt. Hon förväntade sig inte att lägenheten skulle stå under bevakning, men hon noterade att det lyste i ett grannfönster på hans våningsplan och tog därför en promenad upp mot Vanadisplan. Det var mörkt i grannlägenheten då hon återkom en timme senare.

LISBETH GICK UPPFÖR trapporna till Bjurmans våning på fjäderlätta fötter och utan att tända i trapphuset. Med hjälp av en mattkniv snittade hon försiktigt polistejpen som förseglade lägenheten. Hon öppnade dörren ljudlöst.

Hon tände hallampan som hon visste inte skulle synas utifrån, innan hon tände en pennlampa och sökte sig till sovrummet. Persiennerna var stängda. Hon lät ljusstrålen vandra över den fortfarande nedblodade sängen. Hon konstaterade att hon själv hade varit mycket nära att dö i den sängen och upplevde plötsligt en känsla av djup tillfredsställelse att Bjurman äntligen var borta ur hennes liv.

Avsikten med besöket på brottsplatsen var att få svar på två frågor. För det första begrep hon inte kopplingen mellan Bjurman och Zala. Att en sådan koppling måste existera var hon övertygad om, men hon hade inte kunnat klargöra den genom att granska innehållet i Bjurmans dator.

För det andra var det en fråga som gnagde i hennes huvud. Under det nattliga besöket några veckor tidigare hade hon noterat att Bjurman plockat ut dokumentation om henne från den pärm där han samlade allt material om Lisbeth Salander. De sidor som saknades var den del av hans uppdragsbeskrivning från överförmyndarnämnden där Lisbeth Salanders psykiska tillstånd summerades i ytterst kortfattade termer. Bjurman hade inte något behov av dessa sidor och det var fullt möjligt att han helt enkelt hade städat ut pärmen och slängt sidorna. Mot detta antagande ställdes det faktum att advokater aldrig slänger dokumentation om ett pågående ärende. Papperen kunde vara hur överflödiga som helst – det var lika fullt ologiskt att göra sig av med dem. Ändå hade de inte funnits kvar i hennes pärm, och de hade inte funnits någon annanstans kring hans arbetsbord.

Hon konstaterade att polisen hade burit iväg med de pärmar som handlade om Lisbeth Salander och annan dokumentation. Hon ägnade två timmar åt att söka igenom lägenheten meter för meter för att undersöka om polisen hade missat någonting och kunde så småningom lätt frustrerad konstatera att så inte tycktes vara fallet.

I köket hittade hon en låda som innehöll nycklar av olika slag. Hon hittade bilnycklar och ett nyckelpar som bestod av en fastighetsnyckel och en nyckel till ett hänglås. Hon gjorde en ljudlös tur till vinden där hon provade sig fram mellan hänglåsen till dess att hon hittade Bjurmans förvaringsutrymme. Där fanns gamla möbler, en garderob med överblivna kläder, skidor, ett bilbatteri, kartonger med böcker och annan bråte. Hon hittade inget av intresse och gick istället nedför trapporna och använde fastighetsnyckeln för att ta sig till garaget. Hon hittade hans Mercedes och kunde efter en kort stund konstatera att den inte innehöll något av värde.

Hon hade struntat i att besöka hans kontor. Hon hade gjort ett besök där bara några veckor tidigare i samband med sitt föregående nattliga besök i hans lägenhet och visste att han inte hade utnyttjat kontoret på två år. Där fanns bara dammsamlingar.

Lisbeth återvände till lägenheten där hon satte sig i hans vardagsrumssoffa och funderade. Efter några minuter reste hon sig och gick tillbaka till nyckellådan i köket. Hon granskade nycklarna en och en. En uppsättning nycklar gick till patentlås och säkerhetslås och en nyckel var rostig och gammaldags. Hon rynkade ögonbrynen. Sedan höjde hon blicken till en förvaringsbänk intill diskbänken där Bjurman hade placerat ett tjugotal fröpåsar. Hon lyfte på dem och konstaterade att det var frön till en kryddträdgård.

Han har en sommarstuga. Eller en kolonistuga någonstans. Det har jag missat.

Det tog henne tre minuter att hitta ett sex år gammalt kvitto i Bjurmans bokföring där han betalat ersättning till en anläggningsfirma som gjort markarbeten på hans uppfart och ytterligare en minut att hitta försäkringspapper för en fastighet i närheten av Stallarholmen utanför Mariefred.

KLOCKAN FEM PÅ morgonen stannade hon till vid den nattöppna 7-Elevenbutiken på krönet av Hantverkargatan vid Fridhemsplan. Hon köpte en försvarlig mängd Billys Pan Pizza, mjölk, bröd, ost och andra basvaror. Hon köpte även en morgontidning vars rubrik fascinerade henne.

Efterspanade kvinnan utomlands?

Denna morgontidning hade av någon anledning som Lisbeth inte kände till valt att inte namnge henne. Hon omnämndes som den "26-åriga kvinnan". Texten angav att en källa inom polisen påstod att hon möjligen hade avvikit utomlands och kunde befinna sig i Berlin. Varför hon skulle fly till just Berlin framgick inte men enligt uppgift hade det inkommit tips om att hon varit synlig på en "anarkofeministisk klubb" i Kreutzberg. Klubben beskrevs som ett tillhåll för ungdomar som svärmade för allt från politisk terrorism till antiglobalisering och satanism.

Hon tog 4:ans buss tillbaka till Södermalm där hon klev av vid Rosenlundsgatan och promenerade till Mosebacke. Hon gjorde kaffe och åt smörgåsar innan hon kröp ned i sängen.

Lisbeth sov till långt in på eftermiddagen. När hon vaknade sniffade hon eftertänksamt på lakanen och konstaterade att det var hög tid att byta sänglinne. Hon ägnade lördagskvällen åt att städa sin lägenhet. Hon bar ut sopor och samlade upp gamla tidningar i två sopsäckar som hon placerade i en klädkammare i hallen. Hon tvättade en maskin underkläder och t-tröjor och därefter en maskin med jeans. Hon sorterade disk, startade diskmaskinen och avslutade med att dammsuga och moppa golvet.

Klockan var nio på kvällen och hon var genomsvettig. Hon tappade upp vatten i badkaret och hällde på rikligt med badskum. Hon lade sig och slöt ögonen och grubblade. När hon vaknade var det midnatt och vattnet iskallt. Hon klev irriterat upp och torkade sig innan hon gick och lade sig i sängen. Hon somnade nästan omedelbart om igen.

PÅ SÖNDAGSMORGONEN FYLLDES Lisbeth Salander av raseri då hon startade sin PowerBook och läste alla dumheter som skrivits om Miriam Wu. Hon kände sig eländig och fylld av dåligt samvete. Hon hade inte insett hur hårt åtgången Mimmi skulle bli. Och Mimmis enda brott var att hon var Lisbeths ... bekant? Vän? Älskarinna?

Hon visste inte riktigt vilket ord hon skulle använda för att beskriva sin relation till Mimmi, men hon insåg att vilken den än hade varit så var den med stor sannolikhet över. Hon skulle tvingas stryka Mimmis namn från sin redan korta förteckning över bekanta. Efter alla skriverier i massmedia tvivlade hon på att Mimmi någonsin skulle vilja ha med den psyksjuka galningen Lisbeth Salander att göra igen.

Det gjorde henne rasande.

Hon memorerade Tony Scalas namn, journalisten som satt igång drevet. Dessutom beslutade hon sig för att leta rätt på en obehaglig kolumnist med randig kavaj som i en skojfrisk betraktelse i en kvällstidning gjorde flitigt bruk av epitetet "BDSM-flatan".

Det började bli en ganska lång lista på personer som Lisbeth ämnade ta under behandling.

Men först måste hon hitta Zala.

Exakt vad som skulle ske då hon hittade Zala visste hon inte.

MIKAEL VAKNADE KLOCKAN halv åtta på söndagsmorgonen av att telefonen ringde. Han sträckte sömnigt ut handen och svarade.

"God morgon", sa Erika Berger.

"Mmmm", svarade Mikael.

"Är du ensam?"

"Dessvärre."

"Då föreslår jag att du går och duschar och sätter på kaffet. Du får besök om femton minuter."

"Får jag?"

"Paolo Roberto."

"Boxaren? Kungen av Kungsan?"

"Densamme. Han ringde mig och vi har pratat i en halvtimme."

"Varför det?"

"Varför han ringde mig? Tja, vi känner varandra så pass att vi säger hej då vi stöter ihop. Jag träffade honom och gjorde en lång intervju när han var med i Hildebrands film och vi har stött ihop genom åren."

"Det visste jag inte. Men frågan var varför han ska besöka mig."

"Därför att ... äsch, jag tror att det är bättre om han får förklara själv."

MIKAEL HADE KNAPPT hunnit ut ur duschen och fått på sig byxorna då Paolo Roberto ringde på dörren. Han öppnade och bad boxaren slå sig ned vid matbordet medan han letade rätt på en ren skjorta och gjorde två dubbla espresso som han serverade med en tesked mjölk. Paolo Roberto granskade imponerat kaffet.

"Du ville prata med mig?"

"Det var Erika Bergers förslag."

"Okej, prata på."

"Jag känner Lisbeth Salander."

Mikael höjde på ögonbrynen.

"Jaså?"

"Jag blev lite häpen då Erika Berger berättade att du också känner henne."

"Det är nog bäst att du tar det här från början."

"Okej. Så här är det. Jag kom hem i förrgår efter en månad i New York och hittade Lisbeths fejs på varenda jävla löpsedel. Tidningarna skriver en jävla massa skit om henne. Och inte en enda jävel tycks ha ett gott ord att säga om henne."

"Du fick in tre jävlar i den svadan."

Paolo skrattade.

"Förlåt. Men jag känner mig rätt förbannad. Jag ringde faktiskt Erika för att jag hade ett behov av att prata och inte riktigt visste vem jag skulle prata med. Eftersom den där journalisten i Enskede jobbade för *Millennium* och eftersom jag råkar känna Erika Berger så ringde jag henne."

"Okej."

"Även om Salander har blivit galen och gjort allt som polisen påstår att hon gjort så måste hon i alla fall få en sportslig. Vi har faktiskt rättssäkerhet i det här landet och ingen människa ska dömas ohörd."

"Jag tycker precis likadant", sa Mikael.

"Jag förstod det av Erika. När jag ringde henne trodde jag att ni på *Millennium* också var ute efter hennes skalp, med tanke på att den där journalisten Dag Svensson jobbade åt er. Men Erika sa att du trodde att hon var oskyldig."

"Jag känner Lisbeth Salander. Jag har svårt att se henne som en galen mördare."

Paolo skrattade plötsligt.

"Hon är en knäpp jävla brud ... men hon är en av de goda. Jag gillar henne."

"Hur känner du henne?"

"Jag har boxats med Salander sedan hon var 17 år."

MIKAEL BLOMKVIST BLUNDADE i tio sekunder innan han åter höjde blicken och tittade på Paolo Roberto. Lisbeth Salander var som alltid full av överraskningar.

"Självklart. Lisbeth Salander boxas med Paolo Roberto. Ni är i samma viktklass."

"Jag skämtar inte."

"Jag tror dig. Vid ett tillfälle berättade Lisbeth för mig att hon brukade sparra med grabbarna i någon boxningsklubb."

"Låt mig berätta hur det var. För tio år sedan ryckte jag in som extratränare till juniorer som ville börja boxas nere på Zinkens klubb. Jag var redan en etablerad boxare och klubbens juniorledare tyckte att jag var ett dragplåster, så jag kom in på eftermiddagarna och sparrade med grabbarna."

"Jaha."

"Och hur det nu var så blev jag kvar hela sommaren och en bit in på hösten. De körde en kampanj och affischerade och så där, och försökte locka ungdomar att prova på boxning. Och det drog faktiskt rätt många grabbar i 15–16-årsåldern och några år uppåt. Rätt många invandrarkillar. Boxningen blev ett bra alternativ till att springa på stan och röja. Fråga mig. Jag vet."

"Okej."

"Och så en dag mitt i sommaren dyker den där spinkiga tjejen upp från ingenstans. Du vet hur hon ser ut? Hon kom in i klubblokalen och sa att hon ville lära sig boxas."

"Jag kan tänka mig scenen."

"Det blev alltså ett asgarv från ett halvdussin grabbar som var ungefär dubbelt så tunga och betydligt större. Jag var en av dem som garvade. Det var inget allvarligt, men vi retades lite med henne. Vi har en tjejsektion också och jag sa något korkat om att småbrudarna bara fick boxas på torsdagar eller något sådant."

"Hon skrattade inte, antar jag."

"Nä. Hon skrattade inte. Hon tittade på mig med sina svarta ögon. Sedan sträckte hon sig efter ett par boxningshandskar som någon lagt ifrån sig. De var inte surrade eller någonting och de var för stora för henne. Och vi grabbar skrattade ännu mer. Förstår du?"

"Det här låter inte bra."

Paolo Roberto skrattade igen.

"Eftersom jag var ledaren så gick jag fram och låtsades jabba lite mot henne."

"Ooops."

"Ungefär. Helt plötsligt drog hon till med en jävla rökare rakt över truten på mig."

Han skrattade igen.

"Jag stod och clownade med henne och var helt oförberedd. Hon fick in ett par tre smällar på mig innan jag ens kom mig för att parera. Alltså, hon hade noll muskelstyrka och slagen var som att bli träffad av en fjäder. Men när jag började parera bytte hon taktik. Hon boxades instinktivt och fick in ännu fler smällar. Så jag började parera på allvar och upptäckte att hon var snabbare än en jävla reptil. Om hon bara hade varit större och starkare skulle jag ha fått en match, om du förstår vad jag menar."

"Jag förstår."

"Och då bytte hon taktik igen och drog iväg en jävla smäll i skrevet på mig. Det kändes."

Mikael nickade.

"Så jag jabbade tillbaka och träffade henne i ansiktet. Jag menar, det var ingen hård smäll eller någonting utan bara en poff. Då sparkade hon mig på knäet. Alltså, det var helt knäppt. Jag var tre gånger så stor och tung och hon var helt chanslös, men hon pucklade på mig som om det gällde livet."

"Du hade retat upp henne."

"Jag förstod det sedan. Och jag skämdes. Jag menar ... vi hade affischerat och försökte dra in ungdomar i klubben och här kom hon och bad helt seriöst att få lära sig boxas och hon träffade ett gäng grabbar som bara stod och drev med henne. Jag skulle ha blivit vansinnig om någon behandlat mig på det sättet."

Mikael nickade.

"Och det här pågick i flera minuter. Så till slut grabbade jag tag i henne och brottade ned henne på golvet och höll fast henne till dess att hon slutade sprattla. Hon hade tamejfan tårar i ögonen och tittade på mig med en sådan ilska att ... tja."

"Så du började boxas med henne."

"När hon lugnat ned sig släppte jag upp henne och frågade om hon menade allvar med att lära sig att boxas. Hon kastade handskarna på mig och gick mot utgången. Så jag sprang i kapp och ställde mig framför henne. Jag bad om förlåtelse och sa att om hon menade allvar skulle jag lära henne och i så fall skulle hon infinna sig nästa dag klockan 17.00."

Han tystnade en stund och tittade bort i fjärran.

"Nästa kväll hade vi tjejsektionen och hon dök faktiskt upp. Jag satte henne i ringen med en tjej som hette Jennie Karlsson som var 18 och hade boxats i över ett år. Problemet var ju att vi inte hade någon i Lisbeths viktklass som var äldre än typ 12 år. Och jag instruerade Jennie att eftersom Salander var helt grön skulle hon gå varligt fram och bara markera."

"Hur gick det?"

"Ärligt talat ... Jennie hade en fläskläpp efter tio sekunder. Under en hel rond fick Salander in slag efter slag och duckade undan allt som Jennie försökte. Och då pratar vi om en tjej som aldrig satt sin fot i en ring tidigare. I andra ronden var Jennie så förbannad att hon slog på allvar och hon fick inte in en enda träff. Jag var helt mållös. Jag har inte sett någon seriös boxare röra sig så snabbt någon gång tidigare. Om jag var hälften så snabb som Salander skulle jag vara lycklig."

Mikael nickade.

"Salanders problem var att hennes slag var helt värdelösa. Jag började träna med henne. Jag hade henne i tjejsektionen i ett par veckor och hon förlorade flera matcher därför att förr eller senare fick någon alltid in ett slag och då fick vi typ avbryta och bära in henne i omklädningsrummet för att hon blev förbannad och började sparkas och bitas och slåss."

"Det låter som Lisbeth."

"Hon gav aldrig upp. Men till sist hade hon irriterat så många tjejer att deras tränare sparkade ut henne."

"Jaså?"

"Ja, det var helt omöjligt att boxas med henne. Hon hade bara ett läge som vi kallade *Terminator Mode* och det var att nita motståndaren, och det spelade ingen roll om det bara var uppvärmning eller vänskaplig sparring. Och tjejerna gick hem rätt ofta med skrapsår då hon sparkat någon. Det var då jag fick en idé. Jag hade problem med en kille som hette Samir. Han var 17 år och från Syrien. Han var en bra boxare, kraftigt byggd och med vodka i slaget ... men han kunde inte röra sig. Han stod stilla hela tiden."

"Okej."

"Så jag bad Salander komma till klubben en eftermiddag när jag skulle träna honom. Och hon fick byta om och jag satte upp henne i ringen med honom, huvudskydd och tandskydd och hela baletten. Först vägrade Samir sparra med henne därför att 'hon var ju bara en jävla tjej' och allt det där machoköret. Så jag sa till honom högt och ljudligt så alla hörde det att det här minsann inte var någon sparring och slog vad om 500 spänn att hon skulle nita honom. Till Salander sa jag att det här var ingen träning och att Samir skulle knocka henne på blodigt allvar. Hon tittade på mig med det där misstrogna ansiktsuttrycket. Samir stod fortfarande och gafflade när gonggongen gick. Lisbeth tog i för kung och fosterland och klappade till honom i ansiktet så att han satte sig på ändan. Då hade jag tränat henne en hel sommar och nu hade hon börjat få lite muskler och lite tyngd i slagen."

"Samir blev glad, förstår jag."

"Alltså, de snackade om den där träningen i månader efteråt. Samir fick helt enkelt stryk. Hon vann på poäng. Hade hon haft mer kroppsstyrka skulle hon ha gjort honom illa. Efter ett tag var Samir så frustrerad att han pucklade på för fullt. Jag var livrädd att han faktiskt skulle få in ett slag, då hade vi fått ringa efter ambulans. Hon fick blåmärken då hon parerade med axlarna några gånger, och han lyckades skicka henne mot repen därför att hon inte kunde stå emot tyngden i slagen. Men han var inte i närheten av att träffa henne på allvar."

"Å fan. Det skulle jag ha velat se."

"Den dagen fick grabbarna i klubben respekt för Salander. Inte minst Samir. Och jag satte helt enkelt in henne att sparra med betydligt större och tyngre grabbar. Hon var mitt hemliga vapen och det var jävla bra träning. Vi lade upp träningspass så att Lisbeth hade till uppgift att sätta fem träffar på olika punkter på kroppen – käke, panna, mage och så vidare. Och grabbarna hon boxades mot hade i uppgift att försvara sig och skydda de punkterna. Det blev liksom prestige att ha boxats med Lisbeth Salander. Det var som att slåss med en bålgeting. Vi kallade henne faktiskt för getingen och hon blev som en maskot i klubben. Jag tror att hon tyckte om det, för en dag kom hon till klubben och hade tatuerat en geting på halsen."

Mikael log. Han mindes mycket väl hennes geting. Den ingick i signalementet i efterlysningen.

"Hur länge höll det här på?"

"En kväll i veckan i drygt tre år. Jag var bara där på heltid under sommaren och sedan sporadiskt. Den som höll i övningarna med Salander var vår juniortränare, Putte Karlsson. Sedan började Salander jobba och hade inte tid att komma lika ofta, men fram till förra året dök hon upp någon gång i månaden och tränade. Jag träffade henne några gånger om året och gick sparringpass med henne. Det var bra träning, man var svettig efteråt. Hon pratade nästan aldrig med någon. När det inte var sparring kunde hon stå och puckla på sandsäcken intensivt i två timmar, som om den var en dödlig fiende."

KAPITEL 23
SÖNDAG 3 APRIL-MÅNDAG 4 APRIL

MIKAEL GJORDE TVÅ nya espresso. Han bad om ursäkt då han tände en cigarett. Paolo Roberto ryckte på axlarna. Mikael betraktade honom eftertänksamt.

Paolo Roberto hade en image av att vara en kaxig typ som gärna sa exakt vad han ansåg om saker och ting. Mikael insåg snabbt att han var precis lika kaxig privat, men att han också var en intelligent och ödmjuk människa. Han påminde sig att Paolo Roberto också satsat på en politisk karriär som socialdemokratisk riksdagskandidat. Han framstod alltmer som en kille som hade någonting mellan öronen. Mikael ertappade sig själv med att spontant tycka bra om honom.

"Varför kommer du till mig med den här storyn?"

"Salander sitter i klistret ganska ordentligt. Jag vet inte vad man kan göra men hon skulle nog behöva en vän i sin hörna."

Mikael nickade.

"Varför tror du att hon är oskyldig?" frågade Paolo Roberto.

"Det är svårt att förklara. Lisbeth är en väldigt oförsonlig människa, men jag tror helt enkelt inte på storyn att hon skulle ha skjutit Dag och Mia. Särskilt inte Mia. Dels har hon inget motiv –"

"Inget motiv som vi känner till."

"Okej, Lisbeth skulle inte ha problem med att använda våld mot någon som gjort sig förtjänt av det. Men jag vet inte. Jag har utmanat Bublanski, polisen som håller i utredningen. Jag tror att det fanns ett skäl till att Dag och Mia mördades. Och jag tror att det skälet finns i det reportage som Dag jobbade med."

"Om du har rätt behöver Salander inte bara någon som håller henne i handen när hon grips – då behöver hon en helt annan sorts uppbackning."

"Jag vet."

Paolo Roberto fick en farlig glimt i ögonen.

"Om hon är oskyldig har hon utsatts för en av de värsta jävla rättsskandalerna i historien. Hon har utpekats som mördare av media och poliser, och allt skit som skrivits ..."

"Jag vet."

"Så vad kan vi göra? Kan jag hjälpa till på något sätt?"

Mikael funderade en stund.

"Den bästa hjälp vi kan bidra med är förstås att plocka fram en alternativ gärningsman. Det är det jag jobbar med. Den näst bästa hjälp vi kan ge är att få tag på henne innan någon polis skjuter ihjäl henne. Lisbeth är ju liksom inte den sortens människa som skulle överlämna sig frivilligt."

Paolo Roberto nickade.

"Och hur hittar vi henne?"

"Jag vet inte. Men det finns faktiskt en sak du kan göra. Rent praktiskt, om du har tid och lust."

"Min tjej är bortrest den närmaste veckan. Jag har tid och lust."

"Okej, jag tänkte på det här med att du är boxare ..."

"Ja?"

"Lisbeth har en väninna, Miriam Wu, som du säkert läst om."

"Bättre känd som BDSM-flatan ... Jo, jag har läst om henne."

"Jag har hennes mobilnummer och har försökt få tag på henne. Hon lägger på luren så fort hon hör att det är en journalist i andra änden."

"Jag förstår henne."

"Jag har inte riktigt tid att jaga Miriam Wu. Men jag läste att hon tränar kickboxning. Jag tänkte att om en känd boxare tar kontakt med henne ..."

"Jag förstår. Och du hoppas att hon kan leda oss vidare till Salander."

"När polisen pratade med henne sa hon att hon inte hade en aning om var Lisbeth håller hus. Men det är värt ett försök."

"Ge mig hennes nummer. Jag ska leta rätt på henne."

Mikael gav honom mobilnumret och adressen till Lundagatan.

GUNNAR BJÖRCK HADE tillbringat helgen med att analysera sin situation. Hans framtid hängde på en skör tråd och det gällde att spela sina dåliga kort väl.

Mikael Blomkvist var ett jävla svin. Frågan var bara om han skulle gå att övertala att hålla tyst om ... om det faktum att Björck hade anlitat de där jävla flickornas tjänster. Det han hade gjort var åtalbart och han tvivlade inte på att han skulle få sparken om det avslöjades. Tidningarna skulle slita honom i stycken. En säkerhetspolis som utnyttjar tonåriga prostituerade ... om de där jävla fittorna åtminstone inte hade varit så unga.

Men att sitta overksam var att besegla sitt öde. Björck hade klokt nog inte sagt något till Mikael Blomkvist. Han hade läst Blomkvists ansikte och registrerat hans reaktion. Blomkvist hade våndats. Han ville ha information. Men han skulle vara tvungen att betala. Priset var hans tystnad. Det var enda utvägen.

Zala skapade en helt ny ekvation i hela mordutredningen.

Dag Svensson hade jagat Zala.

Bjurman hade sökt Zala.

Och kommissarie Gunnar Björck var den ende som visste att det fanns en koppling mellan Zala och Bjurman, vilket innebar att Zala var en länk till både Enskede och Odenplan.

Vilket skapade ytterligare ett dramatiskt problem för Gunnar Björcks framtida välbefinnande. Det var han som hade gett Bjurman information om Zalachenko – i all vänskaplighet och utan att reflektera över att informationen fortfarande var hemligstämplad. Det var en bagatell, men det innebar att han faktiskt gjort sig skyldig till en åtalbar handling.

Dessutom hade han sedan Mikael Blomkvists besök på fredagen gjort sig skyldig till ytterligare ett brott. Han var polis och om han hade information i en mordutredning var det hans skyldighet att omedelbart höra av sig till polisen med denna information. Men om han lämnade informationen till Bublanski eller åklagare Ekström skulle han automatiskt hänga ut sig själv. Det skulle bli offentligt. Inte hororna, men hela Zalachenko-historien.

Under lördagen hade han gjort ett hastigt besök på sin arbetsplats på Säkerhetspolisen på Kungsholmen. Han hade plockat fram alla gamla papper om Zalachenko och läst igenom materialet. Det var han själv som hade skrivit rapporterna, men det var många år sedan. De allra äldsta papperen var snart trettio år gamla. Det senaste dokumentet var tio år gammalt.

Zalachenko.

En hal jävel.

Zala.

Gunnar Björck hade själv antecknat smeknamnet i sin utredning men kunde inte påminna sig att han någonsin använt det.

Men kopplingen var solklar. Till Enskede. Till Bjurman. Och till Salander.

Gunnar Björck grubblade. Han förstod ännu inte hur alla pusselbitarna hängde samman men han trodde att han begrep varför Lisbeth Salander hade åkt till Enskede. Han kunde också lätt föreställa sig att Lisbeth Salander hade drabbats av ett raseriutbrott och dödat Dag Svensson och Mia Bergman för att de hade vägrat samarbeta eller för att de hade provocerat henne. Hon hade ett motiv som kanske bara Gunnar Björck och två tre andra personer i hela landet förstod.

Hon är ju helt sinnessjuk. Jag hoppas för guds skull att någon polis skjuter ihjäl henne då hon grips. Hon vet. Hon kan spräcka hela historien om hon pratar.

Men hur Gunnar Björck än resonerade kvarstod det faktum att Mikael Blomkvist var den enda möjliga utvägen för honom personligen – vilket i Gunnar Björcks nuvarande belägenhet var den enda frågan av intresse. Han kände en tilltagande desperation. Blomkvist måste förmås att behandla honom som en hemlig källa och att hålla tyst om hans ... pikanta snedsprång med de där jävla hororna. *Fan, om Salander ändå kunde skjuta skallen av Blomkvist.*

Han tittade på Zalachenkos telefonnummer och vägde för- och nackdelar med att ta kontakt med honom. Han kunde inte bestämma sig.

MIKAEL HADE GJORT en dygd av att kontinuerligt summera sitt grävande. När Paolo Roberto lämnat honom använde han en timme till uppgiften. Det hade blivit en journal, nästan i dagboksform, där han lät tankarna löpa fritt samtidigt som han noga bokförde alla samtal, möten och all research han gjorde. Han krypterade dagligen dokumentet med PGP och mailade kopior till Erika Berger och Malin Eriksson, så att hans medarbetare var helt uppdaterade.

Dag Svensson hade fokuserat på Zala de sista veckorna innan han dog. Namnet hade dykt upp i det sista telefonsamtalet till Mikael, bara två timmar innan han mördades. Gunnar Björck påstod att han visste något om Zala.

Mikael ägnade femton minuter åt att summera vad han hade grävt fram om Björck, vilket var ganska lite.

Gunnar Björck var 62 år gammal, ogift och född i Falun. Han hade arbetat som polis sedan han var 21 år gammal. Han hade börjat som patrullerande men studerat juridik och hamnat i hemlig befattning redan då han var 26 eller möjligen 27. Det var 1969 eller 1970, precis i slutet av Per Gunnar Vinges tid som Säpochef.

Vinge fick sparken sedan han i ett samtal med Norrbottens landshövding Ragnar Lassinanti påstått att Olof Palme var spion för ryssarna. Sedan kom IB-affären och Holmér och Brevbäraren och Palmemordet och den ena skandalen efter den andra. Mikael hade ingen aning om vilken roll, om ens någon, Gunnar Björck hade spelat i de gångna dryga trettio årens drama inom hemliga polisen.

Björcks karriär mellan 1970 och 1985 var i stort sett ett oskrivet blad, något som inte var besynnerligt då det gällde Säpo eftersom allt som hade med verksamheten att göra var hemligstämplat. Han kunde ha vässat pennor i ett förråd eller varit hemlig agent i Kina. Det sistnämnda var dock osannolikt.

I oktober 1985 hade Björck flyttat till Washington där han tjänstgjort på svenska ambassaden i två år. Från 1988 hade han varit tillbaka i tjänst hos Säpo i Stockholm. 1996 blev han en offentlig person i den bemärkelsen att han utsågs till vice byråchef på utlänningsroteln. Exakt vad han sysslade med hade Mikael ingen större kunskap om. Efter 1996 hade Björck vid ett antal tillfällen uttalat sig i massmedia i samband med utvisning av en eller annan suspekt arab. 1998 hade han uppmärksammats i samband med att flera irakiska diplomater utvisades från landet.

Vad har allt detta med Lisbeth Salander och morden på Dag och Mia att göra? Förmodligen inte ett dyft.

Men Gunnar Björck vet något om Zala.

Därmed måste det finnas en koppling.

ERIKA BERGER HADE inte berättat för någon, inte ens för sin make som hon annars aldrig hade några hemligheter för, att hon skulle gå till Den Stora Draken, Svenska Morgon-Posten. Hon hade ungefär en månad kvar på Millennium. Hon kände ångest. Hon visste att dagarna skulle rusa iväg och att hon helt plötsligt skulle vara framme vid sin sista dag som chefredaktör.

Hon kände också en gnagande oro för Mikael. Hon hade läst hans senaste mail med en sjunkande känsla. Hon kände igen tecknen. Det var precis samma envishet som fått honom att bita sig fast i Hedestad två år tidigare, och det var samma besatthet med vilken han angripit Wennerström. Sedan skärtorsdagen existerade inget annat för honom än uppgiften att ta reda på vem som mördat Dag och Mia och att på något sätt frikänna Lisbeth Salander.

Även om hon till fullo sympatiserade med hans ambition – Dag och Mia hade varit hennes vänner också – så fanns där en sida hos Mikael som hon inte kände sig helt väl till mods med. Han hade ett drag av hänsynslöshet när han vädrade blod.

I samma ögonblick som han hade ringt henne dagen innan och berättat om hur han utmanat Bublanski och börjat mäta storlek med honom som en annan jävla machocowboy, hade hon vetat att jakten på Lisbeth Salander skulle uppsluka honom under överskådlig framtid. Hon visste av erfarenhet att han skulle vara alldeles omöjlig att ha att göra med innan han löst problemet. Han skulle pendla mellan självupptagenhet och depression. Och någonstans i den ekvationen skulle han också ta risker som förmodligen var fullständigt onödiga.

Och Lisbeth Salander. Erika hade träffat henne en enda gång och visste för lite om den besynnerliga flickan för att kunna dela Mikaels förvissning om att hon var oskyldig. Tänk om Bublanski hade rätt? Tänk om hon var skyldig? Tänk om Mikael lyckades leta rätt på henne och träffade en sinnessjuk galning som var beväpnad med ett skjutvapen?

Hon hade inte heller blivit lugnare av Paolo Robertos överraskande samtal på morgonen. Det var naturligtvis bra att Mikael inte var den ende som stod på Salanders sida, men Paolo Roberto var också en jävla machotyp.

Dessutom måste hon hitta en efterträdare till sig själv som kunde ta över rodret på *Millennium*. Det började bli bråttom. Hon funderade på att ringa Christer Malm och diskutera saken med honom, men insåg att hon inte skulle kunna informera honom om hon fortsatte att mörka för Mikael.

Mikael var en lysande reporter men skulle vara en katastrof som chefredaktör. I det fallet var hon och Christer betydligt mera närbesläktade, men hon var osäker på om Christer skulle anta erbjudandet. Malin var för ung och osäker. Monika Nilsson var för självupptagen. Henry Cortez var en bra reporter men han var på tok för ung och orutinerad. Lottie Karim var för vek. Och hon var osäker på om Christer och Mikael skulle bli nöjda med någon nyrekryterad utifrån.

Det var en jävla soppa.

Det var inte så hon ville avsluta sina år på *Millennium*.

PÅ SÖNDAGSKVÄLLEN ÖPPNADE Lisbeth Salander på nytt Asphyxia 1.3 och gick in i den speglade hårddisken av *<MikBlom/Laptop>*. Hon konstaterade att han för ögonblicket inte var uppkopplad på nätet och ägnade därefter en stund åt att läsa igenom vad nytt som tillkommit de senaste två dagarna.

Hon läste Mikaels researchjournal och undrade vagt om han möjligen skrev den så detaljerat för hennes skull och vad det i så fall var ett uttryck för. Han visste naturligtvis att hon var inne i hans dator och därför var den naturliga slutsatsen att han ville att hon skulle läsa vad han skrev. Frågan var dock vad han inte skrev. Eftersom han visste att hon fanns i hans dator kunde han manipulera kunskapsflödet. Hon noterade i förbigående att han uppenbarligen inte hade kommit så värst mycket längre än att ha utmanat Bublanski på duell om hennes eventuella oskuld. Detta irriterade henne av någon anledning. Mikael Blomkvist baserade inte sina slutsatser på fakta utan på känslor. *Naive dumskalle.*

Men han hade också zoomat in på Zala. *Rätt tänkt, Kalle Blomkvist.* Hon undrade om han alls skulle ha intresserat sig för Zala om hon inte skickat namnet till honom.

Därefter noterade hon med mild förvåning att Paolo Roberto plötsligt hade dykt upp i handlingen. Det var en trevlig nyhet. Hon log plötsligt. Hon gillade den kaxige jäveln. Han var macho ända ut i fingerspetsarna. Han brukade puckla på henne rätt ordentligt när de träffades i ringen. De få tillfällen han träffade, vill säga.

Sedan satte hon sig upprätt i stolen då hon dekrypterade och läste Mikael Blomkvists senaste mail till Erika Berger.

Gunnar Björck, Säpo, har information om Zala.

Gunnar Björck är bekant med Bjurman.

Lisbeths blick blev ofokuserad då hon ritade en triangel i huvudet. Zala. Bjurman. Björck. *Yes, that makes sense.* Hon hade aldrig sett problemet ur den vinkeln tidigare. Mikael Blomkvist var kanske inte så korkad i alla fall. Men han begrep förstås inte sammanhanget. Det begrep hon inte ens själv, trots att hon hade väsentligt större insikt i vad som hänt. Hon funderade en stund på Bjurman och blev medveten om att det faktum att han kände Björck förvandlade honom till en något större kantboll än hon tidigare föreställt sig.

Hon konstaterade att hon sannolikt skulle bli tvungen att göra ett besök i Smådalarö.

Därefter gick hon in i Mikaels hårddisk och skapade ett nytt dokument i mappen <LISBETH SALANDER> som hon döpte till [Ringhörna]. Han skulle se det nästa gång han startade sin iBook.

[1. Håll dig borta från Teleborian. Han är ond.

2. Miriam Wu har absolut inget med den här saken att göra.

3. Du gör rätt i att fokusera på Zala. Han är nyckeln. Men du kommer inte att hitta honom i några register.

4. Det finns en koppling mellan Bjurman och Zala. Jag vet inte hur, men jag jobbar på saken. Björck?

5. Viktigt. Det finns en besvärande polisutredning om mig från februari 1991. Jag känner inte till diarienummer och hittar den inte. Varför har inte Ekström gett den till media? Svar: Den finns inte i hans dator. Slutsats: Han känner inte till den. Hur kan det vara möjligt?]

Hon funderade en kort stund och lade sedan till ett stycke.

[PS/ Mikael, jag är inte oskyldig. Men jag har inte skjutit Dag och Mia och har inget med morden på dem att göra. Jag träffade dem på kvällen strax innan morden skedde, men hade lämnat dem då det hände. Tack för att du trodde på mig. Hälsa Paolo att han har en mesig vänsterkrok.]

Hon funderade ytterligare en stund och insåg att det gnagde alldeles för mycket i en informationsnarkoman av hennes kaliber att inte veta säkert. Hon skrev en rad till.

[PS2/ Hur känner du till detta med Wennerström?]

MIKAEL BLOMKVIST HITTADE Lisbeths dokument drygt tre timmar senare. Han läste brevet rad för rad minst fem gånger. För första gången hade hon gjort ett tydligt *statement*, att hon inte mördat Dag och Mia. Han trodde henne och kände en enorm lättnad. Och äntligen talade hon med honom, om än kryptiskt som alltid.

Han noterade också att hon enbart förnekade morden på Dag och Mia, men inte nämnde något om Bjurman. Vilket Mikael antog berodde på att han bara hade nämnt Dag och Mia i sitt mail. Efter en stunds eftertanke skapade han [Ringhörna 2].

[Hej Sally.

Tack för att du äntligen sa att du är oskyldig. Jag har trott på dig, men även jag har påverkats av mediebruset och känt tvivel. Förlåt mig. Det kändes skönt att höra det direkt från ditt tangentbord.

Då återstår bara att avslöja den verklige mördaren. Det har du och jag gjort tidigare. Det skulle underlätta om du inte var så kryptisk.

Jag antar att du läser min researchkalender. Då vet du ungefär vad jag gör och hur jag resonerar. Jag tror att Björck vet något och kommer att prata med honom igen inom de närmaste dagarna. Är jag inne på fel spår då jag betar av torskarna?

Detta med polisutredningen förbryllar mig. Jag ska sätta min med-arbetare Malin på att gräva fram den. Du var, vad då, 12–13 år? Vad handlade utredningen om?

Din attityd till Teleborian är noterad. /M

PS/Du gjorde en miss i Wennerströmkuppen. Jag kände till vad du gjort redan i Sandhamn under julhelgen men frågade inte eftersom du inte sa något. Och jag tänker inte berätta vilket misstaget var med mindre än att du träffar mig över en kopp kaffe.]

Svaret kom drygt tre timmar senare.

[Du kan glömma torskarna. Det är Zala som är intressant. Och en blond jätte. Men polisutredningen är intressant eftersom någon tycks vilja dölja den. Det kan inte vara en slump.]

ÅKLAGARE EKSTRÖM VAR på uselt humör då han samlade Bublanskis trupp till morgonbön på måndagen. Mer än en veckas spaningar efter en namngiven misstänkt med särpräglat utseende hade varit fullständigt resultatlösa. Ekström blev inte på bättre humör när Curt Svensson, som hade haft helgjouren, informerade om den senaste händelseutvecklingen.

"Intrång?" sa Ekström med oförställd häpnad.

"Grannen ringde på söndagskvällen då han råkade märka att avspärrningstejpen på Bjurmans dörr hade brutits. Jag åkte ut och gjorde en koll."

"Och vad gav det?"

"Tejpen var snittad på tre ställen. Troligen ett rakblad eller en mattkniv. Snyggt gjort. Det var svårt att upptäcka."

"Inbrott? Det finns bus som specialiserar sig på avlidna ..."

"Inget inbrott. Jag gick igenom lägenheten. Alla normala värdeföremål, video och sådant fanns kvar. Däremot låg Bjurmans bilnyckel framme på köksbordet."

"Bilnyckel?" frågade Ekström.

"Jerker Holmberg var i lägenheten i onsdags för att göra en efterkoll om vi missat något. Han kollade bland annat bilen. Han svär på att det inte låg någon bilnyckel på köksbordet då han lämnade lägenheten och satte upp tejpen."

"Kan han inte ha glömt bilnyckeln framme? Ingen är ofelbar."

"Holmberg använde aldrig den nyckeln. Han använde kopian som fanns på Bjurmans nyckelknippa och som vi redan har i beslag."

Bublanski strök sig över hakan.

"Alltså inget vanligt inbrott?"

"Intrång. Någon har gått in i Bjurmans lägenhet och sniffat runt. Det måste ha skett mellan onsdagen och söndag kväll när grannen noterade att förseglingen var bruten."

"Med andra ord har någon sökt något ... Jerker?"

"Det finns inget där som vi inte redan har i beslaget."

"Som vi känner till i alla fall. Motivbilden för morden är fortfarande ganska oklar. Vi har utgått från att Salander är en psykopat, men även psykopater behöver ett motiv."

"Så vad föreslår du?"

"Jag vet inte. Någon ägnar tid åt att söka igenom Bjurmans lägenhet. Då måste två frågor besvaras. För det första: Vem? För det andra: Varför? Vad är det vi har missat?"

Tystnaden lägrade sig en kort stund.

"Jerker ..."

Jerker Holmberg suckade uppgivet.

"Okej. Jag åker ut till Bjurman och går igenom lägenheten igen. Med pincett."

KLOCKAN VAR ELVA på måndagen då Lisbeth Salander vaknade. Hon låg kvar och drog sig i någon halvtimme innan hon klev upp och satte på kaffebryggaren och duschade. När hon hade klarat av toalettbestyren gjorde hon två limpsmörgåsar och satte sig vid sin PowerBook för att uppdatera sig om vad som hände i åklagare Ekströms dator och för att läsa Internetupplagorna av diverse dagstidningar. Hon noterade att intresset för Enskedemorden hade sjunkit. Därefter öppnade hon Dag Svenssons researchfolder och läste noga hans anteckningar från konfrontationen med journalisten Per-Åke Sandström, torsken som sprang sexmaffians ärenden och som visste något om Zala. När hon läst färdigt hällde hon upp mera kaffe och satte sig i fönstersmygen och funderade.

Vid fyratiden hade hon tänkt färdigt.

Hon behövde pengar. Hon hade tre kreditkort. Ett av dessa var ställt på Lisbeth Salander och var i all praktisk bemärkelse oanvändbart. Ett var ställt på Irene Nesser, men Lisbeth undvek att använda det eftersom hon då måste legitimera sig med Irene Nessers pass vilket innebar en risk. Ett var ställt på Wasp Enterprises och var kopplat till ett konto som innehöll drygt tio miljoner kronor och kunde tankas på med överföringar via Internet. Vem som helst kunde använda kortet men måste naturligtvis legitimera sig.

Hon gick in i köket och öppnade en kakburk och plockade upp en bunt sedlar. Hon hade 950 kronor i kontanter, vilket var i minsta laget. Dessbättre hade hon även 1 800 amerikanska dollar som legat och skräpat sedan hon återvänt till Sverige och som kunde växlas anonymt på vilken Forexbutik som helst. Det förbättrade läget.

Hon satte på sig Irene Nessers peruk, klädde sig propert och tog ett ombyte kläder och en makeuplåda med teatersmink med sig i en ryggsäck. Därefter inledde hon den andra expeditionen från Mosebacke. Hon promenerade till Folkungagatan och vidare bort till Erstagatan där hon gick in i Watskibutiken strax före stängningsdags. Hon inhandlade eltejp, block och talja med åtta meter ankarlina i bomull.

Hon tog 66:ans buss tillbaka. Vid Medborgarplatsen såg hon en kvinna vänta på bussen. Hon kände först inte igen henne, men en larmklocka ringde någonstans i bakhuvudet och när hon tittade igen kunde hon identifiera kvinnan som Irene Flemström, löneassistent på Milton Security. Hon hade skaffat en ny och poppigare frisyr. Lisbeth slank diskret av bussen medan Flemström klev på. Hon såg sig noga för och spanade oupphörligt efter ansikten som kunde vara bekanta. Hon promenerade förbi Bofills båge till Södra station och tog pendeln norrut.

KRIMINALINSPEKTÖR SONJA MODIG skakade hand med Erika Berger som genast erbjöd kaffe. När de hämtade kaffet i pentryt upptäckte hon att alla muggar var uddamuggar med reklam för olika politiska partier, fackliga organisationer och företag.

"Muggar från diverse valvakor och intervjuer", förklarade Erika Berger och räckte över en mugg med LUF:s logga.

Sonja Modig tillbringade tre timmar vid Dag Svenssons skrivbord. Hon fick assistans av redaktionssekreterare Malin Eriksson för att dels förstå vad Dag Svenssons bok och artikel handlade om, dels få hjälp att navigera i researchmaterialet. Sonja Modig häpnade över omfattningen. Det hade frustrerat utredningen att Dag Svenssons dator var försvunnen och att hans arbete därmed tycktes oåtkomligt. I själva verket hade backup av det mesta legat på *Millenniums* kontor hela tiden.

Mikael Blomkvist var inte inne på redaktionen men Erika Berger gav Sonja Modig en förteckning över vilket material han hade sorterat bort från Dag Svenssons skrivbord – vilket uteslutande handlade om källors identitet. Till sist ringde Modig Bublanski och förklarade läget. Det beslutades att allt material på Dag Svenssons skrivbord, inklusive *Millenniums* dator, skulle tas i beslag av utredningstekniska skäl och att förundersökningsledaren fick återkomma för en förhandling om det ansågs befogat att även det bortsorterade materialet måste utkrävas. Sonja Modig upprättade därefter ett beslagsprotokoll och fick hjälp av Henry Cortez att bära ned föremålen till sin bil.

PÅ MÅNDAGSKVÄLLEN KÄNDE sig Mikael djupt frustrerad. Sedan föregående vecka hade han betat av sammanlagt tio av de namn som Dag Svensson hade ämnat hänga ut. Vid varje tillfälle hade han träffat oroliga, upprörda och chockerade män. Han konstaterade att medelinkomsten för dessa personer var omkring 400 000 per år. Det var en patetisk samling rädda män.

Inte vid något tillfälle hade han dock upplevt att de hade något att dölja i samband med morden på Dag Svensson och Mia Bergman. Tvärtom; flera av dem han talat med tycktes anse att det enbart skulle förvärra deras situation i den hetsjakt de förväntade sig i massmedia när deras namn länkades till mord.

Mikael öppnade sin iBook och kontrollerade om han fått någon ny kommunikation från Lisbeth. Det hade han inte. Däremot hade hon i sitt föregående mail påstått att torskarna var ointressanta och att han därigenom slösade sin tid. Han förbannade henne med en ramsa som Erika Berger skulle ha beskrivit som både sexistisk och innovativ. Han var hungrig men kände ingen lust att laga mat. Dessutom hade han inte handlat på två veckor, mer än någon liter mjölk i kvartersbutiken. Han satte på sig kavajen och gick ned till den grekiska tavernan på Hornsgatan och beställde en lammgrill.

LISBETH SALANDER HADE först gjort ett besök i trappuppgången och i skymningen hade hon gjort två diskreta vändor runt de närmaste byggnaderna. Det var låga lamellhus som hon misstänkte var lyhörda och knappast idealiska för hennes avsikter. Journalisten Per-Åke Sandström bodde i en hörnlägenhet på tredje våningen, vilket var den översta. Trapphuset fortsatte upp till en vindsdörr. Det var acceptabelt.

Problemet var förstås att det var mörkt i alla fönster i lägenheten, vilket antydde att dess innehavare inte var hemma.

Hon promenerade några kvarter till en pizzeria där hon beställde en Hawaii och satte sig i ett hörn för att läsa kvällstidningarna. Strax före nio köpte hon en caffe latte i Pressbyrån och återvände till lamellhuset. Det var fortfarande mörkt i lägenheten. Hon tog sig in i trapphuset och satte sig på avsatsen till vinden där hon hade utsikt mot Per-Åke Sandströms lägenhetsdörr en halvtrappa ned. Hon drack kaffe medan hon väntade.

KRIMINALINSPEKTÖR HANS FASTE lyckades till sist spåra Cilla Norén, 28 år och ledare för satanistgruppen Evil Fingers, till studion Recent Trash Records i en industrilokal i Älvsjö. Det blev en kultur-kollision av ungefär samma proportioner som då portugiserna först träffade karibindianerna.

Faste hade efter flera misslyckade försök hos Cilla Noréns för-äldrar slutligen via hennes syster lyckats spåra henne till studion där hon enligt uppgift "bistod" vid produktionen av en cd-skiva med bandet Cold Wax från Borlänge. Faste hade aldrig hört talas om bandet och konstaterade att det tycktes bestå av grabbar i 20-årsåldern. Redan då han kom in i korridoren utanför studion möt-tes han av en ljudmatta som tog luften ur honom. Han betraktade Cold Wax genom ett glasfönster och avvaktade till dess att det blev en lucka i ljudridån.

Cilla Norén hade korpsvart långt hår med röda och gröna slingor och svart makeup. Hon var lagd åt det knubbiga hållet och klädd i kort tröja som visade en mage med en piercad navel. Hon hade ett nitbälte runt höften och såg ut som något ur en fransk skräckfilm.

Faste höll upp sin legitimation och bad att få prata med henne. Hon tuggade tuggummi och såg skeptiskt på honom. Till sist pekade hon på en dörr och ledde honom in i någon sorts fikarum, där han nästan snubblade över en påse med sopor som hade lämnats precis vid ingången. Cilla Norén spolade upp vatten i en tom pet-flaska, drack ungefär hälften och satte sig vid ett bord och tände en cigarett. Hon fixerade Hans Faste med klarblå ögon. Faste visste plötsligt inte i vilken ände han skulle börja.

"Vad är Recent Trash Records?"

Hon verkade uttråkad.

"Det är ett skivbolag som producerar nya unga band."

"Vad är din roll här?"

"Jag är ljudtekniker."

Faste tittade på henne.

"Har du utbildning för det?"

"Nä. Jag har lärt mig själv."

"Kan man försörja sig på det?"

"Varför undrar du?"

"Jag frågar bara. Jag antar att du har läst om Lisbeth Salander den senaste tiden."

Hon nickade.

"Vi har fått uppgifter om att du är bekant med henne. Stämmer det?"

"Kanske det."

"Stämmer det eller stämmer det inte?"

"Det beror på vad du är ute efter."

"Jag är ute efter att spåra en efterlyst vettvilling och trippelmördare. Jag vill ha information om Lisbeth Salander."

"Jag har inte hört av Lisbeth sedan förra året."

"När träffade du henne senast?"

"Någon gång på hösten för två år sedan. På Kvarnen. Hon brukade komma dit och sedan slutade hon dyka upp."

"Har du försökt kontakta henne?"

"Jag har ringt hennes mobil några gånger. Numret har upphört."

Och du vet inte var du kan få tag i henne?"

"Nej."

"Vad är Evil Fingers?"

Cilla Norén såg road ut.

"Läser du inte tidningarna?"

"Hur så?"

"Där står det ju att vi är en grupp satanister."

"Är ni det?"

"Ser jag ut som en satanist?"

"Hur ser en satanist ut?"

"Alltså, jag vet inte vem som är mest korkad – polisen eller tidningarna."

"Hör på nu unga dam, det här är en allvarlig fråga."

"Om vi är satanister?"

"Svara på mina frågor istället för att tjafsa."

"Och hur lyder frågan?"

Hans Faste blundade en sekund och tänkte på det studiebesök han gjort hos polisen i Grekland i samband med en semesterresa några år tidigare. Polismyndigheten i Grekland hade trots alla problem en stor fördel jämfört med den svenska polisen. Om Cilla Norén hade anlagt samma attityd i Grekland skulle han ha bojat henne och gett henne tre rapp med batongen. Han tittade på henne.

"Var Lisbeth Salander med i Evil Fingers?"

"Skulle inte tro det."

"Vad menar du?"

"Lisbeth är troligen det mest tondöva jag någonsin träffat på."

"Tondöv?"

"Hon kan skilja på trumpet och trummor, men det är ungefär så långt hennes musikaliska begåvning sträcker sig."

"Jag menar om hon var med i gruppen Evil Fingers."

"Och jag svarade just på frågan. Vad fan tror du att Evil Fingers var för något?"

"Berätta."

"Du bedriver polisutredning genom att läsa korkade tidningsartiklar."

"Svara på frågan."

"Evil Fingers var en rockgrupp. Vi var ett gäng brudar i mitten av 1990-talet som gillade hårdrock och lirade för skojs skull. Vi lanserade oss med pentagram och lite *sympathy for the Devil*. Sedan lade vi ned bandet och jag är den enda av oss som fortfarande jobbar med musik."

"Och Lisbeth Salander var inte med i gruppen."

"Som jag sa."

"Varför påstår då våra källor att Salander var med i gruppen?"

"Därför att dina källor är ungefär lika korkade som tidningarna."

"Förklara."

"Vi var fem tjejer i gruppen och vi har fortsatt att träffas då och då. Förr i tiden träffades vi en gång i veckan på Kvarnen. Nu är det ungefär en gång i månaden. Men vi håller kontakten."

"Och vad gör ni när ni träffas?"

"Vad tror du att man gör på Kvarnen?"

Hans Faste suckade.

"Så ni träffas för att dricka sprit."

"Vi brukar dricka öl. Och prata skit med varandra. Vad gör du när du träffar dina kompisar?"

"Och hur kommer Lisbeth Salander in i bilden?"

"Jag träffade henne på KomVux då jag var 18. Hon brukade dyka upp då och då på Kvarnen och dra en öl med oss."

"Så Evil Fingers är alltså inte att betrakta som en organisation?"

Cilla Norén betraktade honom med en blick som om han kom från en främmande planet.

"Är ni flator?"

"Ska du ha en smäll på käften?"

"Svara på frågan."

"Det angår dig inte vad vi är."

"Lägg ner. Du kan inte provocera mig."

"Hallå? Polisen påstår att Lisbeth Salander har mördat tre människor och kommer och frågar mig om mina sexuella preferenser. Du kan dra åt helvete."

"Du ... jag kan plocka in dig."

"För vad då? Förresten, jag glömde berätta att jag pluggar juridik sedan tre år och att min pappa är Ulf Norén på Norén och Knape advokatbyrå. See you in court."

"Jag trodde att du jobbade med musik."

"Det gör jag därför att det är kul. Tror du att jag kan försörja mig på det här?"

"Jag har ingen aning om vad du försörjer dig på."

"Jag försörjer mig inte som lesbisk satanist, om det är det du tror. Och om det är polisens utgångspunkt i jakten på Lisbeth Salander så förstår jag varför ni inte lyckats gripa henne."

"Vet du var hon finns?"

Cilla Norén började vagga med överkroppen och lät händerna glida upp framför sig.

"Jag känner att hon är nära ... vänta så ska jag kolla min telepatiska förmåga."

"Lägg av med det där."

"Du, jag har redan sagt att jag inte hört av henne på snart två år. Jag har ingen aning om var hon är. Var det något mer?"

SONJA MODIG HADE kopplat upp Dag Svenssons dator och ägnat kvällen åt att katalogisera innehållet på hårddisken och de bifogade zip-skivorna. Hon satt kvar till elva på kvällen och läste Dag Svenssons bok.

Hon kom till två insikter. För det första insåg hon att Dag Svensson var en lysande författare som med medryckande saklighet beskrev sexhandelns mekanismer. Hon önskade att han hade kunnat framträda som föreläsare på Polishögskolan – hans kunskaper skulle vara ett välbehövligt tillskott till undervisningen. Hans Faste var till exempel en person som skulle ha haft behov av Svenssons insikter.

Modigs andra insikt var att hon plötsligt förstod Mikael Blomkvists ståndpunkt att Dags research kunde utgöra motiv till morden. Den uthängning av torskar som Dag Svensson planerade skulle inte bara skada ett antal personer. Det var en brutal uthängning. Några av de framträdande aktörerna, som dömt i sexbrottmål eller deltagit i den offentliga debatten, skulle fullkomligt förintas. Mikael Blomkvist hade rätt. Boken innehöll motiv för mord.

Problemet var bara att även om en torsk som riskerade uthängning hade beslutat att mörda Dag Svensson så fanns ingen sådan koppling till advokat Nils Bjurman. Han figurerade överhuvudtaget inte i Dag Svenssons material, vilket inte bara dramatiskt minskade styrkan i Mikael Blomkvists argumentation, utan faktiskt närmast stärkte bilden av Lisbeth Salander som enda möjliga misstänkt.

Även om motivbilden var oklar då det gällde morden på Dag Svensson och Mia Bergman var Lisbeth Salander bunden till mordplatsen och mordvapnet. Så tydliga tekniska indicier var svåra att misstolka. De tydde på att Salander var den person som hade avlossat de dödande skotten i lägenheten i Enskede.

Vapnet utgjorde dessutom en direkt länk till mordet på advokat Bjurman. I det fallet fanns ingen tvekan om att det existerade ett personsamband och dessutom en möjlig motivbild – att döma av den konstnärliga utsmyckningen på Bjurmans mage kunde det vara någon form av sexuellt övergrepp eller i varje fall något sorts sado-masochistiskt förhållande mellan de två. Det var svårt att föreställa sig att Bjurman frivilligt underkastat sig att bli tatuerad på detta bisarra sätt, det förutsatte att han antingen funnit någon sorts njutning i förnedringen eller att Salander – om det nu var hon som hade utfört tatueringen – hade försatt honom i en vanmäktig situation. Hur det skulle ha gått till ville Modig inte spekulera i.

Däremot hade Peter Teleborian bekräftat att Lisbeth Salanders våld riktades mot personer som hon av olika skäl uppfattade som hotfulla eller som kränkte henne.

Sonja Modig ägnade en stund över att fundera över vad Peter Teleborian hade sagt om Lisbeth Salander. Han hade verkat genuint beskyddande och ville inte att hans forna patient skulle komma till skada. Samtidigt hade utredningen i stor utsträckning byggt på hans analys av henne – en sociopat på gränsen till en psykos.

Men Mikael Blomkvists teori var emotionellt attraktiv.

Hon bet sig försiktigt i underläppen medan hon försökte visualisera något annat scenario än Lisbeth Salander som ensam mördare. Till sist lyfte hon en Bic-penna och skrev tveksamt en rad på ett anteckningsblock framför sig.

Två helt separata motiv? Två mördare? Ett mordvapen!

Hon hade en undflyende tanke som hon inte riktigt kunde formulera men det var en fråga hon ämnade väcka på Bublanskis morgonbön. Hon kunde inte riktigt förklara varför hon plötsligt kände sig så obekväm med tanken på Lisbeth Salander i rollen som ensam mördare.

Därefter gjorde hon kväll genom att resolut stänga datorn och låsa in skivorna i skrivbordslådan. Hon satte på sig jackan, släckte skrivbordslampan och höll just på att låsa dörren till sitt rum då hon hörde ljud längre ned i korridoren. Hon rynkade ögonbrynen. Hon hade trott att hon var ensam kvar på avdelningen och promenerade genom korridoren till Hans Fastes rum. Hans dörr stod på glänt och hon hörde att han talade i telefon.

"Det länkar ju onekligen ihop saker och ting", hörde hon honom säga.

Hon stod obeslutsamt kvar en kort stund innan hon tog ett djupt andetag och knackade på dörrposten. Hans Faste tittade häpet upp på henne. Hon vinkade genom att spreta med fingrarna två gånger.

"Modig är fortfarande kvar i huset", sa Faste i telefonluren. Han lyssnade och nickade utan att släppa Sonja Modig med blicken. "Okej. Jag ska informera henne." Han lade på luren.

"Bubbla", sa han förklarande. "Vad vill du?"

"Vad är det som länkar ihop saker och ting?" frågade hon.

Han tittade forskande på henne.

"Smyglyssnar du vid dörren?"

"Nej, men du hade dörren öppen och sa det just då jag knackade på."

Faste ryckte på axlarna.

"Jag ringde Bubbla för att informera om att SKL äntligen kommit med något användbart."

"Jaha."

"Dag Svensson hade en mobil med Comviq kontantkort. De har äntligen fått fram en samtalslista. Det bekräftar samtalet till Mikael Blomkvist klockan 20.12. Då befann sig alltså Blomkvist på middagen hos sin syster."

"Bra. Men jag tror inte att Blomkvist har något med morden att göra."

"Inte jag heller. Men Dag Svensson ringde ytterligare ett samtal under kvällen. Klockan 21.34. Samtalet varade i tre minuter."

"Och?"

"Han ringde till advokat Nils Bjurmans hemtelefon. Med andra ord finns en länk mellan de två morden."

Sonja Modig satte sig långsamt i Hans Fastes besöksstol.

"Visst. Slå dig ned för all del."

Hon ignorerade honom.

"Okej. Hur ser tidsschemat ut? Strax efter åtta ringer Dag Svensson till Mikael Blomkvist och stämmer träff senare under kvällen. Halv tio ringer Svensson till Bjurman. Strax före stängningsdags

22.00 köper Salander cigaretter i tobaksaffären i Enskede. Strax efter elva kommer Mikael Blomkvist och hans syster till Enskede och klockan 23.11 ringer han till larmcentralen."

"Det verkar stämma, miss Marple."

"Men det stämmer inte alls. Enligt patologen hade Bjurman skjutits mellan klockan 22.00 och 23.00 på kvällen. Då befann sig Salander redan i Enskede. Vi har alltid utgått från att Salander först sköt Bjurman och därefter paret i Enskede."

"Det betyder ingenting. Jag har pratat med patologen igen. Vi hittade Bjurman först kvällen därpå, nästan ett dygn senare. Patologen säger att tidpunkten för hans död kan diffa på upp till en timme."

"Men Bjurman måste ha varit det första offret eftersom vi hittade mordvapnet i Enskede. Det skulle betyda att hon sköt Bjurman någon gång efter 21.34 och därefter omedelbart åkte till Enskede för att handla i tobaksaffären. Finns det ens tid att ta sig från Odenplan till Enskede?"

"Jo, det gör det. Hon åkte inte kommunalt som vi trott tidigare. Hon hade ju en bil. Jag och Sonny Bohman har nyss provåkt sträckan och vi har gott om tid."

"Men sedan väntar hon i en timme innan hon skjuter Dag Svensson och Mia Bergman. Vad gjorde hon under tiden?"

"Hon drack kaffe med dem. Vi har hennes fingeravtryck på koppen."

Han tittade triumferande på henne. Sonja Modig suckade och satt tyst i någon minut.

"Hans, du ser det här som någon prestigegrej. Du kan vara en jävla skitstövel och reta gallfeber på folk ibland, men jag knackade faktiskt på för att be dig om ursäkt för örfilen. Den var inte befogad."

Han betraktade henne en lång stund.

"Modig, du kanske tycker att jag är en skitstövel. Jag tycker att du är oprofessionell och inte har något inom polisen att göra. Åtminstone inte på den här nivån."

Sonja Modig övervägde olika repliker men ryckte till sist på axlarna och reste sig.

"Okej. Då vet vi var vi har varandra", sa hon.

"Vi vet var vi har varandra. Och tro mig, du kommer inte att bli långlivad här."

Sonja Modig stängde dörren efter sig hårdare än hon hade avsett. *Låt inte det där jävla aset reta upp dig.* Hon gick ned till garaget och hämtade sin bil. Hans Faste log belåtet mot den stängda dörren.

MIKAEL BLOMKVIST HADE precis kommit hem då hans mobil pep.

"Hej. Det är Malin. Kan du prata?"

"Visst."

"Det var något som slog mig i går."

"Berätta."

"Jag läste igenom klippsamlingen om jakten på Salander som vi har på redaktionen och hittade det där stora uppslaget om hennes bakgrund inom psykvården."

"Ja?"

"Det här kanske är lite långsökt, men jag undrar varför det är ett sådant gap i hennes biografi."

"Gap?"

"Jo. Det finns ett övermått av detaljer om alla bråk hon var inblandad i då hon gick i skolan. Bråk med lärare och klasskamrater och sådant."

"Jag minns det. Det var någon lärare som sa att hon var rädd för Lisbeth då hon gick på mellanstadiet."

"Birgitta Miåås."

"Just det."

"Och det finns en del detaljer om Lisbeth på barnpsyk. Plus en mängd detaljer om henne i fosterfamiljer under tonåren och misshandeln i Gamla stan och allt det där."

"Ja. Och poängen?"

"Hon tas in på psyket då hon just ska fylla 13."

"Ja."

"Men det står inte ett ord om varför hon tas in på psyket."

Mikael var tyst en stund.

"Du menar att ..."

"Jag menar att om en 12-åring tas in på psyket så borde något ha hänt som föranleder ingripandet. Och i Lisbeths fall så borde det ha varit något jävligt stort utbrott som skulle synas i biografin. Men det finns ingen förklaring."

Mikael rynkade ögonbrynen.

"Malin, jag vet från en säker källa att det ska finnas en polisutredning om Lisbeth daterad februari 1991, då hon var 12 år. Den finns inte i diariet. Jag hade just tänkt be dig gräva fram den."

"Om det finns en utredning så måste den naturligtvis vara diarieförd. Allt annat vore olagligt. Har du verkligen kollat?"

"Nej, men min källa säger att den inte finns i diariet."

Malin var tyst en sekund.

"Och hur bra är din källa?"

"Mycket bra."

Malin var tyst ytterligare en stund. Hon och Mikael kom samtidigt till samma slutsats.

"Säpo", sa Malin.

"Björck", sa Mikael.

KAPITEL 24
TISDAG 5 APRIL

PER-ÅKE SANDSTRÖM, frilansjournalist, 47 år gammal, kom hem
till lägenheten i Solna strax efter midnatt. Han var milt berusad och
kände en klump av panik lura i magtrakten. Han hade tillbringat
dagen med att desperat göra ingenting. Per-Åke Sandström var helt
enkelt rädd.

Det var snart två veckor sedan Dag Svensson hade skjutits till
döds i Enskede. Sandström hade häpet sett TV-nyheterna den kväl-
len. Han hade känt en våg av lättnad och hopp – Svensson var död
och därmed var kanske den bok om trafficking där han tänkte hänga
ut Sandström som sexualförbrytare undanröjd. *Fan, en enda jävla
hora för mycket och sedan satt han i klistret.*

Han hatade Dag Svensson. Han hade bönat och bett, han hade
krupit för det där jävla svinet.

På morddagen hade han varit för euforisk för att tänka klart. Det
var först dagen därpå som han började fundera. Om Dag Svensson
arbetade med en bok där han skulle hängas ut som våldtäktsman
med pedofila drag, så var det inte helt osannolikt att polisen skulle
börja gräva i hans lilla snedsteg. Herregud ... han kunde bli miss-
tänkt för morden.

Paniken hade lagt sig något då Lisbeth Salanders ansikte hade
klistrats upp på varenda löpsedel i landet. *Vem fan var Lisbeth Sa-
lander?* Han hade aldrig hört talas om henne. Men polisen ansåg
tydligen att hon var starkt misstänkt, och enligt en åklagare som ut-

talade sig kunde morden vara på väg att klaras upp. Det var möjligt att det inte skulle uppstå något intresse för hans person. Men av egen erfarenhet visste han hur journalister sparar dokumentation och anteckningar. *Millennium. En jävla skittidning med ett oförtjänt gott rykte. De var som alla andra. Grävde och gnällde och skadade folk.*

Han visste inte hur långt arbetet med boken hade kommit. Han visste inte vad de visste. Han hade ingen att fråga. Han kände sig som om han befann sig i ett vakuum.

Under den vecka som följt hade han pendlat mellan panik och berusning. Polisen hade inte sökt honom. Kanske – om han hade tur som en tokig – skulle han klara sig. Om han hade otur så var hans liv över.

Han satte nyckeln i ytterdörren och vred om låset. När han öppnade dörren hörde han plötsligt ett frasande bakom sig och kände en paralyserade smärta i korsryggen.

GUNNAR BJÖRCK HADE inte hunnit somna då telefonen ringde. Han var klädd i pyjamas och morgonrock men satt uppe i mörkret i köket och grubblade över sitt dilemma. Under sin mångåriga karriär hade han aldrig tidigare befunnit sig ens i närheten av en så besvärlig situation.

Han hade först inte tänkt svara i telefonen. Han sneglade på armbandsuret och konstaterade att klockan var över tolv. Men telefonen fortsatte att ringa och efter den tionde signalen kunde han inte stå emot. Det kunde ju vara viktigt.

"Det är Mikael Blomkvist", hörde han en röst i andra änden.

Fan också.

"Det är efter midnatt. Jag hade somnat."

"Jag beklagar. Men jag trodde att du skulle vara intresserad av att höra vad jag har att säga."

"Vad vill du?"

"I morgon klockan tio kommer jag att sammankalla en presskonferens med anledning av morden på Dag Svensson och Mia Bergman."

Gunnar Björck svalde.

"Jag kommer att redogöra för detaljerna i den bok om sexhandeln som Dag Svensson höll på att avsluta. Den enda torsk jag kommer att namnge är du."

"Du lovade att ge mig tid ..."

Han hörde paniken i sin egen röst och hejdade sig.

"Det har gått flera dagar. Du lovade att ringa mig efter helgen. I morgon är det tisdag. Antingen berättar du eller så håller jag en presskonferens i morgon."

"Om du håller den presskonferensen får du aldrig veta något om Zala."

"Det är möjligt. Men då är det inte längre mitt problem. Då får du prata med den officiella polisutredningen istället. Och resten av landets massmedia förstås."

Det fanns ingen förhandlingsyta.

Björck gick med på att träffa Mikael Blomkvist men lyckades skjuta fram mötet till onsdagen. Ytterligare en kort frist. Men han var redo.

Det fick bära eller brista.

SANDSTRÖM VISSTE INTE hur länge han hade varit utslagen men när han kvicknade till låg han på golvet i vardagsrummet. Han hade ont i hela kroppen och kunde inte röra sig. Det tog honom en stund att inse att hans händer var fjättrade på ryggen med vad som kändes som eltejp och att hans fötter var surrade. Han hade en bred tejpbit över munnen. Lamporna i rummet var tända och persiennerna nedfällda. Han var oförmögen att förstå vad som hade hänt.

Han blev medveten om ljud som tycktes komma från hans arbetsrum. Han låg stilla och lyssnade och hörde hur en låda öppnades och stängdes. *Ett rån?* Han hörde ljudet av papper och hur någon rotade i hans lådor.

Först en evighet senare hörde han steg bakom sig. Han försökte vrida huvudet men kunde inte se någon. Han försökte behålla lugnet.

Helt plötsligt träddes en ögla från ett kraftigt bomullsrep över hans huvud. En snara drogs åt runt hans hals. Paniken fick honom nästan att tömma tarmen. Han tittade upp och såg repet löpa upp till ett block som fästs i kroken där taklampan i vardagsrummet brukade hänga. Sedan kom hans fiende runt och in i hans synfält. Det han såg först var ett par små svarta boots.

Han visste inte vad han hade förväntat sig men chocken kunde inte ha varit större när han lyfte blicken. Först kände han inte igen den galna psykopat vars passbild hade tapetserats utanför Pressbyråkioskerna sedan påskhelgen. Hon hade svart kortklippt hår och var sig inte lik från tidningarna. Hon var helt klädd i svart – jeans, en öppen midjekort bomullsjacka, t-tröja och svarta handskar.

Men det som skrämde honom mest var hennes ansikte. Hon var målad. Hon hade svart läppstift, eyeliner och en vulgär och dramatiskt framträdande grönsvart ögonskugga. Resten av ansiktet var vitsminkat. Tvärs över hennes ansikte från vänster sida av pannan över näsan och ned till högra sidan av hakan var ett brett rött streck målat.

Det var en grotesk mask. Hon såg helt vansinnig ut.

Hans hjärna gjorde motstånd. Det kändes overkligt.

Lisbeth Salander greppade tampen och drog. Han kände hur repet skar in i hans hals och under några sekunder kunde han inte andas. Sedan kämpade han för att få fötterna under sig. Med block och talja behövde hon knappt anstränga sig för att dra honom på fötter. När han stod upprätt slutade hon hissa och fixerade repet med några varv runt vattenröret i ett element. Hon låste med ett dubbelt halvslag.

Därefter lämnade hon honom och försvann ur hans synfält. Hon var borta i mer än femton minuter. När hon återvände drog hon fram en stol och satte sig alldeles framför honom. Han försökte undvika att titta på hennes målade ansikte men kunde inte låta bli. Hon lade en pistol på vardagsrumsbordet. *Hans pistol. Hon hade hittat den i skokartongen i garderoben.* En Colt 1911 Government. Ett litet illegalt vapen som han hade haft i flera år och som han skaffat sig för skojs skull då en bekant ville sälja, men som han aldrig ens provskjutit. Inför hans ögon öppnade hon magasinet och fyllde det med patroner. Hon tryckte in magasinet och matade in en kula i loppet. Per-Åke Sandström höll på att svimma. Han tvingade sig att möta hennes blick.

"Jag begriper inte varför män alltid måste dokumentera sina perversioner", sa hon.

Hon hade en mjuk men iskall röst. Hon talade lågmält men tydligt. Hon höll upp en bild som hon printat ut från hans hårddisk.

"Jag antar att detta är den estländska flickan Ines Hammujärvi, 17 år, hemmahörande i byn Riepalu utanför Narva. Hade du kul med henne?"

Frågan var retorisk. Per-Åke Sandström kunde inte svara. Hans mun var fortfarande ihoptejpad och hans hjärna var oförmögen att formulera ett svar. Bilden visade ... *herregud, varför sparade jag bilderna?*

"Du vet vem jag är? Nicka."

Per-Åke Sandström nickade.

"Du är ett sadistiskt svin, ett kräk och en våldtäktsman."

Han rörde sig inte.

"Nicka."

Han nickade. Han hade plötsligt tårar i ögonen.

"Låt oss ha reglerna klara för oss", sa Lisbeth Salander. "Min åsikt är att du borde avlivas omgående. Om du överlever natten är mig helt likgiltigt. Förstår du?"

Han nickade.

"Vid det här laget har det knappast undgått dig att jag är en galning som gillar att ha ihjäl människor. Särskilt män."

Hon pekade på de senaste dagarnas kvällstidningar som han hade samlat på vardagsrumsbordet.

"Jag kommer att avlägsna tejpen över din mun. Om du skriker eller höjer rösten kommer jag att zappa dig med den här."

Hon höll upp en elpistol.

"Den här elaka saken skjuter 75 000 volt. Ungefär 60 000 volt nästa gång eftersom jag redan använt den en gång och inte laddat den. Förstår du?"

Han såg tveksam ut.

"Det betyder att dina muskler slutar fungera. Det var det du upplevde vid dörren då du kom hemrumlande."

Hon log mot honom.

"Det betyder att dina ben inte kommer att bära dig och att du kommer att hänga dig själv. Och efter att jag zappat dig kommer jag bara att resa mig upp och lämna lägenheten."

Han nickade. *Herregud, hon är en jävla galen mördare.* Han kunde inte hjälpa att tårarna plötsligt strömmade okontrollerat över hans kinder. Han snörvlade.

Hon reste sig och drog bort tejpen. Hennes groteska ansikte kom bara några centimeter från hans.

"Tig", sa hon. "Säg inte ett ord. Om du pratar utan tillåtelse kommer jag att zappa dig."

Hon väntade till dess att han slutat snörvla och mötte hennes blick.

"Du har en enda möjlighet att överleva den här natten", sa hon. "En chans – inte två. Jag kommer att ställa ett antal frågor till dig. Om du svarar på dem så kommer jag att låta dig leva. Nicka om du har förstått."

Han nickade.

"Om du vägrar svara på en fråga så kommer jag att zappa dig. Förstår du?"

Han nickade.

"Om du ljuger för mig eller svarar undvikande så kommer jag att zappa dig."

Han nickade.

"Jag kommer inte att förhandla med dig. Jag kommer inte att ge dig en andra chans. Antingen svarar du omedelbart på mina frågor eller så dör du. Om du svarar tillfredsställande så kommer du att överleva. Så enkelt är det."

Han nickade. Han trodde henne. Han hade inget val.

"Snälla", sa han. "Jag vill inte dö … "

Hon tittade allvarligt på honom.

"Du avgör själv om du lever eller dör. Men du bröt just mot min första regel att inte prata utan mitt tillstånd."

Han bet ihop munnen. *Herregud, hon är helt galen.*

MIKAEL BLOMKVIST KÄNDE sig så frustrerad och rastlös att han inte visste vad han skulle ta sig till. Till sist satte han på sig jacka och halsduk och promenerade planlöst till Södra station och förbi Bofills båge innan han slutligen landade på redaktionen på Götgatan. Det var mörkt och stilla på redaktionen. Han tände inga lampor men satte på kaffebryggaren och ställde sig i fönstret och tittade ned på Götgatan medan han väntade på att vattnet skulle rinna genom filtret. Han försökte få rätsida på sina tankar. Han upplevde det som om hela utredningen kring morden på Dag Svensson och Mia Bergman var en brusten mosaik där vissa bitar var urskiljbara medan andra helt saknades. Någonstans i mosaiken fanns ett mönster. Han kunde ana mönstret men han kunde inte se det. Alltför många skärvor saknades.

Han ansattes av tvivel. *Hon är ingen galen mördare*, påminde han sig själv. Hon hade skrivit att hon inte hade skjutit Dag och Mia. Han trodde henne. Men på något obegripligt sätt var hon i alla fall intimt kopplad till mordgåtan.

Han började långsamt omvärdera den teori han hade förfäktat sedan han hade gått in i lägenheten i Enskede. Han hade på ett självklart sätt utgått från att Dag Svenssons reportage om trafficking var det enda rimliga motivet till morden på Dag och Mia. Nu började han acceptera Bublanskis påstående att detta inte kunde förklara mordet på Bjurman.

Salander hade skrivit att han kunde strunta i torskarna men borde fokusera på Zala. *Hur?* Vad menade hon? Jävla besvärliga människa. Varför kunde hon inte säga något begripligt?

Mikael gick tillbaka till pentryt och hällde upp kaffe i en mugg som var märkt Ung Vänster. Han satte sig i soffgruppen mitt på redaktionsgolvet och lade upp fötterna på kaffebordet och tände en förbjuden cigarett.

Björck var torsklistan. Bjurman var Salander. Det kunde inte vara en slump att både Bjurman och Björck hade arbetat på Säpo. En försvunnen polisutredning om Lisbeth Salander.

Kunde det finnas mer än ett motiv?

Han satt stilla en stund och fångade tanken. Vänd på perspektivet.

Kunde Lisbeth Salander vara motivet?

Mikael blev sittande med en tanke som han inte kunde sätta ord på. Där fanns något outforskat, men han kunde inte riktigt förklara för sig själv exakt vad han menade med idén att Lisbeth Salander personligen kunde utgöra motiv för mord. Han upplevde en undflyende aha-känsla.

Sedan insåg han att han var för trött och hällde ut kaffet och gick hem och lade sig. I mörkret i sin säng tog han åter upp tråden och låg vaken i två timmar och försökte begripa vad han menade.

LISBETH SALANDER TÄNDE en cigarett och satte sig bekvämt tillbakalutad i stolen framför honom. Hon lade upp det högra benet över det vänstra och fixerade honom med blicken. Per-Åke Sandström hade aldrig sett en så intensiv blick. Då hon talade var hennes röst fortfarande lågmäld.

"I januari 2003 besökte du för första gången Ines Hammujärvi i hennes lägenhet i Norsborg. Då var hon nyss fyllda 16 år. Varför besökte du henne?"

Per-Åke Sandström visste inte vad han skulle svara. Han kunde inte ens förklara hur det hade börjat och varför han ... Hon höll upp elpistolen.

"Jag ... jag vet inte. Jag ville ha henne. Hon var så vacker."

"Vacker?"

"Ja. Hon var vacker."

"Och du ansåg att du hade rätt att binda henne i sängen och knulla henne."

"Hon var med på det. Jag svär. Hon var med på det."

"Du betalade henne?"

Per-Åke Sandström bet sig i tungan.

"Nej."

"Varför inte. Hon var en hora. Horor brukar få betalt."

"Hon var en ... hon var en present."

"Present?" frågade Lisbeth Salander. Hennes röst hade plötsligt en farlig ton.

"Jag erbjöds henne som gentjänst för något jag gjort för en annan person."

"Per-Åke", sa Lisbeth Salander med en resonabel ton. "Det är väl inte så att du undviker att svara på min fråga?"

"Jag svär. Jag ska svara på allt du frågar om. Jag ska inte ljuga."

"Bra. Vilken tjänst och vilken person."

"Jag hade tagit in anabola steroider i Sverige. Det var en reportage-resa till Estland och jag åkte med några bekanta och tog in tablet-terna i min bil. Den jag åkte med var en man vid namn Harry Ranta. Fast han åkte inte i bilen."

"Hur träffade du Harry Ranta?"

"Jag har känt honom i många år. Ända sedan 1980-talet. Han är bara en kompis. Vi brukade gå på krogen."

"Och det var Harry Ranta som erbjöd dig Ines Hammujärvi som ... present?"

"Ja ... nej, förlåt, det var senare här i Stockholm. Det var hans bror Atho Ranta."

"Så du menar att Atho Ranta bara knackade på din dörr och frå-gade om du ville åka ut till Norsborg och knulla med Ines?"

"Nej ... jag var på ... vi hade en fest i ... fan, jag minns inte var vi var ..."

Han darrade plötsligt okontrollerat och kände hur hans knän bör-jade vika sig och fick ta spjärn för att stå stadigt.

"Svara lugnt och sansat", sa Lisbeth Salander. "Jag kommer inte att hänga dig därför att du behöver tid att samla tankarna. Men så fort jag känner att du slingrar dig så ... poff."

Hon höjde på ögonbrynen och såg plötsligt änglalik ut. Så ängla-lik en människa nu kunde se ut bakom en grotesk mask.

Per-Åke Sandström nickade. Han svalde. Han var törstig och krut-torr i munnen och kände hur repet stramade runt halsen.

"Var du söp spelar ingen roll. Hur kom det sig att Atho Ranta er-bjöd dig Ines?"

"Vi pratade om ... vi ... jag berättade att jag ville ..." Han bör-jade gråta.

"Du sa att du ville ha en av hans horor."

Han nickade.

"Jag var full. Han sa att hon behövde ... behövde ..."

"Vad behövde hon?"

"Atho sa att hon behövde bestraffas. Hon var besvärlig. Hon gjorde inte som han ville."

"Och vad ville han att hon skulle göra?"

"Fnaska åt honom. Han erbjöd mig att … Jag var full och visste inte vad jag gjorde. Jag menade inte … Förlåt mig."

Han snörvlade.

"Det är inte mig du behöver be om förlåtelse. Så du erbjöd dig att hjälpa Atho med att bestraffa Ines och ni åkte hem till henne."

"Det var inte så det var."

"Berätta hur det var då. Varför följde du Atho hem till Ines?"

Hon balanserade elpistolen på knäet. Han började skaka igen.

"Jag åkte hem till Ines därför att jag ville ha henne. Hon var där och hon var till salu. Ines bodde hos en väninna till Harry Ranta. Jag minns inte vad hon heter. Atho band Ines i sängen och jag … jag hade sex med henne. Atho tittade på."

"Nej … du hade inte sex med henne. Du våldtog henne."

Han svarade inte.

"Eller hur?"

Han nickade.

"Vad sa Ines?"

"Hon sa ingenting."

"Protesterade hon?"

Han skakade på huvudet.

"Hon tyckte alltså att det var kul att en 50-årig slusk band henne och knullade henne."

"Hon var full. Hon brydde sig inte."

Lisbeth Salander suckade uppgivet.

"Okej. Sedan fortsatte du att besöka Ines."

"Hon var så … hon ville ha mig."

"Skitsnack."

Han tittade förtvivlat på Lisbeth Salander. Sedan nickade han.

"Jag … jag våldtog henne. Harry och Atho hade gett tillstånd. De ville att hon skulle bli … att hon skulle bli inskolad."

"Betalade du dem?"

Han nickade.

"Hur mycket?"

"Det var vänskapspris. Jag hjälpte till med smugglingen."

"Hur mycket?"

"Några tusenlappar allt som allt."

"På en av bilderna befinner sig Ines här i din lägenhet."

"Harry körde hit henne."

Han snörvlade igen.

"Så för några tusenlappar fick du en tjej som du kunde göra vad du ville med. Hur många gånger våldtog du henne?"

"Jag vet inte ... några gånger."

"Okej. Vem är chef för den här ligan?"

"De kommer att döda mig om jag tjallar."

"Det angår inte mig. Just nu är jag ett betydligt större problem för dig än bröderna Ranta."

Hon höll upp elpistolen.

"Atho. Han är äldst. Harry är den som fixar saker."

"Vilka fler är med i ligan?"

"Jag känner bara Harry och Atho. Athos tjej är också med. Och en kille som kallas ... jag vet inte. Pelle någonting. Han är svensk. Jag vet inte vem han är. Han är pundare och springer ärenden."

"Athos tjej?"

"Silvia. Hon är hora."

Lisbeth satt tyst en stund och funderade. Sedan höjde hon blicken.

"Vem är Zala?"

Per-Åke Sandström bleknade. *Samma fråga som Dag Svensson tjatade om.* Han var tyst en så lång stund att han märkte att den galna flickan började se irriterad ut.

"Jag vet inte", sa han. "Jag vet inte vem han är."

Lisbeth Salander mulnade.

"Du har skött dig bra hittills. Slösa inte bort din chans", sa hon.

"Jag svär på heder och samvete. Jag vet inte vem han är. Journalisten du sköt ..."

Han tystnade, plötsligt medveten om att det kanske inte var en bra idé att föra hennes mordorgie i Enskede på tal.

"Ja?"

"Han frågade samma sak. Jag vet inte. Om jag visste skulle jag berätta. Jag svär. Det är en person som Atho känner."

"Du har pratat med honom."

"En minut på telefon. Jag pratade med någon som sa att han hette Zala. Eller rättare sagt, han pratade med mig."

"Varför?"

Per-Åke Sandström blinkade. Det rann svettpärlor in i hans ögon och han kände snor rinna längs hakan.

"Jag ... de ville att jag skulle göra dem en tjänst igen."

"Nu börjar storyn bli irriterande trögflytande", varnade Lisbeth Salander.

"De ville att jag skulle göra en ny resa till Tallinn och ta hem en bil som var färdigpreparerad. Amfetamin. Jag ville inte."

"Varför ville du inte?"

"Det var för mycket. De var sådana gangsters. Jag ville dra mig ur. Jag hade ett jobb att sköta."

"Så du menar att du bara var en fritidsgangster."

"Jag är egentligen inte sådan", sa han ynkligt.

"Nähä."

Hennes röst innehöll ett sådant förakt att Per-Åke Sandström blundade.

"Fortsätt. Hur kom Zala in i bilden?"

"Det var en mardröm."

Han tystnade och plötsligt började tårarna rinna igen. Han bet sig i läppen så hårt att den sprack och började blöda.

"Trögflytande", sa Lisbeth Salander kyligt.

"Atho tjatade på mig flera gånger. Harry varnade mig och sa att Atho började bli förbannad på mig och att han inte visste vad som skulle hända. Till sist gick jag med på att träffa Atho. Det var i augusti i fjol. Jag åkte med Harry till Norsborg ..."

Hans mun fortsatte att röra sig men orden försvann. Lisbeth Salanders ögon smalnade. Han hittade rösten igen.

"Atho var som en galning. Han är brutal. Du anar inte hur brutal han är. Han sa att det var för sent för mig att dra mig ur och att om jag inte gjorde som han sa så skulle jag inte överleva. Jag skulle få en demonstration."

"Ja?"

"De tvingade mig att åka med dem. Vi åkte mot Södertälje. Atho sa åt mig att sätta på mig en huva. Det var en påse som han knöt över ögonen. Jag var livrädd."

"Så du åkte med en påse över huvudet. Vad hände sedan?"

"Bilen stannade. Jag vet inte var jag befann mig."

"Var satte de på dig påsen?"

"Strax före Södertälje."

"Och hur lång tid tog det innan ni kom fram?"

"Kanske ... kanske drygt trettio minuter. De tog ut mig ur bilen. Det var någon sorts lagerlokal."

"Vad hände?"

"Harry och Atho ledde in mig. Det var ljust därinne. Det första jag såg var en stackare som låg på ett cementgolv. Han var bunden. Han var något så ohyggligt sönderslagen."

"Vem var det?"

"Han hette Kenneth Gustafsson. Men det fick jag reda på senare. De sa aldrig vad han hette."

"Vad hände?"

"Det var en man där. Det var den största man jag någonsin sett. Han var enorm. Bara muskler."

"Hur såg han ut?"

"Blond. Han såg helt enkelt ut som den onde själv."

"Namn?"

"Han sa aldrig sitt namn."

"Okej. En blond jätte. Vilka fler fanns där?"

"Det var en annan man. Han såg härjad ut. Blond. Hästsvans." *Magge Lundin.*

"Fler?"

"Bara jag och Harry och Atho."

"Fortsätt."

"Den blonde ... jätten alltså, satte fram en stol åt mig. Han sa inte ett ord till mig. Det var Atho som pratade. Han sa att killen på golvet var en tjallare. Han ville att jag skulle få se vad som hände med sådana som bråkade."

Per-Åke Sandström grät hejdlöst.

"Trögflytande", sa Lisbeth Salander återigen.

"Den blonde lyfte upp killen på golvet och satte honom på en annan stol mitt emot mig. Vi satt en meter från varandra. Jag tittade honom i ögonen. Jätten ställde sig bakom honom och lade händerna runt hans hals ... Han ... han ..."

"Ströp honom?" undrade Lisbeth hjälpsamt.

"Ja ... nej ... han *kramade* ihjäl honom. Jag tror att han bröt nacken på honom med bara händerna. Jag hörde hur nacken gick av och han dog mitt framför mig."

Per-Åke Sandström svajade i repet. Tårarna strömmade okontrollerat. Han hade aldrig tidigare berättat. Lisbeth gav honom en minut att samla sig.

"Och sedan?"

"Den andre mannen – han med hästsvansen – drog igång en motorsåg och sågade av huvudet och händerna. När han var klar gick jätten fram till mig. Han lade sina händer runt min hals. Jag försökte dra loss hans händer. Jag tog i allt vad jag orkade men jag kunde inte rubba honom en millimeter. Men han ströp inte ... han höll bara händerna där en lång stund. Och under tiden lyfte Atho sin mobil och ringde ett samtal. Han pratade på ryska. Sedan sa han plötsligt att Zala ville prata med mig och höll luren mot mitt öra."

"Vad sa Zala?"

"Han sa bara att han förväntade sig att jag skulle utföra den tjänst som Atho hade bett mig om. Han frågade om jag fortfarande ville dra mig ur. Jag lovade att åka till Tallinn och hämta bilen med amfetamin. Vad annat kunde jag göra?"

Lisbeth satt tyst en lång stund. Hon betraktade eftertänksamt den snörvlande journalisten i repet och tycktes fundera på något.

"Beskriv hans röst."

"Det ... jag vet inte. Han lät helt normal."

"Djup röst, ljus röst?"

"Djup. Alldaglig. Sträv."

"Vilket språk pratade ni på?"

"Svenska."

"Brytning?"

"Jo ... kanske en aning. Men han pratade bra svenska. Atho och han pratade ryska."

"Förstår du ryska?"

"Lite. Inte flytande. Bara lite."

"Vad sa Atho till honom?"

"Han sa bara att demonstrationen var färdig. Inget annat."

"Har du berättat om detta för någon annan?"

"Nej."

"Dag Svensson?"

"Nej ... nej."

"Dag Svensson besökte dig."

Sandström nickade.

"Jag hör inte."

"Ja."

"Varför?"

"Han visste att jag hade ... hororna."

"Vad frågade han?"

"Han ville veta ..."

"Ja?"

"Zala. Han frågade om Zala. Det var andra besöket."

"Andra besöket?"

"Han tog kontakt med mig två veckor innan han dog. Det var första besöket. Sedan återkom han två dagar innan du ... han ..."

"Innan jag sköt honom?"

"Just det."

"Och då frågade han om Zala."

"Ja."

"Vad berättade du?"

"Ingenting. Jag kunde inte berätta någonting. Jag erkände att jag hade pratat med honom på telefon. Det var allt. Jag sa ingenting om den blonde saten och vad de gjorde med Gustafsson."

"Okej. Exakt vad frågade Dag Svensson?"

"Jag ... han ville bara veta om Zala. Det var allt."

"Och du berättade ingenting?"

"Inget av värde. Jag vet ju ingenting."

Lisbeth Salander var tyst en kort stund. *Det var något han undvek att säga.* Hon bet sig eftertänksamt i underläppen. Naturligtvis.

"Vem berättade du om Dag Svenssons besök för?"

Sandström bleknade.

Lisbeth vippade med elpistolen.

"Jag ringde Harry Ranta."

"När?"

Han svalde.

"Samma kväll som Dag Svensson besökt mig första gången."

Hon fortsatte att fråga ut honom under ytterligare en halvtimme men konstaterade efter hand att han bara hade upprepningar och enstaka fler detaljer att bidra med. Till sist reste hon sig och lade handen på repet.

"Du är förmodligen ett av de ynkligaste kräk jag någonsin träffat", sa Lisbeth Salander. "Det du gjorde mot Ines förtjänar dödsstraff. Men jag lovade att du skulle få leva om du svarade på mina frågor. Jag håller alltid vad jag lovar."

Hon böjde sig ned och lossade knopen. Per-Åke Sandström rasade ned i en eländig hög på golvet. Han kände en lättnad som var närmast euforisk. Från golvet såg han henne ställa en pall på hans soffbord och klättra upp och lyfta ned blocket. Hon samlade ihop repet och stoppade det i en ryggsäck. Hon försvann ut i badrummet och var borta i tio minuter. Han hörde vatten spola. Då hon återkom hade hon tvättat bort sminket.

Hennes ansikte såg naket och skrubbat ut.

"Du får ta dig loss själv."

Hon släppte en köksknivpå golvet.

Han hörde henne prassla ute i hallen en lång stund. Det lät som om hon bytte kläder. Sedan hörde han ytterdörren öppnas och stängas. Först en halvtimme senare lyckades han skära av tejpen. Det var när han satte sig i vardagsrumssoffan som han upptäckte att hon hade tagit hans Colt 1911 Government med sig.

LISBETH SALANDER KOM hem till Mosebacke först klockan fem på morgonen. Hon tog av sig Irene Nessers peruk och gick omedelbart och lade sig utan att starta datorn och kontrollera om Mikael Blomkvist hade löst gåtan med den försvunna polisutredningen.

Hon vaknade redan klockan nio på morgonen och ägnade hela tisdagen åt att gräva fram information om bröderna Atho och Harry Ranta.

Atho Ranta hade en dyster meritförteckning i kriminalregistret. Han var finländsk medborgare men härstammade från en estländsk familj och hade anlänt till Sverige 1971. Åren 1972 till 1978 arbetade han som byggnadssnickare för Skånska Cementgjuteriet. Han fick sparken efter att ha ertappats under en stöld på ett bygge och dömdes till sju månaders fängelse. Mellan 1980 och 1982 arbetade han för ett väsentligt mindre byggföretag. Han fick sparken sedan han upprepade gånger kommit berusad till arbetsplatsen. Under återstoden av 1980-talet hade han försörjt sig som dörrvakt, tekniker på ett företag som servade oljepannor, diskare och vaktmästare på en skola. Han hade fått sparken från samtliga anställningar efter att antingen uppträtt grovt berusad eller hamnat i bråk av olika slag. Arbetet som vaktmästare avslutades redan efter några månader sedan en lärarinna anmält honom för grova sexuella trakasserier och hotfullt beteende.

1987 dömdes han till böter och en månads fängelse för bilstöld, rattonykterhet och häleri. Året därpå dömdes han till böter för olaga vapeninnehav. 1990 dömdes han för ett sedlighetsbrott vars beskaffenhet inte framgick av utdraget i kriminalregistret. 1991 åtalades han för olaga hot men frikändes. Redan samma år dömdes han till böter och villkorligt för spritsmuggling. 1992 avtjänade han tre månader för misshandel av en flickvän samt olaga hot mot hennes syster. Därefter höll han sig i skinnet ända till 1997 då han dömdes för häleriförseelse och grov misshandel. Denna gång fick han tio månaders fängelse.

Hans yngre bror Harry Ranta följde efter till Sverige 1982 och hade under 1980-talet en längre anställning som lagerarbetare. Hans utdrag från kriminalregistret visade att han dömts vid tre tillfällen.

1990 dömdes han för försäkringsbedrägeri. Detta följdes 1992 av en dom på två år för grov misshandel, häleri, stöld, grov stöld och våldtäkt. Han utvisades till Finland men var tillbaka i Sverige redan 1996 då han på nytt dömdes till tio månaders fängelse för grov misshandel och våldtäkt. Domen överklagades och hovrätten gick på Harry Rantas linje och friade för åtalspunkten om våldtäkt. Däremot kvarstod domen om misshandel och han avtjänade sex månader. År 2000 hade Harry Ranta på nytt anmälts för olaga hot och våldtäkt; anmälan togs dock tillbaka och ärendet lades ned.

Hon spårade deras senaste bostadsadresser och fann att Atho Ranta var bosatt i Norsborg medan Harry Ranta bodde i Alby.

PAOLO ROBERTO KÄNDE sig frustrerad då han för femtionde gången slog numret till Miriam Wu och bara fick det inspelade meddelandet att abonnenten inte kunde nås. Han hade besökt adressen på Lundagatan flera gånger om dagen sedan han åtagit sig att leta rätt på henne. Hennes lägenhetsdörr förblev stängd.

Han sneglade på klockan. Strax efter åtta på tisdagskvällen. Någon jävla gång måste hon komma hem. Han hade full förståelse för att Miriam Wu höll sig undan, men den värsta anstormningen i media hade bedarrat. Han beslutade sig för att han lika gärna kunde bosätta sig utanför hennes port ifall hon dök upp, om än bara för att hämta ombyte av kläder eller något, istället för att åka fram och tillbaka som en skottspole. Han fyllde en termos med kaffe och gjorde några smörgåsar. Innan han lämnade sin lägenhet gjorde han korstecknet framför krucifixet med madonnan.

Han parkerade drygt trettio meter från porten på Lundagatan och flyttade tillbaka sätet så att han fick mer plats för benen. Han spelade radio på låg volym och hade tejpat upp ett foto av Miriam Wu som han klippt ut ur en kvällstidning. Hon såg läcker ut, konstaterade han. Han betraktade tålmodigt de få människor som strövade förbi. Miriam Wu var inte en av dem.

Var tionde minut försökte han ringa henne. Han gav upp försöken vid niotiden då det pep i hans mobil att batteriet höll på att ta slut.

PER-ÅKE SANDSTRÖM tillbringade tisdagen i ett tillstånd som närmast kunde betecknas som apati. Han hade tillbringat natten i soffan i vardagsrummet, oförmögen att gå och lägga sig och oförmögen att hejda de plötsliga gråtattacker som drabbade honom med jämna mellanrum. På tisdagsmorgonen hade han gått ned till Systembolaget i Solna centrum och inhandlat en kvarting Skåne och därefter återvänt till sin soffa där han konsumerat ungefär hälften av innehållet.

Först på aftonen hade han kommit till insikt om sitt tillstånd och börjat fundera över vad han kunde göra. Han önskade att han aldrig hade hört talas om bröderna Atho och Harry Ranta och deras horor. Han kunde inte begripa att han varit så dum att han låtit sig luras till lägenheten i Norsborg där Atho hade bundit den 17-åriga och kraftigt narkotikapåverkade Ines Hammujärvi med särade ben och utmanat honom om vem av de två som hade mest stake. De hade turats om och han hade vunnit tävlingen genom att under kvällen och natten utföra ett större antal sexuella prestationer av skiftande slag.

Vid ett tillfälle hade Ines Hammujärvi vaknat till och börjat protestera. Detta hade föranlett Atho att ägna en halvtimme åt att omväxlande slå henne och fylla henne med sprit, varefter hon var nöjaktigt pacificerad och han inbjöd Per-Åke att fortsätta övningarna.

Jävla hora.

Fy fan så dum han hade varit.

Han kunde inte vänta sig nåd från *Millennium*. De levde på den sortens skandaler.

Han var livrädd för galningen Salander.

För att inte tala om det där blonda monstret.

Han kunde inte gå till polisen.

Han kunde inte klara sig på egen hand. Det var en illusion att tro att problemen skulle försvinna av sig själva.

Kvar fanns bara ett enda magert alternativ där han kunde förvänta sig att finna en gnutta sympati och möjligen någon sorts lösning. Han insåg att det var ett halmstrå.

Men det var hans enda alternativ.

På eftermiddagen samlade han mod och ringde till Harry Rantas mobil. Han fick inget svar. Han fortsatte att försöka ringa Harry Ranta ända till tio på kvällen då han gav upp. Efter att ha funderat på saken en längre stund (och styrkt sig med resten av brännvinet) ringde han Atho Ranta. Det var Athos flickvän Silvia som svarade. Han fick veta att bröderna Ranta befann sig på semester i Tallinn. Nej, Silvia visste inte hur de kunde kontaktas. Nej, hon hade ingen aning om när bröderna Ranta ämnade återvända – de befann sig i Estland på obestämd tid.

Silvia lät nöjd.

Per-Åke Sandström sjönk ned i sin vardagsrumssoffa. Han var inte säker på om han var nedslagen eller lättad över att Atho Ranta inte var hemma och att han därmed inte hade möjlighet att förklara sig för honom. Men det underliggande budskapet var tydligt. Bröderna Ranta hade av olika orsaker dragit öronen åt sig och beslutat att ta semester i Tallinn under överskådlig framtid. Vilket inte bidrog till att lugna Per-Åke Sandström.

KAPITEL 25

PAOLO ROBERTO HADE inte somnat men satt så djupt försjunken
i egna tankar att det tog en stund innan han upptäckte kvinnan som
kom promenerande från Högalidskyrkan vid elvatiden på kvällen.
Han såg henne i backspegeln. Först då hon passerade en gatlykta un-
gefär sjuttio meter bakom honom vred han häftigt på huvudet och
kände omedelbart igen Miriam Wu.

Han satte sig upp i sätet. Hans första impuls var att kliva ur bilen.
Sedan insåg han att han därigenom kunde skrämma bort henne och
att det var bättre att vänta till dess att hon var framme vid porten.

I samma ögonblick som han tänkte tanken såg han hur en mörk
skåpbil kom åkande längre ned på gatan och bromsade in jämsides
med Miriam Wu. Paolo Roberto tittade häpet på när en man – en
blond djävulskt storvuxen best – hoppade ut från skjutdörrarna och
grabbade Miriam Wu. Flickan togs uppenbarligen med fullständig
överraskning. Hon försökte slingra sig loss genom att backa, men
den blonde jätten höll hennes handled i ett fast grepp.

Paolo Roberto gapade då han såg Miriam Wus högra ben kom-
ma upp i en snabb båge. *Hon var ju en kickboxare.* Hon landade en
spark mot den blonde jättens huvud. Sparken tycktes inte bekomma
honom det minsta. Istället höjde den blonde jätten handen och gav
Miriam Wu en örfil. Paolo Roberto kunde höra ljudet av slaget på
sextio meters håll. Miriam Wu däckade som träffad av blixten. Den
blonde jätten böjde sig ned och plockade upp henne med en hand

och formligen slängde in henne i fordonet. Det var först då Paolo Roberto stängde munnen och vaknade till liv. Han slet upp bildörren och började springa mot skåpbilen.

Redan efter några steg insåg han det fruktlösa i övningen. Bilen där Miriam Wu hade stuvats in som en säck potatis mjukstartade med en u-sväng och var redan ute i körbanan innan han ens hunnit få upp farten. Bilen försvann mot Högalidskyrkan. Paolo Roberto tvärvände och rusade tillbaka till sin bil och kastade sig in bakom ratten. Han rivstartade och gjorde en egen u-sväng. Skåpbilen hade redan försvunnit då han kom ned till korsningen. Han bromsade in och tittade mot Högalidsgatan och chansade därefter på att svänga vänster mot Hornsgatan.

Då han kom fram till Hornsgatan hade han rödljus men det var ingen trafik och han körde ut och tittade sig omkring. De enda baklyktor han kunde se svängde just vänster upp mot Liljeholmsbron vid Långholmsgatan. Han kunde inte se om det var skåpbilen, men det var den enda bilen i sikte och Paolo Roberto trampade gasen i botten. Han hejdades av rödljusen vid Långholmsgatan och var tvungen att släppa fram trafik från Kungsholmen medan sekunderna tickade. När det var tomt framför honom i korsningen tryckte han åter gasen i botten och körde mot rött. Han hoppades innerligt att ingen polisbil skulle stoppa honom i det ögonblicket.

Han höll långt över tillåten hastighet på Liljeholmsbron och ökade då han passerade Liljeholmen. Han visste fortfarande inte om det var skåpbilen han hade skymtat och han visste inte om den redan hade svängt in mot Gröndal eller Årsta. Istället chansade han igen och tryckte gaspedalen i botten. Han kryssade på i drygt hundrafemtio kilometer i timmen och blåste förbi den glesa laglydiga trafiken och antog att en eller annan förare antecknade hans bilnummer.

I höjd med Bredäng såg han bilen igen. Han tog in på den till dess att han var drygt femtio meter bakom och kunde förvissa sig om att det verkade vara rätt fordon. Han bromsade in till drygt nittio kilometer i timmen och lade sig ungefär två hundra meter bakom. Först då började han andas igen.

MIRIAM WU KÄNDE hur blod rann längs hennes hals i samma ögonblick som hon landade på golvet inne i skåpbilen. Hon blödde ur näsan. Han hade spräckt hennes underläpp och troligen slagit av näsbenet. Angreppet hade kommit som en blixt från en klar himmel och allt hennes motstånd hade avfärdats på mindre än en sekund. Hon kände hur bilen startade redan innan hennes angripare ens hade hunnit stänga skjutdörren. Under ett ögonblick, när bilen svängde, var den blonde jätten i obalans.

Miriam Wu vred sig om och tog spjärn med höften mot golvet. När den blonde jätten vände sig mot henne sparkade hon. Hon träffade honom på sidan av huvudet. Hon såg ett märke där hennes klack hade träffat. Det var en spark som borde ha skadat honom.

Han tittade förbryllat på henne. Sedan log han.

Herregud, vad är det här för jävla monster.

Hon sparkade igen, men han fångade upp hennes ben och vred foten så kraftigt att hon gallskrek av smärta och tvingades rulla över på mage.

Sedan lutade han sig över henne och daskade till henne med handflatan. Han träffade sidan av hennes huvud. Miriam Wu såg stjärnor. Det kändes som om hon träffats av en slägga. Han satte sig på hennes rygg. Hon försökte pressa upp honom men han var så tung att hon inte kunde rubba honom en millimeter. Han vred upp hennes armar på ryggen och låste dem med handbojor. Hon var hjälplös. Miriam Wu kände plötsligt en förlamande skräck.

MIKAEL BLOMKVIST PASSERADE Globen på väg hem från Tyresö. Han hade ägnat hela eftermiddagen och kvällen åt att besöka tre av namnen på torsklistan. Det hade inte gett ett dyft. Han hade mött panikslagna figurer som redan konfronterats av Dag Svensson och bara väntade på att himlen skulle störta ned. De hade bönat och vädjat till honom. Han hade strukit samtliga från sin privata lista över misstänkta mördare.

Han lyfte mobilen samtidigt som han passerade Skanstullsbron och ringde till Erika Berger. Hon svarade inte. Han provade att ringa

Malin Eriksson. Hon svarade inte heller. Fan. Det var sent. Han ville ha någon att diskutera med.

Han undrade om Paolo Roberto hade haft någon framgång med Miriam Wu och slog numret. Han hörde fem signaler gå fram innan han fick svar.

"Paolo."

"Hej. Det är Blomkvist. Jag undrar hur det har gått ..."

"Blomkvist, jag är på *sssskkraaap skrrraaap* i bil med Miriam."

"Jag hör inte."

"*Skrp skrrrraaap skrraaaap.*"

"Du försvinner. Jag hör dig inte."

Sedan dog samtalet.

PAOLO ROBERTO SVOR. Batteriet till mobilen hade just dött samtidigt som han passerade Fittja. Han tryckte på ON-knappen och fick liv i telefonen igen. Han slog numret till SOS Alarm men i samma ögonblick som han fick svar slocknade mobilen igen.

Jävlar.

Han hade en batteriladdare som passade till uttaget i instrumentpanelen. Batteriladdaren låg på byrån i hallen hemma. Han slängde mobilen på passagerarsätet och koncentrerade sig på att hålla skåpbilens baklyktor inom synhåll. Han körde en BMW med full tank och det fanns inte en chans i helvetet att skåpbilen skulle kunna köra ifrån honom. Men han ville inte väcka uppmärksamhet och lät avståndet tänjas ut till flera hundra meter.

Ett jävla steroidmonster spöar upp en tjej mitt framför mina ögon. Den jäveln vill jag ha tag i.

Om Erika Berger hade varit närvarande skulle hon ha kallat honom för machocowboy. Paolo Roberto kallade det att bli förbannad.

MIKAEL BLOMKVIST TOG vägen förbi Lundagatan men konstaterade att allt var mörkt i Miriam Wus gårdshus. Han gjorde ett nytt försök att ringa till Paolo Roberto men fick beskedet att abonnenten inte kunde nås. Han muttrade något och åkte hem och gjorde kaffe och smörgåsar.

BILFÄRDEN TOG LÄNGRE tid än Paolo Roberto hade förväntat sig. Resan gick till Södertälje och därefter via E20 mot Strängnäs. Strax efter Nykvarn tog skåpbilen av till vänster ut på mindre vägar på den sörmländska landsbygden.

Därmed ökade risken att han skulle dra uppmärksamhet till sig och bli upptäckt. Paolo Roberto lyfte på foten på gaspedalen och ökade avståndet ytterligare mellan sig och skåpbilen.

Paolo var osäker på geografin, men så vitt han kunde förstå passerade de på västra sidan av sjön Yngern. Han förlorade skåpbilen ur sikte och ökade hastigheten. Han kom ut på en lång raksträcka och bromsade.

Skåpbilen var borta. Det fanns gott om små avtagsvägar i området. Han hade tappat bort den.

MIRIAM WU KÄNDE SMÄRTA i nacke och ansikte, men hon hade behärskat paniken och ångesten över att vara hjälplös. Han hade inte slagit henne igen. Hon hade fått sätta sig upp och lutade sig mot förarsätets baksida. Hon hade händerna bojade på ryggen och en bred plasttejp över munnen. Ena näsborren var fylld med blod och hon hade svårt att andas.

Hon betraktade den blonde jätten. Sedan han tejpat henne hade han inte sagt ett ord och helt ignorerat henne. Hon betraktade märket där hon sparkat honom. Det var en spark som borde ha orsakat massiva skador. Han tycktes knappt ha märkt den. Det var abnormt.

Han var stor och enormt välbyggd. Han hade muskler som varslade om att han tillbringade timmar varje vecka i något gym. Men han var inte kroppsbyggare. Hans muskler tycktes vara helt naturliga. Hans händer var som massiva stekpannor. Hon förstod varför det hade känts som att bli slagen med en klubba då han örfilat henne.

Skåpbilen studsade fram på en gropig väg.

Hon hade ingen aning om var hon befann sig mer än att hon trodde att de hade åkt E4:an söderut en lång stund innan de kom in på mindre vägar.

Hon visste att även om hon hade händerna fria skulle hon inte ha en chans mot den blonde jätten. Hon kände sig fullständigt hjälplös.

MALIN ERIKSSON RINGDE till Mikael Blomkvist strax efter elva då han just hade kommit hem och satt på kaffebryggaren och stod och skar upp en smörgås i köket.

"Ursäkta att jag ringer så sent. Jag har försökt ringa dig i flera timmar men du svarar inte på mobilen."

"Förlåt mig. Jag har haft den avstängd under dagen medan jag konfronterat ett antal torskar."

"Jag har hittat någonting som kan vara av intresse", sa Malin.

"Låt höra."

"Bjurman. Jag skulle ju gräva fram hans bakgrund."

"Ja."

"Han är född 1950 och började plugga juridik 1970. Han blev jurist 1976, började jobba på advokatbyrån Klang och Reine 1978 och öppnade eget 1989."

"Okej."

"Dessutom jobbade han bland annat som tingsnotarie en mycket kort period några veckor 1976. Direkt efter att han tagit examen 1976 arbetade han i två år, mellan 1976 och 1978, som jurist på Rikspolisstyrelsen."

"Jaha."

"Jag kollade upp vad han hade för arbetsuppgifter. Det var svårt att gräva fram. Men han var handläggare i juridiska ärenden på RPS/Säk. Han arbetade på utlänningsroteln."

"Vad fan säger du?"

"Han borde med andra ord ha arbetat där samtidigt som den där Björck."

"Den jävla Björck. Han sa inte ett ord om att han arbetat ihop med Bjurman."

SKÅPBILEN MÅSTE FINNAS i närheten. Paolo Roberto hade legat så långt bakom att han tidvis förlorat bilen ur synhåll, men han hade skymtat den bara någon minut innan han tappade bort den. Han backade upp i vägrenen och vände tillbaka norrut. Han körde långsamt och spanade efter avtagsvägar.

Efter bara hundrafemtio meter såg han plötsligt en ljuskägla som glimmade till i en smal lucka i ridån av skog. Han såg en liten skogs- väg på motsatta sidan vägen och vred ratten. Han körde in ett tiotal meter och parkerade. Han brydde sig inte om att låsa då han jog- gade tillbaka över vägen och hoppade över ett dike. Han önskade att han hade haft en ficklampa och snirklade sig fram genom lövsly och träd.

Skogen var bara en smal ridå mot vägen och plötsligt kom han ut på en sandig grusplan. Han skymtade några låga mörka byggnader och gick mot dem när belysningen ovanför en lastport i byggnaden plötsligt tändes.

Paolo sjönk ned till knästående och höll sig stilla. En sekund se- nare tändes belysning inne i byggnaden. Det tycktes vara en drygt trettio meter lång lagerbyggnad med en smal rand av fönster långt uppe på fasaden. Gårdsplanen var fylld av containrar och till höger om honom stod en gul baklastare parkerad. Vid sidan av baklasta- ren skymtade en vit Volvo. I skenet från utomhusbelysningen upp- täckte han plötsligt den parkerade skåpbilen bara tjugofem meter framför sig.

Då öppnades en dörr i lastporten i fasaden rakt framför honom. En man med blont hår och ölmage kom ut ur lagerbyggnaden och tände en cigarett. När han vred huvudet såg Paolo en hästsvans mot ljuset i dörröppningen.

Paolo höll sig blick stilla med ena knäet mot marken. Han var fullt synlig mindre än tjugo meter framför mannen, men ljuset från cigarettändaren hade slagit ut hans nattsyn. Sedan hörde både Paolo och mannen med hästsvansen ett halvkvävt tjut från skåpbilen. När hästsvansen började röra sig mot skåpbilen lade sig Paolo långsamt platt på marken.

Han hörde rasslet när skjutdörrarna i skåpbilen öppnades och såg den blonde jätten hoppa ut innan han böjde sig in i bilen och drog ut Miriam Wu. Han lyfte upp henne under ena armen och höll hen- ne i ett ledigt grepp medan hon spratlade. De två männen såg ut att växla några ord men Paolo kunde inte höra vad de sa. Sedan öpp- nade mannen med hästsvansen bildörren vid förarsätet och hoppade in. Han startade och svängde över gårdsplanen i en snäv båge. Ljuskäglan från lyktorna passerade bara några meter från Paolo. Skåp-bilen försvann längs en uppfartsväg och Paolo hörde motorljudet dö bort.

Den blonde jätten bar Miriam Wu genom dörren i lastporten. Paolo skymtade en skugga genom de högt belägna fönstren. Det tycktes som om skuggan rörde sig mot byggnadens bortre regioner.

Han reste sig avvaktande. Hans kläder var fuktiga. Han var på en gång lättad och oroad. Han var lättad över det faktum att han hade lyckats spåra skåpbilen och att han hade Miriam Wu inom räckhåll. Han var samtidigt fylld av respekt och oro för den blonde jätte som hade hanterat henne som om hon var en lätt matkasse från Konsum. Det Paolo hade sett av honom var att han var enormt storväxt och gav ett mycket potent intryck.

Det rimliga var att dra sig tillbaka och larma polisen. Men hans mobiltelefon var stendöd. Dessutom hade han bara en vag uppfatt-ning om var han befann sig och han var inte säker på vägbeskriv-ningen. Han hade heller ingen aning om vad som skedde med Miri-am Wu inne i byggnaden.

Han gjorde en långsam halvcirkel runt huset och konstaterade att det bara tycktes finnas en ingång. Efter två minuter var han tillbaka vid entrén och måste fatta ett beslut. Paolo tvivlade inte på att den blonde jätten var en *bad guy*. Han hade misshandlat och kidnappat Miriam Wu. Paolo kände sig dock inte särskilt rädd – han hade stort självförtroende och visste att han kunde bita ifrån om det kom till handgemäng. Frågan var bara om mannen i byggnaden var beväp-nad och om det fanns fler personer därinne. Han tvekade. Det borde inte finnas några andra än Miriam Wu och den blonde jätten.

Lastporten var tillräckligt stor för att baklastaren utan problem skulle kunna köra in genom den, och det fanns en vanlig entrédörr i porten. Paolo gick fram och tryckte ned handtaget och öppnade. Han kom in i en stor upplyst lagerlokal, fylld av bråte, trasiga kar-tonger och skräp.

MIRIAM WU KÄNDE tårar rinna nedför kinderna. Hon grät inte så mycket av smärta som av hjälplöshet. Under färden hade jätten hanterat henne som luft. Han hade ryckt bort tejpen över hennes mun när skåpbilen hade stannat. Han hade lyft henne och burit in henne utan minsta besvär och dumpat henne på cementgolvet utan att ta hänsyn till vare sig böner eller protester. När han tittade på henne var hans ögon iskalla.

Miriam Wu visste plötsligt att hon skulle dö inne i lagerbyggnaden.

Han vände ryggen mot henne och gick bort till ett bord där han öppnade en flaska mineralvatten som han drack i långa klunkar. Han hade inte tejpat ihop hennes ben och Miriam Wu började resa sig upp.

Han vände sig mot henne och log. Han befann sig närmare dörren än hon. Hon skulle inte ha en chans att hinna förbi honom. Hon sjönk resignerat ned i knästående och blev rasande på sig själv. *Jag ska fan i mig inte ge upp utan strid. Hon ställde sig upp igen och bet ihop tänderna. Kom igen ditt jävla fetto.*

Hon kände sig klumpig och obalanserad med händerna bojade på ryggen, men då han gick mot henne cirklade hon runt och började söka en blotta. Hon blixtrade till i en spark mot revbenen, snurrade runt och sparkade igen mot skrevet. Hon träffade höften och backade en meter och växlade ben för nästa spark. Med händerna på ryggen hade hon inte balans för att träffa ansiktet, men levererade en tung spark mot bröstbenet.

Han sträckte ut en hand och grep henne i axeln och snurrade henne runt som om hon hade varit gjord av papper. Han slog ett enda knytnävsslag, inte särskilt hårt, mot hennes njurar. Miriam Wu skrek som en galning när en paralyserande smärta skar genom mellangärdet. Hon sjönk ned i knästående igen. Han gav henne ytterligare en örfil och hon dråsade i golvet. Han lyfte foten och sparkade henne i sidan. Hon tappade luften och hörde revben knäckas.

PAOLO ROBERTO SÅG inget av misshandeln men hörde plötsligt Miriam Wu vråla av smärta, ett skarp gällt skrik som omedelbart tystnade. Han vred huvudet i ljudets riktning och bet ihop tänderna. Det fanns ytterligare ett rum bakom en skiljevägg. Han gick ljudlöst genom lokalen och tittade försiktigt in genom dörröppningen just då den blonde jätten vältrade över Miriam Wu på rygg. Jätten försvann ur hans synfält i några sekunder och återkom plötsligt med en motorsåg som han ställde på golvet framför henne. Paolo Roberto höjde på ögonbrynen.

"Jag vill ha svar på en enkel fråga."

Han hade en underligt ljus röst, nästan som om han inte riktigt kommit i målbrottet. Paolo noterade en brytning i språket.

"Var finns Lisbeth Salander?"

"Jag vet inte", mumlade Miriam Wu.

"Det är fel svar. Du får en chans till innan jag startar den här."

Han satte sig på hälarna och klappade på motorsågen.

"Var gömmer sig Lisbeth Salander?"

Miriam Wu skakade på huvudet.

Paolo tvekade. Men då den blonde jätten sträckte ut handen efter motorsågen tog Paolo Roberto tre beslutsamma kliv in i rummet och slog en hård högerkrok mot hans njurar.

Paolo Roberto hade inte blivit världskänd boxare genom att vara mesig i ringen. Han hade gått 33 matcher i sin proffskarriär och vunnit 28 av dem. Då han klippte till förväntade han sig en reaktion. Förslagsvis att objektet för övningen satte sig ned och hade ont någonstans. Paolo upplevde det som om han med full kraft hade kört in handen i en betongvägg. En liknande känsla hade han aldrig upplevt under alla de år han befunnit sig i en boxningsring. Han tittade häpet på kolossen framför sig.

Den blonde jätten vände sig och tittade lika häpet ned på boxaren.

"Vad sägs om att ge dig på någon i din egen viktklass", sa Paolo Roberto.

Han slog en serie höger-vänster-höger mot mellangärdet och lade muskler bakom. Det var tunga kroppsslag. Det kändes som att hamra på en vägg. Den enda effekten var att jätten tog ett halvt steg bakåt, mer av häpnad än som en effekt av slagen. Han log plötsligt.

"Du är Paolo Roberto", sa den blonde jätten.

Paolo stannade förbryllad. Han hade just landat fyra slag som enligt regelboken borde ha inneburit att den blonde jätten skulle befinna sig på golvet och han själv på väg tillbaka till sin ringhörna medan domaren började nedräkningen. Inte ett enda av hans slag tycktes ha haft minsta effekt.

Herregud. Det här är inte normalt.

Sedan såg han nästan i ultrarapid hur blondinens högerkrok kom genom luften. Han var långsam och signalerade slaget i förväg. Paolo vek undan och parerade delvis med vänster skuldra. Det kändes som om han blev träffad av ett slag från ett järnrör.

Paolo Roberto backade två steg, fylld av nyfunnen respekt för sin motståndare.

Det är något fel på honom. Ingen jävel slår så hårt.

Han parerade automatiskt en vänsterkrok med underarmen och kände genast en tung smärta. Han hann inte parera högerkroken som kom från ingenstans och landade på pannan.

Paolo Roberto tumlade som en vante baklänges ut genom dörren. Han landade med ett brak mot en stapel med träpallar och ruskade på huvudet. Han kände omedelbart blod strömma nedför ansiktet. *Han slet upp ögonbrynet. Det måste sys. Igen.*

I nästa ögonblick kom jätten in i hans synfält och instinktivt vräkte sig Paolo Roberto åt sidan. Han undvek med en hårsmån ett nytt klubbslag från de enorma nävarna. Han backade snabbt tre fyra steg och fick upp armarna i försvarsposition. Paolo Roberto var skakad.

Den blonde jätten betraktade honom med ögon som var nyfikna och nästan roade. Sedan intog han samma försvarsposition som Paolo Roberto. *Det är en boxare.* De började långsamt cirkla runt varandra.

DE ETTHUNDRAÅTTIO SEKUNDER som följde var den mest bisarra match som Paolo Roberto någonsin utkämpat. Rep och handskar saknades. Sekonder och domare existerade inte. Det fanns ingen gonggong som avbröt och förvisade parterna till varsin ringhörna och några sekunders paus med vatten och luktsalt och en handduk att torka blod från ögonen.

Paolo Roberto insåg plötsligt att han slogs på liv och död. All träning, alla år av hamrande på sandsäckar, all sparring och erfarenheten från alla matcher kunde sammanfogas i den energi han plötsligt utvecklade när adrenalinet pumpade på ett sätt som han aldrig tidigare upplevt.

Nu höll han inte längre inne med slagen. De rök ihop i ett utbyte där Paolo satte all kraft och alla sina muskler bakom. Vänster, höger, vänster, vänster igen och en jabb med högern mot ansiktet, ducka för vänsterkroken, backa ut ett steg, anfall med högern. Varje slag Paolo Roberto avlossade gick hem.

Han gick sitt livs viktigaste match. Han slogs med hjärnan lika mycket som med nävarna. Han lyckades ducka och undvika varje slag som jätten skickade mot honom.

Han fick in en klockren högerkrok mot käken som kändes som om han slog av ett ben i sin näve och som borde ha fått motståndaren att ramla ihop i en hög. Han kastade en blick på sina knogar och såg att de var blodiga. Han noterade rodnader och svullnader i den blonde jättens ansikte. Paolos motståndare tycktes inte ens märka slagen.

Paolo backade och gjorde en paus medan han värderade sin motståndare. *Han är ingen boxare. Han rör sig som en boxare, men han kan inte boxas för fem öre. Han låtsas bara. Han kan inte parera. Han signalerar slagen. Och han är hur långsam som helst.*

I nästa ögonblick fick jätten in en vänsterkrok mot sidan av Paolos bröstkorg. Det var andra gången han träffade ordentligt. Paolo kände smärta skjuta genom kroppen när revbenen knakade. Han försökte backa men snubblade på någon bråte på golvet och ramlade på rygg. Under en sekund såg han jätten torna upp sig men han hann rulla åt sidan och kom vimmelkantigt upp på fötter igen.

Han backade och försökte samla kraft.

Jätten var över honom igen och Paolo befann sig på defensiven. Han duckade, duckade igen och backade undan. Han kände smärta varje gång han parerade ett slag med skuldran.

Sedan kom det ögonblick som varje boxare någon gång upplevt med fruktan. Känslan som kunde infinna sig mitt i en match. Känslan av att inte räcka till. Insikten av att *fan, jag håller på att förlora.*

Det är det avgörande ögonblicket i nästan varje boxningsmatch.

Det är det ögonblick då kraften plötsligt rinner av en och adrenalinet pumpar så kraftigt att det blir en paralyserande belastning och en resignerad kapitulation infinner sig som ett spöke vid ringside. Det är den stund som skiljer amatören från proffset och vinnaren från förloraren. Få boxare som plötsligt står vid den avgrunden har ork nog att vända matchen och förvandla ett givet nederlag till en seger.

Paolo Roberto drabbades av denna insikt. Han kände en susning i huvudet som gjorde honom vimmelkantig och han upplevde ögonblicket som om han betraktade scenen utifrån, som om han tittade på den blonde jätten genom ett kameraobjektiv. Det var ögonblicket då det handlade om att vinna eller försvinna.

Paolo Roberto backade i en vid halvcirkel för att samla kraft och vinna tid. Jätten följde honom målmedvetet men långsamt, precis som om han visste att striden redan var avgjord men ville dra ut på ronden. *Han boxas men kan ändå inte boxas. Han vet vem jag är. Han är en wannabe. Men han har en slagstyrka som är nästan ofattbar och han tycks helt okänslig för all bestraffning.*

Tankarna rumlade runt i Paolos huvud medan han försökte bedöma situationen och besluta sig för vad han skulle göra.

Helt plötsligt återupplevde han natten i Mariehamn två år tidigare. Hans karriär som proffsboxare hade tagit slut på det brutalaste sätt då han träffade argentinaren Sebastián Luján eller rättare sagt, då Sebastián Luján träffade honom. Han hade sprungit på sitt livs första knockout och varit medvetslös i femton sekunder.

Han hade ofta tänkt på vad som gick på tok. Han hade varit i kanonform. Han hade varit fokuserad. Sebastián Luján var inte bättre än han. Men argentinaren hade fått en klockren träff och helt plötsligt hade ronden förvandlats till hela havet stormar.

På videon efteråt hade han sett hur han försvarslös raglade omkring som Kalle Anka. Knocken kom tjugotre sekunder senare.

Sebastián Luján hade inte varit bättre eller mera vältränad än han. Marginalerna var så små att matchen lika gärna hade kunnat sluta precis tvärtom.

Den enda skillnaden han efteråt kunde komma på var att Sebastián Luján hade varit mer hungrig än Paolo Roberto. När Paolo hade gått upp i ringen i Mariehamn hade han varit inställd på att vinna men han hade inte varit sugen på att boxas. Det betydde inte liv eller död längre. En förlust var inte en katastrof.

Ett och ett halvt år senare var han fortfarande boxare. Han var inte längre proffs och gick bara vänskapliga sparringmatcher. Men han tränade. Han hade inte gått upp i vikt eller börjat slappa i midjan. Han var naturligtvis inte ett lika välstämt instrument som inför en titelmatch där kroppen drillats i månader, men han var *Paolo Roberto* och han gick inte av för hackor. Och till skillnad från Mariehamn så betydde matchen i lagerbyggnaden söder om Nykvarn bokstavligen liv eller död.

PAOLO ROBERTO FATTADE ett beslut. Han tvärstannade och släppte den blonde jätten inpå livet. Han fintade med vänstern och satsade allt han förmådde med en högerkrok. Han gav allt han hade och blixtrade till i ett slag som träffade över mun och näsa. Hans attack kom fullkomligt oväntat efter att han befunnit sig på reträtt en lång stund. Äntligen hörde han att någonting gav vika. Han följde upp med vänster-höger-vänster och landade alla tre slagen i ansiktet.

Den blonde jätten boxades i ultrarapid och slog tillbaka med högern. Paolo såg honom signalera slaget långt i förväg och duckade under den väldiga näven. Han såg honom skifta kroppsvikten och visste att jätten tänkte följa upp med vänstern. Istället för att parera lutade sig Paolo bakåt och lät vänsterkroken passera framför näsan. Han svarade med ett mäktigt slag på utsidan av kroppen, strax under revbenen. När jätten vred sig för att möta angreppet sköt Paolos vänsterkrok upp och träffade rakt över näsan igen.

Han kände plötsligt att allt han gjorde var helt rätt och att han hade perfekt kontroll över matchen. Äntligen backade fienden. Han blödde från näsan. Han log inte längre.

Sedan sparkade den blonde jätten.

Hans fot sköt upp och kom som en fullständig överraskning för Paolo Roberto. Han hade vanemässigt fallit in i boxningens regelverk och förväntade sig inte en spark. Det kändes som om en slägga träffade i underkanten av låret strax ovanför knäet och en skarp smärta sköt genom benet. *Nej.* Han tog ett steg bakåt när det högra benet vek sig och han återigen snubblade över bråte.

Jätten tittade ned på honom. Under en kort sekund möttes deras ögon. Budskapet gick inte att ta miste på. *Matchen var över.*

Sedan vidgades jättens ögon när Miriam Wu sparkade honom i skrevet bakifrån.

VARENDA MUSKEL I Miriam Wus kropp värkte, men på något sätt hade hon lyckats trä sina bojade händer under ändan så att hon fick armarna på framsidan av kroppen. I hennes tillstånd var det en akrobatisk prestation av stora mått.

Hon hade ont i revbenen, nacken, ryggen och njurarna och hade svårt att ta sig upp på fötter. Till sist vacklade hon bort till dörren och såg med uppspärrade ögon hur Paolo Roberto – *var kom han ifrån?* – träffade den blonde jätten med högerkroken och serien av slag mot ansiktet innan han sparkades omkull.

Miriam Wu insåg att hon inte brydde sig ett dugg om frågan hur och varför Paolo Roberto hade dykt upp. Han var en av *the good guys*. För första gången i sitt liv kände hon en mordisk lust att skada en annan människa. Hon tog några snabba steg och mobiliserade varje uns av energi och de muskler hon fortfarande hade intakta. Hon kom upp mot jätten bakifrån och landade sparken i hans skrev. Det var väl inte elegant thaiboxning precis, men sparken hade avsedd effekt.

Miriam Wu nickade förnuftigt för sig själv. Karlar må vara stora som hus och gjorda av granit men de hade alltid kulorna på samma plats. Och sparken var så klockren att den borde noteras i *Guinness rekordbok*.

För första gången såg den blonde jätten skakad ut. Han pressade ur sig ett stönande och greppade sig i skrevet och gick ned på ett knä.

Miriam stod obeslutsam i någon sekund innan hon insåg att hon måste följa upp och försöka komma till ett avslut. Hon satsade på att sparka honom i ansiktet men till hennes överraskning fick han upp en arm. Det borde ha varit omöjligt för honom att hämta sig så snabbt. Och det kändes som att sparka rakt in i en trädstam. Han höll plötsligt fast hennes fot, drog omkull henne och började hala in. Hon såg honom lyfta en knytnäve och vred sig desperat och sparkade med det fria benet. Hon träffade honom över örat i samma sekund som hans slag träffade henne på sidan av tinningen. Miriam Wu upplevde det som om hon med full kraft kört huvudet in i en vägg. Det blixtrade och svartnade om vartannat framför hennes ögon.

Den blonde jätten började resa sig på fötter igen.

Det var då Paolo Roberto slog honom i bakhuvudet med den planka han hade snubblat över. Den blonde jätten stöp framåt och landade med ett brak.

PAOLO ROBERTO SÅG sig omkring med en känsla av overklighet. Den blonde jätten vred sig på golvet. Miriam Wu hade en glasartad blick och tycktes vara helt utslagen. Deras förenade ansträngningar hade köpt dem en kort frist.

Paolo Roberto kunde knappt stödja sig på sitt skadade ben och han misstänkte att en muskel hade brustit alldeles ovanför knäet. Han linkade fram till Miriam Wu och halade upp henne på fötter. Hon började röra på sig igen men stirrade ofokuserat på honom. Utan ett ord lyfte han upp henne över skuldran och började halta mot utgången. Smärtan i det högra knäet var så skarp att han bitvis hoppade på ett ben.

Det kändes som en befrielse att komma ut i den mörka kalla luften. Men han hade ingen tid att stanna upp. Han navigerade över grusplanen och in i skogsridån, samma väg som han kommit. Så fort han kommit in bland träden snubblade han över en rotvälta och dråsade omkull. Miriam Wu stönade och han hörde dörren i lagerbyggnaden slås upp med ett brak.

Den blonde jätten var en monumental siluett i den ljusa rektangeln i dörröppningen. Paolo lade en hand över Miriam Wus mun. Han böjde sig ned och viskade i hennes öra att vara helt tyst och stilla.

Sedan trevade han på marken under rotvältan och hittade en sten som var större än hans knytnäve. Han gjorde korstecknet. Paolo Roberto var för första gången i sitt syndiga liv beredd att om nödvändigt döda en annan människa. Han var så utslagen och misshandlad att han visste att han inte skulle klara ytterligare en rond. Men ingen, inte ens ett blont monster som var ett naturens misstag, kunde slåss med en krossad skalle. Han kramade stenen och kände att den var ovalt formad med en skarp kant.

Den blonde jätten gick till hörnet av byggnaden och gjorde därefter ett långt svep över grusplanen. Han stannade mindre än tio steg från den plats där Paolo höll andan. Jätten lyssnade och spejade – men han kunde inte veta åt vilket håll de hade försvunnit i natten. Efter några minuters spaning tycktes han också inse det fruktlösa i sökandet. Han försvann med rask beslutsamhet tillbaka in i byggnaden och var borta i någon minut. Han släckte belysningen och kom ut med en väska och gick till den vita Volvon. Han rivstartade och försvann längs uppfartsvägen. Paolo lyssnade under tystnad till dess att motorbullret försvunnit i fjärran. När han tittade ned såg han hennes ögon glimma i mörkret.

"Hej Miriam", sa han. "Jag heter Paolo och du behöver inte vara rädd för mig."

"Jag vet."

Hennes röst var svag. Han lutade sig utmattat mot rotvältan och kände adrenalinet gå ned till nolläge.

"Jag vet inte hur jag ska ta mig upp", sa Paolo Roberto. "Men jag har en bil parkerad på andra sidan vägen. Det är ungefär hundrafemtio meter dit."

DEN BLONDE JÄTTEN bromsade och svängde in till en rastplats strax öster om Nykvarn. Han var skakad och omtumlad och kände sig konstig i huvudet.

För första gången i hela sitt liv hade han blivit nedslagen i ett slagsmål. Och den som utdelat bestraffningen var Paolo Roberto … boxaren. Det kändes som en befängd dröm av det slag han kunde uppleva under oroliga nätter. Han kunde inte begripa varifrån Paolo Roberto hade kommit. Helt plötsligt hade han bara stått därinne i lagret.

Det var inte riktigt klokt.

Paolo Robertos slag hade inte känts. Han var inte förvånad. Men sparken i skrevet hade faktiskt känts. Och det där fruktansvärda slaget mot huvudet hade fått det att svartna för ögonen. Han trevade med fingrarna över nacken och kände en enorm bula. Han tryckte med fingrarna men kunde inte känna någon smärta. Ändå kände han sig omtöcknad och yr. Han kände med tungan att han, till sin förvåning, hade förlorat en tand i vänstra delen av överkäken. Munnen var fylld av blodsmak. Han greppade näsan mellan tummen och pekfingret och böjde försiktigt upp den. Han hörde ett knäppande ljud inne i huvudet och konstaterade att näsan var bruten.

Han hade gjort det rätta genom att hämta sin väska och lämna lagret innan polisen hunnit dit. Men han hade gjort ett kolossalt misstag. På Discovery hade han sett hur polisens brottsplatsundersökare kunde hitta *forensic evidence* i mängder. Blod. Hårstrån. DNA.

Han hade inte minsta lust att återvända till lagret, men han hade inget val. Han var tvungen att städa. Han gjorde en u-sväng och startade färden tillbaka. Strax före Nykvarn mötte han en bil utan att tänka närmare på det.

FÄRDEN TILLBAKA TILL Stockholm var en mardröm. Paolo Roberto hade blod i ögonen och var så sönderslagen att hela kroppen värkte. Han körde som en kratta och kände att han vinglade fram och tillbaka över vägen. Han torkade sig i ögonen med ena handen och kände försiktigt på näsan. Det gjorde rejält ont och han kunde bara andas genom munnen. Han spanade oupphörligt efter en vit Volvo och tyckte sig skymta en sådan vid ett möte vid Nykvarn.

När han kom ut på E20 började körningen gå lite bättre. Han funderade på att stanna i Södertälje men hade ingen aning om vart han skulle åka. Han kastade en blick på Miriam Wu, fortfarande i handbojor, som låg nedhasad utan säkerhetsbälte i baksätet. Han hade varit tvungen att bära henne till bilen och så fort hon kommit in i baksätet hade hon slocknat. Han visste inte om hon hade svimmat av sina skador eller bara stängt av motorn av utmattning. Han tvekade. Till sist styrde han upp på E4:an och körde mot Stockholm.

MIKAEL BLOMKVIST HADE bara sovit i någon timme då telefonen började skrälla. Han kisade mot klockan och konstaterade att den var strax efter fyra och sträckte sig sömndrucket efter luren. Det var Erika Berger. Han begrep först inte vad hon sa.

"Paolo Roberto är var då?"

"På Södersjukhuset med Miriam Wu. Han har försökt ringa dig men du svarar inte på mobilen och han har inte ditt hemnummer."

"Jag har stängt av mobilen. Vad gör han på Södersjukhuset?"

Erika Bergers röst lät tålmodig men bestämd.

"Mikael. Ta en taxi dit och ta reda på det. Han lät helt förvirrad och pratade om en motorsåg och ett hus ute i skogen och ett monster som inte kunde boxas."

Mikael blinkade oförstående. Sedan ruskade han på huvudet och sträckte sig efter sina byxor.

PAOLO ROBERTO SÅG för eländig ut där han låg i boxershorts på en brits. Mikael hade väntat i över en timme på att få träffa honom. Näsan var dold under stödplåster. Vänstra ögat var igenmurat och ögonbrynet täckt av kirurgtejp där han sytts med fem stygn. Han hade bandage över revbenen och blodsutgjutningar och skrapsår över hela kroppen. Hans vänstra knä var hårt bandagerat.

Mikael Blomkvist gav honom kaffe i pappersmugg från Selecta-maskinen i korridoren och granskade kritiskt hans ansikte.

"Du ser ut som en bilolycka", sa han. "Berätta vad som har hänt."

Paolo Roberto skakade på huvudet och mötte Mikaels blick.

"Ett jävla monster", svarade han.

"Vad hände?"

Paolo Roberto skakade på huvudet igen och granskade sina nävar. Knogarna var så sönderslagna att han hade svårt att hålla kaffemuggen. Han hade fått stödplåster. Hans fru hade en halvljum attityd till boxning och skulle bli rasande.

"Jag är boxare", sa han. "Jag menar, när jag var aktiv bangade jag inte för att gå upp i en ring mot vem som helst. Jag har fått en och annan snyting och jag kan ge och ta. När jag klappar till någon är det meningen att de ska sätta sig ned och ha ont."

"Men den här killen gjorde inte det."

Paolo Roberto skakade på huvudet för tredje gången. Han berättade lugnt och detaljerat vad som hade utspelat sig under natten.

"Jag träffade honom åtminstone trettio gånger. Fjorton femton gånger mot huvudet. Jag träffade honom på käken fyra gånger. Från början höll jag inne med slagen – jag ville ju inte slå ihjäl honom utan bara freda mig. Men mot slutet gav jag precis allt. Ett av de slagen borde ha krossat käkbenet på honom. Och det där jävla monstret bara ruskade på sig lite och fortsatte att komma. Det där var fan i mig inte en normal människa."

"Hur såg han ut?"

"Han var byggd som en pansarbrytande robot. Jag överdriver inte. Han var över två meter lång och vägde runt 130–140 kilo. Jag skämtar inte när jag säger att det var bara muskler och armerad benstomme. En blond jävla jätte som helt enkelt inte kände smärta."

"Du har aldrig sett honom förr?"

"Aldrig. Det var ingen boxare. Men på något konstigt sätt var han det i alla fall."

"Hur menar du?"

Paolo Roberto funderade en stund.

"Han hade ingen aning om hur man boxas. Jag kunde finta honom och dra ut hans gard och han hade inte en susning om hur man rör sig för att undvika att bli träffad. Han var helt borta. Men samtidigt försökte han röra sig som en boxare. Han höll upp armarna på rätt sätt och han ställde sig i utgångsläge som en boxare hela tiden. Det var precis som om han hade tränat boxning men inte hört på ett ord av vad tränaren sa."

"Okej ..."

"Det som räddade livet på mig och tjejen var alltså att han rörde sig så långsamt. Han slog rallarsvingar som han signalerade en månad i förväg och jag kunde ducka eller parera. Han fick in två slag på mig – först ett slag mot ansiktet och du ser vad det åstadkom, sedan mot kroppen då han slog av ett revben. Men båda var halvträffar. Om han hade träffat rätt skulle han ha slitit av mig skallen."

Paolo Roberto skrattade plötsligt. Det var ett bubblande skratt.

"Vad?"

"Jag vann. Den där dåren försökte mörda mig och jag vann. Jag lyckades golva honom. Men jag fick använda en jävla planka för att få ned honom för räkning."

Han blev allvarlig igen.

"Om inte Miriam Wu hade klockat honom i skrevet i precis rätt ögonblick vete fan hur det hade gått."

"Paolo – jag är väldigt, väldigt glad att du vann. Miriam Wu kommer att säga detsamma då hon vaknar. Har du hört något om hur det är med henne?"

"Hon ser ut ungefär som jag. Hon har en hjärnskakning, flera avslagna revben, krossat näsben och skador mot njurarna."

Mikael böjde sig fram och lade handen på Paolo Robertos knä.

"Om du någonsin behöver en tjänst …", sa Mikael.

Paolo Roberto nickade och log stillsamt.

"Blomkvist – om du behöver en tjänst igen …"

"Ja?"

"… skicka Sebastián Luján."

KAPITEL 26
ONSDAG 6 APRIL

KRIMINALINSPEKTÖR JAN BUBLANSKI var på ett miserabelt humör då han mötte Sonja Modig på parkeringen utanför Södersjukhuset strax före sju. Mikael Blomkvist hade ringt och väckt honom. Så småningom hade han fått klart för sig att något dramatiskt hade inträffat under natten och i sin tur ringt och väckt Modig. De träffade Blomkvist vid entrén och gjorde sällskap till Paolo Robertos vilrum.

Bublanski hade svårt att tillgodogöra sig alla detaljer men accepterade så småningom att Miriam Wu hade blivit kidnappad och att Paolo Roberto hade spöat upp kidnapparen. Nåja, vid ett studium av den före detta proffsboxarens ansikte var det inte självklart vem som hade spöat vem. För Bublanskis vidkommande hade nattens händelser lyft utredningen om Lisbeth Salander till en helt ny nivå av komplikationer. Ingenting i det här jävla fallet tycktes vara normalt.

Sonja Modig ställde den första relevanta frågan om hur Paolo Roberto alls kommit in i handlingen.

"Jag är god vän till Lisbeth Salander."

Bublanski och Modig tittade tvivlande på varandra.

"Och hur känner du henne?"

"Salander brukar sparra mot mig på träningarna."

Bublanski fäste blicken någonstans på väggen bakom Paolo Roberto. Sonja Modig fnittrade plötsligt och opassande. Som sagt, ingenting i det här fallet tycks vara normalt, enkelt och okomplicerat. Så småningom hade de antecknat alla relevanta fakta.

"Jag vill nu göra några påpekanden", sa Mikael Blomkvist torrt.

De tittade på honom.

"För det första. Signalementet på den man som körde skåpbilen överensstämmer med det signalement jag gav på den person som överföll Lisbeth Salander på precis samma plats på Lundagatan. En stor blond kille med hästsvans och ölmage. Okej?"

Bublanski nickade.

"För det andra. Syftet med kidnappningen var att tvinga Miriam Wu att avslöja var Lisbeth Salander gömmer sig. De här två blondinerna har alltså jagat Salander sedan åtminstone en vecka före morden. Uppfattat?"

Modig nickade.

"För det tredje. Om det finns fler aktörer i den här historien är inte Lisbeth Salander den 'ensamma galning' hon utmålats som."

Varken Bublanski eller Modig sa någonting.

"Det kan endast med svårighet göras gällande att grabben i hästsvans är medlem i en lesbisk satanistliga."

Modig drog på munnen.

"Och slutligen, fyra. Jag tror att den här historien har något att göra med en man som kallas Zala. Dag Svensson fokuserade på honom de sista två veckorna. All relevant information finns i hans dator. Dag Svensson länkade honom till mordet på en prostituerad kvinna i Södertälje som heter Irina Petrova. Obduktionen visar att hon utsattes för grov misshandel. Så grov att åtminstone tre av skadorna var dödliga. Obduktionsprotokollet är otydligt vad gäller vilken typ av redskap som använts för att slå ihjäl henne men skadorna påminner väldigt mycket om den misshandel som både Miriam Wu och Paolo utsattes för. Redskapet kan i det här fallet vara en blond jättes händer."

"Och Bjurman?" frågade Bublanski. "Låt gå för att någon kunde ha orsak att tysta Dag Svensson. Men vem kan ha orsak att mörda Lisbeth Salanders förvaltare?"

"Jag vet inte. Alla pusselbitar är ännu inte på plats, men någonstans finns en koppling mellan Bjurman och Zala. Det är det enda rimliga. Vad sägs om att börja tänka i nya banor? Om Lisbeth Salander inte är mördaren betyder det att någon annan utfört morden. Jag tror att de här brotten på något sätt handlar om sexhandeln. Och Salander skulle hellre dö än att bli inblandad i något sådant. Jag sa ju att hon var en jävla moralist."

"Vilken är i så fall hennes roll?"

"Jag vet inte. Vittne? Motståndare? Hon kanske dök upp i Enskede för att varna Dag och Mia om att deras liv var i fara. Glöm inte bort att hon är en exceptionellt bra researcher."

BUBLANSKI SATTE FART på maskineriet. Han ringde Södertäljepolisen och gav den vägbeskrivning som han fått från Paolo Roberto och bad dem söka rätt på en förfallen lagerlokal strax sydost om sjön Yngern. Därefter ringde han kriminalinspektör Jerker Holmberg – han bodde i Flemingsberg och hade följaktligen närmast till Södertälje – och bad honom att med blixtens hastighet ansluta till Södertäljepolisen och bistå med brottsplatsundersökningen.

Jerker Holmberg ringde tillbaka någon timme senare. Han hade precis anlänt till brottsplatsen. Södertäljepolisen hade inte haft några problem med att hitta den aktuella lagerlokalen. Den och två mindre intilliggande förråd var nedbrända och brandkåren var fullt sysselsatt med eftersläckning. Att det var mordbrand framgick av två slängda bensindunkar.

Bublanski kände en frustration som närmade sig raseri.

Vad i helvete var det som pågick? Vem var den blonde jätten? Vem var egentligen Lisbeth Salander? Och varför tycktes det vara omöjligt att spåra henne?

Situationen blev inte ett dugg bättre när åklagare Richard Ekström kom in i handlingen vid niomötet. Bublanski redogjorde för morgonens dramatiska utveckling och föreslog att spaningarna skulle omprioriteras, eftersom ett flertal mystiska händelser hade ägt rum som skapade otydlighet i det scenario utredningen hade som arbetshypotes.

Paolo Robertos berättelse stärkte dramatiskt Mikael Blomkvists historia om överfallet på Lisbeth Salander på Lundagatan. Följaktligen minskade styrkan i antagandet att morden var ett vansinnesdåd av en ensam och psykiskt sjuk kvinna. Det innebar inte att misstankarna mot Lisbeth Salander kunde avskrivas – först måste en rimlig förklaring till hennes fingeravtryck på mordvapnet föreligga – men det innebar att utredningen nu på allvar måste fokusera på möjligheten av en alternativ gärningsman. I det fallet fanns bara en aktuell hypotes – Mikael Blomkvists teori om att morden hade med Dag Svenssons förestående avslöjanden om sexhandeln att göra. Bublanski identifierade tre viktiga punkter.

Den för dagen viktigaste arbetsuppgiften bestod i att identifiera den storvuxne blonde man och hans kumpan med hästsvans som hade kidnappat och misshandlat Miriam Wu. Den storvuxne blonde mannen hade ett så särpräglat utseende att han borde vara relativt lätt att finna.

Curt Svensson påminde nyktert om att Lisbeth Salander också hade ett särpräglat utseende och att polisen efter snart tre veckors spaningar ännu inte hade en aning om var hon befann sig.

Den andra arbetsuppgiften bestod i att spaningsledningen nu måste tillsätta en grupp som aktivt fokuserade på den så kallade torsklistan som fanns i Dag Svenssons dator. Detta var förenat med ett logistiskt problem. Spaningsgruppen hade visserligen Dag Svenssons lånedator från *Millennium* och de zip-skivor som utgjorde backup från hans försvunna laptop, men dessa innehöll flera års samlad research och bokstavligen tusentals sidor som skulle ta lång tid att katalogisera och sätta sig in i. Gruppen behövde förstärkning och Bublanski utsåg på stående fot Sonja Modig att leda arbetet.

Den tredje uppgiften bestod i att fokusera på en okänd person vid namn Zala. I det avseendet skulle spaningsgruppen söka bistånd från Särskilda utredningsgruppen om organiserad brottslighet, som enligt uppgift stött på namnet vid några tillfällen. Han gav den uppgiften till Hans Faste.

Slutligen skulle Curt Svensson samordna de fortsatta spaningarna efter Lisbeth Salander.

Bublanskis redogörelse tog bara sex minuter men utlöste en timslång dispyt. Hans Faste var oresonlig i sitt motstånd mot Bublanskis ledning och gjorde inga försök att dölja sin attityd. Detta förvånade Bublanski, som visserligen aldrig tyckt om Faste men som ändå hade betraktat honom som en kompetent polis.

Hans Faste menade att fokus på utredningen oavsett all sidoinformation måste ligga på Lisbeth Salander. Han menade att indiciekedjan mot Salander var så stark att det var orimligt att i nuläget ens börja laborera med alternativa gärningsmän.

"Alltså, det här är tjafs. Vi har ett våldsbenäget psykfall som gått från klarhet till klarhet genom åren. Tror du verkligen att alla utredningar från psyk och rättsmedicin är ett skämt? Hon är kopplad till brottsplatsen. Vi har indicier på att hon fnaskar och en stor summa oredovisade pengar på hennes bankkonto."

"Jag är medveten om allt detta."

"Hon ingår i någon sorts lesbisk sexkult. Och jag ger mig fan på att den där flatan Cilla Norén vet mer än hon låtsas."

Bublanski höjde rösten.

"Faste. Sluta med det där. Du är ju helt besatt av den här bögvinkeln. Det är oprofessionellt."

Han ångrade omedelbart att han hade yttrat sig inför hela gruppen och inte istället tagit ett enskilt samtal med Faste. Åklagare Ekström avbröt de upprörda rösterna. Han verkade obeslutsam om vilken linje han skulle följa. Till sist lät han Bublanskis linje gälla; att köra över Bublanski vore detsamma som att koppla bort honom som spaningsledare för utredningen.

"Vi gör som Bublanski har bestämt."

Bublanski sneglade på Sonny Bohman och Niklas Eriksson från Milton Security.

"Jag har förstått att vi bara har er i tre dagar till och vi får göra det bästa av situationen. Bohman, kan du bistå Curt Svensson i jakten på Salander. Eriksson, du får fortsätta tillsammans med Modig."

Ekström funderade en stund och höjde handen när alla var på väg att bryta upp.

"En sak. Det här med Paolo Roberto ligger vi väldigt lågt med.

Media kommer att bli hysteriska om ytterligare en kändis dyker upp i utredningen. Alltså inte ett ljud om detta utanför det här rummet."

SONJA MODIG FÅNGADE upp Bublanski omedelbart efter mötet.

"Jag tappade tålamodet med Faste. Det var oprofessionellt", sa Bublanski.

"Jag vet hur det känns", log hon. "Jag började med Svenssons dator redan i måndags."

"Jag vet. Hur långt har du kommit?"

"Han hade ett dussin versioner av manuset, enorma mängder researchmaterial och jag har svårt att avgöra vad som är väsentligt och vad som bara är trams. Att bara öppna och ögna igenom alla dokument kommer att ta flera dagar."

"Niklas Eriksson?"

Sonja Modig tvekade. Sedan vände hon sig om och stängde dörren till Bublanskis rum.

"Ärligt talat ... jag vill inte snacka skit om honom men han är inte mycket till hjälp."

Bublanski rynkade ögonbrynen.

"Ut med språket."

"Jag vet inte, han är ingen riktig polis som Bohman har varit. Han snackar en massa skit, han har ungefär samma attityd till Miriam Wu som Hans Faste och han är väldigt ointresserad av uppgiften. Jag kan inte sätta fingret på det, men han har ett problem med Lisbeth Salander."

"Hur så?"

"Jag har en känsla av att det ligger någon surdeg och jäser."

Bublanski nickade långsamt.

"Det var tråkigt att höra. Bohman är okej, men jag tycker egentligen inte om att det finns utomstående i utredningen."

Sonja Modig nickade.

"Så vad ska vi göra?"

"Du får dras med honom veckan ut. Armanskij har sagt att de avbryter om det inte blir resultat. Sätt igång och gräv och räkna med att du får göra jobbet själv."

SONJA MODIGS GRÄVANDE avbröts redan efter fyrtiofem minuter av att hon kopplades bort från utredningen. Hon blev plötsligt inkallad till åklagare Ekström där Bublanski redan befann sig. Bägge männen var röda i ansiktet. Frilansjournalisten Tony Scala hade just scoopat med nyheten att Paolo Roberto räddat BDSM-flatan Miriam Wu undan en kidnappare. Texten innehöll flera detaljer som bara kunde vara kända inom utredningen. Den var formulerad så att polisen undersökte möjligheten att väcka åtal mot Roberto för grov misshandel.

Ekström hade redan fått flera telefonsamtal från journalister som ville ha besked om boxarens roll. Han befann sig närmast i affekt då han anklagade Sonja Modig för att ha läckt historien. Modig tillbakavisade omedelbart anklagelsen, men förgäves. Ekström ville ha bort henne från utredningen. Bublanski var rasande och tog tveklöst Modigs parti.

"Sonja säger att hon inte läckt någonting. Det räcker för mig. Det är vansinne att koppla bort en erfaren utredare som är insatt i fallet."

Ekström replikerade med en öppen misstro mot Sonja Modig. Till sist satte han sig bakom sitt skrivbord och tjurade. Hans beslut gick inte att rubba.

"Modig. Jag kan inte bevisa att du läcker information, men jag har inget förtroende för dig i utredningen. Du kopplas bort med omedelbar verkan. Ta ledigt resten av veckan. Du får andra uppgifter på måndag."

Modig hade inget val. Hon nickade och gick mot dörren. Bublanski hejdade henne.

"Sonja. *For the record*. Jag tror inte ett dyft på den här anklagelsen och du har mitt fulla förtroende. Men det är inte jag som bestämmer. Kom förbi mig på mitt rum innan du går hem."

Hon nickade. Ekström såg rasande ut. Bublanskis ansiktsfärg hade fått en oroväckande ton.

SONJA MODIG GICK tillbaka till sitt rum där hon och Niklas Eriksson arbetade med Dag Svenssons dator. Hon kände sig arg och gråtfärdig. Eriksson sneglade på henne och noterade att någonting var på tok, men han sa ingenting och hon ignorerade honom. Hon satte sig bakom sitt skrivbord och stirrade framför sig. Det blev en tryckt tystnad i rummet.

Till sist ursäktade sig Eriksson och sa att han måste gå på muggen. Han frågade om han skulle hämta kaffe. Hon skakade på huvudet.

När han hade gått reste hon sig och satte på sig jackan. Hon tog sin axelväska och gick till Bublanskis rum. Han pekade på besöksstolen.

"Sonja, jag kommer inte att ge mig i det här ärendet med mindre än att Ekström kopplar bort även mig från utredningen. Jag accepterar det inte och jag tänker göra sak av det hela. Tills vidare kvarstår du i utredningen på min order. Begrips?"

Hon nickade.

"Du ska inte gå hem och ta ledigt resten av veckan som Ekström sa. Jag beordrar dig att åka ned till *Millenniums* redaktion och ta ett nytt snack med Mikael Blomkvist. Sedan ber du helt enkelt honom om hjälp att guida dig genom Dag Svenssons hårddisk. De har en kopia på *Millennium*. Vi kan spara mycket tid om vi har någon som redan är insatt i materialet och som kan sortera bort sådant som är oviktigt."

Sonja Modig andades lite lättare.

"Jag har inte sagt något till Niklas Eriksson."

"Jag tar hand om honom. Han får ansluta till Curt Svensson. Har du sett Hans Faste?"

"Nej. Han gick ut direkt efter morgonmötet."

Bublanski suckade.

MIKAEL BLOMKVIST HADE gått hem från Södersjukhuset vid åttatiden på morgonen. Han insåg att han hade fått på tok för lite sömn och att han måste vara skärpt inför eftermiddagens möte med Gunnar Björck ute i Smådalarö. Han klädde av sig och ställde klockan på ringning halv elva och fick drygt två timmars välbehövlig sömn. Han hade duschat, rakat sig och satt på sig en ren skjorta och passerade just Gullmarsplan då Sonja Modig ringde på mobilen och ville tala med honom. Mikael förklarade att han var på språng och inte hade möjlighet att träffa henne. Hon förklarade sitt ärende och han hänvisade henne till Erika Berger.

Sonja Modig åkte till *Millenniums* redaktion. Hon granskade Erika Berger och konstaterade att hon tyckte om den självsäkra och aningen dominanta kvinnan med skrattgropar och kort blond lugg. Hon såg ut lite grann som en äldre Laura Palmer i Twin Peaks. Hon undrade lite ovidkommande om Berger också var flata eftersom alla kvinnor i den här utredningen enligt Hans Faste tycktes ha den sortens sexuella preferenser, men påminde sig att hon faktiskt läst någonstans att hon var gift med konstnären Greger Backman. Erika lyssnade till hennes önskemål om att få hjälp att ta sig igenom innehållet i Dag Svenssons hårddisk. Hon såg bekymrad ut.

"Det finns ett problem här", sa Erika Berger.

"Förklara", bad Sonja Modig.

"Det är inte det att vi inte vill lösa morden eller bistå polisen. Ni har dessutom redan allt material i Dag Svenssons dator. Problemet är ett etiskt dilemma. Massmedia och poliser funkar inte så bra ihop."

"Tro mig. Jag har förstått det nu på morgonen", log Sonja Modig.

"Hur så?"

"Det var ingenting. Bara en personlig reflektion."

"Okej. För att behålla sin trovärdighet måste massmedia hålla en tydlig distans till myndigheter. Journalister som springer på polishuset och samarbetar med polisutredningar blir till sist springpojkar åt polisen."

"Jag har träffat några sådana", sa Modig. "Om jag förstått saken rätt så finns det motsatta förhållandet också. Att poliser blir springpojkar åt vissa tidningar."

Erika Berger skrattade.

"Det är sant. Dessvärre måste jag avslöja att vi på *Millennium* helt enkelt inte har råd att hålla oss med den sortens plånboksjournalistik. Men här handlar det inte om att du vill förhöra någon av *Millenniums* medarbetare – vilket vi ställer upp på utan debatt – utan om en formell begäran att vi aktivt ska bistå polisutredningen genom att ställa vårt journalistiska material till förfogande."

Sonja Modig nickade.

"Då finns det två synpunkter. För det första handlar det om mordet på en av tidningens medarbetare. Ur den synvinkeln hjälper vi naturligtvis till allt vi kan. Men den andra punkten är att det finns sådant som vi inte kan lämna till polisen. Det rör våra källor."

"Jag kan vara flexibel. Jag kan förbinda mig att skydda era källor. Jag har inget intresse av dem."

"Det handlar inte om ditt ärliga uppsåt eller vårt förtroende för dig. Det handlar om att vi aldrig lämnar ut en källa oavsett omständigheterna."

"Okej."

"Sedan tillkommer det faktum att vi på *Millennium* driver en egen utredning om morden, vilket alltså är att betrakta som ett journalistiskt arbete. Där är jag beredd att lämna över information till polisen då vi har något färdigt som vi kan publicera – men inte innan dess."

Erika Berger lade pannan i djupa veck och funderade. Till sist nickade hon för sig själv.

"Jag måste kunna leva med mig själv också. Vi gör så här ... Du får jobba med vår medarbetare Malin Eriksson. Hon är helt insatt i materialet och kompetent att avgöra var gränsen går. Hon får i uppdrag att guida dig genom Dag Svenssons bok som ni redan har en kopia av. Avsikten är att göra en begriplig förteckning över vilka som kan anses vara potentiellt misstänkta."

IRENE NESSER VAR helt omedveten om nattens dramatik då hon tog pendeltåget från Södra station till Södertälje. Hon var klädd i en halvlång svart skinnjacka, mörka byxor och en proper röd stickad tröja. Hon hade glasögon som hon sköt upp i pannan.

I Södertälje promenerade hon till Strängnäsbussen och löste biljett till Stallarholmen. Hon klev av en bra bit söder om Stallarholmen strax efter elva. Hon befann sig vid en hållplats utan några byggnader inom synhåll. Hon visualiserade kartan i huvudet. Hon hade Mälaren några kilometer nordost och terrängen var fylld av både fritidsbostäder och enskilda åretruntbostäder. Advokat Nils Bjurmans fastighet var belägen i ett sommarstugeområde nästan tre kilometer från busshållplatsen. Hon tog en klunk vatten ur en petflaska och började promenera. Hon var framme drygt fyrtiofem minuter senare.

Hon började med att göra en rundvandring i terrängen och undersöka grannarna. Till höger var det drygt hundrafemtio meter till grannstugan. Där var ingen hemma. Till vänster låg en ravin. Hon passerade två sommarstugor innan hon kom bort till en liten stugby där hon noterade tecken på människor i form av ett öppet fönster och ljud från en radio. Men det var tre hundra meter till Bjurmans stuga. Hon kunde följaktligen arbeta relativt ostört.

Hon hade tagit med sig nycklarna från hans lägenhet och hade inga problem att öppna ytterdörren. Hennes första åtgärd bestod i att skruva upp en fönsterlucka på husets baksida, vilket gav henne en reträttväg i händelse av att obehag skulle dyka upp på brokvisten. Det obehag hon såg framför sig var att någon polis eventuellt skulle få för sig att dyka upp vid stugan.

Bjurmans sommarstuga var en äldre och ganska liten byggnad med storstuga, kammare och ett litet pentry med vatten indraget. Dasset var en mulltoalett ute på gården. Hon ägnade tjugo minuter åt att söka igenom förvaringsskåp, garderober och byråar. Hon hittade inte så mycket som en flik av ett papper som kunde ha något med Lisbeth Salander eller Zala att göra.

Till sist gick hon ut på gården och undersökte mulltoaletten och en vedbod. Där fanns inget av värde och ingen dokumentation. Resan hade följaktligen varit förgäves.

Hon satte sig på bron och drack vatten och åt ett äpple.

När hon gick för att stänga fönsterluckan stannade hon till i farstun och betraktade en meterhög aluminiumstege. Hon gick in i storstugan igen och granskade det brädfodrade taket. Öppningen till loftet var nästan osynlig mellan två takbjälkar. Hon hämtade stegen och sköt upp luckan och hittade omedelbart fem A4-pärmar.

DEN BLONDE JÄTTEN var bekymrad. Saker och ting hade gått alldeles på tok och katastroferna kommit slag i slag.

Sandström hade hört av sig till bröderna Ranta. Han hade varit skräckslagen och rapporterat att Dag Svensson planerade ett avslöjande reportage om hans horaffärer och om bröderna Ranta. Så långt hade det inte varit något större problem. Att media hängde ut Sandström angick inte den blonde jätten, och bröderna Ranta kunde ligga lågt ett tag. Bröderna Ranta hade följaktligen tagit Baltic Star över Östersjön för en tids semester. Det var inte sannolikt att tjafset skulle leda till en domstol men om det värsta skulle hända så hade de gjort voltor tidigare. Det ingick i arbetsbeskrivningen.

Men Lisbeth Salander hade lyckats undfly Magge Lundin. Det var obegripligt eftersom Salander ju var en liten docka jämfört med Lundin och hela uppgiften egentligen bara bestått i att stuva in henne i en bil och forsla ned henne till lagret söder om Nykvarn.

Sedan hade Sandström fått ett nytt besök och den gången hade Dag Svensson varit ute efter Zala. Det gjorde att allt hamnade i ett helt nytt läge. Mellan Bjurmans panik och Dag Svenssons fortsatta rotande hade en potentiellt farlig situation uppstått.

En amatör är en gangster som inte är beredd att ta konsekvenserna. Bjurman var en komplett amatör. Den blonde jätten hade avrått Zala från att ha något med Bjurman att göra men för Zala hade namnet Lisbeth Salander varit oemotståndligt. Han hatade Salander. Det var helt irrationellt. Det hade varit som att trycka på en knapp.

Det hade varit en ren slump att den blonde jätten befunnit sig hemma hos Bjurman på kvällen då Dag Svensson ringde. Samma jävla journalist som redan skapat problem med Sandström och bröderna Ranta. Jätten hade åkt över för att lugna eller hota advokaten efter behov på grund av den misslyckade kidnappningen av Lisbeth Salander, och Svenssons samtal hade skapat en våldsam panik hos Bjurman. Han hade varit oresonligt korkad. Helt plötsligt ville han dra sig ur.

Till råga på allt hade Bjurman hämtat sin cowboypistol för att hota honom. Den blonde jätten hade häpet tittat på Bjurman och tagit ifrån honom revolvern. Han hade redan handskar på sig, så fingeravtrycken var inget problem. Han hade egentligen inte haft något alternativ när Bjurman väl hade flippat.

Bjurman kände naturligtvis till Zala. Därmed var han en belastning. Han kunde inte riktigt förklara varför han tvingat Bjurman att ta av sig kläderna mer än att han tyckte hjärtligt illa om Bjurman och ville markera det. Han hade nästan kommit av sig då han sett tatueringen på hans mage: JAG ÄR ETT SADISTISKT SVIN, ETT KRÄK OCH EN VÅLDTÄKTSMAN.

En kort stund hade han nästan tyckt synd om Bjurman. Han var en sådan komplett idiot. Men han befann sig i en bransch där sådana ovidkommande känslor inte kunde tillåtas störa den praktiska verksamheten. Han hade följaktligen lett ut honom i sovrummet och tvingat ned honom på knä och använt en kudde som ljuddämpare.

Han hade ägnat fem minuter åt att söka igenom Bjurmans lägenhet efter minsta koppling till Zala. Det enda han hittade var telefonnumret till sin egen mobil. För säkerhets skull tog han Bjurmans mobil med sig.

Dag Svensson var nästa problem. Om Bjurman hittades död skulle Dag Svensson naturligtvis höra av sig till polisen. Det han kunde berätta var att Bjurman hade skjutits några minuter efter att han hade ringt upp honom och frågat om Zala. Det behövdes ingen större fantasi för att inse att Zala därmed skulle bli föremål för vidlyftiga spekulationer.

Den blonde jätten betraktade sig själv som smart, men han hade en enorm respekt för Zalas närmast kusligt strategiska begåvning.

De hade samarbetat i drygt tolv år. Det hade varit ett framgångsrikt decennium och den blonde jätten betraktade Zala med vördnad, närmast som en mentor. Han kunde sitta i timmar och lyssna medan Zala förklarade den mänskliga naturen och dess svagheter och hur man kunde profitera på den.

Men helt plötsligt svajade deras affärsverksamhet. Saker och ting hade börjat gå på tok.

Han hade kört direkt från Bjurman till Enskede och parkerat den vita Volvon två kvarter bort. Som tur var hade porten inte riktigt gått i lås. Han hade gått upp och ringt på dörren med namnet Svensson-Bergman.

Han hade inte haft tid att söka igenom lägenheten eller plocka med sig papper. Han hade skjutit två skott – det hade varit en kvinna i lägenheten också. Sedan hade han tagit Dag Svenssons dator som stod på bordet i vardagsrummet, vänt på klacken och gått nedför trapporna till sin bil och lämnat Enskede. Den enda fadäsen hade varit att han faktiskt hade tappat vapnet i trappan då han försökte balansera datorn och samtidigt fiska upp bilnycklarna för att spara tid. Han hade hejdat sig en tiondels sekund, men revolvern hade rutschat nedför källartrappan och han bedömde det som alltför tidskrävande att gå tillbaka och hämta den. Han var medveten om att han hade ett utseende som folk kom ihåg och det viktiga var att försvinna från platsen innan han blev observerad.

Den tappade revolvern hade varit en källa till kritik från Zala till dess att implikationerna klarlades. De hade aldrig blivit så förvånade som när polisen plötsligt inledde en klappjakt på Lisbeth Salander. Det tappade vapnet hade därmed förvandlats till en ofattbar lyckosam slump.

Dessvärre skapade det i sin tur ett helt nytt problem. Salander var den enda återstående svaga länken. Hon kände till Bjurman och hon kände till Zala. Hon kunde lägga ihop två och två. När han och Zala konfererat om saken var de överens. De måste hitta Salander och begrava henne någonstans. Det vore perfekt om hon aldrig hittades. Så småningom skulle mordutredningen arkiveras och börja samla damm.

De hade chansat på att Miriam Wu kunde leda dem till Salander. Och helt plötsligt hade det gått på tok igen. *Paolo Roberto*. Av alla människor. Från ingenstans. Och enligt tidningarna var han dessutom en vän till Lisbeth Salander.

Den blonde jätten var mållös.

Efter Nykvarn hade han sökt sig till Magge Lundins hus i Svavelsjö, bara några hundra meter från Svavelsjö MC:s högkvarter. Det var inte ett idealiskt gömställe, men han hade inte haft så många alternativ och han måste hitta ett ställe där han kunde ligga lågt till dess att blånaderna i ansiktet började lägga sig och han diskret kunde lämna Stockholmsregionen. Han fingrade på sitt knäckta näsben och kände på bulan i nacken. Svullnaden hade börjat lägga sig.

Det hade varit ett klokt drag att åka tillbaka och bränna upp hela skiten. Det handlade om att städa.

Sedan blev han plötsligt iskall.

Bjurman. Han hade som hastigast träffat Bjurman vid ett enda tillfälle i sommarstugan utanför Stallarholmen i början av februari, då Zala hade accepterat jobbet att ta hand om Salander. Bjurman hade haft en pärm om Salander som han bläddrat i. Hur fan hade han kunnat missa det? Den kunde leda till Zala.

Han gick ned till köket och förklarade för Magge Lundin varför denne i all hast måste åka ut till Stallarholmen och anlägga en ny brasa.

KRIMINALINSPEKTÖR BUBLANSKI ÄGNADE lunchen åt att försöka få ordning på den utredning han kände höll på att gå alldeles överstyr. Han tillbringade en lång stund tillsammans med Curt Svensson och Sonny Bohman med att koordinera jakten på Lisbeth Salander. Nya tips hade flutit in från bland annat Göteborg och Norrköping. Göteborg avfärdades ganska omgående men Norrköpingstipset hade en vag potential. De informerade kollegorna och lade en försiktig spaning på en adress där en flicka med ett utseende som påminde om Salanders påstods ha setts till.

Han försökte få till stånd ett diplomatiskt samtal med Hans Faste, men denne fanns inte i huset och svarade inte i mobilen. Efter det stormiga förmiddagsmötet hade Faste försvunnit som ett åskmoln.

Därefter tog sig Bublanski an förundersökningsledaren Richard Ekström i ett försök att lösa problematiken kring Sonja Modig. Han ägnade en lång stund åt att lägga fram sakskäl till att han ansåg att beslutet att koppla bort henne från utredningen var huvudlöst. Ekström vägrade lyssna och Bublanski beslutade att avvakta till efter helgen innan han började göra sak av den idiotiska situationen. Förhållandet mellan spaningsledaren och förundersökningsledaren började bli ohållbart.

Strax efter tre på eftermiddagen gick han ut i korridoren och såg Niklas Eriksson komma ut ur Sonja Modigs rum där han fortfarande gick igenom innehållet i Dag Svenssons hårddisk. Vilket, ansåg Bublanski, nu var en meningslös sysselsättning eftersom ingen riktig polis hängde över hans axel och höll koll på vad han missade. Han beslutade att överföra Niklas Eriksson till Curt Svensson för återstoden av veckan.

Innan han hunnit säga någonting försvann dock Eriksson in på toaletten längst bort i korridoren. Bublanski petade sig i örat och gick fram till Sonja Modigs rum för att vänta på att Eriksson skulle komma tillbaka. Från dörröppningen betraktade han Sonja Modigs tomma stol.

Sedan föll hans blick på Niklas Erikssons mobiltelefon som låg kvarglömd i hyllan bakom hans arbetsstol.

Bublanski tvekade en sekund och sneglade mot den fortfarande låsta toalettdörren. Sedan klev han på ren impuls in i rummet och stoppade på sig Erikssons mobil och gick med raska steg till sitt tjänsterum och stängde dörren. Han klickade upp samtalslistan.

Klockan 9.57, fem minuter efter att det stormiga morgonmötet hade avslutats, hade Niklas Eriksson ringt ett 070-nummer. Bublanski lyfte luren på sin bordstelefon och slog numret. Det var journalisten Tony Scala som svarade.

Han lade på luren och stirrade på Erikssons mobil. Sedan reste han sig med ett åskliknande ansiktsuttryck. Han hade tagit två steg mot dörren när telefonen på hans skrivbord ringde. Han gick tillbaka och röt sitt namn i luren.

”Det är Jerker. Jag är kvar vid lagret utanför Nykvarn.”

”Jaha.”

”Branden är släckt. Vi har hållit på med brottsplatsundersökning de senaste två timmarna. Södertäljepolisen tog hit en likhund för att sniffa av området utifall att det låg någon i ruinerna.”

”Och?”

”Det gjorde det inte. Men vi tog en paus så att hunden skulle få vila nosen ett tag. Hundföraren säger att det är nödvändigt eftersom det är väldigt starka dofter på en brandplats.”

"Till saken."

"Han tog en promenad och släppte hunden en bit från brandplatsen. Jycken markerade lik på en plats ungefär sjuttiofem meter in i skogen bakom lagret. Vi har grävt på platsen. För tio minuter sedan fick vi upp ett människoben med fot och en sko. Det tycks vara en mans sko. Kvarlevorna låg rätt ytligt."

"Å fan. Jerker, du måste …"

"Jag har redan tagit befälet över fyndplatsen och avbrutit utgrävningen. Jag vill ha hit rättsmedicin och ordentliga tekniker innan vi går vidare."

"Mycket bra jobbat, Jerker."

"Det är inte allt. För fem minuter sedan gjorde jycken en ny markering ungefär åttio meter från den första fyndplatsen."

LISBETH SALANDER HADE kokat kaffe på Bjurmans spis, ätit ytterligare ett äpple och tillbringat två timmar med att sida för sida läsa igenom Bjurmans research om henne. Hon var imponerad. Han hade lagt ned en oerhörd möda på uppgiften och systematiserat information som om det var en passionerad hobby. Han hade hittat material om henne som hon inte ens visste existerade.

Hon läste Holger Palmgrens journal med blandade känslor. Det var två inbundna svarta anteckningsböcker. Han hade börjat föra dagbok om henne då hon var 15 år och just hade avvikit från sitt andra par fosterföräldrar, ett äldre par i Sigtuna där han var sociolog och hon var författare av barnböcker. Lisbeth hade stannat hos dem i tolv dagar och upplevt att de var omåttligt stolta över att göra en social insats genom att förbarma sig över henne, och att de förväntade sig att hon skulle uttrycka en djup tacksamhet. Lisbeth hade fått nog då hennes högst tillfälliga fostermor högljutt berömde sig själv inför en grannfru och lade ut texten om hur viktigt det var att någon tog sig an ungdomar som hade uppenbara problem. *Jag är inget jävla socialprojekt*, ville hon skrika varje gång hennes fostermor visade upp henne för sina bekanta. På den tolfte dagen hade hon stulit 100 kronor ur matkassan och tagit bussen till Upplands-Väsby och pendeln till Stockholms Central. Polisen hade hittat henne sex veckor senare då hon var inneboende hos en 67-årig farbror i Haninge.

Han hade varit rätt okej. Han försåg henne med husrum och mat. Hon hade inte behövt göra särskilt mycket i gengäld. Han ville smygtitta på henne då hon var naken. Han rörde henne aldrig. Hon visste att han definitionsmässigt var att betrakta som pedofil, men hon hade aldrig upplevt något hot från honom. Hon uppfattade honom som en inbunden och socialt handikappad människa. I efterhand kunde hon till och med uppleva en märklig känsla av släktskap då hon tänkte på honom. De upplevde bägge ett stort utanförskap.

En granne hade slutligen observerat henne och larmat polisen. En socialassistent hade ägnat stor möda åt att övertala henne att anmäla honom för sexuella övergrepp. Hon hade hårdnackat vägrat erkänna att något otillbörligt hade ägt rum och i vilket fall var hon 15 år gammal och lovlig. *Fuck you.* Därefter hade Holger Palmgren ingripit och kvitterat ut henne. Palmgren hade börjat skriva dagbok om henne i vad som framstod som ett frustrerat försök att reda ut sina egna tvivel. De första meningarna hade formulerats i december 1993.

L. framstår alltmer som den mest ohanterliga unge som jag någonsin haft att göra med. Frågan är om jag gör rätt då jag motsätter mig att hon återbördas till S:t Stefans. Hon har nu avverkat två fosterfamiljer på tre månader och löper uppenbar risk att fara illa under sina utflykter. Jag måste snart besluta om jag ska avsäga mig uppdraget och kräva att hon tas om hand av riktiga experter. Jag vet inte vad som är rätt och vad som är fel. I dag har jag haft ett allvarligt samtal med henne.

Lisbeth mindes varje ord som hade yttrats under det allvarliga samtalet. Det hade varit dagen före julafton. Holger Palmgren hade tagit henne med hem till sig och inkvarterat henne i sitt gästrum. Han hade lagat spaghetti med köttfärssås till middag och därefter placerat henne i vardagsrumssoffan och satt sig i en fåtölj mitt emot henne. Hon hade vagt undrat om Palmgren också ville se henne naken. Istället hade han talat till henne som om hon varit vuxen.

Det hade varit en två timmar lång monolog. Hon hade knappt svarat på tilltal. Han hade förklarat livets realiteter, vilka bestod i att hon nu hade att välja mellan att återbördas till S:t Stefans eller att bo i en fosterfamilj. Han lovade att han skulle försöka hitta en någorlunda acceptabel familj och han krävde att hon skulle godta hans val. Han hade beslutat att hon skulle tillbringa julhelgen hos honom för att få tid att fundera över sin framtid. Det var helt och hållet hennes eget val, men senast på annandag jul ville han ha ett klart besked och ett löfte från henne. Hon skulle vara tvungen att lova att om hon hade problem skulle hon vända sig till honom istället för att rymma. Därefter hade han kört henne i säng och uppenbarligen satt sig att skriva de första raderna i sin privata journal om Lisbeth Salander.

Hotet – alternativet att transporteras tillbaka till S:t Stefans i mellandagarna – skrämde henne mer än Holger Palmgren kunnat ana. Hon tillbringade en olycklig julhelg med att misstänksamt bevaka varje rörelse som Palmgren företog sig. På annandagen hade han ännu inte börjat tafsa på henne och visade heller inga tecken på att vilja smygtitta på henne. Tvärtom hade han blivit extremt irriterad då hon provocerat honom genom att promenera naken från hans gästrum till badrummet. Han hade slagit igen badrumsdörren med en kraftig smäll. Sent omsider hade hon gett de löften han krävde. Hon hade hållit sitt ord. Nåja, mer eller mindre.

I sin journal kommenterade Palmgren metodiskt varje möte han hade med henne. Ibland var det tre rader, ibland fyllde han flera sidor med funderingar. Stundom häpnade hon. Palmgren hade varit mer insiktsfull än hon haft en aning om, och han hade ibland kommenterat små detaljer om hur hon försökt blåsa honom och han genomskådat henne.

Sedan öppnade hon polisutredningen från 1991.

Helt plötsligt föll pusselbitarna på plats. Hon upplevde det som om marken började gunga.

Hon läste den rättsmedicinska rapport som författats av en dr Jesper H. Löderman och där en viss dr Peter Teleborian var en av de viktigaste referenserna. Löderman hade varit åklagarens trumfkort då han försökt få henne institutionaliserad vid förhandlingen då hon var 18 år.

Sedan hittade hon ett kuvert med korrespondens mellan Peter Teleborian och Gunnar Björck. Breven var daterade 1991, strax efter att Allt Det Onda hade hänt.

Inget sades rent ut i korrespondensen, men helt plötsligt öppnade sig en fallucka under Lisbeth Salander. Det tog henne några minuter att förstå implikationerna. Gunnar Björck refererade till vad som måste ha varit ett muntligt samtal. Han formulerade sig oklanderligt, men mellan raderna sa Björck att det passade alldeles utmärkt om Lisbeth Salander satt inspärrad på dårhus resten av sitt liv.

> Det är viktigt att barnet får distans till det aktuella läget. Jag kan inte bedöma hennes psykiska tillstånd och vilket behov av vård hon fordrar men ju längre hon kan hållas institutionaliserad, desto mindre risk att hon oavsiktligt skapar problem i det aktuella ärendet.

I det aktuella ärendet.

Lisbeth Salander smakade på uttrycket en kort stund.

Peter Teleborian var ansvarig för hennes vård på S:t Stefans. Det hade inte varit en slump. Redan av den personliga tonen i korrespondensen kunde hon dra slutsatsen att det var brev som aldrig var avsedda att se dagens ljus.

Peter Teleborian hade känt Gunnar Björck.

Lisbeth Salander bet sig i underläppen medan hon funderade. Hon hade aldrig gjort någon research på Teleborian men han hade börjat på rättsmedicin, och även Säkerhetspolisen hade stundom behov av att konsultera rättsmedicinare eller psykiatriker i olika utredningar. Hon förstod plötsligt att om hon började gräva skulle hon hitta en koppling. Någonstans under hans tidiga karriär hade Teleborians och Björcks vägar korsats. Då Björck behövde någon som kunde begrava Lisbeth Salander hade han vänt sig till Teleborian.

Det var så det hade gått till. Det som tidigare sett ut som en slump fick plötsligt en helt annan dimension.

HON SATT STILLA en lång stund och tittade rakt framför sig. Det finns inga oskyldiga. Det finns bara olika grader av ansvar. Och någon hade ansvar för Lisbeth Salander. Hon skulle definitivt bli tvungen att göra ett besök i Smådalarö. Hon antog att ingen annan i det statliga rättshaveriet hade lust att diskutera ämnet med henne och i brist på andra fick ett samtal med Gunnar Björck duga.

Hon såg fram emot samtalet.

Hon behövde inte bära alla pärmarna med sig. I och med att hon läst dem var de för evigt inpräntade i hennes minne. Hon plockade med sig Holger Palmgrens två dagböcker, Björcks polisutredning från 1991, den rättsmedicinska utredningen från 1996 då hon blev omyndigförklarad samt korrespondensen mellan Peter Teleborian och Gunnar Björck. Därmed var ryggsäcken fylld.

Hon stängde dörren men hade inte hunnit låsa då hon hörde ljudet av motorcyklar bakom sig. Hon såg sig omkring. Det var redan för sent att försöka gömma sig och hon visste att hon inte hade minsta chans att springa ifrån två bikers på Harley-Davidsons. Hon gick avvaktande ned från bron och mötte dem mitt på gårdsplanen.

BUBLANSKI MARSCHERADE RASANDE genom korridoren och konstaterade att Eriksson ännu inte återkommit till Sonja Modigs rum. Däremot var toaletten tom. Han fortsatte genom korridoren och såg honom plötsligt med en plastmugg från kaffeautomaten i handen inne hos Curt Svensson och Sonny Bohman.

Bublanski vände osedd i dörröppningen och promenerade en trappa upp till åklagare Ekströms tjänsterum. Han ryckte upp dörren utan att knacka och avbröt Ekström mitt i ett telefonsamtal.

"Kom", sa han.

"Vad?" sa Ekström.

"Lägg på luren och kom."

Bublanskis ansiktsuttryck var sådant att Ekström gjorde som han blev tillsagd. Det var i det läget enkelt att förstå varför kollegorna döpt Bublanski till konstapel Bubbla. Han såg ut som en högröd spärrballong i ansiktet. De gick ned till den gemytliga fikapausen i Curt Svenssons rum. Bublanski marscherade fram till Eriksson och tog ett stadigt tag i kalufsen och vände honom mot Ekström.

"Aj. Vad fan håller du på med? Är du inte klok?"

"Bublanski!" ropade Ekström förskräckt.

Ekström såg skärrad ut. Curt Svensson och Sonny Bohman gapade.

"Är det här din?" frågade Bublanski och höll fram mobilen från Sony Ericsson.

"Släpp mig!"

"ÄR DET HÄR DIN MOBIL?"

"Ja, för fan. Släpp mig."

"Inte då. Du är just föremål för ett gripande."

"Va?"

"Du är gripen för sekretessbrott och för att ha hindrat en polisutredning." Han vände sig till Eriksson. "Eller du kanske vill ge oss andra en rimlig förklaring till varför du enligt samtalslistan ringde en journalist vid namn Tony Scala klockan 09.57 i morse, omedelbart efter morgonmötet och strax innan Scala gick ut med information som vi just beslutat att hemlighålla."

MAGGE LUNDIN TRODDE inte sina ögon då han såg Lisbeth Salander på gårdsplanen framför Bjurmans sommarstuga. Han hade studerat en karta och fått en utförlig vägbeskrivning av den blonde jätten. Efter att ha fått instruktion att åka till Stallarholmen och anlägga en brasa hade han promenerat till klubbhuset i det nedlagda tryckeriet i Svavelsjös utkant och tagit Sonny Nieminen med sig. Det var varmt i luften och perfekt väder att rulla ut hojarna för första gången sedan vintern. De hade plockat fram sina skinnställ och avverkat sträckan från Svavelsjö till Stallarholmstrakten i maklig takt.

Och där stod Lisbeth Salander och väntade på dem.

Det var en bonus som skulle slå den blonde saten med häpnad.

De styrde upp på vardera sidan och parkerade två meter från henne. När motorerna stängdes av blev det alldeles tyst i skogen. Magge Lundin visste inte riktigt vad han skulle säga. Till sist fick han mål i munnen.

"Se där. Vi har sökt dig ett tag, Salander."

Han log plötsligt. Lisbeth Salander betraktade Lundin med uttryckslösa ögon. Hon noterade att han fortfarande hade ett skarpt rött nyläkt sår på käken där hon hade skurit honom med nyckelknippan. Hon höjde blicken och betraktade trädtopparna bakom honom. Sedan sänkte hon blicken igen. Hennes ögon var orovväckande kolsvarta.

"Jag har haft en jävla miserabel vecka och är på jävligt uselt humör. Vet du vad det värsta är? Varenda gång jag vänder mig om så står någon jävla skithög med hängbuk i vägen för mig och spänner sig. Nu tänker jag gå härifrån. Flytta på dig."

Magge Lundin gapade. Först trodde han att han hade hört fel. Sedan började han ofrivilligt skratta. Situationen var dråplig. Där stod en spinkig tjej som kunde rymmas i hans bröstficka och mopsade sig mot två fullvuxna karlar med västar som visade att de tillhörde Svavelsjö MC och därmed var de farligaste av de farliga och snart skulle vara fullvärdiga medlemmar i Hell's Angels. De kunde plocka isär henne och stoppa ned henne i en kakburk. Och hon mopsade sig.

Men även om flickan var spritt språngande galen – vilket hon uppenbarligen var enligt både tidningsartiklar och vad han hunnit uppleva på gårdsplanen – så borde deras västar inge respekt. Vilket hon inte visade minsta antydan till. Sådant kunde inte tolereras, hur dråplig situationen än var. Han sneglade på Sonny Nieminen.

"Jag tror att flatan behöver lite kuk", sa han och fällde ut stödet och klev av sin HD. Han tog två långsamma kliv fram till Lisbeth Salander och tittade ned på henne. Hon rörde sig inte ur fläcken. Magge Lundin skakade på huvudet och suckade dystert. Sedan slog han en backhand med samma avsevärda kraft som Mikael Blomkvist hade fått uppleva i samband med händelsen på Lundagatan.

Han slog genom tomma luften. I samma ögonblick som handen skulle ha träffat hennes ansikte tog hon ett enda kliv bakåt och stod stilla precis utom räckhåll för honom.

Sonny Nieminen lutade sig mot styret på sin HD och betraktade roat sin klubbkamrat. Lundin blev röd i ansiktet och tog ytterligare två snabba kliv mot henne. Hon backade igen. Lundin ökade farten.

Lisbeth Salander tvärstannade plötsligt och tömde halva innehållet i tårgaspatronen i hans ansikte. Hans ögon började bränna som eld. Spetsen av hennes promenadboots sköt upp med full kraft och förvandlades till kinetisk energi i hans skrev med ett tryck av ungefär 120 kilopond per kvadratcentimeter. Magge Lundin sjönk andlöst ned på knä och hamnade därmed i bekvämare höjd för Lisbeth Salander. Hon tog sats och sparkade honom i ansiktet, precis som om hon lagt upp en hörna i fotboll. Det hördes ett otäckt krasande innan Magge Lundin ljudlöst stöp som en säck potatis.

Det tog flera sekunder för Sonny Nieminen att inse att något orimligt hade utspelats framför hans ögon. Han började fälla ned fotstödet på sin HD, missade och var tvungen att titta efter. Sedan tog han det säkra före det osäkra och började treva efter den pistol som han hade i jackans innerficka. När han var på väg att dra ned blixtlåset såg han en rörelse i ögonvrån.

När han tittade upp såg han Lisbeth Salander komma farande som en kanonkula mot honom. Hon hoppade jämfota och träffade honom med full kraft på höften, vilket inte var tillräckligt för att skada honom, men tillräckligt för att välta både honom och motorcykeln. Han undvek med en hårsmån att fastna med benet under motorcykeln och snubblade några steg baklänges innan han återvann balansen.

När han åter fick henne i synfältet såg han hennes arm röra sig och en knytnävsstor sten singlade genom luften. Han duckade instinktivt. Stenen missade hans huvud med några centimeter.

Han fick äntligen fram pistolen och försökte osäkra vapnet, men när han tittade upp för tredje gången var Lisbeth Salander framme vid honom. Han läste ondska i hennes blick och kände för första gången häpen rädsla.

"Godnatt", sa Lisbeth Salander.

Hon tryckte upp elpistolen i hans skrev och avlossade 75 000 volt och höll elektroderna mot hans kropp i åtminstone tjugo sekunder. Sonny Nieminen förvandlades till en viljelös grönsak.

Lisbeth hörde ljud bakom sig och vände sig om och betraktade Magge Lundin. Han hade mödosamt kommit upp i knästående och var på väg att komma på fötter. Hon betraktade honom med höjda ögonbryn. Han famlade i blindo genom tårgasens brännande dimma.

"Jag ska döda dig!" vrålade han plötsligt.

Han sluddrade betänkligt och famlade omkring sig i ett försök att hitta Lisbeth Salander. Hon lade huvudet på sned och betraktade honom eftertänksamt. Sedan vrålade han igen.

"Jävla hora."

Lisbeth Salander böjde sig ned och plockade upp Sonny Nieminens pistol och konstaterade att det var en polsk P-83 Wanad.

Hon öppnade magasinet och kontrollerade att det var laddat med förväntad ammunition av typen 9 mm Makarov. Därefter gjorde hon en mantelrörelse och matade in en kula i loppet. Sedan tog hon ett kliv över Sonny Nieminen och gick fram till Magge Lundin, tog sikte med dubbelhandsfattning och sköt honom i foten. Han tjöt av chock och ramlade ihop igen.

Hon betraktade Magge Lundin och tvekade om hon skulle göra sig besväret att ställa ett antal frågor om identiteten på den blonde jätte hon sett honom med på Blomgrens konditori och som enligt journalisten Per-Åke Sandström tillsammans med Magge Lundin hade mördat en människa i en lagerbyggnad. Hmm. Hon borde kanske ha väntat med att avlossa pistolen till dess att hon hunnit ställa frågor.

Dels såg inte Magge Lundin ut att vara i stånd att föra ett redigt samtal, dels fanns möjligheten att någon hade hört skottet. Hon borde följaktligen lämna området per omgående. Hon kunde alltid leta rätt på Magge Lundin och fråga honom under lugnare former vid ett senare tillfälle. Hon säkrade vapnet, stoppade det i jackfickan och plockade upp sin ryggsäck.

Hon hade hunnit gå ungefär tio meter längs vägen från Nils Bjurmans stuga innan hon stannade och vände sig om. Hon gick långsamt tillbaka och studerade Magge Lundins motorcykel.

"*Harley Davidson*", sa hon. "Schyst."

KAPITEL 27
ONSDAG 6 APRIL

DET VAR ETT strålande vårväder då Mikael rattade Erika Bergers bil söderut på Nynäsvägen. Redan kunde en antydan till en grön ton anas på de svarta fälten och det var riktig värme i luften. Det var egentligen perfekt väder för att glömma alla problem och åka ut några dagar och koppla av i stugan i Sandhamn.

Han hade kommit överens med Gunnar Björck om att dyka upp klockan ett men han var tidig och stannade i Dalarö för att dricka kaffe och läsa kvällstidningarna. Han förberedde sig inte inför mötet. Björck hade något att berätta och Mikael var fast besluten att innan han lämnade Smådalarö skulle han ha fått veta något om Zala. Någonting som kunde leda vidare.

Björck mötte honom på gårdsplanen. Han såg morskare och mer självsäker ut än han hade gjort två dagar tidigare. *Vad planerar du för drag?* Mikael skakade inte hand med honom.

"Jag kan ge dig information om Zala", sa Gunnar Björck. "Jag har villkor."

"Låt höra."

"Jag nämns inte i *Millenniums* reportage."

"Okej."

Björck såg överraskad ut. Blomkvist hade lättvindigt och utan diskussion accepterat den punkt som Björck hade förberett sig på en lång dust om. Det var hans enda kort. Information om morden mot anonymitet. Och Blomkvist hade utan vidare gått med på att stryka vad som måste vara en jätterubrik i tidningen.

"Jag menar allvar", sa Björck misstänksamt. "Jag vill ha det skriftligt."

"Du kan få det skriftligt om du vill, men ett sådant papper betyder inte ett skit. Du har begått brott som jag har kännedom om och som jag i praktiken är skyldig att polisanmäla. Du har kunskap som jag vill ha och du använder din position till att köpa min tystnad. Jag har tänkt igenom saken och accepterar. Jag underlättar för dig genom att förbinda mig att inte nämna ditt namn i *Millennium*. Antingen litar du på vad jag säger eller så gör du inte det."

Björck funderade.

"Jag har också villkor", sa Mikael. "Priset för min tystnad är att du berättar allt du vet. Om jag upptäcker att du mörkar något är alla överenskommelser upphävda. Då kommer jag att hänga ut dig på vartenda löp i Sverige, precis som jag gjorde med Wennerström."

Björck rös vid tanken.

"Okej", sa han. "Jag har inget val. Du lovar att mitt namn inte ska nämnas i *Millennium*. Jag ska berätta vem Zala är. Och i det avseendet vill jag ha källskydd."

Han sträckte fram handen. Mikael fattade den. Han hade just lovat att medverka till att dölja ett brott, vilket dock inte bekom honom det minsta. Han hade bara lovat att han själv och tidningen *Millennium* inte skulle skriva om Björck. Dag Svensson hade redan skrivit hela historien om Björck i sin bok. Och Dag Svenssons bok skulle komma ut. Det var Mikael fast besluten att se till.

LARMET RINGDES IN till polisen i Strängnäs kl. 15.18. Samtalet kom direkt till polisens växel och inte via larmcentralen. En sommarstugeägare vid namn Öberg strax öster om Stallarholmen uppgav att han hört ett skott och gått för att undersöka saken. Han hade hittat två svårt skadade män. Nåja, en av männen var kanske inte så svårt skadad men befann sig i stora plågor. Och visst ja, stugan ägdes av Nils Bjurman. Alltså framlidne advokat Nils Bjurman som det skrivits så mycket om i tidningarna.

Strängnäspolisen hade haft en arbetstyngd morgon med en omfattande och sedan tidigare beslutad trafikkontroll inom kommunen. Under eftermiddagen hade trafikövervakningen avbrutits sedan larm inkommit om att en 57-årig kvinna hade bragts om livet av sin sambo i deras bostad i Finninge. Nästan samtidigt hade en brand med ett dödsoffer uppstått i en fastighet i Storgärdet, och som grädde på moset hade två bilar frontalkolliderat i höjd med Vargholmen på Enköpingsvägen. Larmen hade kommit inom loppet av några minuter och av den orsaken var en stor del av Strängnäspolisens resurser låsta.

Vakthavande befälet hade dock följt händelseutvecklingen i Nykvarn på morgonen och snappat upp att detta tycktes ha något med efterspanade Lisbeth Salander att göra. Eftersom Nils Bjurman var en del av den utredningen lade hon ihop två och två. Hon vidtog tre åtgärder. Hon avdelade den enda piketbuss som fanns tillgänglig i Strängnäs denna arbetstyngda dag att skyndsamt bege sig till Stallarholmen. Hon ringde till kollegorna i Södertälje och bad om assistans. Södertäljepolisen var inte mindre ansträngd eftersom en stor del av polismaktens resurser hade koncentrerats till utgrävningar runt en nedbränd lagerbyggnad söder om Nykvarn, men den möjliga kopplingen mellan Nykvarn och Stallarholmen föranledde vakthavande i Södertälje att avdela två bilar att bege sig till Stallarholmen och bistå Strängnäspiketen. Slutligen grep vakthavande befäl i Strängnäs telefonen för att tala med kriminalinspektör Jan Bublanski i Stockholm. Hon nådde honom på mobilen.

Bublanski befann sig för ögonblicket på Milton Security för en allvarstyngd överläggning med dess verkställande direktör Dragan Armanskij och de två medarbetarna Fräklund och Bohman. Medarbetaren Niklas Eriksson lyste med sin frånvaro.

Bublanski agerade genom att beordra Curt Svensson att skyndsamt bege sig till Bjurmans sommarstuga. Han skulle ta Hans Faste med sig för den händelse att Faste kunde uppbringas. Efter en stunds eftertanke ringde Bublanski även till Jerker Holmberg som ännu befann sig på väsentligt närmare håll söder om Nykvarn. Holmberg hade dessutom nyheter.

"Jag tänkte precis ringa dig. Vi har just identifierat liket i gropen."

"Det är inte möjligt. Inte så snabbt."

"Allting går då döingarna är vänliga nog att hålla sig med plånbok och inplastat id-kort."

"Okej. Vem?"

"En kändis. Kenneth Gustafsson, 44 år och hemmahörande i Eskilstuna. Känd som Luffaren. Ringer det en klocka?"

"Om det gör. Jaså, Luffaren ligger i en grop i Nykvarn. Jag har inte hållit koll på buset vid Plattan, men han var väl rätt framträdande på 1990-talet och tillhör klientelet av langare, småtjuv och missbrukare."

"Det är han. Åtminstone är det hans id i plånboken. Den slutliga identifieringen får väl göras av rättsmedicin. Vilket blir ett pusslande. Luffaren är styckad i åtminstone fem sex bitar."

"Hmm. Paolo Roberto berättade att den där blondinen han slogs med hotade Miriam Wu med en motorsåg."

"Styckningen kan mycket väl ha gjorts med en motorsåg, men jag har inte tittat alltför noga. Vi har just börjat utgrävningen av den andra fyndplatsen. De håller på att sätta upp tältet."

"Det är bra. Jerker – jag vet att det varit en lång dag, men kan du stanna under kvällen?"

"Jo. Okej. Jag börjar med att åka en sväng upp till Stallarholmen."

Bublanski avslutade samtalet och gnuggade sig i ögonen.

PIKETEN FRÅN STRÄNGNÄS anlände till Bjurmans sommarstuga kl. 15.44. Vid uppfarten kolliderade de bokstavligen med en man som vingligt försökte avvika från platsen på en Harley-Davidson som han med ett brak styrde rakt in i bussens front. Någon större kollision var det inte fråga om. Poliserna klev ut ur bussen och identifierade Sonny Nieminen, 37 år och känd dråpare från mitten av 1990-talet. Nieminen tycktes befinna sig i dålig form och belades med handfängsel. När poliserna skulle sätta på handbojorna upptäckte de häpet att ryggtavlan på hans skinnjacka var trasig. Ett fyrkantigt stycke om cirka två gånger två decimeter saknades mitt på ryggen. Det såg besynnerligt ut. Sonny Nieminen ville inte kommentera saken.

Därefter fortsatte de färden ungefär tvåhundra meter upp till stugan. De fann en pensionerad före detta hamnarbetare vid namn Öberg som höll på att lägga stödförband om foten på en Carl-Magnus Lundin, 36 år och *president* i det inte helt okända rövarbandet Svavelsjö MC.

Piketstyrkans befäl var polisinspektör Nils-Henrik Johansson. Han klev ut, rättade till kopplet och betraktade den sorgliga varelsen på marken. Han fällde den klassiska polisrepliken.

"Hur var det här då?"

Den pensionerade sjömannen avbröt arbetet med att bandagera Magge Lundins fot och tittade lakoniskt på Johansson.

"Det var jag som ringde."

"Du rapporterade skottlossning."

"Jag rapporterade att jag hörde ett skott och gick över för att undersöka och hittade de här figurerna. Han här har blivit skjuten i foten och fått rejält med stryk. Jag tror att han behöver ambulans."

Öberg sneglade mot piketen.

"Jaså, ni fick tag i den andre rackaren. Han låg utslagen då jag kom hit men tycktes inte vara skadad. Han hämtade sig efter ett tag och ville inte stanna kvar."

JERKER HOLMBERG ANLÄNDE tillsammans med poliserna från Södertälje samtidigt som ambulansen åkte från platsen. Han fick en kort genomgång av piketens observationer. Varken Lundin eller Nieminen hade velat förklara hur det kom sig att de befann sig på platsen. Lundin var inte i stånd att tala överhuvudtaget.

"Alltså, två bikers i skinnställ, en Harley-Davidson, en skottskada och inget vapen. Har jag förstått det rätt?" undrade Holmberg.

Piketbefälet Johansson nickade. Holmberg funderade en stund.

"Ska vi förutsätta att en av grabbarna inte åkt ut hit på bönpallen."

"Jag skulle tro att det uppfattas som omanligt i deras kretsar", sa Johansson.

"I så fall saknas en motorcykel. Eftersom vapnet också saknas kan vi alltså dra slutsatsen att en tredje part redan avvikit från platsen."

"Det låter rimligt."

"Vilket skapar ett logiskt problem. Om de här två herrarna från Svavelsjö kom på var sin motorcykel saknas även ett fordon som den tredje parten anlände i. Den tredje parten kan ju inte gärna ha avvikit både i sitt eget fordon och på en motorcykel. Det är rätt lång väg att gå från Strängnäsvägen."

"Om det inte var så att den tredje parten bodde i stugan."

"Hmm", sa Jerker Holmberg. "Men stugan ägs alltså av framlidne advokat Bjurman som definitivt inte bor här numera."

"Det kan också ha funnits en fjärde part som avvikit i bil."

"Men varför inte åka tillsammans i så fall? Jag utgår från att den här historien inte handlar om stöld av en Harley-Davidson, hur åtråvärda de än är."

Han funderade en stund och bad därefter piketen avdela två uniformer att både spana efter ett övergivet fordon på någon närliggande skogsväg och knacka dörr i närområdet och fråga om någon observerat något ovanligt.

"Det är rätt glest mellan dörrarna så här års", sa piketbefälet men lovade att göra sitt bästa.

Därefter öppnade Holmberg den ännu olåsta dörren till stugan. Han hittade omedelbart de kvarvarande pärmarna på köksbordet med Bjurmans utredning om Lisbeth Salander. Han satte sig och började häpet bläddra.

JERKER HOLMBERG HADE tur. Redan trettio minuter efter att dörrknackningen inletts bland de glest befolkade stugorna påträffades 72-åriga Anna Viktoria Hansson som tillbringat vårdagen med att rensa skräp i en trädgård vid avtagsvägen till sommarstugeområdet. Jovisst, hon hade god syn. Jovisst, hon hade sett en kortvuxen flicka i mörk jacka promenera förbi ungefär vid lunchtid. Vid femtontiden hade två personer på motorcykel kört förbi. De bullrade fruktansvärt. Och kort därefter hade flickan passerat åt andra hållet på en av motorcyklarna. Sedan kom polisbilarna.

Samtidigt som Jerker Holmberg fick rapporten anlände Curt Svensson till stugan.

"Vad händer?" frågade han.

Jerker Holmberg betraktade dystert sin kollega.

"Jag vet inte riktigt hur jag ska förklara det här", svarade Holmberg.

"JERKER, FÖRSÖKER DU slå i mig att Lisbeth Salander dök upp vid Bjurmans stuga och ensam spöade skiten ur högsta ledningen för Svavelsjö MC?" frågade Bublanski i telefonluren. Hans röst lät ansträngd.

"Tja, hon har ju tränats av Paolo Roberto ..."

"Jerker. Tyst."

"Så här. Magnus Lundin har en skottskada i foten. Han riskerar att bli låghalt i framtiden. Kulan har gått ut genom bakre kanten av hälen."

"Hon sköt honom i alla fall inte i huvudet."

"Det behövdes förmodligen inte. Enligt vad jag förstått från piketen har Lundin grova skador i ansiktet med brutet käkben och två utslagna tänder. Ambulansen misstänkte hjärnskakning. Förutom skottskadan i foten har han dessutom kraftiga smärtor i underlivet."

"Hur är det med Nieminen?"

"Han verkar helt oskadd. Men enligt gubben som larmade låg han sanslös då han kom till platsen. Han var inte kommunicerbar men tycktes kvickna till efter en stund och försökte avvika just då Strängnäspiketen anlände."

Bublanski var för första gången på mycket länge fullständigt mållös.

"En mystisk detalj ...", sa Jerker Holmberg.

"Ytterligare något?"

"Jag vet inte hur jag ska beskriva det. Nieminens skinnjacka ... han hade ju åkt motorcykel dit."

"Ja?"

"Den var trasig."

"Hur då trasig?"

"Det saknas en bit av den. Ett ungefär två gånger två decimeter stort område som är utklippt eller utskuret från hans ryggtavla. Precis där Svavelsjö MC har sitt märke."

Bublanski höjde på ögonbrynen.

"Varför skulle Lisbeth Salander skära ut en bit ur hans jacka? Trofé?"

"Jag har ingen aning. Men jag tänkte på en sak", sa Jerker Holmberg.

"Vad?"

"Magnus Lundin har stor kagge och är blond med hästsvans. En av killarna som kidnappade Salanders flickvän Miriam Wu var blond och hade ölmage och hästsvans."

LISBETH SALANDER HADE inte upplevt en så hisnande känsla sedan hon flera år tidigare besökt Gröna Lund för att åka Fritt fall. Hon hade åkt tre gånger och hade kunnat åka ytterligare tre om inte hennes pengar hade tagit slut.

Hon konstaterade att det var en sak att styra en 125 kubiks lättviktig Kawasaki, som egentligen bara var en kraftigt trimmad moped, och en helt annan sak att hålla kontrollen över en Harley-Davidson på 1450 kubik. Hennes första tre hundra meter på Bjurmans uselt underhållna skogsväg var rena bergochdalbanan där hon kände sig som en levande gyro. Vid två tillfällen höll hon på att åka käpprätt ut i terrängen och lyckades i sista sekund bemästra fordonet. Det kändes som att rida på en panikslagen älg.

Dessutom envisades hjälmen hela tiden med att glida ned framför hennes ögon, trots att hon hade gett den extra stoppning med ett stycke som hon skurit ut från Sonny Nieminens vadderade skinnjacka.

Hon vågade inte stanna och justera hjälmen av rädsla för att hon inte skulle kunna balansera motorcykelns tyngd. Hon var för kort för att kunna nå marken ordentligt och fruktade att HD:n skulle välta. Om det skedde skulle hon aldrig orka resa den igen.

Det gick enklare så snart hon kom ut på den bredare grusvägen som ledde till sommarstugeområdet. När hon några minuter senare svängde upp på Strängnäsvägen vågade hon släppa styret med ena handen och justera hjälmen. Sedan drog hon på gas. Hon avverkade sträckan till Södertälje på rekordtid och log förtjust hela vägen. Strax före Södertälje mötte hon två målade bilar med påslagna sirener.

Det kloka hade förstås varit att dumpa HD:n redan i Södertälje och låta Irene Nesser ta pendeln in till Stockholm, men Lisbeth Salander kunde inte motstå frestelsen. Hon svängde upp på E4:an och accelererade. Hon såg noga till att hon inte överskred hastighetsbestämmelserna, nåja, åtminstone inte särskilt mycket i alla fall, men det kändes ändå som om hon befann sig i fritt fall. Först i höjd med Älvsjö svängde hon av och letade sig bort till Mässan och lyckades parkera utan att välta besten. Det var med stor saknad hon lämnade cykeln tillsammans med hjälmen och skinnbiten med loggan från Sonny Nieminens jacka och promenerade till pendeln. Hon var kraftigt nedkyld. Hon åkte en hållplats till Södra station och promenerade hem till Mosebacke och lade sig i badkaret.

"HANS NAMN ÄR Alexander Zalachenko", sa Gunnar Björck. "Men egentligen finns han inte. Du hittar honom inte i folkbokföringen."

Zala. Alexander Zalachenko. Äntligen ett namn.

"Vem är han och hur hittar jag honom?"

"Han är ingen person du vill hitta."

"Tro mig, jag vill väldigt gärna träffa honom."

"Det jag kommer att berätta nu är sekretessbelagda uppgifter. Om det kommer ut att jag har berättat det här för dig kommer jag att dömas för det. Det är en av de största hemligheter vi har inom det svenska totalförsvaret. Du måste förstå varför det är så viktigt att du garanterar mig källskydd."

"Det har jag redan gjort."

"Du är tillräckligt gammal för att komma ihåg det kalla kriget."

Mikael nickade. *Kom till saken.*

"Alexander Zalachenko föddes 1940 i Stalingrad i Ukraina i dåvarande Sovjetunionen. Då han var ett år gammal inleddes Barbarossaoperationen och den tyska offensiven på östfronten. Zalachenkos bägge föräldrar dog i kriget. Åtminstone är det vad Zalachenko tror. Han vet inte själv vad som hände under kriget. Hans tidigaste minnen är från ett barnhem i Uralbergen."

Mikael nickade som tecken på att han hängde med i historien.

"Barnhemmet fanns i en garnisonsstad och sponsrades av Röda armén. Man kan säga att Zalachenko fick en militär skolning mycket tidigt. Det här var ju under stalinismens värsta år. Sedan Sovjet föll har det kommit fram en mängd dokument som visar att det fanns olika experiment med att skapa en kader av särskilt vältrimmade elitsoldater bland föräldralösa barn som uppfostrades av staten. Zalachenko var ett sådant barn."

Mikael nickade igen.

"För att göra en lång biografi kort. Då han var fem år sattes han i en arméskola. Det visade sig att han var mycket begåvad. Då han var 15 år, 1955, flyttades han till en militärskola i Novosibirsk där han tillsammans med två tusen andra elever under tre år fick genomgå en träning motsvarande spetsnaz, alltså de ryska elitförbanden."

"Okej. Han var en tapper barnsoldat."

"1958, då han var 18 år, flyttades han till Minsk och placerades på GRU:s specialistutbildning. Vet du vad GRU var för något?"

"Ja."

"Exakt står det för *Glavnoje razvedyvatelnoje upravlenije*, vilket är den militära underrättelsetjänsten som är direkt underställd arméns högsta militärkommando. GRU ska inte förväxlas med KGB, som alltså var den civila hemliga polisen."

"Jag vet."

"I James Bond-filmer är det oftast KGB som porträtteras som de viktiga spionerna utomlands. I verkligheten var KGB alltså huvudsakligen regimens inhemska säkerhetstjänst som drev fångläger i Sibirien och sköt oppositionella med nackskott i Lubjankafängelsets källare. De som svarade för spionaget och operationerna utomlands var oftast GRU."

"Det här artar sig till en historielektion. Fortsätt."

"När Alexander Zalachenko var 20 år fick han sin första stationering utomlands. Han fick resa till Kuba. Det var en träningsperiod och han var fortfarande bara motsvarande fänrik. Men han var där i två år och upplevde Kubakrisen och invasionen i Grisbukten."

"Okej."

"1963 var han tillbaka för vidareutbildning i Minsk. Därefter stationerades han i först Bulgarien och därefter Ungern. 1965 befordrades han till löjtnant och fick sin första stationering i Västeuropa, i Rom, där han tjänstgjorde i tolv månader. Det var hans första uppdrag *under cover*. Han var alltså civil med falskt pass och utan kontakter med ambassaden."

Mikael nickade. Mot sin vilja började han bli fascinerad.

"1967 flyttades han till London. Där organiserade han avrättningen av en avhoppad KGB-agent. Under de kommande tio åren blev han en av GRU:s toppagenter. Han tillhörde den verkliga eliten av hängivna politiska soldater. Han hade tränats från barnsben. Han kan åtminstone sex språk flytande. Han uppträdde som journalist, fotograf, reklamman, sjöman ... vad som helst. Han var en överlevnadskonstnär och expert på kamouflage och vilseledande manövrar. Han kontrollerade egna agenter och organiserade eller utförde egna operationer. Flera av dessa operationer var alltså morduppdrag, varav ett stort antal skedde i tredje världen, men det handlade också om utpressning, hotelser eller andra ärenden som hans överordnade ville ha utförda. 1969 blev han kapten, 1972 befordrades han till major och 1975 till överstelöjtnant."

"Hur hamnade han i Sverige?"

"Jag kommer till det. Under åren hade han korrumperats en aning och stoppat undan lite pengar här och där. Han drack för mycket och han hade för många kvinnohistorier. Allt det här noterades av hans överordnade, men han var fortfarande en favorit och de hade överseende med småsaker. 1976 skickades han till Spanien på ett uppdrag. Vi behöver inte gå in på detaljer, men han blev packad och gjorde bort sig. Uppdraget floppade och helt plötsligt hamnade han i onåd och beordrades hem till Ryssland. Han valde att ignorera ordern och hamnade därmed i en än värre situation. GRU beordrade då en militärattaché på ambassaden i Madrid att söka upp honom och tala honom till rätta. Någonting gick allvarligt på tok under samtalet och Zalachenko dödade mannen från ambassaden. Helt plötsligt hade han inget val. Han hade bränt alla broar och valde att brådstörtat hoppa av."

"Okej."

"Han hoppade av i Spanien och arrangerade ett spår som tycktes leda till Portugal och eventuellt till en båtolycka. Han lade också ut spår som pekade på att han flytt till USA. I själva verket valde han att hoppa av i det mest osannolika landet i Europa. Han tog sig till Sverige där han kontaktade Säkerhetspolisen och sökte asyl. Vilket faktiskt var ganska klokt tänkt eftersom sannolikheten att en dödspatrull från KGB eller GRU skulle söka honom här var närmast obefintlig."

Gunnar Björck tystnade.

"Och?"

"Vad ska regeringen göra om en av Sovjets verkliga toppspioner plötsligt hoppar av och söker politisk asyl i Sverige? Det här var precis då vi fått en borgerlig regering, faktiskt ett av de allra första ärenden som vi fick dra med den nytillträdde statsministern. De där politiska hararna försökte förstås bli av med honom illa kvickt, men de kunde ju inte gärna skicka hem honom till Sovjet – det skulle ha blivit en skandal av otroliga mått. Istället försökte man skicka honom vidare till USA eller England, men Zalachenko vägrade. Han tyckte inte om USA och han ansåg att England var ett av de länder där Sovjet hade agenter på allra högsta nivå inom underrättelsetjänsten. Han ville inte åka till Israel, för han tyckte inte om judar. Alltså hade han bestämt sig för att bosätta sig i Sverige."

Det hela lät så osannolikt att Mikael undrade vagt om Gunnar Björck drev med honom.

"Så han stannade i Sverige?"

"Exakt."

"Och det här har aldrig blivit känt?"

"I många år var det en av de bäst bevarade militära hemligheterna i Sverige. Saken var ju den att vi hade en enorm nytta av Zalachenko. Under en period i slutet av 1970-talet och början av 1980-talet var han juvelen i kronan bland avhoppare, även vid en internationell jämförelse. Aldrig tidigare hade en operativ chef för ett av GRU:s elitkommandon hoppat av."

"Han kunde alltså sälja information?"

"Just det. Han spelade sina kort väl och portionerade ut informationen där den gynnade honom bäst. Tillräcklig information för att vi skulle kunna identifiera en agent i Natohögkvarteret i Bryssel. En illegal agent i Rom. En kontaktman för en spionring i Berlin. Namnen på lejda mördare han anlitat i Ankara eller Aten. Han kunde inte så mycket om Sverige, men hade däremot information om operationer i utlandet, som vi i vår tur kunde portionera ut och få gentjänster för. Han var en guldgruva."

"Ni började med andra ord samarbeta med honom."

"Vi gav honom en ny identitet, allt vi behövde var att tillhandahålla ett pass och lite pengar så skötte han sig själv. Det var exakt det han var tränad att göra."

Mikael satt tyst en stund och smälte informationen. Sedan tittade han upp på Björck.

"Du ljög för mig förra gången jag var här."

"Jaså?"

"Du påstod att du träffade Bjurman i Polisens skytteklubb på 1980-talet. I själva verket träffade du honom långt tidigare."

Gunnar Björck nickade eftertänksamt.

"Det var en automatisk reaktion. Det är sekretessbelagt och jag hade ingen anledning att gå in på hur jag och Bjurman träffades. Det var först då du frågade om Zala som jag gjorde kopplingen."

"Berätta vad som hände."

"Jag var 33 år och hade arbetat på Säk i tre år. Bjurman var 26 år och nyutexaminerad. Han hade fått jobb som handläggare av vissa juridiska ärenden på Säpo. Det handlade egentligen om en praktikplats. Bjurman kommer från Karlskrona och hans pappa arbetade inom den militära underrättelsetjänsten."

"Och?"

"Både jag och Bjurman var egentligen helt okvalificerade för att ta hand om en sådan som Zalachenko, men han tog kontakt på själva valdagen 1976. Det fanns knappt en kotte i polishuset – alla var antingen lediga eller i tjänst på bevakningsuppdrag och liknande. Och just det ögonblicket valde Zalachenko att gå in på Norrmalms polisstation och förklara att han sökte politisk asyl och att han ville tala med någon inom Säkerhetspolisen. Han uppgav inget namn. Jag hade jouren och trodde att det var ett vanligt flyktingärende så jag tog med mig Bjurman som handläggare. Vi träffade honom på Norrmalms polisstation."

Björck gnuggade sig i ögonen.

"Där satt han och berättade lugnt och sakligt vad han hette, vem han var och vad han arbetade med. Bjurman förde anteckningar. Efter en stund insåg jag vad jag hade framför mig och höll ju på att smälla av. Så jag avbröt samtalet och tog med mig Zalachenko och Bjurman snabbt som fan från den öppna polisen. Jag visste inte vad jag skulle göra, så jag bokade ett rum på Hotel Continental mitt emot Centralstationen och stuvade in honom. Jag lät Bjurman sitta barnvakt medan jag gick ned till receptionen och ringde min chef." Han skrattade plötsligt. "Jag har ofta tänkt på att vi betedde oss som totala amatörer. Men det var så det var."

"Vem var din chef?"

"Det spelar ingen roll. Jag tänker inte namnge fler personer."

Mikael ryckte på axlarna och lät saken glida förbi utan argumentation.

"Både jag och min chef insåg att det handlade om största möjliga sekretess och att blanda in så få som möjligt. I synnerhet Bjurman skulle aldrig ha haft något med ärendet att göra – det var högt över hans nivå – men eftersom han redan kände till hemligheten var det bättre att behålla honom än att inviga någon ny. Och jag antar att samma resonemang gällde för en junior som jag. Sammanlagt var vi sju personer med anknytning till Säkerhetspolisen som visste om Zalachenkos existens."

"Hur många känner till den här historien?"

"Mellan 1976 och fram till början av 1990-talet ... allt som allt ungefär tjugo personer i regeringen, högsta militärledningen och inom Säpo."

"Och efter början av 1990-talet?"

Björck ryckte på axlarna.

"I samma ögonblick som Sovjet föll blev han ointressant."

"Men vad hände efter att Zalachenko kom till Sverige?"

Björck var tyst en så lång stund att Mikael började skruva på sig.

"Om jag ska vara ärlig ... Zalachenko blev en succé och vi som var inblandade byggde våra karriärer på det. Missförstå mig inte, det var också ett heltidsarbete. Jag blev utsedd till Zalachenkos mentor i Sverige och under de första tio åren träffades vi om inte dagligen så åtminstone ett par gånger i veckan. Det här var under de viktiga åren då han var full av färsk information. Men det handlade lika mycket om att hålla rätt på honom."

"Hur menar du?"

"Zalachenko var en hal jävel. Han kunde vara otroligt charmerande, men han kunde också vara helt paranoid och galen. Han missbrukade periodvis alkohol och då blev han våldsam. Det var mer än en gång som jag fick göra nattliga utryckningar för att reda upp någon historia som han trasslat in sig i."

"Till exempel ..."

"Till exempel att han gick på krogen och hamnade i dispyt med någon och spöade skiten ur två vakter som försökte lugna ned honom. Det här var en ganska liten och spenslig karl, men han hade en otroligt kompetent närstridsutbildning som han dessvärre demonstrerade vid olyckliga tillfällen. Vid ett tillfälle fick jag kvittera ut honom från polisen."

"Det låter som om han var galen. Han riskerade ju att dra uppmärksamheten till sig. Det låter inte särskilt professionellt."

"Men det var så han var. Han hade inte begått brott i Sverige och var ju inte gripen eller arresterad på något sätt. Vi försåg honom med svenskt pass och id-kort och ett svenskt namn. Och han hade en bostad som Säkerhetspolisen betalade för i en förort till Stockholm. Han fick också lön från Säkerhetspolisen för att ständigt stå till förfogande. Men vi kunde inte förbjuda honom att gå på krogen eller att trassla in sig i kvinnoaffärer. Vi kunde bara städa upp efter honom. Det var min uppgift fram till 1985 då jag fick en ny tjänst och en efterträdare tog över som Zalachenkos handledare."

"Och Bjurmans roll?"

"Ärligt talat var Bjurman en belastning. Han var inte särskilt begåvad och han var fel man på fel plats. Det var ju en ren slump att han alls blev inblandad i Zalachenkohistorien. Han var bara inblandad den allra första tiden och vid några enstaka tillfällen då vi behövde hantera vissa juridiska formalia. Min chef löste problemet med Bjurman."

"Hur?"

"Enklast tänkbara sätt. Han fick ett jobb utanför polisen på en advokatbyrå som var så att säga närstående ..."

"Klang och Reine."

Gunnar Björck tittade skarpt på Mikael. Sedan nickade han.

"Bjurman är inte överbegåvad, men han har klarat sig bra. Genom åren har han alltid fått uppdrag, mindre utredningar och sådant från Säpo. Så han har också på sätt och vis byggt sin karriär på Zalachenko."

"Och var finns Zala i dag?"

Björck tvekade en stund.

"Jag vet inte. Mina kontakter med honom minskade efter 1985 och jag har överhuvudtaget inte träffat honom på snart tolv år. Det sista jag hörde om honom var att han lämnade Sverige 1992."

"Han är uppenbarligen tillbaka. Han har dykt upp i samband med vapen, narkotika och trafficking."

"Jag borde inte vara förvånad", suckade Björck. "Men du vet inte med säkerhet om det är den Zala jag söker eller någon helt annan."

"Sannolikheten att två Zala skulle dyka upp i den här historien måste vara mikroskopisk. Vilket var hans svenska namn?"

Björck betraktade Mikael.

"Det tänker jag inte avslöja."

"Du skulle inte slingra dig."

"Du ville veta vem Zala var. Jag har berättat. Men jag tänker inte ge dig den sista pusselbiten innan jag vet att du håller din del av avtalet."

"Zala har troligen begått tre mord och polisen jagar fel person. Om du tror att jag tänker nöja mig utan Zalas namn så misstar du dig."

"Hur vet du att inte Lisbeth Salander är mördaren?"

"Jag vet."

Gunnar Björck log mot Mikael. Han kände sig plötsligt mycket säkrare.

"Jag tror att Zala är mördaren", sa Mikael.

"Fel. Zala har inte skjutit någon."

"Hur vet du det?"

"Därför att Zala i dag är 65 år och svårt handikappad. Han har amputerat en fot och har svårt att gå. Han har inte sprungit omkring vid Odenplan och i Enskede och skjutit någon. Om han ska mörda någon måste han beställa färdtjänst."

MALIN ERIKSSON LOG artigt mot Sonja Modig.

"Det måste du fråga Mikael om."

"Okej."

"Jag kan inte diskutera hans research med dig."

"Men om mannen som kallas Zala är en alternativ gärningsman ..."

"Du måste diskutera det där med Mikael", upprepade Malin. "Jag kan hjälpa dig med information om vad Dag Svensson arbetade med, men inte någonting om vår egen research."

Sonja Modig suckade.

"Jag förstår principen. Vad kan du berätta om personerna på den här listan?"

"Bara det Dag Svensson skriver, ingenting om källorna. Men jag kan väl säga så mycket som att Mikael har betat av ungefär ett dussin personer på listan och avfört dem. Det kanske hjälper."

Sonja Modig nickade tveksamt. *Nej, det skulle inte hjälpa. Polisen måste i alla fall knacka på och utföra ett formellt förhör. En domare. Tre advokater. Flera politiker och journalister ... och kollegor. Det skulle bli en munter karusell.* Sonja Modig insåg att polisen borde ha börjat beta av listan redan dagen efter morden.

Hennes blick föll på ett namn i listan. Gunnar Björck.

"Det finns ingen adress på den här mannen."

"Nej."

"Varför?"

"Han arbetar på Säkerhetspolisen och har hemlig adress. Fast han är sjukskriven just nu. Dag Svensson lyckades aldrig spåra honom."

"Och har ni lyckats spåra honom?" log Sonja Modig.

"Fråga Mikael."

Sonja Modig betraktade väggen ovanför Dag Svenssons skrivbord. Hon funderade.

"Får jag ställa en personlig fråga?"

"Var så god."

"Vem tror ni det var som mördade era vänner och advokat Bjurman?"

Malin Eriksson satt tyst. Hon önskade att Mikael Blomkvist varit på plats och hanterat frågorna. Det var obehagligt att bli utfrågad av en polis, hur oskyldig hon än var. Ännu obehagligare var det att inte kunna förklara exakt vad *Millennium* hade kommit fram till. Sedan hörde hon Erika Bergers röst bakom sin rygg.

"Vår utgångspunkt är att morden skedde för att hindra något av de avslöjanden som Dag Svensson arbetade med. Men vi vet inte vem som sköt. Mikael fokuserar på den okända person som kallas Zala."

Sonja Modig vände sig om och betraktade *Millenniums* chefredaktör. Erika Berger räckte fram två kaffemuggar till Malin och Sonja. De var dekorerade med loggor för HTF respektive kristdemokraterna. Erika Berger log artigt. Sedan gick hon in på sitt rum.

Hon kom ut igen tre minuter senare.

"Modig. Din chef ringde nyss. Du har stängt av mobilen. Du ska ringa."

HÄNDELSEN VID BJURMANS sommarstuga utlöste en febril aktivitet under eftermiddagen. Det gick ut länslarm med informationen att Lisbeth Salander äntligen hade flutit upp till ytan. Larmet angav att hon med stor sannolikhet färdades på en Harley-Davidson tillhörande Magge Lundin. Larmet innehöll även varningen att Salander var beväpnad och hade skjutit en person vid en sommarstuga i närheten av Stallarholmen.

Polisen satte upp vägspärrar vid infarterna till Strängnäs och

Mariefred, och vid samtliga infarter till Södertälje. Pendeltågen mellan Södertälje och Stockholm genomsöktes under flera timmar på aftonen. Någon kortväxt flicka, med eller utan Harley-Davidson, kunde dock inte hittas.

Först vid sjutiden på kvällen observerade en polisbil en övergiven och parkerad HD utanför Stockholmsmässan i Älvsjö, vilket flyttade fokus för spaningarna från Södertälje till Stockholm. Från Älvsjö kunde även rapporteras att ett stycke från en skinnjacka med en logga för Svavelsjö MC hade upphittats. Fyndet föranledde kriminalinspektör Bublanski att skjuta upp sina glasögon i pannan och trumpet betrakta mörkret utanför tjänsterummet på Kungsholmen.

Dagen hade artat sig till ett mörker. En kidnappning av Salanders väninna, ett inhopp av Paolo Roberto, därefter mordbrand och nedgrävt bus i skogarna i Södertäljetrakten. Och till sist ett obegripligt kaos i Stallarholmen.

Bublanski gick ut i stora arbetsrummet och betraktade en karta över Stockholm med omnejd. Hans blick sökte sig i tur och ordning till Stallarholmen, Nykvarn, Svavelsjö och slutligen Älvsjö, de fyra orter som av helt olika skäl blivit synnerligen aktuella. Han flyttade blicken till Enskede och suckade. Han hade en obehaglig känsla av att polisen befann sig flera kilometer efter händelseutvecklingen. Han begrep faktiskt inte ett dyft. Vad än Enskedemorden handlade om var det betydligt mer komplicerat än de ursprungligen hade trott.

MIKAEL BLOMKVIST VAR helt okunnig om dramatiken vid Stallarholmen. Han lämnade Smådalarö vid tretiden på eftermiddagen. Han stannade vid en bensinmack och drack kaffe medan han försökte få grepp om historien.

Mikael var djupt frustrerad. Han hade fått så många detaljer från Björck att han häpnade, men Björck hade också hårdnackat vägrat att ge honom den sista pusselbiten om Zalachenkos svenska identitet. Han kände sig lurad. Helt plötsligt hade storyn tagit slut och Björck hade envist vägrat berätta upplösningen.

"Vi har ett avtal", insisterade Mikael.

"Och jag har uppfyllt min del av avtalet. Jag har berättat vem Za-lachenko är. Om du vill ha annan information måste vi formulera ett nytt avtal. Jag måste få garantier att mitt namn helt lämnas utanför och att det inte blir några efterräkningar."

"Hur skulle jag kunna ge dig sådana garantier? Jag råder inte över polisutredningen, och de kommer förr eller senare fram till dig."

"Jag är inte orolig för polisutredningen. Jag vill ha garantier för att du aldrig någonsin hänger ut mig i samband med hororna."

Mikael noterade att Björck tycktes mer angelägen att dölja sin förbindelse med sexhandeln än det faktum att han hade lämnat ut kvalificerat hemliga uppgifter från sitt arbete. Det sa något om hans personlighet.

"Jag har redan lovat att jag inte ska skriva ett ord om dig i det sammanhanget."

"Men nu måste jag få garantier för att du överhuvudtaget inte skriver om mig i samband med Zalachenkohistorien."

Några sådana garantier tänkte Mikael inte ge. Han kunde sträcka sig så långt som till att hantera Björck som en anonym källa i sam-band med bakgrundshistorien, men han kunde inte garantera full-komlig anonymitet. Till sist hade de kommit överens om att fundera på saken i någon dag innan de återupptog samtalet.

När Mikael satt på bensinmacken och drack kaffe ur en papp-mugg kände han att det fanns något mitt framför näsan på honom. Han var så nära att han kunde ana skepnader men kunde inte få skärpa i bilden. Sedan slog det honom att det fanns en annan person som kanske skulle kunna kasta en del ljus över historien. Han be-fann sig också ganska nära Ersta rehabiliteringshem. Han tittade på klockan, reste sig hastigt och åkte för att besöka Holger Palmgren.

GUNNAR BJÖRCK VAR orolig. Efter mötet med Mikael Blomkvist var han helt utmattad. Ryggen värkte värre än någonsin. Han tog tre smärtstillande tabletter och var tvungen att gå och sträcka ut sig på soffan i vardagsrummet. Tankarna malde i huvudet. Efter nå-gon timme klev han upp och kokade vatten och tog fram Liptons te-påsar. Han satte sig vid köksbordet och grubblade.

Kunde han lita på Mikael Blomkvist? Han hade spelat ut sina kort och var nu utlämnad till Blomkvists godtycke. Men han hade sparat den viktigaste informationen. Zalas identitet och verkliga roll i sammanhanget. Ett avgörande kort som han ännu hade i rockärmen.

Hur fan hade han hamnat i den här soppan? Han var ingen förbrytare. Allt han hade gjort var att betala några horor. Han var ungkarl. Den där jävla 16-åringen låtsades inte ens att hon tyckte om honom. Hon hade tittat på honom med avsmak.

Jävla fitta. Om hon inte hade varit så ung. Om hon åtminstone hade varit över 20 skulle det inte ha sett så illa ut. Media skulle massakrera honom om det någonsin läckte ut. Blomkvist avskydde honom också. Han försökte inte ens dölja det.

Zalachenko.

En hallick. Vilken ironi. Han hade knullat med horor som var Zalachenkos. Fast Zalachenko var smart nog att hålla sig i bakgrunden.

Bjurman och Salander.

Och Blomkvist.

En väg ut.

Efter någon timmes grubbel gick han till sitt arbetsrum och letade fram lappen med det telefonnummer han plockat fram under besöket på sin arbetsplats tidigare under veckan. Det var inte det enda han mörkat för Mikael Blomkvist. Han visste exakt var Zalachenko fanns, men hade inte pratat med honom på tolv år. Han hade ingen lust att göra det någonsin igen.

Men Zalachenko var en hal jävel. Han skulle förstå problematiken. Han skulle kunna försvinna från världens yta. Åka utomlands och pensionera sig. Den verkliga katastrofen vore ju om han faktiskt greps. Då riskerade allting att rämna.

Han tvekade en lång stund innan han lyfte luren och slog numret.

"Hej. Det är Sven Jansson", sa han. Ett täcknamn som han inte använt på mycket länge. Zalachenko kom exakt ihåg vem han var.

KAPITEL 28
ONSDAG 6 APRIL – TORSDAG 7 APRIL

BUBLANSKI TRÄFFADE SONJA MODIG över en kopp kaffe och en smörgås på Wayne's på Vasagatan vid åttatiden på kvällen. Hon hade aldrig sett sin chef så dyster tidigare. Han informerade henne om allt som hade hänt under dagen. Hon satt tyst länge. Till sist sträckte hon fram handen och lade den över Bublanskis näve. Det var första gången hon hade rört honom och det fanns ingen annan avsikt än kamratskap. Han log sorgset och klappade hennes hand på ett lika kamratligt sätt.

"Jag borde kanske gå i pension", sa han.

Hon log överseende mot honom.

"Den här utredningen håller på att falla i bitar", fortsatte han. "Jag har berättat för Ekström om allt som hänt under dagen och han gav mig bara instruktionen 'gör vad du tycker är bäst'. Han verkar handlingsförlamad."

"Jag vill inte tala illa om mina överordnade, men vad mig anbelangar så kan Ekström ta sig någonstans."

Bublanski nickade.

"Du är formellt tillbaka i utredningen. Jag misstänker att han inte kommer att be om ursäkt."

Hon ryckte på axlarna.

"Just nu känns det som om hela utredningen består av dig och mig", sa Bublanski. "Faste stormade ut fly förbannad i förmiddags och har haft mobilen avstängd hela dagen. Om han inte dyker upp i morgon får jag väl lysa honom."

"Faste får gärna hålla sig borta från utredningen. Vad händer med Niklas Eriksson?"

"Ingenting. Jag ville gripa honom och få honom åtalad men Ekström vågade inte. Vi sparkade ut honom och jag åkte ned och hade ett allvarligt samtal med Dragan Armanskij. Vi har avbrutit samarbetet med Miltons, vilket tyvärr betyder att vi förlorar Sonny Bohman också. Det är synd. Han var en skicklig polis."

"Hur tog Armanskij det hela?"

"Han var förkrossad. Det intressanta är att …"

"Vad?"

"Armanskij sa att Lisbeth Salander aldrig tyckt om Eriksson. Han kom ihåg att hon sagt till honom att han borde få sparken för ett par år sedan. Hon sa att han var en skitstövel men ville inte förklara varför. Armanskij gjorde förstås inte som hon sa."

"Okej."

"Curt är fortfarande nere i Södertälje. De ska göra husrannsakan hemma hos Carl-Magnus Lundin alldeles strax. Jerker är fullt sysselsatt med att gräva upp den gamle kåkfararen Kenneth 'Luffaren' Gustafsson bit för bit utanför Nykvarn. Och alldeles innan jag kom hit ringde han igen och sa att det ligger någon även i den andra graven. Av kläderna att döma är det en kvinna. Hon tycks ha legat där en längre tid."

"En skogskyrkogård. Jan, det här verkar vara en ruggigare historia än vi trodde då vi startade. Jag antar att vi inte längre misstänker Salander för morden i Nykvarn."

Bublanski log för första gången på flera timmar.

"Nä. Hon måste nog avföras från den biten. Men hon är definitivt beväpnad och hon sköt Lundin."

"Jag noterar att hon sköt honom i foten och inte i huvudet. I Magge Lundins fall är det kanske inte så stor skillnad, men vi har utgått från att den som begått morden i Enskede är en utmärkt skytt."

"Sonja … det här är fullständigt befängt. Magge Lundin och Sonny Nieminen är två grova våldsverkare med långa brottsregister. Lundin har väl för all del lagt på några kilo och är inte i högform, men han är farlig. Och Nieminen är en brutal fan som stora tuffa pojkar brukar vara rädda för. Jag kan bara inte begripa hur en liten spinkig tjej som Salander skulle kunnat spöa skiten ur dem på det viset. Lundin är allvarligt skadad."

"Hmmm."

"Inte för att han inte förtjänar stryk. Men jag förstår bara inte hur det gick till."

"Vi får fråga henne då vi hittar henne. Hon är ju dokumenterat våldsam."

"Jag kan i alla fall inte ens föreställa mig vad som hände ute i sommarstugan. Det där är alltså två killar som Curt Svensson skulle ha varit orolig för att tampas med en och en. Och Curt Svensson är ingen velournisse precis."

"Frågan är om hon hade skäl att ge sig på Lundin och Nieminen."

"En ensam flicka med två psykopater och fullblodsidioter i en öde sommarstuga. Jag kan nog tänka mig ett eller annat skäl", sa Bublanski.

"Kan hon ha haft hjälp av någon? Kan det ha varit fler på platsen?"

"Det finns inget i den tekniska undersökningen som tyder på det. Salander har funnits i stugan. En kaffekopp stod framme. Och dessutom har vi 72-åriga Anna Viktoria Hansson som fungerar som områdets grindvakt och lägger märke till alla som rör sig. Hon svär att de enda som passerat är Salander och de två herrarna från Svavelsjö."

"Hur tog hon sig in i stugan?"

"Med nyckel. Jag gissar att hon hämtade den i Bjurmans lägenhet. Du kommer ihåg ..."

"... den avskurna tejpen. Jo. Den unga damen har varit flitig."

Sonja Modig trummade med fingrarna mot bordet i någon sekund och tog upp en ny tråd.

"Är det klarlagt att det var Lundin som deltog i kidnappningen av Miriam Wu?"

Bublanski nickade.

"Paolo Roberto fick titta i en pärm med tre dussin bikers. Han plockade ut honom omedelbart och utan tvekan. Han säger att det är mannen han såg vid lagret i Nykvarn."

"Och Mikael Blomkvist?"

"Jag har inte fått tag på honom. Han svarar inte på mobilen."

"Okej. Men Lundin stämmer in på signalementet från överfallet på Lundagatan. Vi kan alltså utgå från att Svavelsjö MC varit på jakt efter Salander en tid. Varför?"

Bublanski slog ut med armarna.

"Har Salander bott i Bjurmans sommarstuga under tiden hon varit lyst?" undrade Sonja Modig.

"Det var min tanke också. Men Jerker tror inte det. Stugan ser inte ut att ha använts nyligen och vi har ett vittne som påstår att hon kom till området tidigare i dag."

"Varför gick hon dit? Jag tvivlar på att hon hade stämt träff med Lundin."

"Knappast. Hon måste ha gått dit för att söka rätt på något. Och det enda vi hittade där var ett par pärmar som tycks vara Bjurmans egen personutredning om Lisbeth Salander. Det är allt möjligt material om Salander från socialen, överförmyndarnämnden och gamla skolanteckningar. Men det saknas pärmar. De är numrerade på ryggen. Vi har pärmarna 1, 4 och 5."

"2:an och 3:an saknas."

"Och kanske fler med högre nummer."

"Vilket föranleder en fråga. Varför skulle Salander söka efter information om sig själv?"

"Jag kan tänka mig två skäl. Antingen vill hon dölja något som hon vet att Bjurman skrivit om henne, eller så vill hon ta reda på något. Men det finns ytterligare en fråga."

"Jaha."

"Varför skulle Bjurman sammanställa en omfattande personutredning om henne och gömma den i sin sommarstuga? Salander tycks ha hittat dem på ett loft inne i stugan. Han var hennes förvaltare och hade i uppgift att hålla rätt på hennes ekonomi och sådant. Men pärmarna ger intryck att han var i det närmaste besatt av att kartlägga hennes liv."

"Bjurman framstår alltmer som en skum jävel. Jag satt och tänkte på det i dag då jag gick igenom torsklistan på *Millennium*. Jag förväntade mig plötsligt att han skulle dyka upp där."

"Rätt bra tänkt. Bjurman hade en stor samling våldspornografi som du hittade i hans dator. Det tål att tänka på. Fick du fram något?"

"Jag vet inte riktigt. Mikael Blomkvist håller på att beta av listan, men enligt den här tjejen Malin Eriksson på *Millennium* har han inte hittat något av intresse. Jan ... jag måste säga en sak."

"Vad?"

"Jag tror inte att Salander har gjort det här. Enskede och Odenplan, menar jag. Jag var precis lika tvärsäker som alla andra när vi startade, men jag tror inte på det längre. Och jag kan inte riktigt förklara varför."

Bublanski nickade. Han insåg att han var överens med Sonja Modig.

DEN BLONDE JÄTTEN vankade oroligt fram och tillbaka i Magge Lundins egnahem i Svavelsjö. Han stannade vid köksfönstret och spanade längs vägen. De borde ha varit tillbaka vid det här laget. Han kände en oro gnaga i mellangärdet. Något var på tok.

Dessutom gillade han inte att vara ensam hemma hos Magge Lundin. Det var ett okänt hus. Det fanns en kallvind intill hans rum på övervåningen och det knakade hela tiden obehagligt i huset. Han försökte skaka av sig obehaget. Den blonde jätten visste att det var dumheter, men han hade aldrig gillat att vara ensam. Han var inte det minsta rädd för människor av kött och blod, men han ansåg att det fanns något obeskrivligt otäckt med tomma hus på landet. De många ljuden satte hans fantasi i rörelse. Han kunde inte frigöra sig från känslan att något mörkt och ondskefullt betraktade honom genom en dörrspringa. Ibland tyckte han sig höra andetag.

När han var yngre hade han blivit retad för sin mörkrädsla. Det vill säga, han hade blivit retad till dess att han på ett handfast sätt tillrättavisat de jämnåriga och ibland betydligt äldre kamrater som fann nöje i sådan förströelse. Han var bra på att tillrättavisa.

Men det var generande. Han avskydde mörker och ensamhet. Han hatade de varelser som befolkade mörkret och ensamheten.

Han önskade att Lundin skulle komma hem. Lundins närvaro skulle återställa balansen, även om de inte växlade ett ord eller ens befann sig i samma rum. Han skulle höra verkliga ljud och rörelser och han skulle veta att det fanns människor i närheten.

Han försökte skaka av sig obehaget genom att spela skivor på stereon och han försökte rastlöst hitta något att läsa i Lundins hyllor. Dessvärre lämnade Lundins intellektuella ådra en del i övrigt att önska och han fick nöja sig med en samling motortidningar, herrtidningar och nötta pocketdeckare av det slag som aldrig fascinerat honom. Ensamheten kändes alltmer klaustrofobisk. Han ägnade en stund åt att rengöra och olja in det handeldvapen han förvarade i sin väska, vilket hade en tillfällig terapeutiskt lugnande verkan.

Till sist kunde han inte stanna i huset längre. Han gick en kort promenad ute på gården bara för att få lite frisk luft. Han höll sig utom synhåll för grannhusen, men stannade så att han kunde betrakta de upplysta fönster där människor fanns. När han stod alldeles stilla kunde han avlägset höra ljud av musik.

När han skulle gå tillbaka in i Lundins träkåk igen kände han ett extremt stort obehag och stod länge med hjärtklappning på trappan innan han ruskade av sig obehaget och resolut öppnade dörren.

Klockan sju gick han ned och satte på TV:n för att titta på nyheterna på TV4. Han lyssnade häpet till rubrikerna och därefter till en beskrivning av eldstriden vid sommarstugan i Stallarholmen. Det var förstanyheten för dagen.

Han sprang uppför trappan till gästrummet på övervåningen och stuvade ned sina personliga tillhörigheter i en väska. Han gick ut genom ytterdörren två minuter senare och rivstartade den vita Volvon.

Han hade gett sig iväg i sista sekund. Bara någon kilometer utanför Svavelsjö mötte han två polisbilar med blåljus på väg in i byn.

MIKAEL BLOMKVIST FICK efter stor möda träffa Holger Palmgren vid sextiden på onsdagskvällen. Mödan bestod i att övertala personalen att släppa in honom. Han insisterade så kraftigt att en ansvarig sköterska ringde en dr A. Sivarnandan, som uppenbarligen var bosatt i närheten av sjukhemmet. Sivarnandan anlände redan efter femton minuter och övertog problemet med den ihärdige journalisten. Han var först helt avvisande. Under de senaste två veckorna hade ett flertal journalister spårat Holger Palmgren och medelst närmast desperata metoder försökt få ett uttalande. Holger Palmgren själv hade envist vägrat att ta emot sådana besök och personalen hade stående order att inte släppa in någon.

Sivarnandan hade också med största oro följt utvecklingen. Han var förskräckt över de rubriker som Lisbeth Salander hade åstadkommit i massmedia och han hade noterat att hans patient gått in i en djup depression som (misstänkte Sivarnandan) var ett resultat av Palmgrens oförmåga att agera på något sätt. Palmgren hade avbrutit rehabiliteringen och tillbringade dagarna med att läsa dagstidningar och följa jakten på Lisbeth Salander på TV. I övrigt satt han på sitt rum och grubblade.

Mikael stod envist kvar vid dr Sivarnandans bord och förklarade att han under inga omständigheter ville utsätta Holger Palmgren för något obehag och att hans syfte inte var att försöka få ett uttalande. Han förklarade att han var god vän till den efterspanade Lisbeth Salander, att han tvivlade på hennes skuld och att han desperat sökte information som kunde kasta ljus över vissa saker i hennes förflutna.

Dr Sivarnandan var svårflörtad. Mikael var tvungen att sätta sig ned och utförligt förklara sin roll i dramat. Först efter mer än en halvtimmes diskussion gav Sivarnandan med sig. Han bad Mikael vänta medan han gick upp till Holger Palmgren för att fråga om denne ville ta emot besöket.

Sivarnandan återkom efter tio minuter.

"Han accepterar att träffa dig. Om han inte gillar dig så kommer han att slänga ut dig på öronen. Du får inte intervjua honom eller skriva något i massmedia om besöket."

"Jag försäkrar att jag inte kommer att skriva en rad om detta."

Holger Palmgren hade ett litet rum bestående av en säng, en byrå, ett bord och några stolar. Han var en vithårig mager fågelskrämma med uppenbara balansproblem, men han reste sig ändå när Mikael visades in i rummet. Han sträckte inte fram handen, men pekade mot en av stolarna vid det lilla bordet. Mikael satte sig. Dr Sivarnandan stannade kvar i rummet. Mikael hade först svårt att förstå orden då Holger Palmgren sluddrade.

"Vem är du som säger sig vara Lisbeth Salanders vän och vad vill du?"

Mikael lutade sig bakåt. Han funderade en kort stund.

"Holger, du behöver inte säga någonting till mig. Men jag ber dig lyssna på vad jag har att säga innan du beslutar dig för att kasta ut mig."

Palmgren nickade kort och hasade sig bort till stolen mitt emot Mikael.

"Jag träffade Lisbeth Salander för första gången för ungefär två år sedan. Jag anlitade henne att göra research åt mig i ett ämne som jag inte kan gå in på eller berätta om. Hon besökte mig på en annan ort där jag tillfälligt var bosatt och vi arbetade ihop i flera veckor."

Han undrade hur mycket han skulle förklara för Palmgren. Han beslutade sig för att ligga så nära sanningen som möjligt.

"Under resans gång inträffade två saker. Det ena var att Lisbeth räddade mitt liv. Det andra var att vi blev väldigt goda vänner under en period. Jag lärde känna henne och tyckte mycket om henne."

Utan att gå in på detaljer berättade Mikael om sin relation till henne och om hur den brådstörtat tagit slut efter julhelgen ett år tidigare då Lisbeth försvunnit utomlands.

Därefter övergick han till att berätta om sitt arbete på *Millennium* och om hur Dag Svensson och Mia Bergman hade mördats och han plötsligt blivit indragen i jakten på en mördare.

"Jag har förstått att du besvärats av journalister den sista tiden och att tidningarna har publicerat den ena dumheten efter den andra. Allt jag kan göra nu är att försäkra dig om att jag inte är här för att få material till ytterligare en artikel. Jag är här för Lisbeths skull, som hennes vän. Jag är förmodligen en av ytterst få personer i landet just nu som tveklöst och utan baktankar står på hennes sida. Jag tror att hon är oskyldig. Jag tror att en man vid namn Zalachenko ligger bakom morden."

Mikael gjorde en paus. Någonting hade glimmat till i Palmgrens ögon då han nämnde namnet Zalachenko.

"Om du kan bidra med någonting som kan kasta ljus över hennes förflutna är det rätt tillfälle nu. Om du inte vill hjälpa henne så slösar jag bort min tid och då vet jag var jag har dig."

Holger Palmgren hade inte sagt ett ord under hans utläggning. Vid den sista kommentaren glimmade det åter till i hans ögon. Men han log. Han pratade så långsamt och tydligt som han kunde.

"Du vill verkligen hjälpa henne."

Mikael nickade.

Holger Palmgren lutade sig framåt.

"Beskriv soffan i hennes vardagsrum."

Mikael log tillbaka.

"Vid de tillfällen jag besökte henne hade hon en sliten och gräsligt ful pjäs med visst kuriosavärde. Jag skulle gissa på tidigt 1950-tal. Den har två oformliga dynor med brunt tyg och något gult mönster i. Tyget har spruckit på flera ställen där stoppningen sticker ut."

Holger Palmgren skrattade plötsligt. Det lät mest som en harkling. Han tittade på dr Sivarnandan.

"Han har i alla fall besökt lägenheten. Tror doktorn att det går att ordna så att jag kan bjuda min gäst på kaffe?"

"Javisst." Dr Sivarnandan reste sig och lämnade rummet. I dörröppningen stannade han till och nickade åt Mikael.

"Alexander Zalachenko", sa Holger Palmgren så fort dörren stängts.

Mikael spärrade upp ögonen.

"Känner du till namnet?"

Holger Palmgren nickade.

"Lisbeth berättade vad han hette. Jag tror att det är viktigt att jag berättar den här historien för någon ... om jag skulle dö helt plötsligt, vilket inte är helt osannolikt."

"Lisbeth? Hur visste hon överhuvudtaget något om hans existens?"

"Han är Lisbeth Salanders pappa."

Mikael hade först svårt att förstå vad Holger Palmgren sa. Sedan sjönk orden in.

"Vad fan säger du?"

"Zalachenko kom hit på 1970-talet. Han var politisk flykting av något slag – jag har aldrig fått historien helt klar för mig och Lisbeth var alltid knapphändig med information. Det där var något hon absolut inte ville prata om."

Hennes födelsebevis. Fader okänd.

"Zalachenko är Lisbeths pappa", upprepade Mikael.

"Vid ett enda tillfälle under alla de år jag har känt henne berättade hon vad som hände. Det var ungefär en månad innan jag fick min stroke. Men så här uppfattade jag det – Zalachenko kom hit i mitten av 1970-talet. Han träffade Lisbeths mamma 1977, de blev ett par och resultatet blev två barn."

"Två?"

"Lisbeth och hennes syster Camilla. De är tvillingar."

"Gode gud – du menar att det finns två av henne."

"De är väldigt olika. Men det är en annan historia. Lisbeths mamma hette egentligen Agneta Sofia Sjölander. Hon var 17 år då hon träffade Alexander Zalachenko. Jag vet inte närmare hur det gick till när de träffades, men av vad jag kan förstå var hon en ganska osjälvständig ung flicka och ett lätt byte för en äldre och mer erfaren man. Hon var imponerad av honom och förmodligen upp över öronen kär i honom."

"Jag förstår."

"Zalachenko visade sig vara allt annat än sympatisk. Han var ju betydligt äldre än hon. Jag antar att han var ute efter en villig kvinna, men inte så mycket annat."

"Jag tror att du har rätt."

"Hon fantiserade förstås om en trygg framtid med honom, men han var minst av allt intresserad av giftermål. De gifte sig aldrig, men 1979 bytte hon namn från Sjölander till Salander. Det var förmodligen hennes sätt att markera att de hörde ihop."

"Hur menar du?"

"Zala. *Salander*."

"Gode gud", sa Mikael.

"Jag började kolla upp det strax innan jag blev sjuk. Hon hade rätt att ta namnet därför att hennes mor, Lisbeths mormor, faktiskt hette Salander. Det som sedan hände var att Zalachenko efter hand visade sig vara en psykopat av stora mått. Han söp och misshandlade Agneta brutalt. Så vitt jag kan förstå pågick den här misshandeln kontinuerligt under barnens uppväxt. Så länge Lisbeth kan minnas så dök Zalachenko upp med jämna mellanrum. Ibland kunde han vara borta en lång period innan han plötsligt var där igen på Lundagatan. Och varje gång var det samma sak. Zalachenko kom dit för att ha sex och för att dricka sprit och det slutade med att han plågade Agneta Salander på olika sätt. Lisbeth berättade detaljer som antydde att det var mer än enbart fysisk misshandel. Han var beväpnad och hotfull och det fanns inslag av sadism och psykisk terror. Som jag förstår det blev det bara värre med åren. Lisbeths mamma levde större delen av 1980-talet i skräck."

"Slog han barnen också?"

"Nej. Tydligen var han helt ointresserad av sina döttrar. Han hälsade knappt på dem. Mamman brukade skicka in dem i lilla rummet då Zalachenko kom, och de fick inte komma ut utan tillåtelse. Vid något enstaka tillfälle daskade han till Lisbeth eller hennes syster, men det var mest för att de störde eller var i vägen på något sätt. Allt våld riktades mot mamman."

"Fy fan. Stackars Lisbeth."

Holger Palmgren nickade.

"Allt detta berättade Lisbeth för mig ungefär en månad innan jag fick min stroke. Det var första gången hon pratade öppet om vad som hade hänt. Jag hade precis bestämt mig för att det fick vara nog med de här dumheterna med omyndighetsförklaring och allt det där. Lisbeth är lika klok som du och jag och jag förberedde mig för att ta upp hennes fall med tingsrätten igen. Sedan kom stroken ... och när jag vaknade befann jag mig här."

Han slog ut med armen. En sköterska knackade på och serverade kaffe. Palmgren satt tyst till dess att hon lämnat rummet igen.

"Det finns saker i den här berättelsen som jag inte förstår. Agneta Salander hade tvingats uppsöka sjukhus vid dussintals tillfällen. Jag läste hennes journal. Det var uppenbart att hon utsattes för grov misshandel och socialen borde ha ingripit. Men ingenting hände.

Lisbeth och Camilla fick bo hos socialjouren under den tid då hon tvingades söka vård, men så fort hon blev utskriven åkte hon hem och väntade på nästa runda. Jag kan bara tolka det som att hela det sociala skyddsnätet brast och att Agneta var alldeles för rädd för att göra något annat än att vänta på sin torterare. Sedan hände någonting. Lisbeth kallar det för Allt Det Onda."

"Vad hände?"

"Zalachenko hade varit osynlig i flera månader. Lisbeth hade fyllt 12 år. Hon hade nästan börjat tro att han försvunnit för gott. Det hade han förstås inte. En dag var han tillbaka. Först stängde Agneta in Lisbeth och hennes syster i lilla rummet. Sedan hade hon sex med Zalachenko. Sedan började han misshandla henne. Han njöt av att plåga. Men den här gången var det inte två småbarn som var inlåsta ... Barnen reagerade helt olika. Camilla var paniskt rädd att någon skulle få veta vad som hände hemma hos dem. Hon förträngde allt och låtsades inte om att hennes mamma blev slagen. När misshandeln var över brukade Camilla gå in och krama om sin pappa och låtsas som att allting var bra."

"Hennes sätt att skydda sig."

"Jo. Men Lisbeth var av en annan kaliber. Den här gången avbröt hon misshandeln. Hon gick ut i köket och hämtade en kniv och högg Zalachenko i axeln. Hon högg honom fem gånger innan han lyckades ta ifrån henne kniven och ge henne ett knytnävsslag. Det var inte djupa sår, men han blödde som en stucken gris och försvann."

"Det låter som Lisbeth."

Palmgren skrattade plötsligt.

"Jo. Bråka aldrig med Lisbeth Salander. Hennes attityd till omvärlden är att om någon hotar henne med en pistol så skaffar hon sig en större pistol. Det är det som gör mig så fruktansvärt rädd med anledning av vad som pågår just nu."

"Det var Allt Det onda?"

"Nej. Nu händer två saker. Jag kan inte förstå det. Zalachenko var så pass svårt skadad att han måste ha uppsökt sjukhus. Det borde ha blivit en polisutredning."

"Men?"

"Men så vitt jag kunnat upptäcka så hände absolut ingenting. Lisbeth påstår att det kom en man på besök som pratade med Agneta. Hon vet inte vad som sades eller vem han var. Och sedan berättade hennes mamma för Lisbeth att Zalachenko hade förlåtit allt."

"Förlåtit?"

"Det var det uttryck hon använde."

Och plötsligt förstod Mikael.

Björck. Eller någon av Björcks kollegor. Det handlade om att städa upp efter Zalachenko. Jävla svin. Han blundade.

"Vad?" frågade Palmgren.

"Jag tror jag vet vad som hände. Och det här ska någon få äta upp. Men fortsätt berättelsen."

"Zalachenko var osynlig i flera månader. Lisbeth väntade på honom och förberedde sig. Hon hade skolkat från skolan var och varannan dag och bevakat sin mamma. Hon var livrädd att Zalachenko skulle skada henne. Hon var 12 år och kände ett ansvar för sin mamma som inte vågade gå till polisen och inte kunde bryta med Zalachenko, eller som kanske helt enkelt inte förstod allvaret. Men just den här dagen då Zalachenko dök upp var Lisbeth i skolan. Hon kom hem precis när han lämnade lägenheten. Han sa ingenting. Han bara skrattade åt henne. Lisbeth gick in och hittade sin mamma medvetslös på köksgolvet."

"Men Zalachenko rörde inte Lisbeth?"

"Nej. Hon sprang i fatt honom just då han satte sig i sin bil. Han vevade ned rutan, förmodligen för att säga någonting. Lisbeth hade förberett sig. Hon kastade in ett mjölkpaket i bilen som hon hade fyllt med bensin. Sedan kastade hon in en brinnande tändsticka."

"Du milde."

"Hon försökte döda sin pappa två gånger. Och den här gången fick det i alla fall konsekvenser. Det gick ju knappast obemärkt förbi att det satt en man i en bil på Lundagatan och brann som en fackla."

"Han överlevde i alla fall."

"Zalachenko blev fruktansvärt illa tilltygad och fick svåra brännskador. Han tvingades amputera en fot. Han blev svårt bränd i ansiktet och på andra ställen. Och Lisbeth hamnade på S:t Stefans barnpsyk."

TROTS ATT HON redan kunde varje ord utantill läste Lisbeth Salander uppmärksamt om det material om sig själv som hon hittat i Bjurmans sommarstuga. Därefter satte hon sig i fönstersmygen och öppnade cigarettetuiet hon fått av Miriam Wu. Hon tände en cigarett och tittade ut mot Djurgården. Hon hade upptäckt några detaljer om sitt liv som hon aldrig tidigare känt till.

Så många pusselbitar föll på plats att hon blev alldeles kall. Hon var framför allt intresserad av polisutredningen, författad av Gunnar Björck i februari 1991. Hon var inte helt säker på vem i raden av de vuxna som pratat till henne som hade varit Björck, men hon trodde att hon visste. Han hade presenterat sig under ett annat namn. *Sven Jansson.* Hon kom ihåg varje nyans i hans ansikte, varje ord som sagts och varje gest han gjort vid de tre tillfällen hon träffat honom.

Det hade varit ett kaos.

Zalachenko hade brunnit som en fackla inne i bilen. Han hade lyckats vräka upp dörren och rulla ut på marken men hade fastnat med benet i säkerhetsbältet mitt inne i eldhavet. Det hade kommit människor rusande för att kväva elden. Det hade kommit brandkår som släckt bilbranden. Det hade kommit ambulans och hon hade försökt få ambulanspersonalen att strunta i Zalachenko och hämta hennes mamma. De hade knuffat henne åt sidan. Det hade kommit polis och det fanns vittnen som hade pekat på henne. Hon hade försökt förklara vad som hade hänt men det kändes som om ingen lyssnade på henne och plötsligt satt hon i baksätet på en polisbil och det hade tagit minuter, minuter, minuter som blev nästan en timme innan polisen äntligen gått in i lägenheten och hittat hennes mamma.

Hennes mor, Agneta Sofia Salander, hade varit medvetslös. Hon hade hjärnskador. Den första i en lång serie små hjärnblödningar hade utlösts av misshandeln. Hon skulle aldrig bli frisk igen.

Lisbeth förstod plötsligt varför ingen hade läst polisutredningen, varför Holger Palmgren hade misslyckats med att få ut den och varför än i dag åklagare Richard Ekström som ledde jakten på henne inte hade tillgång till den. Den hade inte gjorts av den öppna polisen. Den hade gjorts av en fähund på Säkerhetspolisen. Den var försedd med stämplar som förklarade att utredningen var kvalificerat hemlig enligt lagen om rikets säkerhet.

Alexander Zalachenko hade arbetat för Säpo.

Det var ingen utredning. Det var ett nedtystande. Zalachenko var viktigare än Agneta Salander. Han fick inte identifieras och hängas ut. Zalachenko existerade inte.

Det var inte Zalachenko som var problemet – det var Lisbeth Salander, den galna ungen som hotade att spräcka en av rikets viktigaste hemligheter.

En hemlighet som hon inte hade haft en aning om. Hon grubblade. Zalachenko hade träffat hennes mamma nästan omedelbart efter att han anlänt till Sverige. Han hade presenterat sig under sitt verkliga namn. Han hade ännu inte hunnit få något täcknamn eller någon svensk identitet. Det förklarade varför hon aldrig hittat hans namn i något offentligt register under alla dessa år. Hon visste vad han egentligen hette. Men han hade fått ett nytt namn av svenska staten.

Hon förstod poängen. Om Zalachenko åtalades för grov misshandel skulle Agneta Salanders advokat börja rota i hans förflutna. *Var arbetar ni, herr Zalachenko? Vad heter ni egentligen?*

Om Lisbeth Salander hamnade hos socialtjänsten skulle någon kanske börja rota. Hon var för ung för att åtalas, men om bensinbombsattentatet utreddes alltför detaljerat skulle samma sak hända. Hon kunde se rubrikerna i tidningen framför sig. Utredningen måste följaktligen utföras av en betrodd person. Och därefter hemligstämplas och begravas så djupt att ingen hittade den. Och Lisbeth Salander måste således också begravas så djupt att ingen hittade henne.

Gunnar Björck.

S:t Stefans.

Peter Teleborian.

Förklaringen gjorde henne rasande.

Kära staten ... jag ska ha ett samtal med dig om jag någonsin hittar någon att prata med.

Hon undrade flyktigt vad socialministern skulle tycka om att få en molotovcocktail in genom entrédörrarna på departementet. Men i brist på ansvariga personer var Peter Teleborian ett gott substitut. Hon gjorde en mental anteckning att ta itu med honom på allvar så fort hon hade klarat av allt det här andra.

Men hon förstod fortfarande inte hela sammanhanget. Zalachenko hade plötsligt dykt upp igen efter alla dessa år. Han riskerade att hängas ut av Dag Svensson. *Två skott. Dag Svensson och Mia Bergman.* Ett vapen med hennes fingeravtryck på ...

Zalachenko eller vem han nu skickade för att verkställa avrättningarna kunde naturligtvis inte ha vetat om att hon hade hittat revolvern i kartongen i Bjurmans skrivbordslåda och hanterat den. Det hade varit en slump, men för henne hade det redan från början stått klart att det måste finnas en koppling mellan Bjurman och Zala.

Men historien gick fortfarande inte ihop. Hon grubblade och provade pusselbitarna en efter en.

Det fanns bara ett rimligt svar.

Bjurman.

Bjurman hade gjort personundersökningen om henne. Han hade gjort kopplingen mellan henne och Zalachenko. Han hade vänt sig till Zalachenko.

Hon hade en film som visade hur Bjurman våldtog henne. Det var hennes svärd över Bjurmans nacke. Bjurman måste ha fantiserat om att Zalachenko skulle ha kunnat tvinga Lisbeth att avslöja var filmen fanns.

Hon hoppade ned från fönstersmygen och öppnade sin skrivbordslåda och plockade upp cd-skivan. Med en tuschpenna hade hon märkt den *Bjurman.* Hon hade inte ens stoppat in den i ett skyddsfodral. Hon hade inte tittat på den sedan hon premiärvisade den för Bjurman två år tidigare. Hon vägde den i handen och lade tillbaka den i lådan.

Bjurman var en idiot. Hade han bara skött sitt skulle hon ha låtit honom löpa om han lyckades få henne myndigförklarad. Zalachenko skulle aldrig ha låtit honom löpa. Bjurman skulle för evigt ha förvandlats till Zalachenkos knähund. Vilket för all del hade varit ett passande straff.

Zalachenkos nätverk. Någon av tentaklerna gick till Svavelsjö MC.

Den blonde jätten.

Han var nyckeln.

Hon måste hitta honom och tvinga honom att avslöja var Zalachenko fanns.

Hon tände en ny cigarett och betraktade kastellet vid Skeppsholmen. Hon flyttade blicken till bergochdalbanan på Gröna Lund. Hon talade plötsligt högt för sig själv. Hon imiterade en röst hon hade hört i en film på TV någon gång.

Daaaaddyyyyy, I am coming to get yoooou.

Om någon hade hört henne skulle de ha dragit slutsatsen att hon var en kvalificerad dårfink. Halv åtta satte hon på TV:n för att höra om den senaste utvecklingen i jakten på Lisbeth Salander. Hon fick sitt livs chock.

BUBLANSKI FICK TAG på Hans Faste på mobilen strax efter åtta på kvällen. Det var inga artigheter som utbyttes över telenätet. Bublanski frågade inte var Faste hade befunnit sig men informerade kyligt om dagens händelseutveckling.

Faste var skakad.

Han hade fått nog av cirkusen i huset och gjort något som han aldrig tidigare gjort i tjänsten. Han hade i vredesmod gått ut på stan. Han hade så småningom stängt av sin mobil och satt sig på Centralens pub och druckit två öl medan han kokade av ilska.

Sedan hade han gått hem och duschat och somnat.

Han behövde sova.

Han hade vaknat lagom till Rapport och ögonen hade närmast trängt ut ur sina hålor då han följt rubrikerna. En gravplats i Nykvarn. Lisbeth Salander hade skjutit en ledare för Svavelsjö MC. Klappjakt genom södra förorterna. Nätet drogs samman.

Han hade satt på mobilen.

Den jäveln Bublanski hade ringt nästan omedelbart och informerat honom om att utredningen nu officiellt sökte en alternativ gärningsman och att Faste skulle avlösa Jerker Holmberg vid brottsplatsundersökningen i Nykvarn. Under upplösningen av Salanderutredningen skulle Faste ägna sig åt att samla fimpar i skogen. Andra skulle jaga Salander.

Vad fan hade Svavelsjö MC med allt detta att göra?

Tänk om det låg något i den där jävla flatan Modigs resonemang.

Det var inte möjligt.

Det måste vara Salander.

Han ville vara den som grep henne. Han ville gripa henne så mycket att det nästan gjorde ont i hans händer när han kramade mobilen.

HOLGER PALMGREN BETRAKTADE lugnt Mikael Blomkvist som vankade av och an framför fönstret i hans lilla sjukrum. Klockan närmade sig halv åtta på kvällen och de hade pratat oupphörligt i närmare en timme. Till sist knackade Palmgren på bordsskivan för att få Mikaels uppmärksamhet.

"Sätt dig innan du nöter ut skorna", sa han.

Mikael satte sig.

"Alla dessa hemligheter", sa han. "Jag har aldrig förstått sammanhanget förrän du berättade om Zalachenkos bakgrund. Allt jag har sett är alla utvärderingar om Lisbeth som fastslår att hon är psykiskt störd."

"Peter Teleborian."

"Han måste ha någon sorts avtal med Björck. Det måste vara ett samarbete av något slag."

Mikael nickade eftertänksamt. Vad som än hände skulle Peter Teleborian bli föremål för granskande journalistik.

"Lisbeth sa att jag skulle hålla mig borta från honom. Att han var ond."

Holger Palmgren tittade skarpt på honom.

"När sa hon det?"

Mikael tystnade. Sedan log han och tittade på Palmgren.

"Fler hemligheter. Fan också. Jag har kommunicerat med henne under flykten. Genom min dator. Det har varit korta kryptiska budskap från hennes sida, men hon har hela tiden lett mig åt rätt håll."

Holger Palmgren suckade.

"Och det har du förstås inte berättat för polisen", sa han.

"Nej. Inte precis."

"Officiellt har du inte berättat det för mig heller. Men hon är rätt bra på datorer."

Du anar inte hur bra.

"Jag har en stor tro på hennes förmåga att landa på fötterna. Hon kanske har det knapert men hon är en överlevare."

Inte särskilt knapert. Hon stal nästan tre miljarder kronor. Hon torde inte behöva svälta. Precis som Pippi Långstrump har hon en kista med guld.

"Det jag inte riktigt förstår", sa Mikael, "är varför du inte agerat under alla dessa år."

Holger Palmgren suckade igen. Han kände sig omåttligt dyster.

"Jag har misslyckats", sa han. "Då jag blev god man för henne var hon bara en i raden av knepiga ungdomar med problem. Jag har haft hand om dussintals sådana. Jag fick uppdraget av Stefan Brådhensjö då han var socialchef. Då satt hon redan på S:t Stefans och jag träffade henne inte ens det första året. Jag pratade med Teleborian vid ett par tillfällen och han förklarade att hon var psykotisk och att hon fick bästa tänkbara omsorg. Jag trodde honom naturligtvis. Men jag pratade också med Jonas Beringer, som var klinikchef på den tiden. Jag tror inte att han hade något med den här historien att göra. Han gjorde en utvärdering på min begäran och vi kom överens om att försöka slussa ut henne i samhället igen via en fosterfamilj. Då var hon 15 år."

"Och du har backat upp henne genom åren."

"Inte tillräckligt. Jag tog strid för henne efter episoden i tunnelbanan. Då hade jag lärt känna henne och jag tyckte väldigt bra om henne. Hon hade ryggrad. Jag avstyrde att hon institutionaliserades. Kompromissen var att hon blev omyndigförklarad och att jag blev hennes förvaltare."

"Det kan ju knappast ha varit så att Björck sprang omkring och bestämde vad domstolen skulle besluta. Det skulle ha väckt uppmärksamhet. Han ville ha henne inspärrad och satsade på en svartmålning genom psykiatriska utvärderingar från bland annat Teleborian och en förhoppning om att domstolen skulle fatta det logiska beslutet. Istället gick de på din linje."

"Jag har aldrig ansett att hon borde stå under förvaltarskap. Men om jag ska vara helt ärlig gjorde jag inte många knop för att häva beslutet. Jag borde ha agerat kraftigare och tidigare. Men jag var väldigt förtjust i Lisbeth och ... jag sköt alltid upp det. Jag hade för många järn i elden. Och sedan blev jag sjuk."

Mikael nickade.

"Jag tycker inte att du ska klandra dig själv. Du är en av de få personer som faktiskt stått på hennes sida genom åren."

"Men problemet har hela tiden varit att jag inte visste att jag borde agera. Lisbeth var min klient, men hon har inte sagt ett ord om Zalachenko. Då hon kom ut från S:t Stefans tog det flera år innan hon överhuvudtaget visade det minsta förtroende för mig. Det var först efter rättegången som jag kände att hon långsamt började kommunicera mer än nödvändig formalia med mig."

"Hur kom det sig att hon började berätta om Zalachenko?"

"Jag antar att hon trots allt hade börjat få förtroende för mig. Dessutom hade jag flera gånger börjat ta upp en diskussion om att få omyndighetsförklaringen hävd. Hon funderade på saken i flera månader. Sedan ringde hon en dag och ville träffas. Då hade hon tänkt färdigt. Och hon berättade hela historien om Zalachenko och hur hon uppfattade vad som hade hänt."

"Jag förstår."

"Då kanske du också förstår att det blev en hel del för mig att smälta. Det var då jag började rota i historien. Och jag hittade ju inte ens Zalachenko i något register i Sverige. Det var bitvis svårt för mig att avgöra om hon fantiserade."

"När du fick din stroke blev Bjurman hennes förvaltare. Det kan inte ha varit en slump."

"Nej. Jag vet inte om vi någonsin kommer att kunna bevisa det, men jag misstänker att om vi gräver tillräckligt djupt så kommer vi att hitta … vem det nu är som blev Björcks efterträdare och håller i efterstädningen av Zalachenkoaffären."

"Jag har inga problem att förstå Lisbeths totala vägran att prata med psykologer eller myndigheter", sa Mikael. "Varje gång hon försökt göra det så har det blivit värre. Hon försökte förklara vad som hade hänt för dussintals vuxna och ingen lyssnade. Hon ensam försökte rädda sin mammas liv och försvarade henne mot en psykopat. Till sist gjorde hon det enda hon kunde göra. Och istället för att säga 'bra gjort' och 'duktig flicka' så blev hon inspärrad på dårhus."

"Det är inte fullt så enkelt. Jag hoppas att du förstår att det är något fel på Lisbeth", sa Palmgren skarpt.

"Hur menar du?"

"Du är medveten om att hon har haft en hel del trassel under sin uppväxt och problem i skolan och allt det där."

"Det har stått i varenda dagstidning. Jag skulle nog också ha haft en strulig skolgång om jag haft hennes uppväxt."

"Hennes problem går långt bortom de problem hon hade i hemmet. Jag har läst alla psykiatriska utvärderingar av henne och det finns inte ens någon diagnos. Men jag tror att vi kan vara överens om att Lisbeth Salander inte är som normala människor. Har du spelat schack med henne någon gång?"

"Nej."

"Hon har fotografiskt minne."

"Det vet jag. Jag förstod det då jag umgicks med henne."

"Okej. Hon älskar gåtor. En gång då hon besökte mig på en julmiddag lurade jag henne att lösa några problem ur ett intelligenstest från Mensa. Det var test av det där slaget då man får se fem snarlika symboler och ska avgöra hur den sjätte ser ut."

"Jaha."

"Jag hade själv provat att göra testet och hade så där hälften rätt. Och jag knåpade i två kvällar med uppgifterna. Hon kastade en blick på papperet och svarade rätt på varenda fråga."

"Okej", sa Mikael. "Lisbeth är en väldigt speciell flicka."

"Hon har extremt svårt att relatera till andra människor. Jag gissade på någon form av Aspergers syndrom eller något liknande. Om du läser de kliniska beskrivningarna av patienter med diagnosen Asperger så finns det saker som stämmer väldigt bra på Lisbeth, men det finns lika många punkter där det inte alls stämmer."

Han tystnade en kort stund.

"Hon är inte det minsta farlig för folk som lämnar henne i fred och behandlar henne med respekt."

Mikael nickade.

"Men hon är utan tvekan våldsam", sa Palmgren med låg röst. "Om hon blir provocerad eller utsatt för hot kan hon slå tillbaka med extremt våld."

Mikael nickade igen.

"Frågan är vad vi gör nu", sa Holger Palmgren.

"Nu letar vi rätt på Zalachenko", svarade Mikael.

I det ögonblicket knackade dr Sivarnandan på dörren.

"Jag hoppas att jag inte stör. Men om ni är intresserade av Lisbeth Salander bör ni möjligen sätta på TV:n och titta på *Rapport*."

KAPITEL 29
ONSDAG 6 APRIL – TORSDAG 7 APRIL

LISBETH SALANDER SKAKADE av raseri. På morgonen hade hon åkt till Bjurmans sommarstuga i lugn och ro. Hon hade inte haft på sin dator sedan kvällen innan och under dagen hade hon varit för upptagen för att lyssna på nyheterna. Hon var beredd på att tumultet i Stallarholmen skulle ha orsakat vissa rubriker, men hon var helt oförberedd på den storm som nu drabbade henne på nyheterna på TV.

Miriam Wu låg på Södersjukhuset, sönderslagen av en blond jätte som hade kidnappat henne utanför bostaden på Lundagatan. Hennes tillstånd betraktades som allvarligt.

Paolo Roberto hade räddat henne. Hur han hade hamnat vid en lagerlokal i Nykvarn var obegripligt. Han intervjuades då han kom ut genom dörrarna på sjukhuset men ville inte göra några kommentarer. Hans ansikte såg ut som om han hade gått tio ronder med händerna bakbundna.

Kvarlevorna av två människor hade hittats nedgrävda i ett skogsområde dit Miriam Wu hade förts. På kvällen rapporterades att polisen hade markerat en tredje plats som skulle grävas ut. Det fanns kanske ännu fler gravar i terrängen.

Sedan jakten på Lisbeth Salander.

Nätet drogs ihop runt henne. Under dagen hade polisen inringat henne i ett sommarstugeområde i närheten av Stallarholmen. Hon var beväpnad och farlig. Hon hade skjutit en Hell's Angel, möjligen två. Eldstriden hade ägt rum vid Nils Bjurmans sommarstuga. På aftonen trodde polisen att hon kanske hade lyckats slinka igenom nätet och lämnat området.

Förundersökningsledaren Richard Ekström höll presskonferens. Han svarade undvikande. Nej, han kunde inte svara på frågan om Lisbeth Salander hade samröre med Hell's Angels. Nej, han kunde inte bekräfta uppgifterna att Lisbeth Salander hade varit synlig vid lagerbyggnaden i Nykvarn. Nej, det fanns inget som tydde på att detta var en uppgörelse i den undre världen. Nej, det var inte fastställt att Lisbeth Salander var ensam gärningsman i Enskedemorden – polisen, hävdade Ekström, hade aldrig påstått att hon var mördaren utan hade efterlyst henne endast för att kunna höra henne om morden.

Lisbeth Salander rynkade ögonbrynen. Något hade uppenbarligen hänt inom polisutredningen.

HON GICK UT på nätet och läste först tidningarnas rapportering och gick därefter i tur och ordning in i hårddiskarna för åklagare Ekström, Dragan Armanskij och Mikael Blomkvist.

Ekströms e-post innehöll ett flertal intressanta kommunikationer, inte minst ett PM som skickats av kriminalinspektör Jan Bublanski klockan 17.22. PM:et var kort och riktade förödande kritik mot Ekströms sätt att leda förundersökningen. Mailet avslutades med vad som närmast fick betecknas som ett ultimatum. Bublanskis mail var uppställt i punktform. Han krävde att (a) kriminalinspektör Sonja Modig med omedelbar verkan återinsattes i utredningen, (b) att fokus för utredningen ändrades så att alternativa gärningsmän till Enskedemorden togs fram, samt (c) att en ordentlig utredning kom igång kring den okände figur som gick under namnet Zala.

[Anklagelserna mot Lisbeth Salander bygger på ett enda tungt indicium – hennes fingeravtryck på mordvapnet. Detta är, som du mycket väl känner till, ett bevis för att hon har hanterat vapnet men inget belägg för att hon har avfyrat det och än mindre att hon har riktat det mot mordoffren.

Vi befinner oss nu i den situationen att vi vet att andra aktörer finns inblandade i detta drama, att Södertäljepolisen hittat två lik nedgrävda i terrängen och att det nu markerats vid ytterligare en plats som ska undersökas. Lagerlokalen ägs av en kusin till Carl-Magnus Lundin. Det torde vara uppenbart att Lisbeth Salander, hur våldsam hon än är och vilken psykologisk profil som än är den korrekta, knappast har med detta att göra.]

Bublanski avslutade med konstaterandet att om kraven ej tillgodosågs skulle han vara tvungen att avgå ur utredningen, vilket han inte tänkte göra i stillhet. Ekström hade replikerat att Bublanski fick göra det han fann bäst.

Lisbeth fick mer men förbryllande information i Dragan Armanskijs hårddisk. En kort mailväxling med Miltons lönekontor fastslog att Niklas Eriksson lämnade företaget med omedelbar verkan. Innestående semesterlön samt tre månaders avgångsvederlag skulle utbetalas. Ett mail till vakthavande utgjorde en order om att då Eriksson anlände till byggnaden skulle han eskorteras till sitt skrivbord för att samla ihop personliga tillhörigheter och därefter avvisas från arbetsplatsen. Ett mail till den tekniska avdelningen innebar att Erikssons passerkort upphörde att gälla.

Men mest intressant var en kort mailväxling mellan Dragan Armanskij och Milton Securitys advokat Frank Alenius. Dragan ställde frågan hur Lisbeth Salander bäst skulle kunna representeras i händelse av att hon greps. Alenius svarade först att det inte fanns skäl för Miltons att engagera sig i en tidigare anställd som begått mord – det kunde snarast anses vara direkt negativt för Milton Security om företaget blev inblandat i ett sådant sammanhang. Armanskij replikerade ilsket att påståendet att Lisbeth Salander begått mord ännu var en öppen fråga och att här handlade det om att ge stöd till en före detta anställd som Dragan Armanskij personligen trodde var oskyldig.

Lisbeth öppnade Mikael Blomkvists hårddisk och konstaterade att han inte skrivit något eller varit inne i sin dator sedan tidigt föregående dag. Där fanns inga nyheter.

SONNY BOHMAN LADE ned mappen på konferensbordet i Dragan Armanskijs rum. Han satte sig tungt. Fräklund tog mappen och öppnade den och började läsa. Dragan Armanskij stod vid fönstret och betraktade Gamla stan.

"Jag antar att det är det sista jag kan leverera. Jag är alltså sparkad från utredningen från och med i dag", sa Bohman.

"Inte ditt fel", sa Fräklund.

"Nej, inte ditt fel", instämde Armanskij och satte sig. Han hade samlat allt material som Bohman försett honom med i nästan två veckor i en trave på konferensbordet.

"Du har gjort ett bra jobb, Sonny. Jag pratade med Bublanski. Han till och med beklagade att han blev av med dig, men han hade inget val på grund av Eriksson."

"Det är okej. Jag upptäckte att jag trivs mycket bättre här på Miltons än nere på Kungsholmen."

"Kan du summera?"

"Tja, om avsikten var att hitta Lisbeth Salander så har vi alla gruvligen misslyckats. Det har varit en väldigt rörig utredning med många viljor och Bublanski har kanske inte helt haft kontroll över spaningarna."

"Hans Faste ..."

"Hans Faste är en jävla typ. Men problemet är inte enbart Faste och en rörig utredning. Bublanski har sett till att alla uppslag körts så långt han kunnat. Saken är den att Salander har varit rätt bra på att sopa igen spåren efter sig."

"Men ditt jobb var inte bara att gripa Salander", sköt Armanskij in.

"Nej, och jag är rätt tacksam över att vi inte informerade Niklas Eriksson om mitt andra uppdrag då vi startade. Mitt jobb var ju också att fungera som din kunskapare och mullvad och se till att Salander inte hängdes oskyldig."

"Och vad tror du i dag?"

"När vi startade var jag rätt säker på att hon var skyldig. I dag vet jag inte. Det har dykt upp så många motsägelsefulla bitar ..."

"Ja?"

"... att jag inte längre skulle hålla henne för huvudmisstänkt. Jag börjar mer och mer luta åt att det ligger något i Mikael Blomkvists resonemang."

"Vilket betyder att vi måste hitta alternativa gärningsmän. Ska vi ta hela utredningen från början", sa Armanskij och hällde upp kaffe till deltagarna i konferensen.

LISBETH SALANDER UPPLEVDE en av sina värsta kvällar någonsin. Hon tänkte på det ögonblick då hon kastat brandbomben genom fönstret i Zalachenkos bil. I den stunden hade mardrömmarna upphört och hon hade känt en stor inre frid. Hon hade haft andra problem genom åren, men det hade alltid handlat om henne och hon hade kunnat hantera dem. Nu handlade det om Mimmi.

Mimmi låg sönderslagen på Södersjukhuset. Mimmi var oskyldig. Hon hade inget med någonting att göra. Hennes enda brott var att hon kände Lisbeth Salander.

Lisbeth förbannade sig själv. Det var hennes fel. Hon ansattes av skuldkänslor. Hon hade hemlighållit sin egen adress och noga sett till att hon själv var skyddad på alla sätt och vis. Och sedan hade hon lurat Mimmi att bosätta sig på den adress som alla kände till.

Hur hade hon kunnat vara så obetänksam?

Hon hade lika gärna kunnat slå henne sönder och samman själv.

Hon var så olycklig att hon fick tårar i ögonen. Lisbeth Salander gråter aldrig. Hon torkade bort tårarna.

Vid halv elva var hon så rastlös att hon inte kunde stanna inne i lägenheten. Hon satte på sig ytterkläderna och smög ut i natten. Hon promenerade på smågator till dess att hon kom ned till Ringvägen och stod vid uppfarten till Södersjukhuset. Hon ville gå till Mimmis rum och väcka henne och förklara att allt skulle bli bra. Sedan såg hon blåljus från en polisbil vid Zinken och promenerade in på en tvärgata innan hon blev upptäckt.

Hon var hemma vid Mosebacke igen strax efter midnatt. Hon var nedkyld och klädde av sig och kröp ned i sin Ikeasäng. Hon kunde inte sova. Klockan ett klev hon upp och gick naken genom den mörka lägenheten. Hon gick in i gästrummet där hon hade placerat en säng och en byrå men aldrig satt sin fot sedan dess. Hon satte sig på golvet med ryggen mot väggen och stirrade in i dunklet.

Lisbeth Salander med ett gästrum. Vilket skämt.

Hon satt kvar till klockan två på morgonen då hon frös så hon skakade. Sedan började hon gråta. Hon kunde inte komma ihåg att det någonsin tidigare hade hänt.

KLOCKAN HALV TRE på morgonen hade Lisbeth Salander duschat och klätt på sig. Hon satte på kaffebryggaren och gjorde smörgåsar och kopplade på datorn. Hon gick in i Mikael Blomkvists hårddisk. Hon var förbryllad över att han inte hade uppdaterat sin researchjournal men hade inte orkat tänka på saken under natten.

Researchjournalen var fortfarande orörd och hon knackade istället upp mappen <LISBETH SALANDER>. Hon hittade genast ett nytt dokument som hade titeln [Lisbeth-VIKTIGT]. Hon slog upp dokumentinformationen. Dokumentet hade skapats klockan 00.52. Sedan dubbelklickade hon och läste meddelandet.

> [Lisbeth, kontakta mig omedelbart. Den här storyn är värre än jag kunnat drömma om. Jag vet vem Zalachenko är och jag tror att jag vet vad som hände. Jag har pratat med Holger Palmgren. Jag har förstått Teleborians roll och varför det var så viktigt att spärra in dig på barnpsyk. Jag tror jag vet vem som mördade Dag och Mia. Jag tror att jag vet varför, men jag saknar några avgörande pusselbitar. Jag förstår inte Bjurmans roll. RING MIG. KONTAKTA MIG OMEDELBART. VI KAN LÖSA DET HÄR. /Mikael]

Lisbeth läste dokumentet två gånger. Kalle Blomkvist hade varit flitig. Bror Duktig. *Bror Jävla Duktig.* Han trodde fortfarande att någonting gick att lösa.

Han ville gott. Han ville hjälpa.

Han förstod inte att vad som än hände så var hennes liv över.

Det hade tagit slut innan hon ens fyllt 13 år.

Det fanns bara en lösning.

Hon startade ett dokument och försökte skriva en replik till Mikael Blomkvist, men tankarna snurrade i huvudet och det fanns så många saker hon ville säga till honom.

Lisbeth Salander kär. Vilket jävla skämt.

Han skulle aldrig någonsin få veta. Hon skulle aldrig ge honom tillfredsställelsen det innebar att gotta sig i hennes känslor.

Hon kastade dokumentet och stirrade på den tomma skärmen. Men han förtjänade faktiskt inte hennes fullständiga tystnad. Han hade troget stått i hennes ringhörna som en ståndaktig tennsoldat. Hon skapade ett nytt dokument ock skrev en enda rad.

[Tack för att du varit min vän.]

FÖRST HADE HON en del logistiska beslut att fatta. Hon behövde ett transportmedel. Att använda den vinröda Hondan på Lundagatan var frestande men uteslutet. Det fanns inget i åklagare Ekströms laptop som antydde att någon i polisutredningen hade upptäckt att hon köpt bil, vilket möjligen kunde bero på att den inhandlats så nyligen att hon inte ens hade hunnit skicka in registreringshandlingar och försäkringspapper. Men hon kunde inte chansa på att Mimmi inte hade pladdrat om bilen då hon förhördes av polisen, och hon visste att Lundagatan stod under sporadisk bevakning.

Polisen visste att hon hade en motorcykel, och det var ännu mer komplicerat att hämta den ur förrådet på Lundagatan. Dessutom hade det efter några nästan sommarvarma dagar utlovats ostadigt väder och hon kände ingen större lust att ge sig ut med en motorcykel på regnhala vägar.

Ett alternativ var naturligtvis att hyra bil i Irene Nessers namn men det var förenat med risker. Det fanns alltid en möjlighet att någon skulle känna igen henne och att namnet Irene Nesser därmed skulle bli oanvändbart. Vilket vore en katastrof eftersom det var hennes bakdörr ut ur landet.

Sedan log hon ett skevt leende. Det fanns förstås ytterligare en möjlighet. Hon öppnade sin dator och loggade in på nätverket på Milton Security och navigerade fram till bilpoolen som administrerades av en sekreterare i företagets reception. Milton Security förfogade över nittiofem bilar, varav merparten var företagets målade bevakningsbilar. Flertalet av dessa fanns i olika storgarage runt om i staden. Men det fanns även några vanliga civila bilar som kunde användas efter behov vid tjänsteresor. De fanns i garaget på Miltons huvudkontor vid Slussen. Praktiskt taget runt hörnet.

Hon granskade personalfilerna och valde medarbetaren Marcus Collander som precis gått på semester under två veckor. Han hade lämnat ett telefonnummer till ett hotell på Kanarieöarna. Hon ändrade hotellnamnet och kastade om siffrorna i telefonnumret där han kunde nås. Sedan förde hon in en anteckning om att Collanders sista åtgärd i tjänst hade varit att lämna in en av de civila bilarna på service med motiveringen att kopplingen kärvade. Hon valde en Toyota Corolla med automatlåda som hon använt tidigare och noterade att den skulle vara åter en vecka senare.

Till sist gick hon in i systemet och programmerade om de övervakningskameror hon var tvungen att passera. Mellan klockan 04.30 och 05.00 skulle de visa en repris av vad som hade skett den föregående halvtimmen, men med en ändrad tidkod.

Strax före fyra på morgonen hade hon packat ryggan. Hon hade två ombyten kläder, två tårgaspatroner och elpistolen fullt laddad. Hon tittade på de två vapen hon hade samlat på sig. Hon ratade Sandströms Colt 1911 Government och valde Sonny Nieminens polska P-83 Wanad där en patron saknades i magasinet. Den var smalare och låg bättre i handen. Hon stoppade den i jackfickan.

LISBETH STÄNGDE LOCKET till sin PowerBook men lämnade kvar datorn på skrivbordet. Hon hade överfört innehållet på hårddisken till en krypterad backup på nätet och därefter raderat hela hårddisken med ett program som hon själv hade skrivit och som garanterade att inte ens hon själv skulle kunna rekonstruera innehållet. Hon räknade inte med att behöva sin PowerBook, som bara skulle vara otymplig att släpa på. Istället tog hon med sig sin Palm Tungsten handdator.

Hon såg sig omkring i arbetsrummet. Hon hade en känsla av att hon inte skulle återvända till lägenheten vid Mosebacke och konstaterade att hon lämnade hemligheter efter sig som hon kanske borde förstöra. Men hon kastade en blick på sitt armbandsur och insåg att hon befann sig i tidsnöd. Hon såg sig omkring en sista gång och släckte därefter skrivbordslampan.

HON PROMENERADE TILL Milton Security där hon gick in genom garaget och tog hissen upp till administrationen. Hon mötte ingen i de tomma korridorerna och hade inga problem att hämta bilnyckeln ur det olåsta väggskåpet i receptionen.

Hon var nere i garaget trettio sekunder senare och blippade upp säkerhetslåset i Corollan. Hon dumpade ryggan i passagerarsätet och justerade förarsätets läge och backspegeln. Hon använde sitt gamla passerkort för att öppna garageporten.

Strax före halv fem på morgonen svängde hon upp från Söder Mälarstrand vid Västerbron. Det började ljusna.

MIKAEL BLOMKVIST VAKNADE halv sju på morgonen. Han hade inte ställt klockan och bara sovit i tre timmar. Han klev upp och startade sin iBook och öppnade mappen <LISBETH SALANDER>. Han hittade omedelbart hennes kortfattade svar.

[Tack för att du varit min vän.]

Mikael kände en kyla krypa längs ryggraden. Det var inte det svar han hade hoppats på. Det kändes som en avskedsreplik. *Lisbeth Salander ensam mot världen.* Han gick till köket och drog igång bryggaren och vidare till badrummet. Han satte på sig ett par slitna jeans och insåg att han inte haft tid att tvätta de gångna veckorna och att han inte hade en enda ren skjorta. Han satte på sig en vinröd collegetröja under den grå kavajen.

Då han bredde smörgåsar i köket såg han plötsligt en glimt av metall på bänken mellan mikrovågsugnen och väggen. Han rynkade ögonbrynen och använde en gaffel från bestickslådan och petade fram en nyckelknippa.

Lisbeth Salanders nycklar. Han hade hittat dem efter överfallet på

Lundagatan och lagt dem på mikron tillsammans med hennes axel-väska. De måste ha ramlat ned. Han hade missat att lämna dem till Sonja Modig då hon hämtade väskan.

Han stirrade på nyckelknippan. Tre stora och tre små nycklar. De tre stora nycklarna var till port, lägenhet och säkerhetslås. *Hennes lägenhet.* De passade inte till Lundagatan. Var tusan bodde hon?

Han granskade de tre små nycklarna närmare. En nyckel passade till låset i hennes Kawasaki. En var en typisk nyckel till ett säkerhets-skåp eller förvaringsmöbel. Han höll upp den tredje nyckeln. Den hade numret 24914 instämplat. Insikten slog honom med full kraft

En postbox. Lisbeth Salander har en postbox.

Han slog upp postkontor på Södermalm i telefonkatalogen. Hon hade bott vid Lundagatan. Ringen var för långt borta. Kanske Hornsgatan. Eller Rosenlundsgatan.

Han stängde av kaffebryggaren, struntade i frukosten och körde Erika Bergers BMW ned till Rosenlundsgatan. Nyckeln passade inte. Han åkte vidare till postkontoret på Hornsgatan. Nyckeln passade perfekt till box 24914. Han öppnade och hittade tjugotvå försändel-ser som han stoppade i ytterfacket på sin datorväska.

Han fortsatte längs Hornsgatan, parkerade vid Kvartersbion och åt frukost på Copacabana vid Bergsunds strand. Medan han vänta-de på sin caffe latte granskade han försändelserna en och en. Samtli-ga var ställda till Wasp Enterprises. Nio brev var avsända i Schweiz, åtta på Caymanöarna, ett på Channel Islands och fyra i Gibraltar. Utan samvetskval sprättade han upp kuverten. De tjugoen första breven innehöll bankutdrag och redovisningar för olika konton och fonder. Mikael Blomkvist konstaterade att Lisbeth Salander var rik som ett troll.

Det tjugoandra brevet var tjockare. Adressen var handskriven. Kuvertet hade en tryckt logga som angav att det avsänts från en adress i Buchanan House på Queensway Quay i Gibraltar. Den bifo-gade lappen hade ett brevhuvud som preciserade att det skickats av Jeremy S. MacMillan, *Solicitor*. Han hade en prydlig handstil.

Jeremy S. MacMillan
Solicitor

Dear Ms Salander,
This is to confirm that the final payment of your property has
been concluded as of January 20. As agreed, I'm enclosing copies
of all documentation but will keep the original set. I trust this
will be to your satisfaction.

Let me add that I hope everything is well with you, my dear. I
very much enjoyed the surprise visit you made last summer and,
must say, I found your presence refreshing. I'm looking forward
to, if needed, be of additional service.

Yours faithfully,
JSM

Brevet var daterat den 24 januari. Lisbeth Salander tömde uppen-
barligen inte sin postbox särskilt ofta. Mikael tittade på den bifo-
gade dokumentationen. Det var köpehandlingar för en lägenhet i en
fastighet på Fiskargatan 9 vid Mosebacke.

Sedan satte han kaffet i halsen. Köpesumman var på 25 miljoner
kronor och köpet hade fullföljts med två inbetalningar med tolv må-
naders mellanrum.

LISBETH SALANDER SÅG en kraftigt byggd mörkhårig man låsa
upp sidodörren till Auto-Expert i Eskilstuna. Det var ett garage, en
reparationsfirma och en biluthyrningsfirma. Ett typiskt dussinföre-
tag. Klockan var tio minuter i sju och enligt ett handskrivet anslag
på huvuddörren öppnade butiken först klockan 07.30. Hon gick
över gatan och öppnade sidodörren och följde efter in i butiken.
Mannen hörde henne och vände sig om.

"Refik Alba?" frågade hon.

"Ja. Vem är du? Jag har inte öppet ännu."

Hon lyfte Sonny Nieminens P-83 Wanad och riktade med två-
handsfattning mynningen mot hans ansikte.

"Jag har inte lust och tid att tjafsa med dig. Jag vill se ditt register över uthyrda bilar. Jag vill se det nu. Du har tio sekunder."

Refik Alba var 42 år. Han var kurd, född i Diyarbakir och hade sett sin beskärda del av vapen. Han stod som paralyserad. Sedan insåg han att om en galen kvinna klev in på hans kontor med en pistol i handen så var det inte så mycket att diskutera.

"I datorn", sa han.

"Sätt på den."

Han lydde.

"Vad finns bakom den där dörren?" frågade hon medan datorn puttrade igång och skärmen började flimra.

"Det är bara en garderob."

"Öppna dörren."

Den innehöll några overaller.

"Okej. Kliv lugnt in i garderoben så slipper jag göra dig illa."

Han lydde henne utan protester.

"Ta fram din mobiltelefon, lägg den på golvet och sparka den till mig."

Han gjorde som hon sa.

"Bra. Stäng dörren nu."

Det var en antik PC med Windows 95 och 280 MB:s hårddisk. Det tog en evighet att öppna Exceldokumentet med dokumentation om uthyrningar. Hon konstaterade att den vita Volvo som kördes av den blonde jätten hade hyrts vid två tillfällen. Först under två veckor i januari och därefter från den 1 mars. Den hade ännu inte återlämnats. Han betalade en löpande veckoavgift för långtidshyra.

Hans namn var Ronald Niedermann.

Hon granskade pärmarna i hyllan ovanför datorn. En pärm hade ordet LEGITIMATION prydligt textat på ryggen. Hon plockade ned pärmen och bläddrade fram Ronald Niedermann. När han hyrt bilen i januari hade han legitimerat sig med sitt pass och Refik Alba hade helt enkelt tagit en kopia. Hon kände omedelbart igen den blonde jätten. Han var enligt passet tysk, 35 år gammal och född i Hamburg. Det faktum att Refik Alba hade gjort en kopia av passet innebar att Ronald Niedermann var en vanlig kund och ingen bekant som tillfälligt lånat bilen.

Längst ned på kanten hade Refik Alba antecknat ett mobilnummer och en boxadress i Göteborg.

Lisbeth ställde tillbaka pärmen och stängde av datorn. Hon såg sig omkring och upptäckte en gummikil på golvet bredvid ytterdörren. Hon hämtade den och gick fram till garderoben och knackade på dörren med pistolpipan.

"Hör du mig därinne?"

"Ja."

"Vet du vem jag är?"

Tystnad.

Han måste vara blind om han inte känt igen mig.

"Okej. Du vet vem jag är. Är du rädd för mig?"

"Ja."

"Var inte rädd för mig, herr Alba. Jag ska inte skada dig. Jag är strax klar här inne. Jag ber om ursäkt för att jag har besvärat dig."

"Eh ... okej."

"Har du luft nog att andas därinne?"

"Ja ... vad vill du egentligen?"

"Jag ville titta om en viss kvinna hade hyrt en bil av dig för två år sedan", ljög hon. "Jag hittade inte vad jag sökte. Men det är inte ditt fel. Jag kommer att gå om några minuter."

"Okej."

"Jag kommer att sätta gummikilen under garderobsdörren. Dörren är tillräckligt tunn för att du ska kunna bryta dig ut, men det kommer att ta en stund. Du behöver inte ringa polisen. Du kommer aldrig att se mig igen och du kan öppna som vanligt i dag och låtsas att det här aldrig har inträffat."

Sannolikheten att han inte skulle ringa polisen var tämligen obefintlig, men det skadade inte att ge honom ett alternativ att fundera över. Hon lämnade butiken och promenerade till sin lånade Toyota Corolla runt hörnet där hon snabbt bytte om till Irene Nesser.

Hon var irriterad över att inte ha fått fram någon riktig gatuadress till den blonde jätten, förslagsvis i Stockholmstrakten, istället för en postbox på andra sidan Sverige. Men det var den enda ledtråd hon hade. *Okej. Mot Göteborg.*

Hon navigerade mot uppfarten till E20 och svängde västerut mot Arboga. Hon knäppte på radion men hade precis missat nyhetssändningen och fick in någon reklamstation. Hon lyssnade på David Bowie som sjöng *putting out fire with gasoline*. Hon hade ingen aning om vem som sjöng eller vilken låt det var, men hon upplevde orden som profetiska.

KAPITEL 30
TORSDAG 7 APRIL

MIKAEL BETRAKTADE PORTEN till Fiskargatan 9 vid Mosebacke. Den markerade entrén till en av Stockholms mest exklusiva och diskreta adresser. Han satte nyckeln i portlåset. Den gled in perfekt. Anslagstavlan i trappan var ingen hjälp. Mikael antog att huset till största delen bestod av företagslägenheter, men det tycktes också finnas vanliga bostadsrätter. Att Lisbeth Salanders namn saknades i trapphuset förvånade honom inte, men det tycktes osannolikt att detta skulle vara hennes gömställe.

Han gick upp våning för våning och läste dörrskyltarna. Det ringde ingen klocka. Sedan kom han till översta planet och läste *V. Kulla* på dörren.

Mikael tog sig för pannan. Han log plötsligt. Han förmodade att valet av namn inte avsåg att driva med honom personligen utan var någon privat ironisk betraktelse – men var annars skulle *Kalle Blomkvist* söka Lisbeth Salander.

Han satte fingret på dörrklockan och väntade en minut. Sedan tog han fram nycklarna och öppnade säkerhetslåset och det undre dörrlåset.

I samma ögonblick som han öppnade dörren började inbrottslarmet tjuta.

LISBETH SALANDERS MOBILTELEFON började pipa då hon befann sig på E20 vid Glanshammar strax utanför Örebro. Hon brom-

574

sade omedelbart och styrde in till en ficka vid vägkanten. Hon drog upp sin Palm ur jackfickan och pluggade in den i mobilen.

Någon hade femton sekunder tidigare öppnat dörren till hennes lägenhet. Larmet var inte kopplat till något bevakningsföretag. Det hade bara till uppgift att förvarna henne personligen om att någon brutit sig in eller på annat sätt öppnat dörren. Efter trettio sekunder skulle larmet utlösas och den objudne besökaren få en obehaglig överraskning i form av en färgbomb som satt monterad i vad som såg ut att vara en eldosa intill dörren. Hon log förväntansfullt och räknade ned sekunderna.

MIKAEL STIRRADE FRUSTRERAD på larmdisplayen vid dörren. Av någon anledning hade han inte ens reflekterat över att lägenheten kunde vara larmad. Han såg en digital sekundmätare ticka ned. Larmet på *Millennium* utlöstes om ingen hade slagit in rätt fyrsiffriga kod inom trettio sekunder och kort därefter skulle det dyka upp ett par muskelstinna knektar från en säkerhetsfirma.

Hans första impuls var att stänga dörren och hastigt avvika från platsen. Men han stod kvar som fastfrusen.

Fyra siffror. Det var omöjligt att slå rätt kod av en slump.

25-24-23-22 ...

Jävla Pippi Lång...

19-18 ...

Vilken kod skulle du använda?

15-14-13 ...

Han kände paniken växa.

10-9-8 ...

Sedan lyfte han handen och slog desperat det enda nummer han kunde komma på. 9277. De siffror som motsvarade bokstäverna WASP på tangentbordet.

Till Mikaels stora förvåning stannade nedräkningen med sex sekunder till godo. Därefter pep larmet en sista gång innan displayen nollställdes och en grön lampa tändes.

LISBETH SPÄRRADE UPP ögonen. Hon trodde att hon såg fel och ruskade faktiskt på handdatorn vilket, insåg hon, var helt irrationellt. Nedräkningen hade stannat sex sekunder innan färgbomben skulle utlösas. Och i nästa ögonblick nollställdes displayen.

Omöjligt.

Ingen annan människa i hela världen kände till koden. Det fanns inte ens ett bevakningsföretag uppkopplat på larmet.

Hur?

Hon kunde inte föreställa sig hur det kunde vara möjligt. Polisen? Nej. Zala? Uteslutet.

Hon slog ett telefonnummer på mobilen och väntade på att bevakningskameran skulle kopplas upp och börja sända lågupplösta bilder till hennes mobil. Kameran satt dold i vad som tycktes vara ett brandlarm i taket i hallen och tog en lågupplöst bild varje sekund. Hon spelade upp sekvensen från noll – det ögonblick då dörren öppnades och larmet aktiverades. Sedan spred sig långsamt ett skevt leende i hennes ansikte när hon tittade ned på Mikael Blomkvist som under en dryg halv minut utförde en ryckig pantomim innan han slutligen slog koden och därefter lutade sig mot dörrposten med ett ansiktsuttryck som om han just hade undgått en hjärtattack.

Kalle Jävla Blomkvist hade spårat henne.

Han hade nycklarna hon tappat på Lundagatan. Han var klyftig nog att komma ihåg att Wasp var hennes pseudonym på nätet. Och om han hade hittat lägenheten så hade han kanske till och med räknat ut att den ägdes av Wasp Enterprises. Och medan hon tittade började han ryckigt förflytta sig genom hallen och försvann strax ur synhåll för objektivet.

Skit. Hur kunde jag vara så förutsägbar. Och varför lämnade jag kvar ... nu låg hennes hemligheter öppna för Mikael Blomkvists snokande ögon.

Efter två minuters tankepaus beslutade hon sig för att det inte spelade någon roll längre. Hon hade raderat hårddisken. Det var det viktiga. Det var kanske till och med en fördel att just Mikael Blomkvist hade hittat hennes gömställe. Han kände redan till fler av hennes hemligheter än någon annan människa. Bror Duktig skulle göra det rätta. Han skulle inte sälja ut henne. Hoppades hon. Hon lade i en växel och fortsatte eftertänksamt mot Göteborg.

MALIN ERIKSSON STÖTTE ihop med Paolo Roberto i trapphuset till *Millenniums* redaktion när hon anlände till jobbet halv nio. Hon kände genast igen honom, presenterade sig och släppte in honom på redaktionen. Han haltade betänkligt. Hon kände doften av kaffe och konstaterade att Erika Berger redan fanns på plats.

"Hallå Berger. Tack för att du kunde ta emot med så kort varsel", sa Paolo.

Erika studerade imponerat hans samling blåmärken och bulor i ansiktet innan hon böjde sig fram och gav honom en kyss på kinden.

"Det ser för eländigt ut", sa hon.

"Jag har brutit näsbenet förr. Var har du Blomkvist?"

"Han är ute någonstans och leker detektiv och söker ledtrådar. Som vanligt är han helt omöjlig att kommunicera med. Bortsett från ett besynnerligt mail i natt har jag inte hört av honom sedan i går morse. Tack för att du … tja, tack."

Hon pekade på hans ansikte.

Paolo Roberto skrattade.

"Vill du ha kaffe? Du sa att du hade något att berätta. Malin, häng på."

De satte sig i de bekväma besöksstolarna på Erikas rum.

"Det är den där stora blonda fan som jag slogs med. Jag berättade för Mikael att hans boxning inte var värd ett ruttet lingon. Men det lustiga var att han hela tiden gick upp i försvarsposition med nävarna och cirklade runt precis som om han var en van boxare. Det kändes som att han faktiskt hade fått någon sorts träning."

"Mikael nämnde det på telefon i går", sa Malin.

"Jag kunde inte riktigt släppa den bilden och i går eftermiddag då jag kommit hem satte jag mig vid datorn och skickade ut e-post till boxningsklubbar i hela Europa. Jag beskrev vad som hade hänt och lämnade en så detaljerad beskrivning som möjligt av den där killen."

"Okej."

"Jag tror att jag har fått napp."

Han lade en faxad bild på bordet framför Erika och Malin. Den tycktes vara tagen vid ett träningspass i en boxningshall. Två boxare stod och lyssnade på instruktioner från en fetlagd äldre man i smalbrättad skinnhatt och träningsoverall. Ett halvdussin människor hängde runt ringen och lyssnade. I bakgrunden stod en storväxt man med en kartong i famnen. Han såg ut som en skinnskalle med rakat huvud. Han var inringad med en cirkel från en tuschpenna.

"Bilden är sjutton år gammal. Killen i bakgrunden heter Ronald Niedermann. Han var 18 år gammal då bilden togs och bör alltså vara drygt 35 i dag. Det stämmer in på den där jätten som kidnappade Miriam Wu. Jag kan inte hundraprocentigt säkert säga att det är han. Bilden är lite för gammal och det är usel kvalité. Men jag kan säga att han ser väldigt snarlik ut."

"Var har du fått bilden ifrån?"

"Jag fick svar från Dynamic i Hamburg. En veterantränare som heter Hans Münster."

"Jaha?"

"Ronald Niedermann boxades för klubben i ett år i slutet av 1980-talet. Eller rättare sagt, han försökte boxas för klubben. Jag fick mailet i morse och ringde och pratade med Münster innan jag kom hit. För att summera vad Münster sa ... Ronald Niedermann är från Hamburg och hängde ihop med ett skinnskallegäng på 1980-talet. Han har en bror som var några år äldre och väldigt duktig boxare och det var genom honom han kom in i klubben. Niedermann hade en fruktansvärd styrka och en fysik som var nästan enastående. Münster sa att han aldrig tidigare hade sett någon som slog lika hårt, inte ens bland eliten. De mätte slagkraften vid något tillfälle och han hamnade ungefär utanför skalan."

"Det låter som om han kunde ha gjort karriär som boxare", sa Erika.

Paolo Roberto skakade på huvudet.

"Enligt Münster var han omöjlig att ha i en ring. Det fanns flera skäl. För det första kunde han inte lära sig att boxas. Han stod stilla och utdelade rallarsvingar. Han var fenomenalt klumpig och det stämmer helt med killen jag fajtades med i Nykvarn. Men vad värre var, han förstod inte sin egen styrka. Då och då fick han in någon träff som åstadkom en förödande skada vid enkla sparringtillfällen. Det var avslagna näsben och brutna käkben och ständigt helt onödiga skador. De kunde helt enkelt inte ha kvar honom."

"Kunde boxas, men ändå inte", sa Malin.

"Just det. Men den direkta orsaken till att han fick sluta var medicinsk."

"Hur menar du?"

"Den här killen tycktes vara nästan osårbar. Det spelade ingen roll hur mycket stryk han fick, han bara ruskade på sig och fortsatte att slåss. Det visade sig att han lider av en väldigt ovanlig sjukdom som heter *congenital analgesia*."

"Congenital ... vad då?"

"Analgesia. Jag slog upp det. Det är ett ärftligt genetiskt fel som innebär att transmittorsubstansen i nervsynapserna inte fungerar som den ska. Han kan inte känna smärta."

"Jösses. Det låter som ett guldläge för en boxare."

Paolo Roberto skakade på huvudet.

"Tvärtom. Det är en närmast livshotande sjukdom. De flesta som har congenital analgesia dör relativt unga i 20–25-årsåldern. Smärtan är kroppens larmsystem om att något är på tok. Om du lägger handen på en glödhet platta så gör det ont och du rycker snabbt bort den. Om du har den här sjukdomen märker du inget förrän det börjar osa bränt kött."

Malin och Erika tittade på varandra.

"Det här är alltså på allvar?" frågade Erika.

"Absolut. Ronald Niedermann kan inte känna någonting alls och går omkring som om han hade en massiv lokalbedövning dygnet runt. Han har klarat sig därför att i hans fall så har han ett annat genetiskt tillstånd som kompenserar. Han har en märklig fysik med en extremt kraftig benstomme som gör honom närmast osårbar. Han har en råstyrka som är närmast unik. Och han måste helt enkelt ha gott läkekött."

"Jag börjar förstå att det måste ha varit en intressant boxnings-match du hade."

"Jo. Det vill jag inte vara med om igen. Det enda som gjorde något intryck på honom var när Miriam Wu klockade honom i skrevet. Han gick faktiskt ned på knä någon sekund ... vilket måste bero på att det finns någon sorts motorik kopplad till en smäll av det slaget, eftersom han inte kände någon smärta. Och tro mig – själv skulle jag ha avlidit om hon hade träffat mig på det viset."

"Men hur kunde du alls vinna mot honom?"

"Folk med den här sjukdomen skadas förstås precis som norma-la människor. Låt gå för att Niedermann tycks ha en stomme av betong. Men när jag drog till honom med en planka i bakhuvudet packade han ihop. Han fick förmodligen en hjärnskakning."

Erika tittade på Malin.

"Jag ringer Mikael på en gång", sa Malin.

MIKAEL HÖRDE MOBILSIGNALEN men var så omtumlad att han svarade först på femte signalen.

"Det är Malin. Paolo Roberto tror att han har identifierat den blonde jätten."

"Bra", sa Mikael frånvarande.

"Var är du?"

"Svårt att förklara."

"Du låter konstig."

"Förlåt mig. Vad sa du?"

Malin summerade Paolos berättelse.

"Okej", sa Mikael. "Gå vidare på det och se om du hittar honom i något register. Jag tror att det brådskar. Ring mig på mobilen."

Till Malins häpnad avslutade Mikael samtalet utan att ens säga hej.

Mikael stod i det ögonblicket vid ett fönster och tittade på en stor-slagen utsikt som sträckte sig från Gamla stan till långt ut mot Salt-sjön. Han kände sig bedövad och nästan chockerad. Han hade gjort en rundvandring i Lisbeth Salanders lägenhet. Hon hade ett kök till höger från hallen innanför entrédörren. Därefter kom vardagsrum, arbetsrum, sovrum och slutligen ett litet gästrum som aldrig tycktes ha använts. Madrassen var fortfarande inplastad och det fanns inget sänglinne. Alla möbler var nya och fräscha, direkt från Ikea.

Det var inte det som var problemet.

Det som skakade Mikael var att Lisbeth Salander hade köpt Percy Barneviks gamla övernattningslya, värd 25 miljoner. Hela lägenheten var på 350 kvadrat.

Mikael vandrade genom ödsliga och nästan spöklikt tomma korridorer och salar med mönsterlagda parkettgolv i olika träslag och Tricia Guild-tapeter av den typ som Erika Berger förtjust brukade mumla om. I centrum av lägenheten fanns ett underbart ljust sällskapsrum med öppna spisar som Lisbeth aldrig verkade ha eldat i. Det fanns en enorm balkong med fantastisk utsikt. Det fanns tvättstuga, bastu, gym, förrådsutrymmen och ett badrum med ett badkar i King Size-klassen. Där fanns till och med en vinkällare som var tom så när som på en oöppnad flaska portvin Quinta do Noval – *Nacional!* – från 1976. Mikael hade svårt att föreställa sig Lisbeth Salander med ett glas portvin i handen. Ett kort angav att det var en ståndsmässig inflyttningspresent från mäklaren.

Köket innehöll all tänkbar utrustning runt en skinande ren fransk gourmetspis med gasugn, en Corradi Chateau 120 som Mikael aldrig hört talas om och som Lisbeth Salander möjligen kokat tevatten på.

Däremot betraktade han med respekt hennes espressobryggare som stod på en särskild bänk. Hon hade en maskin av märket Jura Impressa X7 med vidhängande mjölkkylare. Maskinen tycktes också oanvänd och hade förmodligen funnits i köket då hon köpte lägenheten. Mikael visste att en Jura var espressovärldens motsvarighet till Rolls Royce – en proffsapparat för hemmabruk som kostade drygt 70 000 kronor. Själv hade han en espressobryggare av betydligt enklare märke som han köpt på John Wall och som kostade drygt 3 500 kronor – en av de få extravaganta investeringar han någonsin gjort i sitt eget hushåll.

Kylskåpet innehöll en öppnad mjölkförpackning, ost, smör, kaviar och en halvtom burk saltgurka. Skafferiet innehöll fyra halvtomma burkar vitamintabletter, tepåsar, kaffe till en helt vanlig dussinbryggare på diskbänken, två limpor och en påse skorpor. På köksbordet fanns en korg med äpplen. Frysen innehöll en fiskgratäng och tre baconpajer. Det var den sammanlagda mängden föda som Mikael hittade i lägenheten. I skräppåsen under diskbänken intill gourmetspisen hittade han flera tomma omslagspapper till Billys Pan Pizza.

Arrangemanget saknade proportioner. Lisbeth hade stulit några miljarder och skaffat sig en lägenhet med plats för ett hov. Men hon hade bara behov av de tre rum som hon möblerat. De återstående arton rummen stod tomma och öde.

Mikael avslutade rundturen mitt på golvet i hennes arbetsrum. I hela lägenheten fanns inte en enda blomma. Det saknades helt tavlor eller ens posters på väggarna. Det fanns inga mattor eller prydnadsdukar. I hela lägenheten kunde han inte hitta en enda prydnadsskål, ljusstake eller något annat krimskrams till minnessak som antydde hemtrevnad eller sparats av sentimentala skäl.

Mikael kände det som om någon kramade hans hjärta. Han kände att han ville leta rätt på Lisbeth Salander och hålla om henne.

Hon skulle förmodligen bita honom om han försökte.

Förbannade Zalachenko.

Sedan satte han sig vid hennes arbetsbord och öppnade pärmen med Björcks utredning från 1991. Han läste inte allt material men skummade och försökte summera.

Han öppnade hennes PowerBook med 17-tumsskärm med 200 GB HD och 1 000 MB RAM. Den var helt tom. Hon hade städat. Det var olycksbådande.

Han öppnade hennes skrivbordslådor och hittade omedelbart en 9 mm Colt 1911 Government single action och ett fulladdat magasin med sju patroner. Det var den pistol som Lisbeth Salander hade övertagit från journalisten Per-Åke Sandström, vilket Mikael inte hade någon aning om. Han hade ännu inte kommit fram till bokstaven S på torsklistan.

DÄREFTER HITTADE HAN cd-skivan som var märkt Bjurman.

Han stoppade in den i sin iBook och tog med fasa del av filmens innehåll. Han satt i tyst chock då han såg Lisbeth Salander misshandlas, våldtas och nästan mördas. Det var uppenbart att filmen spelats in med dold kamera. Han tittade inte på hela filmen men hoppade från avsnitt till avsnitt, det ena värre än det andra.

Bjurman.

Hennes förvaltare hade våldtagit Lisbeth Salander och hon hade dokumenterat händelsen in i minsta detalj. En digital datering visade att filmen spelats in två år tidigare. Det var innan han hade lärt känna henne. Flera pusselbitar föll på plats.

Björck och Bjurman tillsammans med Zalachenko på 1970-talet.

Zalachenko och Lisbeth Salander och en molotovcocktail tillverkad av ett mjölkpaket i början av 1990-talet.

Därefter Bjurman igen, nu som hennes förvaltare efter Holger Palmgren. Cirkeln hade slutits. Han hade attackerat sin skyddsling. Han hade trott att hon var en psykiskt sjuk och försvarslös flicka, men Lisbeth Salander var inte försvarslös. Hon var flickan som vid 12 års ålder tagit upp kampen med en avhoppad proffsmördare från GRU och gjort honom handikappad för livet.

Lisbeth Salander var kvinnan som hatar män som hatar kvinnor.

Han tänkte tillbaka på den tid då han lärt känna henne i Hedestad. Det måste ha varit några månader efter våldtäkten. Han kunde inte komma ihåg att hon med ett enda ord hade antytt att något sådant hade skett. Hon hade överhuvudtaget inte avslöjat mycket om sig själv för honom. Mikael kunde inte ens föreställa sig vad hon gjort med Bjurman – men hon hade inte dödat honom. *Konstigt nog.* Då skulle Bjurman ha dött redan för två år sedan. Hon måste ha kontrollerat honom på något sätt och för något syfte som han inte kunde föreställa sig. Sedan insåg Mikael att han hade instrumentet för hennes kontroll på bordet framför sig. Cd-skivan. Så länge hon hade den var Bjurman hennes hjälplösa slav. Och Bjurman hade vänt sig till den han trodde var en allierad. Zalachenko. Hennes värsta fiende. Hennes pappa.

Därefter en kedja av händelser. Bjurman hade skjutits och därefter Dag Svensson och Mia Bergman.

Men hur ...? Vad kunde ha förvandlat Dag Svensson till ett hot?

Och plötsligt förstod Mikael vad som *måste* ha hänt i Enskede.

I NÄSTA ÖGONBLICK upptäckte Mikael papperet på golvet nedanför fönstret. Lisbeth hade printat ut en sida, kramat ihop den till en boll och kastat den ifrån sig. Han slätade ut papperet. Det var en utskrift från *Aftonbladets* nätupplaga om kidnappningen av Miriam Wu.

Mikael visste inte vilken roll hon spelat i dramat – om ens någon – men hon hade varit en av Lisbeths få vänner. Kanske hennes enda vän. Lisbeth hade skänkt henne sin gamla lägenhet. Nu låg hon sönderslagen på sjukhus.

Niedermann och Zalachenko.

Först hennes mamma. Sedan Miriam Wu. Lisbeth måste vara vansinnig av hat.

Hon var extremt provocerad.

Hon var på jakt nu.

VID LUNCHTID FICK Dragan Armanskij telefon från Ersta rehabiliteringshem. Han hade förväntat sig ett samtal från Holger Palmgren långt tidigare och själv undvikit att ta kontakt med honom. Han hade fruktat att han skulle vara tvungen att rapportera att Lisbeth Salander utan tvekan var skyldig. Nu hade han i alla fall möjlighet att berätta att det fanns rimliga tvivel om hennes skuld.

"Hur långt har du kommit?" frågade Palmgren utan inledande artighetsfraser.

"Med vad?" undrade Armanskij.

"Med din undersökning om Salander."

"Och vad får dig att tro att jag leder en sådan undersökning?"

"Slösa inte bort min tid."

Armanskij suckade.

"Du har rätt", sa han.

"Jag vill att du besöker mig", sa Palmgren.

"Okej. Jag kan komma ut och hälsa på dig i helgen."

"Duger inte. Jag vill att du kommer i kväll. Vi har mycket att diskutera."

MIKAEL HADE BRYGGT kaffe och gjort smörgåsar i Lisbeths kök. Han hoppades halvt om halvt att han plötsligt skulle höra hennes nycklar i dörren. Men han hade inga riktiga förhoppningar. Den tomma hårddisken i hennes PowerBook antydde att hon redan hade lämnat sitt gömställe för gott. Han hade hittat hennes adress för sent.

Halv tre på eftermiddagen satt han fortfarande kvar bakom Lisbeths skrivbord. Han hade läst Björcks icke-utredning tre gånger. Den var ställd som ett PM till en namnlös överordnad. Rekommendationen var enkel. Skaffa en tam psykiatriker som kan ta in Salander på barnpsyk ett par år framöver. Flickan är ju i vilket fall störd, vilket hennes beteende visar.

Mikael ämnade ägna stort intresse åt Björck och Teleborian under den närmaste framtiden. Han såg fram emot det. Hans mobil började pipa och störde tankekedjan.

"Hej igen. Det är Malin. Jag tror att jag har något."

"Vad?"

"Det finns ingen Ronald Niedermann folkbokförd i Sverige. Han finns inte i telefonkatalog, skattelängd, bilregister eller någon annanstans."

"Okej."

"Men hör här. 1998 registrerades ett aktiebolag hos Patentverket. Det heter KAB Import AB och har adress i en postbox i Göteborg. Bolaget sysslar med import av elektronik. Styrelseordföranden heter Karl Axel Bodin, alltså KAB, född 1941."

"Det ringer ingen klocka."

"Inte hos mig heller. Styrelsen i övrigt består av en revisor som sitter med i ett par dussin bolag som han gör bokslut för. Han verkar vara en sådan där deklarationsnisse för småföretag. Företaget har dock i stort sett varit vilande sedan starten."

"Okej."

"Den tredje styrelseledamoten är en person vid namn R. Niedermann. Det finns födelseår men inga slutsiffror. Han har alltså inte personnummer i Sverige. Han är född den 18 januari 1970 och antecknad som företagets representant på den tyska marknaden."

"Bra, Malin. Mycket bra. Har vi någon adress mer än boxen?"

"Nej, men jag har spårat Karl Axel Bodin. Han är mantalsskriven i Västsverige och bosatt på adressen Postlåda 612 i Gosseberga. Jag slog upp det, det verkar vara en lantbruksfastighet i närheten av Nossebro nordost om Göteborg."

"Vad vet vi om honom?"

"Han deklarerade för inkomster på 260000 kronor för två år sedan. Han finns inte i kriminalregistret enligt vår vän inom polisen. Han har vapenlicens för en älgstudsare och för ett hagelgevär. Han har två bilar, en Ford och en Saab, bägge av äldre modell. Inga noteringar hos kronofogden. Han är ogift och har titeln lantbrukare."

"En anonym man utan trassel med rättvisan."

Mikael funderade några sekunder. Han måste göra ett val.

"En sak till. Dragan Armanskij på Milton Security har ringt och sökt dig flera gånger under dagen."

"Okej. Tack, Malin. Jag ringer tillbaka."

"Mikael ... är allt okej med dig?"

"Nej, allt är inte okej. Jag hör av mig."

Han visste att han gjorde fel. Som god samhällsmedborgare borde han nu lyfta luren och ringa Bublanski. Men om han gjorde det skulle han antingen tvingas berätta sanningen om Lisbeth Salander eller hamna i en trasslig situation mellan halvlögner och mörkade avsnitt. Men det var inte det som var problemet.

Lisbeth Salander var på jakt efter Niedermann och Zalachenko. Mikael visste inte hur långt hon hade kommit, men om han och Malin hade kunnat hitta postlåda 612 i Gosseberga så kunde Lisbeth Salander också göra det. Sannolikheten var alltså stor att hon var på väg till Gosseberga. Det var nästa naturliga steg.

Om Mikael ringde polisen och berättade var Niedermann gömde sig skulle han vara tvungen att berätta att Lisbeth Salander troligen var på väg dit. Hon var efterlyst för tre mord och skottlossningen i Stallarholmen. Vilket skulle innebära att den nationella insatsstyrkan eller något motsvarande jaktlag skulle sättas in för att gripa henne.

Och Lisbeth Salander skulle med största sannolikhet göra våldsamt motstånd.

Mikael tog fram papper och penna och gjorde en lista på sådant han inte kunde eller inte ville berätta för polisen.

Först skrev han *Adressen*.

Lisbeth hade lagt ned stor möda på att skaffa sig en hemlig adress. Där hade hon sitt liv och sina hemligheter. Han tänkte inte sälja ut henne.

Därefter skrev han *Bjurman* och satte ett frågetecken efter.

Han sneglade på cd-skivan på bordet framför sig. Bjurman hade våldtagit Lisbeth. Han hade nästan mördat henne och han hade djupt missbrukat sin position som hennes förvaltare. Därom rådde ingen tvekan. Han borde hängas ut som det svin han var. Men här fanns ett etiskt dilemma. Lisbeth hade inte anmält honom. Ville hon bli uthängd i massmedia genom en polisutredning där de mest intima detaljer läckte ut på några timmar? Hon skulle aldrig förlåta honom. Cd-skivan var bevismaterial och bilder ur den skulle göra sig bra i kvällstidningarna.

Han funderade en stund och bestämde därefter att det var Lisbeths sak att fatta beslut om hur hon ville agera. Men om han hade kunnat spåra hennes lägenhet så borde polisen förr eller senare lyckas med samma sak. Han placerade cd-skivan i ett fodral i sin väska.

Sedan skrev han *Björcks utredning*. Rapporten från 1991 hade hemligstämplats. Den kastade ljus över allt som hade hänt. Den namngav Zalachenko och förklarade Björcks roll, och tillsammans med torsklistan från Dag Svenssons dator skulle Björck få åtskilliga svettiga timmar framför Bublanski. Tack vare korrespondensen hamnade Peter Teleborian också i skiten.

Pärmen skulle leda polisen till Gosseberga … men han skulle få åtminstone några timmars försprång.

Slutligen startade han Word och skrev i punktform alla väsentliga fakta han hade hittat under de gångna tjugofyra timmarna genom samtalen med Björck och Palmgren, och genom det material han hittat hos Lisbeth. Hela arbetet tog en dryg timme. Han brände dokumentet på en cd-skiva tillsammans med sin egen research.

Han undrade om han borde höra av sig till Dragan Armanskij men beslutade att strunta i det. Han hade tillräckligt med bollar att hålla i luften.

MIKAEL STANNADE TILL på *Millenniums* redaktion och stängde in sig med Erika Berger.

"Han heter Zalachenko", sa Mikael utan att hälsa. "Han är en gammal sovjetisk lönnmördare från underrättelsetjänsten. Han hoppade av 1976 och fick uppehållstillstånd i Sverige och lön från Säpo. Efter Sovjets fall har han som så många andra blivit heltidsgangster och ägnar sig åt trafficking, vapen och narkotika."

Erika Berger lade ned sin penna.

"Okej. Varför är jag inte förvånad över att KGB dyker upp i handlingen?"

"Inte KGB. GRU. Den militära underrättelsetjänsten."

"Det är alltså allvar."

Mikael nickade.

"Du menar att det är han som mördat Dag och Mia?"

"Inte personligen. Han skickade någon. Ronald Niedermann som Malin grävde fram."

"Det kan du bevisa?"

"På en höft. En del är gissningar. Men Bjurman mördades därför att han bad Zalachenko om hjälp att ta hand om Lisbeth."

Mikael förklarade vad han hade sett på filmen som Lisbeth hade i sin skrivbordslåda.

"Zalachenko är hennes pappa. Bjurman jobbade formellt för Säpo i mitten av 1970-talet och var en av dem som tog emot Zalachenko då han hoppade av. Sedan blev han advokat och heltidsslusk och gjorde tjänster åt en snäv grupp inom Säk. Jag skulle tro att det finns en väldigt intern samling som träffas då och då i herrbastun för att styra världen och bevara hemligheten om Zalachenko. Jag gissar att Säpo i övrigt aldrig ens hört talas om karln. Lisbeth hotade att spräcka hemligheten. Alltså spärrade de in henne på barnpsyk."

"Det är inte sant."

"Jo", sa Mikael. "Det fanns för all del en rad omständigheter, och Lisbeth var inte särskilt hanterlig vare sig då eller nu ... men sedan hon var 12 år har hon varit ett hot mot rikets säkerhet."

Han gjorde en hastig summering av historien.

"Det här är en del att smälta", sa Erika. "Och Dag och Mia ..."

"Mördades därför att Dag hade hittat länken mellan Bjurman och Zalachenko."

"Och vad händer nu? Det här måste vi väl berätta för polisen?"

"Delar av det, men inte allt. Jag har lagt över all väsentlig information på den här cd-skivan, som backup utifall att. Lisbeth är på jakt efter Zalachenko. Jag tänker försöka hitta henne. Inget på skivan får läcka ut."

"Mikael ... jag gillar inte det här. Vi kan inte undanhålla information i en mordutredning."

"Det ska vi inte heller. Jag tänker ringa Bublanski. Men min gissning är att Lisbeth är på väg till Gosseberga. Hon är en efterlyst trippelmördare och om vi ringer polisen så rycker de ut med nationella insatsstyrkan och förstärkningsvapen med jaktammunition, och risken att hon kommer att göra motstånd är rätt stor. Och då kan vad som helst hända."

Han hejdade sig och log glädjelöst.

"Om inte annat bör vi hålla polisen utanför så att nationella säkerhetsstyrkan inte blir alltför decimerad. Jag måste få tag på henne först."

Erika Berger såg tvivlande ut.

"Jag tänker inte avslöja Lisbeths hemligheter. De får Bublanski lista ut på egen hand. Jag vill att du gör mig en tjänst. Den här pärmen innehåller Björcks utredning från 1991 och en del korrespondens mellan Björck och Teleborian. Jag vill att du gör en kopia och budar den till Bublanski eller Modig. Själv åker jag till Göteborg om tjugo minuter."

"Mikael ..."

"Jag vet. Men jag tänker stå på Lisbeths sida hela vägen i den här fighten."

Erika Berger knep ihop läpparna och sa inget. Sedan nickade hon. Mikael gick mot dörren.

"Var försiktig", sa Erika när han redan hade försvunnit.

Hon tänkte att hon borde ha följt med honom. Det var det enda anständiga. Men hon hade fortfarande inte berättat att hon tänkte sluta på *Millennium* och att allting var över vad som än hände. Hon tog pärmen och gick till kopiatorn.

BOXEN FANNS PÅ ett postkontor i ett köpcenter. Lisbeth kände inte till Göteborg och visste inte exakt var hon befann sig, men hon hade hittat postkontoret och placerat sig på ett kafé där hon precis kunde se boxen genom en smal glipa i en ruta där en reklamposter för Svensk Kassatjänst – den förbättrade svenska posten – hängde.

Irene Nesser hade en mer diskret makeup än Lisbeth Salander. Hon hade några fåniga halsband och läste *Brott och straff*, som hon hade hittat i en boklåda ett kvarter längre norrut. Hon tog god tid på sig och vände blad med jämna mellanrum. Hon hade inlett bevakningen vid lunchtid och hade ingen aning om när boxen brukade tömmas, om det skedde dagligen eller kanske varannan vecka, om den redan var tömd för dagen eller om någon skulle komma. Men det var hennes enda spår och hon drack caffe latte medan hon väntade.

Hon hade nästan slumrat till med vidöppna ögon då hon plötsligt såg boxluckan öppnas. Hon sneglade på klockan. Kvart i två. *Tur som en tokig.*

Lisbeth reste sig hastigt och promenerade fram till fönstret där hon såg en man i svart skinnjacka lämna boxavdelningen. Hon kom ifatt honom på gatan utanför. Det var en smal ung man i 20-årsåldern. Han promenerade runt hörnet till en parkerad Renault och låste upp bildörren. Lisbeth Salander memorerade bilnumret och sprang tillbaka till Corollan som hon parkerat hundra meter längre ned på samma gata. Hon kom i kapp då han svängde upp på Linnégatan. Hon följde honom ned på Avenyn och upp mot Nordstan.

MIKAEL BLOMKVIST HANN precis med X2000 kl. 17.10. Han löste biljett på tåget med sitt kreditkort och satte sig i den tomma restaurangvagnen och beställde en sen lunch.

Han kände en malande oro i mellangärdet och befarade att han var för sent ute. Han hoppades att Lisbeth Salander skulle ringa honom men visste att hon inte skulle göra det.

Hon hade försökt döda Zalachenko 1991. Nu hade han slagit tillbaka efter alla dessa år.

Holger Palmgren hade gjort en riktig analys av henne. Lisbeth Salander hade fått en gedigen praktisk erfarenhet av att det inte var lönt att prata med myndigheter.

Mikael sneglade på sin datorväska. Han hade tagit med sig den Colt som han hade hittat i Lisbeths skrivbordslåda. Han var osäker på varför han tagit med vapnet, men han kände instinktivt att han inte skulle lämna kvar det i hennes lägenhet. Han erkände att det inte var ett särskilt logiskt resonemang.

När tåget rullade över Årstabron öppnade han mobilen och ringde till Bublanski.

"Vad vill du?" frågade Bublanski irriterat.

"Avsluta", sa Mikael.

"Avsluta vad då?"

"Hela den här soppan. Vill du veta vem som mördade Dag och Mia och Bjurman?"

"Om du har information vill jag gärna ta del av den."

"Mördaren heter Ronald Niedermann. Det är den där blonda jätten som Paolo Roberto slogs med. Han är tysk medborgare, 35 år och arbetar för ett kräk som heter Alexander Zalachenko, även känd som Zala."

Bublanski var tyst en lång stund. Sedan suckade han ljudligt. Mikael hörde honom vända ett papper och klicka med en kulspetspenna.

"Och det är du säker på?"

"Ja."

"Okej. Och var finns Niedermann och den här Zalachenko?"

"Det vet jag inte än. Men så fort jag listat ut det ska jag berätta det för dig. Om en kort stund kommer Erika Berger att buda en polisutredning från 1991 till dig. Så fort hon gjort en kopia av den. Där hittar du all tänkbar information om Zalachenko och Lisbeth Salander."

"Hur menar du?"

"Zalachenko är Lisbeths pappa. Han är en avhoppad rysk lönnmördare från det kalla kriget."

"Rysk lönnmördare", ekade Bublanski med tvivel i rösten.

"Några sekterister på Säpo har hållit honom om ryggen och mörkat då han begått brott."

Mikael hörde att Bublanski drog fram en stol och satte sig.

"Jag tror att det är bäst att du kommer in och lämnar ett formellt vittnesmål."

"Sorry. Jag har inte tid."

"Förlåt?"

"Jag är inte i Stockholm just nu. Men jag hör av mig så fort jag hittat Zalachenko."

"Blomkvist ... Du behöver inte bevisa någonting. Jag har också tvivel om Salanders skuld."

"Får jag påminna om att jag bara är en enkel privatspanare som inte vet ett dyft om polisarbete."

Han visste att det var barnsligt men han bröt samtalet utan att avsluta. Istället ringde han Annika Giannini.

"Hej syrran."

"Hej. Något nytt?"

"Jovars. Jag kommer möjligen att behöva en bra advokat i morgon."

Hon suckade.

"Vad har du gjort?"

"Inget allvarligt ännu, men jag kan bli gripen för hindrande av en polisutredning eller något sådant. Men det var inte därför jag ringde. Du kan inte representera mig."

"Varför inte?"

"Därför att jag vill att du ska åta dig att försvara Lisbeth Salander och du kan inte försvara både mig och henne."

Mikael berättade i korthet vad historien handlade om. Annika Giannini var olycksbådande tyst.

"Och du har dokumentation på det här ...", sa hon slutligen.

"Ja."

"Jag måste tänka på saken. Lisbeth behöver en brottmålsadvokat ..."

"Du blir perfekt."

"Mikael ..."

"Hörru syrran, var det inte du som gick omkring och var sur på mig för att jag inte bad om hjälp då jag behövde det?"

När de talat färdigt satt Mikael och funderade en stund. Sedan lyfte han luren och ringde till Holger Palmgren. Han hade ingen särskild anledning att göra det, men ansåg att gubben på hemmet trots allt borde informeras om att han följde vissa spår och att han hoppades att historien skulle vara avslutad inom de närmaste timmarna.

Problemet var ju förstås att även Lisbeth Salander hade sina spår.

LISBETH SALANDER STRÄCKTE sig efter ett äpple i ryggsäcken utan att släppa gården med blicken. Hon låg utsträckt i kanten av en skogsdunge med golvmattan från Corollan som improviserat liggunderlag. Hon hade bytt kläder och var klädd i gröna vindbyxor med benfickor, en tjock tröja och en varmfodrad midjekort tygjacka.

Gosseberga låg omkring fyra hundra meter från landsvägen och bestod av två byggnader. Huvudgården fanns ungefär hundratjugo meter framför henne. Det var ett ordinärt vitt trähus med två våningar, ett uthus och en ladugård sjuttio meter bortanför bostadshuset. Genom en port i ladugården kunde hon se fronten på en vit bil. Hon trodde att det var en vit Volvo, men avståndet var för långt för att hon skulle kunna vara helt säker.

Mellan henne och byggnaden fanns till höger en leråker som vidgade sig drygt två hundra meter ned mot en liten tjärn. Uppfartsvägen klöv åkern och försvann in i ett skogsparti mot landsvägen. Vid uppfarten fanns ytterligare en byggnad som såg ut att vara ett ödetorp; fönstren var täckta av ljusa skynken. Norr om byggnaden fanns ett skogsparti som ridå mot den närmaste grannen, en klunga hus nästan sex hundra meter bort. Bondgården framför henne var alltså relativt isolerad.

Hon befann sig i närheten av sjön Anten i ett landskap med bulliga åsar där sjok av åkrar avlöstes av små samhällen och kompakta skogspartier. Vägkartan gav ingen detaljerad beskrivning av området, men hon hade följt den svarta Renaulten ut ur Göteborg längs E20 och svängt västerut mot Sollebrunn i Alingsås. Efter drygt fyrtio minuter hade bilen plötsligt svängt in på en skogsväg med en vägskylt med namnet Gosseberga. Hon hade parkerat bakom en lada i en skogsdunge drygt hundra meter norr om avtagsvägen och återvänt till fots.

Hon hade aldrig hört talas om Gosseberga, men så vitt hon kunde förstå syftade namnet på bostadshuset och ladugården framför henne. Hon hade passerat postlådan vid landsvägen. Den hade siffrorna PL192 – K.A. Bodin. Namnet sa henne ingenting.

Hon hade gjort en halvcirkel runt byggnaden och slutligen valt sin utkiksplats med omsorg. Hon hade kvällssolen i ryggen. Sedan hon kommit på plats vid halvfyratiden på eftermiddagen hade i stort sett en enda sak hänt. Klockan fyra hade föraren av Renaulten kommit ut från huset. I dörröppningen hade han växlat några ord med en person som hon inte hade kunnat se. Därefter hade han kört sin väg och inte återkommit. I övrigt hade hon inte sett någon rörelse på gården. Hon väntade tålmodigt och betraktade byggnaden genom en liten Minoltakikare med 8x förstoring.

MIKAEL BLOMKVIST TRUMMADE irriterat med fingrarna mot bordet i restaurangvagnen. X2000 stod stilla i Katrineholm. Tåget hade stått där i närmare en timme med något mystiskt vagnfel som enligt högtalarna måste åtgärdas. SJ beklagade förseningen.

Han suckade frustrerat och hämtade påfyllning på kaffet. Först femton minuter senare startade tåget med ett ryck. Han tittade på klockan. Åtta.

Han borde ha tagit flyget eller hyrt en bil.

Känslan av att han var för sent ute blev allt starkare.

VID SEXTIDEN HADE någon tänt en lampa i ett rum på undervåningen och kort därefter hade en brolampa tänts. Lisbeth skymtade skuggor i vad hon trodde var köket till höger om entrédörren, men hon lyckades inte urskilja något ansikte.

Helt plötsligt öppnades ytterdörren och den blonde jätten vid namn Ronald Niedermann kom ut. Han var klädd i mörka byxor och åtsmitande polojumper som framhävde hans muskler. Lisbeth nickade för sig själv. Det var äntligen en bekräftelse på att hon hade kommit rätt. Hon konstaterade än en gång att Niedermann verkligen var en massiv biff. Men han var av kött och blod som alla andra människor, vad än Paolo Roberto och Miriam Wu hade upplevt. Niedermann promenerade runt huset och försvann till bilen i ladugården i några minuter. Han återkom med en liten handledsväska och gick in i huset.

Bara några minuter senare kom han ut igen. Han hade sällskap av en spenslig kortvuxen äldre man som haltade och stödde sig på en krycka. Det var för mörkt för att Lisbeth skulle kunna urskilja anletsdragen, men hon kände en iskyla krypa längs nacken.

Daaaddyyy, I am heeeree …

Hon iakttog Zalachenko och Niedermann när de promenerade längs uppfartsvägen. De stannade vid uthuset där Niedermann hämtade ved. Sedan återvände de till bostadshuset och stängde dörren.

Lisbeth Salander låg stilla i flera minuter efter att de hade gått in. Sedan sänkte hon kikaren och drog sig tillbaka ett tiotal meter till dess att hon var helt dold bakom träden. Hon öppnade ryggsäcken och plockade fram en termos och hällde upp svart kaffe och stoppade en sockerbit i munnen som hon började suga på. Hon åt en inplastad ostsmörgås som hon tidigare under dagen hade köpt på en bensinmack på vägen till Göteborg. Hon funderade.

När hon var klar plockade hon upp Sonny Nieminens polska P-83 Wanad från ryggsäcken. Hon drog ut magasinet och kontrollerade att inget blockerade slutstycket eller loppet. Hon gjorde en blindavfyrning. Hon hade sex patroner av kaliber 9 mm Makarov i magasinet. Det borde räcka. Hon tryckte in magasinet igen och matade in en kula i loppet. Hon säkrade och placerade vapnet i höger jackficka.

LISBETH BÖRJADE FRAMRYCKNINGEN mot byggnaden i en kringgående rörelse genom skogen. Hon hade kommit ungefär hundrafemtio meter då hon plötsligt stannade mitt i steget.

I marginalen på sitt exemplar av *Arithmetica* hade Pierre de Fermat krafsat orden *Jag har ett i sanning underbart bevis för detta på-*

stående, men marginalen är alltför trång för att rymma detsamma.

Kvadraten hade förvandlats till en kub, $(x^3+y^3=z^3)$, och matematikerna hade ägnat århundraden åt att söka svaret på Fermats gåta. För att äntligen lösa gåtan på 1990-talet hade Andrew Wiles kämpat i tio år med världens mest avancerade dataprogram.

Och helt plötsligt förstod hon. Svaret var så avväpnande enkelt. En lek med siffror som radade upp sig och plötsligt föll på plats i en enkel formel som mest var att betrakta som en rebus.

Fermat hade ju ingen dator och Andrew Wiles lösning byggde på matematik som inte ens hade uppfunnits då Fermat formulerade sitt teorem. Fermat hade aldrig kunnat producera det bevis som Andrew Wiles lade fram. Fermats lösning var naturligtvis helt annorlunda.

Hon var så häpen att hon var tvungen att sätta sig på en stubbe. Hon tittade rakt framför sig medan hon kontrollerade ekvationen.

Det var så han menade. Undra på att matematikerna slitit sitt hår.

Sedan fnittrade hon.

En filosof skulle ha haft större chans att lösa den här gåtan.

Hon skulle ha uppskattat att lära känna Fermat.

Det var en kaxig jävel.

Efter en stund reste hon sig och fortsatte framryckningen genom skogen. När hon närmade sig hade hon ladugården mellan sig och bostadshuset.

KAPITEL 31
TORSDAG 7 APRIL

LISBETH SALANDER TOG sig in i ladugården genom en tvärport till en gammal träckränna. Det fanns inga djur på gården. Hon såg sig omkring och konstaterade strax att där fanns inget utom tre bilar – den vita Volvon från Auto-Expert, en äldre Ford och en något modernare Saab. Längre in fanns en rostig harv och andra redskap från vad som en gång i tiden hade varit ett lantbruk.

Hon dröjde sig kvar i dunklet i ladugården och betraktade bostadshuset. Det var mörkt ute och belysningen var tänd i samtliga rum i bottenvåningen. Hon kunde inte se någon rörelse men tyckte sig se ett fladdrande sken från en TV. Hon kastade en blick på sitt armbandsur. 19.30. *Rapport.*

Hon var förbryllad över att Zalachenko hade valt att bosätta sig i ett så ensligt hus. Det var inte likt den man som hon mindes från så många år tidigare. Hon hade aldrig förväntat sig att hitta honom på landsbygden i en liten vit bondgård, möjligen i en anonym villaförort eller i någon semesterort utomlands. Under sitt liv måste han ha skaffat sig fler fiender än Lisbeth Salander. Hon stördes av att platsen verkade så oskyddad. Hon räknade dock med att han hade vapen i huset.

Efter en lång tvekan gled hon ut ur ladugården i skymningsljuset. Hon skyndade över gårdsplanen på lätta fötter och stannade med ryggen mot bostadshusets fasad. Plötsligt hörde hon svaga ljud av musik. Hon gick ljudlöst runt huset och försökte snegla genom fönstren, men de satt för högt uppe på fasaden.

Lisbeth ogillade instinktivt upplägget. Den första halvan av sitt liv hade hon levt i ständig skräck för mannen i huset. Den andra halvan av sitt liv, sedan hon hade misslyckats med att döda honom, hade hon väntat på att han skulle återkomma i hennes liv. Den här gången tänkte hon inte begå några misstag. Zalachenko må vara en gammal krympling, men han var en tränad mördare som hade överlevt på mer än ett slagfält.

Dessutom hade hon Ronald Niedermann att ta hänsyn till.

Helst hade hon velat överraska Zalachenko ute i det fria, någonstans på gårdsplanen där han skulle vara oskyddad. Hon hade ingen större lust att prata med honom och skulle ha varit nöjd om hon haft ett gevär med kikarsikte. Men hon hade inget gevär och dessutom hade han svårt att gå. Den enda skymt hon sett av honom var de minuter han hade följt med till vedboden och det verkade osannolikt att han plötsligt skulle få för sig att gå en kvällspromenad. Det innebar att om hon ville invänta ett bättre tillfälle måste hon dra sig tillbaka och tvingas övernatta i skogen. Hon hade ingen sovsäck och även om kvällen var ljummen så skulle natten bli kall. Nu när hon äntligen hade honom inom räckhåll ville hon inte riskera att han skulle slinka undan igen. Hon tänkte på Miriam Wu och på sin mamma.

Lisbeth bet sig i underläppen. Hon måste ta sig in i huset, vilket var det sämsta alternativet. Hon kunde förstås knacka på dörren och avlossa vapnet i samma ögonblick som någon öppnade och därefter ge sig in i byggnaden i jakt på den återstående fähunden. Men det skulle innebära att den som fanns kvar var förvarnad och sannolikt beväpnad. *Konsekvensanalys. Vad fanns det för alternativ?*

Plötsligt såg hon en skymt av Niedermanns profil då han passerade ett fönster bara några meter från henne. Han sneglade över axeln in mot rummet och pratade med någon.

Bägge fanns i rummet till vänster om entrén.

Lisbeth beslutade sig. Hon drog upp pistolen ur jackfickan, osäkrade och gick ljudlöst upp på bron. Hon höll vapnet i vänster hand medan hon oändligt långsamt tryckte ned handtaget på ytterdörren.

Den var olåst. Hon rynkade ögonbrynen och tvekade. Det fanns dubbla säkerhetslås i dörren.

Zalachenko skulle inte ha lämnat dörren olåst. Huden knottrade sig i nacken.

Det kändes fel.

Farstun var kolsvart. Till höger skymtade hon en trappa upp till övervåningen. Det fanns två dörrar rakt fram och en till vänster. Hon kunde se ljus sila genom en springa ovanför dörren. Hon stod stilla och lyssnade. Sedan hörde hon en röst och ett skrapande ljud från en stol från rummet till vänster.

Hon tog två snabba kliv och vräkte upp dörren och riktade vapnet mot … *rummet var tomt.*

Hon hörde ett frasande av kläder bakom sig och snurrade runt som en reptil. I samma sekund som hon försökte få pistolen i skott-läge slöt sig Ronald Niedermanns enorma näve som ett järnband runt hennes hals och hans andra hand slöt sig runt hennes vapen-hand. Han höll henne runt nacken och lyfte henne rakt upp i luften som om hon hade varit en docka.

EN SEKUND SPRATTLADE hon med fötterna i tomma intet. Sedan vred hon sig runt och sparkade mot Niedermanns skrev. Hon mis-sade och träffade på utsidan av höften. Det kändes som att sparka in i en trädstam. Det svartnade framför hennes ögon när han kramade hennes hals och hon kände hur hon tappade vapnet.

Jävlar.

Sedan kastade Ronald Niedermann in henne i rummet. Hon lan-dade med ett brak på en soffa och halkade ned på golvet. Hon kän-de blod strömma till huvudet och kom vimmelkantigt upp på fötter. Hon såg en tung trekantig askkopp i massivt glas på ett bord och grep den i farten och svingade den i en backhand. Niedermann fång-ade upp hennes arm mitt i slaget. Hon sträckte ned sin fria hand i vänster byxficka och drog upp elpistolen och vred sig runt och tryck-te den mot Niedermanns skrev.

Hon kände själv en kraftig snärt av elchocken fortplanta sig ge-nom den arm som Niedermann höll fast. Hon förväntade sig att han skulle ramla ihop i smärtor. Istället tittade han ned på henne med ett förbryllat ansiktsuttryck. Lisbeth Salanders ögon vidgades i chock. Det var uppenbart att han kände obehag av något slag, men huvudsakligen ignorerade han smärtan. *Han är inte normal.*

Niedermann böjde sig ned och tog elpistolen från henne och granskade den med ett fortfarande förbryllat ansiktsuttryck. Sedan gav han henne en örfil med öppen hand. Det var som om han slagit henne med en klubba. Hon rasade ihop på golvet framför soffan. Hon höjde blicken och mötte Ronald Niedermanns ögon. Han betraktade henne nyfiket, ungefär som om han undrade vilket hennes nästa drag skulle bli. Som en katt som förbereder sig för att leka med sitt byte.

Därefter anade hon rörelse från en dörröppning längre in i rummet. Hon vred huvudet.

Han kom långsamt in i ljuset.

Han stödde sig på en käpp med handledskrycka och hon kunde se protesen sticka ut ur byxbenet.

Hans vänstra hand var en förkrympt klump där det saknades ett par fingrar.

Hon höjde blicken till hans ansikte. Den vänstra halvan var ett lapptäcke av ärrbildning från brandskadan. Hans öra var en liten stump och han saknade ögonbryn. Han var skallig. Hon mindes honom som en viril och atletisk man med svart böljande hår. Han var 165 centimeter lång och utmärglad.

"Hej pappa", sa hon tonlöst.

Alexander Zalachenko betraktade sin dotter lika uttryckslöst.

RONALD NIEDERMANN TÄNDE takbelysningen. Han kontrollerade att hon inte hade fler vapen genom att stryka över hennes kläder och säkrade därefter hennes P-83 Wanad och plockade ut magasinet. Zalachenko hasade sig förbi Lisbeth Salander och satte sig i en fåtölj och lyfte en fjärrkontroll.

Lisbeths blick föll på TV-skärmen bakom honom. Zalachenko klickade och hon såg plötsligt en grönflimrande bild av området bakom ladugården och en bit av uppfartsvägen till huset. *Kamera med mörkeroptik. De hade vetat att hon var på väg.*

"Jag började tro att du inte skulle våga dig fram", sa Zalachenko.
"Vi har bevakat dig sedan fyratiden. Du har utlöst nästan vartenda
larm runt gården."

"Rörelsedetektorer", sa Lisbeth.

"Två vid uppfartsvägen och fyra på hygget tvärs över ängen. Du
upprättade din observationspost på precis det ställe där vi hade lar-
mat. Det är där man har bäst utsikt över gården. Det är oftast älg el-
ler rådjur och ibland någon bärplockare som kommer för nära. Men
det är sällan vi får se någon smyga upp med vapen i hand."

Han var tyst en sekund.

"Trodde du verkligen att Zalachenko skulle sitta helt oskyddad i
ett litet hus på landet."

LISBETH MASSERADE NACKEN och gjorde en ansats att resa sig.

"Sitt kvar på golvet", sa Zalachenko skarpt.

Niedermann slutade pyssla med hennes vapen och betraktade hen-
ne stillsamt. Han höjde på ett ögonbryn och log mot henne. Lisbeth
mindes Paolo Robertos massakrerade ansikte i TV och bestämde sig
för att det var en god idé att stanna kvar på golvet. Hon andades ut
och lutade ryggen mot soffan.

Zalachenko sträckte ut sin friska högerhand. Niedermann drog
upp ett vapen ur byxlinningen, gjorde en mantelrörelse och gav det
till honom. Lisbeth noterade att det var en Sig Sauer, polisens stan-
dardvapen. Zalachenko nickade. Utan övrig kommunikation vände
Niedermann tvärt och satte på sig en jacka. Han gick ut ur rummet
och Lisbeth hörde ytterdörren öppnas och stängas.

"Bara så att du inte får några dumheter i huvudet. I samma ögon-
blick som du försöker resa dig så skjuter jag dig mitt i kroppen."

Lisbeth slappnade av. Han skulle hinna få två, kanske tre träffar
innan hon kunde nå honom, och han använde förmodligen ammuni-
tion som innebar att hon skulle förblöda på några minuter.

"Du ser för jävlig ut", sa Zalachenko och pekade på hennes ring i
ögonbrynet. "Som ett jävla luder."

Lisbeth fixerade honom med blicken.

"Men du har mina ögon", sa han.

"Gör det ont?" frågade hon och nickade mot hans protes.

Zalachenko betraktade henne en lång stund.

"Nej. Inte längre."

Lisbeth nickade.

"Du vill bra gärna döda mig", sa han.

Hon svarade inte. Han skrattade plötsligt.

"Jag har tänkt på dig genom åren. Ungefär varje gång jag ser mig i spegeln."

"Du skulle ha låtit min mamma vara i fred."

Zalachenko skrattade.

"Din mor var en hora."

Lisbeths ögon blev kolsvarta.

"Hon var ingen hora. Hon jobbade i kassan i en matbutik och försökte få pengarna att räcka till."

Zalachenko skrattade igen.

"Du får ha vilka fantasier du vill om henne. Men jag vet att hon var en hora. Och hon såg snabbt till att bli med barn och sedan försökte hon få mig att gifta mig med henne. Precis som om jag skulle gifta mig med en hora."

Lisbeth sa ingenting. Hon såg in i pistolmynningen och hoppades att han skulle släppa koncentrationen ett ögonblick.

"Brandbomben var listig. Jag hatade dig. Men sedan blev det oviktigt. Du var inte värd energin. Hade du bara låtit allting vara så skulle jag inte ha brytt mig."

"Snack. Bjurman anlitade dig för att fixa mig."

"Det var en helt annan sak. Det var en affärsuppgörelse. Han behövde en film som du har och jag driver en liten affärsverksamhet."

"Och du trodde att jag skulle ge dig filmen."

"Jo, min kära dotter. Det är jag övertygad om att du skulle ha gjort. Du anar inte hur samarbetsvilliga människor blir då Ronald Niedermann ber om någonting. Och särskilt om han drar igång en motorsåg och sågar av en av dina fötter. I mitt fall vore det dessutom en lämplig ersättning ... en fot för en fot."

Lisbeth tänkte på Miriam Wu i Ronald Niedermanns händer i

lagret utanför Nykvarn. Zalachenko misstolkade hennes ansiktsuttryck.

"Du behöver inte vara orolig. Vi tänker inte stycka dig."

Han tittade på henne.

"Våldtog verkligen Bjurman dig?"

Hon svarade inte.

"Fy fan vilken dålig smak han måste ha haft. Jag läser i tidningen att du är någon sorts jävla flata. Det förvånar mig inte. Jag förstår att det inte är någon grabb som vill ha dig."

Lisbeth svarade fortfarande inte.

"Jag kanske skulle be Niedermann dra över dig. Du ser ut att behöva det."

Han funderade på saken.

"Fast Niedermann har inte sex med tjejer. Nej, han är inte bög. Han har bara inte sex."

"Då får väl du dra över mig", sa Lisbeth provocerande.

Kom närmare. Gör ett misstag.

"Nej, verkligen inte. Det vore perverst."

De var tysta en stund.

"Vad väntar vi på?" frågade Lisbeth.

"Min kompanjon kommer strax tillbaka. Han ska bara flytta din bil och göra ett litet ärende. Var finns din syster?"

Lisbeth ryckte på axlarna.

"Svara mig."

"Jag vet inte och ärligt talat skiter jag i det."

Han skrattade igen.

"Syskonkärlek? Camilla var alltid den som hade någonting i skallen medan du bara var en värdelös sopa."

Lisbeth svarade inte.

"Men jag måste erkänna att det känns riktigt tillfredsställande att se dig igen på nära håll."

"Zalachenko", sa hon, "du är en tröttsam jävel. Var det Niedermann som sköt Bjurman?"

"Naturligtvis. Ronald Niedermann är en perfekt soldat. Han lyder inte bara order utan tar också egna initiativ då det är nödvändigt."

"Var har du grävt upp honom?"

Zalachenko betraktade sin dotter med ett säreget ansiktsuttryck. Han öppnade munnen som om han skulle säga någonting men tvekade och förblev tyst. Han sneglade mot ytterdörren och log plötsligt mot Lisbeth.

"Du menar att du inte räknat ut det än", sa han. "Enligt Bjurman skulle du vara en särdeles skicklig researcher."

Sedan gapskrattade Zalachenko.

"Vi började umgås i Spanien i början av 1990-talet då jag fortfarande var konvalescent efter din lilla brandbomb. Han var 22 år och blev mina armar och ben. Han är inte anställd ... det är ett partnerskap. Vi har en blomstrande affärsrörelse."

"Trafficking."

Han ryckte på axlarna.

"Man kan säga att vi är diversifierade och ägnar oss åt många varor och tjänster. Företagsidén är att finnas i bakgrunden och aldrig synas. Men har du verkligen inte förstått vem Ronald Niedermann är?"

Lisbeth satt tyst. Hon förstod först inte vad han syftade på.

"Han är din bror", sa Zalachenko.

"Nej", sa Lisbeth andlöst.

Zalachenko skrattade igen. Men pistolmynningen pekade stadigt hotfullt mot henne.

"Han är åtminstone din halvbror", förtydligade Zalachenko. "Resultatet av en förströelse under ett uppdrag jag hade i Tyskland 1970."

"Du har gjort din son till en mördare."

"Ånej, jag har bara hjälpt honom att förverkliga sin potential. Han hade förmågan att döda långt innan jag tog mig an hans utbildning. Och han kommer att leda familjeföretaget långt efter att jag är borta."

"Vet han om att vi är halvsyskon?"

"Naturligtvis. Men om du tror att du ska kunna vädja till hans familjekänsla så kan du glömma det. Jag är hans familj. Du är bara ett brus vid horisonten. Jag kan väl nämna att han inte är ditt enda syskon. Du har åtminstone ytterligare fyra bröder och tre systrar i olika länder. En av dina övriga bröder är en idiot men en annan har faktiskt potential. Han sköter företagets avdelning i Tallinn. Men Ronald är det enda av mina barn som verkligen lever upp till Zalachenkos gener."

"Jag antar att mina systrar inte får plats i familjeföretaget."

Zalachenko såg förbluffad ut.

"Zalachenko ... du är bara en vanlig fähund som hatar kvinnor. Varför dödade ni Bjurman?"

"Bjurman var en idiot. Han trodde inte sina ögon då han upptäckte att du var min dotter. Han var ju en av de få i det här landet som kände till min bakgrund. Jag måste erkänna att jag blev orolig då han plötsligt kontaktade mig, men sedan löste sig ju allt till det bästa. Han dog och du fick skulden."

"Men varför sköt ni honom?" upprepade Lisbeth.

"Det var faktiskt inte planerat. Jag såg fram emot många års samarbete med honom och det är alltid bra att ha en bakdörr in till Säpo. Även om det är en idiot. Men den där journalisten i Enskede hade på något sätt hittat ett samband mellan honom och mig och ringde honom just då Ronald befann sig hemma i hans bostad. Bjurman greps av panik och blev helt oregerlig. Ronald var tvungen att fatta ett beslut på stående fot. Han handlade helt korrekt."

LISBETHS HJÄRTA SJÖNK som en sten i bröstet då hennes far bekräftade vad hon redan hade förstått. *Dag Svensson hade hittat ett samband.* Hon hade pratat med Dag och Mia i över en timme. Hon hade omedelbart gillat Mia men varit svalare mot Dag Svensson. Han påminde på tok för mycket om Mikael Blomkvist – en odräglig världsförbättrare som trodde att han skulle kunna förändra någonting genom en bok. Men hon hade accepterat hans ärliga uppsåt.

På det hela taget hade besöket hos Dag och Mia varit bortkastad tid. De kunde inte leda henne till Zalachenko. Dag Svensson hade hittat hans namn och börjat gräva, men han hade inte kunnat identifiera honom.

Däremot hade hon gjort ett förödande misstag under besöket.

Hon visste att det måste finnas en koppling mellan Bjurman och Zalachenko. Hon hade följaktligen ställt frågor om Bjurman i ett försök att utröna om Dag Svensson hade snubblat över hans namn. Det hade han inte, men han hade ett bra väderkorn. Han zoomade omedelbart in på namnet Bjurman och ansatte henne med frågor.

Utan att Lisbeth gett Dag Svensson särskilt mycket hade han förstått att hon var en aktör i dramat. Han hade också insett att han själv satt på information som hon ville ha. De hade kommit överens om att träffas igen och diskutera vidare efter helgen. Därefter hade Lisbeth Salander åkt hem och lagt sig. När hon vaknade möttes hon av beskedet på morgonnyheterna att två personer mördats i en lägenhet i Enskede.

Hon hade gett Dag Svensson en enda användbar sak under besöket. Hon hade gett honom namnet Nils Bjurman. Dag Svensson måste ha lyft luren och ringt Bjurman i samma ögonblick som hon hade lämnat deras lägenhet.

Det var hon som var sambandet. Om hon inte hade besökt Dag Svensson skulle han och Mia fortfarande ha varit i livet.

Zalachenko skrattade.

"Du anar inte så häpna vi blev då polisen började jaga dig för morden."

Lisbeth bet sig i underläppen. Zalachenko granskade henne.

"Hur hittade du mig?" frågade han.

Hon ryckte på axlarna.

"Lisbeth ... Ronald är tillbaka om en kort stund. Jag kan be honom bryta varje ben i din kropp till dess att du svarar. Bespara oss den mödan."

"Postboxen. Jag spårade Niedermanns bil från biluthyrningen och väntade tills den där finniga skiten dök upp och tömde boxen."

"Aha. Så enkelt. Tack. Jag ska komma ihåg det."

Lisbeth funderade en stund. Pistolmynningen var fortfarande riktad mot hennes överkropp.

"Tror du verkligen att det här ska blåsa över?" frågade Lisbeth. "Du har begått för många misstag, polisen kommer att identifiera dig."

"Jag vet", svarade hennes far. "Björck ringde i går och berättade att en journalist på *Millennium* nosat upp historien och att det bara är en tidsfråga. Det är möjligt att vi måste göra något åt den där journalisten."

"Det blir en lång lista", sa Lisbeth. "Mikael Blomkvist och chefredaktören Erika Berger och redaktionssekreteraren och flera anställda bara på *Millennium*. Och sedan har du Dragan Armanskij och ett antal anställda på Milton Security. Och polisen Bublanski och flera andra i utredningen. Hur många ska du döda för att tysta ned det här? De kommer att identifiera dig."

Zalachenko skrattade igen.

"So what? Jag har inte skjutit någon och det finns inte minsta teknisk bevisning mot mig. De får identifiera vem fan de vill. Tro mig ... i det här huset kan de få göra hur mycket husrannsakan de vill utan att hitta så mycket som ett dammkorn som kan knyta mig till någon brottslig verksamhet. Det var Säpo som spärrade in dig på dårhus, inte jag, och de kommer nog inte att göra alltför många knop för att lägga alla papper på bordet."

"Niedermann", påminde Lisbeth.

"Redan i morgon bitti kommer Ronald att få resa på semester utomlands en tid och avvakta händelseutvecklingen."

Zalachenko tittade triumferande på Lisbeth.

"Du kommer fortfarande att vara huvudmisstänkt för morden. Det är alltså lämpligt att du bara försvinner i tysthet."

DET TOG NÄRMARE femtio minuter innan Ronald Niedermann återkom. Han hade stövlar på sig.

Lisbeth Salander sneglade på den man som enligt hennes far skulle vara hennes halvbror. Hon kunde inte se minsta antydan till likhet. Tvärtom var han hennes diametrala motsats. Däremot hade hon en stark känsla av att det var något fel på Ronald Niedermann. Kroppsbyggnaden, det veka ansiktet och rösten som inte riktigt hade kommit upp i målbrottet kändes som genetiska misstag av något slag. Han hade varit helt okänslig för elpistolen och hans händer var enorma. Ingenting hos Ronald Niedermann verkade helt normalt.

Det tycks finnas gott om genetiska misstag i familjen Zalachenko, tänkte hon bittert.

"Klart?" frågade Zalachenko.

Niedermann nickade. Han sträckte ut handen efter sin Sig Sauer.

"Jag följer med", sa Zalachenko.

Niedermann tvekade.

"Det är en bit att gå."

"Jag följer med. Hämta min jacka."

Niedermann ryckte på axlarna och gjorde honom till viljes. Sedan övergick han till att hantera sitt vapen medan Zalachenko klädde sig och försvann ut till det intilliggande rummet en kort stund. Lisbeth betraktade Niedermann då han skruvade på en adapter med en hemmagjord ljuddämpare.

"Då går vi", sa Zalachenko från dörren.

Niedermann böjde sig ned och drog upp henne på fötter. Lisbeth mötte hans blick.

"Jag kommer att döda dig också", sa hon.

"Du har i alla fall självförtroende", sa hennes far.

Niedermann log milt mot henne och föste henne till ytterdörren och ut på gården. Han höll ett stadigt grepp om hennes nacke. Hans fingrar nådde utan vidare runt hennes hals. Han styrde henne mot skogen norr om ladugården.

Promenaden gick långsamt och Niedermann stannade med jämna mellanrum och inväntade Zalachenko. De hade kraftiga ficklampor. När de kom in i skogen släppte Niedermann greppet om hennes hals. Han höll pistolmynningen någon meter från hennes rygg.

De följde en svårframkomlig stig drygt fyra hundra meter. Lisbeth snavade två gånger men drogs båda gångerna upp på fötter.

"Sväng till höger här", sa Niedermann.

Efter ett tiotal meter kom de ut i en skogsglänta. Lisbeth såg gropen i marken. I skenet av Niedermanns lampa såg hon en spade nedkörd i en jordhög. Plötsligt förstod hon Niedermanns ärende. Han knuffade henne mot gropen och hon snubblade och gick ned på alla fyra med händerna djupt begravda i sandhögen. Hon reste sig och tittade uttryckslöst på honom. Zalachenko tog god tid på sig och

Niedermann inväntade honom lugnt. Han flyttade aldrig pistolmynningen från Lisbeth.

ZALACHENKO VAR ANDFÅDD. Det dröjde mer än en minut innan han talade.

"Jag borde säga någonting men jag tror inte att jag har något att säga till dig", sa han.

"Det är okej", sa Lisbeth. "Jag har inte så mycket att säga till dig heller."

Hon log skevt mot honom.

"Låt oss få det överstökat", sa Zalachenko.

"Jag är nöjd med att min sista åtgärd var att sätta dit dig", sa Lisbeth. "Polisen kommer att knacka på hos dig redan i natt."

"Snack. Jag väntade på att du skulle bluffa om det. Du kom hit för att döda mig och ingenting annat. Du har inte pratat med någon."

Lisbeth Salander log ännu bredare. Hon såg plötsligt ondskefull ut.

"Får jag visa dig någonting, pappa."

Hon stack långsamt ned handen i vänster benficka och tog upp ett fyrkantigt föremål. Ronald Niedermann bevakade varje rörelse.

"Vartenda ord du har sagt den senaste timmen har gått ut på Internetradio."

Hon höll upp sin Palm Tungsten T3 handdator.

Zalachenkos panna kröktes på den plats där hans ögonbryn borde ha funnits.

"Få se", sa han och höll ut sin friska hand.

Lisbeth lobbade över handdatorn till honom. Han fångade den i luften.

"Snack", sa Zalachenko. "Det här är en vanlig Palm."

NÄR RONALD NIEDERMANN böjde sig fram och sneglade på hennes dator kastade Lisbeth Salander en näve med sand rakt i hans ögon. Han blev omedelbart förblindad men avlossade automatiskt ett skott från den ljuddämpade pistolen. Lisbeth hade redan flyttat två steg åt sidan och kulan trasade bara hål i luften där hon stått.

Hon greppade spaden och svingade den med eggen mot hans pistol-hand. Hon träffade med full kraft över knogarna och skymtade hans Sig Sauer singla i en vid bana bort från dem, in bland några buskar. Hon såg blod pumpa från ett djupt jack i leden ovanför pekfingret.

Han borde vråla av smärta.

Niedermann famlade med den sargade handen framför sig med-an han förtvivlat gnuggade sig i ögonen med den andra. Hennes enda möjlighet att vinna striden var att orsaka en massiv omedel-bar skada; om det blev en fysisk kamp skulle hon vara hopplöst förlorad. Hon behövde fem sekunders frist för att hinna fly in i skogen. Hon tog sats och svingade spaden i en vid båge över axeln. Hon försökte vrida handtaget så att eggen skulle träffa först, men stod i fel position. Hon träffade med bredsidan rakt över Nieder-manns ansikte.

Niedermann grymtade när hans näsben knäcktes för andra gång-en på några dagar. Han var fortfarande förblindad av sanden men slog ut med högerarmen och lyckades knuffa Salander ifrån sig. Hon snubblade bakåt och trampade snett på en rot. En sekund var hon nere på marken men sköt fart och var omedelbart uppe på fötter igen. Niedermann var oskadliggjord för tillfället.

Jag klarar det.

Hon tog två steg mot rissnåret då hon i ögonvrån – *klick* – såg Alexander Zalachenko höja armen.

Gubbjäveln har också en pistol.

Insikten flög som en pisksnärt genom hennes huvud.

Hon ändrade riktning i samma ögonblick som skottet avlossades. Kulan träffade henne på utsidan av höften och fick henne att rotera ur balans.

Hon kände ingen smärta.

Den andra kulan träffade henne i ryggen och stannade mot hen-nes vänstra skulderblad. En vass paralyserande smärta skar genom hennes kropp.

Hon gick ned på knä. Under några sekunder var hon oförmögen att röra sig. Hon var medveten om att Zalachenko fanns bakom henne, ungefär sex meter bort. Med en sista kraftansträngning hävde hon sig tjurskalligt upp på fötter igen och tog ett vacklande steg mot ridån av skyddande buskar.

Zalachenko hade tid att sikta.

Den tredje kulan träffade ungefär två centimeter bakom överkanten av hennes vänstra öra. Kulan penetrerade skallbenet och orsakade ett spindelnät av radiella sprickor i kraniet. Blykulan trängde in i hennes huvud där den kom att vila i den grå massan ungefär fyra centimeter under hjärnbarken vid storhjärnan.

För Lisbeth Salander var den medicinska lägesbeskrivningen akademisk. I praktiska termer innebar kulan ett omedelbart massivt trauma. Hennes sista förnimmelse var en rödglödgad chock som övergick i ett vitt ljus.

Därefter mörker.

Klick.

Zalachenko försökte avlossa ytterligare ett skott men hans händer darrade så kraftigt att han inte kunde sikta. *Hon höll nästan på att komma undan.* Slutligen insåg han att hon redan var död och sänkte vapnet och skakade medan adrenalinet flödade genom kroppen. Han tittade ned på sitt vapen. Han hade tänkt lämna pistolen hemma men hade gått och hämtat den och stoppat den i jackfickan som om han hade haft behov av en maskot. *Ett monster.* De var två fullvuxna män och en av dem var Ronald Niedermann som dessutom hade varit beväpnad med sin Sig Sauer. *Och det jävla ludret höll nästan på att komma undan.*

Han kastade en blick på sin dotters kropp. I ljuset från ficklampan såg hon ut som en blodig trasdocka. Han säkrade och stoppade ned pistolen i jackfickan och gick fram till Ronald Niedermann som stod hjälplös med tårar i ögonen och blod som rann från handen och näsan. Hans näsa hade inte läkt efter titelmatchen med Paolo Roberto och bredsidan av spaden hade skapat en ny massiv förödelse.

"Jag tror att jag bröt näsbenet igen", sa han.

"Idiot", sa Zalachenko. "Hon höll på att komma undan."

Niedermann fortsatte att gnugga sig i ögonen. Det gjorde inte ont men tårarna rann och han var nästan helt förblindad.

"Stå upp rak i ryggen, för helvete." Zalachenko skakade föraktfullt på huvudet. "Vad fan skulle du göra utan mig."

Niedermann blinkade förtvivlat. Zalachenko haltade bort till sin dotters kropp och grabbade tag i hennes jacka vid nacken. Han lyfte och drog henne fram till graven som bara var en grop i marken, för liten för att hon skulle kunna ligga raklång. Han lyfte kroppen så att hennes fötter först kom att vila över öppningen och lät henne ramla ned som en säck potatis. Hon hamnade i framstupa fosterställning med benen vikta under sig.

"Skyffla igen så vi får gå hem någon gång", kommenderade Zalachenko.

Det tog den halvblinde Ronald Niedermann en stund att välta ned jorden. Den jord som inte fick plats skyfflade han ut i terrängen med kraftiga spadtag.

Zalachenko rökte en cigarett medan han betraktade Niedermanns arbete. Han skakade fortfarande, men adrenalinet hade börjat lägga sig. Han kände en plötslig lättnad över att hon var borta. Han mindes fortfarande hennes ögon i det ögonblick då hon kastat bensinbomben så många år tidigare.

Klockan var nio på kvällen då Zalachenko såg sig omkring och nickade. De lyckades söka rätt på Niedermanns Sig Sauer under några buskar. Därefter återvände de till huset. Zalachenko kände sig förunderligt tillfredsställd. Han ägnade en stund åt att sköta om Niedermanns hand. Hugget från spaden hade skurit djupt och han var tvungen att plocka fram nål och tråd och sy ihop såret – en konst som han hade lärt sig redan på militärskolan i Novosibirsk som 15-åring. Han behövde i alla fall inte ge någon bedövning. Däremot var det möjligt att såret var så allvarligt att Niedermann skulle bli tvungen att uppsöka ett sjukhus. Han spjälkade fingret och lade förband.

När han var klar öppnade han en pilsner medan Niedermann gång på gång sköljde ögonen i badrummet.

KAPITEL 32
TORSDAG 7 APRIL

MIKAEL BLOMKVIST ANLÄNDE till Göteborgs Central strax efter nio. X2000 hade kört in en del av den förlorade tiden men var fortfarande försenat. Han hade ägnat den sista timmen av tågresan åt att ringa biluthyrningsfirmor. Han hade först försökt hitta en bil i Alingsås med avsikten att kliva av där, men det visade sig vara omöjligt så sent på kvällen. Till sist gav han upp och lyckades istället ordna en Volkswagen via en hotellbokning i Göteborg. Han kunde hämta bilen vid Järntorget. Han struntade i Göteborgs förvirrande lokaltrafik och obegripliga biljettsystem, som man måste vara minst raketingenjör för att begripa. Han tog taxi.

När han slutligen fick bilen visade det sig att det inte fanns någon vägkarta i handskfacket. Han åkte till en kvällsöppen bensinmack och handlade. Efter en stunds eftertanke köpte han också en ficklampa, en flaska Ramlösa och en kaffe att ta med och satte pappmuggen i glashållaren vid instrumentbrädan. Klockan hade hunnit bli halv elva på kvällen innan han passerade Partille på väg norrut från Göteborg. Han tog vägen mot Alingsås.

HALV TIO PASSERADE en rävhane Lisbeth Salanders grav. Räven stannade och såg sig oroligt omkring. Den visste instinktivt att något låg begravt på platsen, men bedömde att bytet var alltför svårtillgängligt för att det skulle vara mödan värt att gräva. Det fanns enklare byten.

Någonstans i närheten prasslade något oförsiktigt nattdjur och räven lystrade genast. Den tog ett försiktigt kliv. Men innan den fortsatte jakten lyfte den bakbenet och pissade in reviret med en skvätt.

BUBLANSKI BRUKADE INTE ringa tjänstesamtal sent på kvällen, men den här gången kunde han inte motstå. Han lyfte luren och slog numret till Sonja Modig.

"Förlåt att jag ringer så sent. Är du vaken?"

"Ingen fara."

"Jag har just läst färdigt utredningen från 1991."

"Jag förstår att du haft lika svårt som jag att släppa den."

"Sonja ... hur tolkar du det som pågår?"

"Det tycks mig som om Gunnar Björck, framträdande namn på torsklistan, placerade Lisbeth Salander på dårhus sedan hon försökt skydda sig själv och sin mor mot en galen mördare som arbetade för Säpo. I detta fick han bistånd av bland andra Peter Teleborian vars utlåtande vi i vår tur baserat en stor del av vår bedömning av hennes psykiska tillstånd på."

"Det här förändrar ju helt bilden av henne."

"Det förklarar en del."

"Sonja, kan du hämta mig i morgon klockan åtta?"

"Visst."

"Vi ska åka ned till Smådalarö och ha ett samtal med Gunnar Björck. Jag kollade upp honom. Han är sjukskriven för reumatism."

"Jag ser fram mot det."

"Jag tror att vi måste omvärdera bilden av Lisbeth Salander totalt."

GREGER BACKMAN SNEGLADE på sin fru. Erika Berger stod vid fönstret i vardagsrummet och tittade ut mot vattnet. Hon hade mobiltelefonen i handen och han visste att hon väntade på samtal från Mikael Blomkvist. Hon såg så olycklig ut att han gick fram och lade en arm runt henne.

"Blomkvist är en vuxen pojke", sa han. "Men om du verkligen är så orolig borde du ringa till den där polisen."

Erika Berger suckade.

"Det borde jag ha gjort för flera timmar sedan. Men det är inte därför jag är olycklig."

"Är det något jag borde veta om?" frågade Greger.

Hon nickade.

"Berätta."

"Jag har mörkat för dig. Och för Mikael. Och för alla andra på redaktionen."

"Mörkat?"

Hon vände sig mot sin man och berättade att hon hade fått jobb som chefredaktör på *Svenska Morgon-Posten*. Greger Backman höjde på ögonbrynen.

"Men jag förstår inte varför du inte berättat", sa han. "Det är ju en jättegrej för dig. Grattis."

"Det är bara det att jag känner mig som en förrädare, antar jag."

"Mikael kommer att förstå. Alla människor måste gå vidare då det är dags. Och nu är det dags för dig."

"Jag vet."

"Har du verkligen bestämt dig?"

"Ja. Jag har bestämt mig. Men jag har inte haft modet att berätta det för någon. Och det känns som att jag lämnar mitt i ett jättelikt kaos."

Han kramade om sin fru.

DRAGAN ARMANSKIJ GNUGGADE sig i ögonen och tittade ut i mörkret utanför fönstret i Ersta behandlingshem.

"Vi borde ringa Bublanski", sa han.

"Nej", sa Holger Palmgren. "Varken Bublanski eller någon annan myndighetsperson har någonsin lyft ett finger för henne. Låt nu henne sköta sitt."

Armanskij betraktade Lisbeth Salanders förra förvaltare. Han var fortfarande förbluffad över den påtagliga förbättring i Palmgrens hälsotillstånd som hade skett sedan han senast besökt honom i julhelgen. Sluddrandet fanns kvar, men Palmgren hade en helt ny vitalitet i ögonen. Det fanns också ett ursinne hos Palmgren som han tidigare aldrig stiftat bekantskap med. Under kvällen hade Palmgren i detalj berättat den historia som Mikael Blomkvist hade pusslat ihop. Armanskij var chockad.

"Hon kommer att försöka döda sin pappa."

"Det är möjligt", sa Palmgren lugnt.

"Eller så kommer Zalachenko kanske att döda henne."

"Det är också möjligt."

"Och vi ska bara vänta?"

"Dragan ... du är en bra människa. Men vad Lisbeth Salander gör eller inte gör, om hon överlever eller om hon dör är inte ditt ansvar."

Palmgren slog ut med armen. Plötsligt hade han en koordinationsförmåga som han inte haft på länge. Det var precis som om de gångna veckornas drama hade skärpt hans förmörkade sinnen.

"Jag har aldrig känt sympati för folk som tar lagen i egna händer. Jag har å andra sidan aldrig hört talas om någon som haft så välgrundade motiv att göra det. Med risk för att låta som en cyniker ... det som sker i natt kommer att ske alldeles oavsett vad du eller jag tycker. Det har varit skrivet i stjärnorna sedan hon föddes. Och allt som återstår för dig och mig är att besluta hur vi ska förhålla oss till Lisbeth om hon kommer tillbaka."

Armanskij suckade olyckligt och sneglade på den gamle advokaten.

"Och om hon tillbringar de närmaste tio åren på Hinseberg är det hon själv som valt det. Jag kommer att fortsätta att vara hennes vän."

"Jag hade ingen aning om att du hade en sådan libertariansk syn på människan."

"Det hade inte jag heller", sa Holger Palmgren.

MIRIAM WU STIRRADE upp i taket. Hon hade nattlampan tänd och en radio med musik på låg volym. Nattradion spelade *On a Slow Boat to China*. Dagen innan hade hon vaknat på sjukhuset sedan Paolo Roberto hade kört henne dit. Hon hade sovit och vaknat oroligt och somnat om utan någon riktig ordning. Läkarna påstod att hon hade hjärnskakning. Hon behövde i vilket fall vila. Hon hade också ett knäckt näsben, tre brutna revben och blessyrer över hela kroppen. Hennes vänstra ögonbryn var så svullet att ögat bara var en smal öppning i ögonlocket. Det gjorde ont så fort hon försökte byta ställning. Det gjorde ont då hon drog ned luft i lungorna. Hon hade ont i nacken och hon hade fått en stödkrage för att vara på den säkra sidan. Läkarna hade försäkrat henne att hon skulle bli helt återställd.

När hon vaknat framåt kvällen hade Paolo Roberto suttit där. Han hade flinat mot henne och frågat hur hon mådde. Hon undrade om hon själv såg lika eländig ut som han gjorde.

Hon hade haft frågor och han hade förklarat. Av någon anledning kändes det inte alls orimligt att han var god vän till Lisbeth Salander. Han var en kaxig jävel. Lisbeth brukade gilla kaxiga jävlar och avsky dumdryga jävlar. Det var en hårfin skillnad men Paolo Roberto tillhörde den förstnämnda kategorin.

Hon hade fått en förklaring till hur det kom sig att han plötsligt dykt upp från ingenstans i lagret i Nykvarn. Hon häpnade över att han så tjurskalligt bitit sig fast i jakten på den svarta skåpbilen. Och hon skrämdes av nyheten att polisen höll på att gräva upp lik i terrängen vid lagret.

"Tack", sa hon. "Du räddade mitt liv."

Han skakade på huvudet och satt tyst en lång stund.

"Jag försökte förklara för Blomkvist. Han förstod inte riktigt. Jag tror att du kanske förstår. Du boxas själv."

Hon visste vad han menade. Ingen som inte hade varit där i lagret i Nykvarn kunde någonsin förstå hur det var att slåss med ett monster som inte kunde känna smärta. Hon tänkte på hur hjälplös hon hade varit.

Till slut hade hon bara hållit hans bandagerade hand. De hade inte pratat med varandra. Det fanns inget som kunde sägas. När hon vaknat igen hade han varit borta. Hon önskade att Lisbeth Salander skulle höra av sig.

Det var henne som Niedermann hade varit ute efter.

Miriam Wu var rädd att han skulle få tag på henne.

LISBETH SALANDER KUNDE inte andas. Hon var omedveten om tid men medveten om att hon hade blivit skjuten, och hon insåg – mera av instinkt än som en rationell tanke – att hon var begravd. Hennes vänstra arm var obrukbar. Hon kunde inte röra en muskel utan att vågor av smärta sköt genom skuldran och hon drev viljelöst in och ut ur ett dimmigt medvetande. *Jag måste få luft.* Huvudet sprängde av en pulserande smärta som hon aldrig tidigare hade upplevt.

Hennes högra hand hade hamnat under hennes ansikte och hon började instinktivt krafsa bort jord från näsa och mun. Jorden var sandig och relativt torr. Hon lyckades öppna en liten knytnävsstor håla framför ansiktet.

Hur länge hon legat i graven hade hon ingen aning om. Men hon förstod att hennes situation var livshotande. Slutligen formulerade hon en redig tanke.

Han har begravt mig levande.

Insikten fick henne att gripas av panik. Hon kunde inte andas. Hon kunde inte röra sig. Ett ton av jord höll henne fjättrad vid urberget.

Hon försökte röra ett ben men kunde knappt spänna sina muskler. Sedan gjorde hon misstaget att försöka resa sig. Hon tryckte med huvudet för att komma uppåt och omedelbart skar smärtan som en elektrisk urladdning genom tinningarna. *Jag får inte spy.* Hon sjönk tillbaka in i oredig medvetenhet.

När hon åter kunde tänka kände hon försiktigt efter vilka delar av hennes kropp som var användbara. Den enda kroppsdel hon kunde röra några centimeter var den högra handen framför ansiktet. *Jag måste få luft.* Luften fanns ovanför henne, ovanför graven.

Lisbeth Salander började krafsa. Hon tryckte med sin armbåge och lyckade skapa ett litet manöverutrymme. Med utsidan av handen utvidgade hon hålet framför ansiktet genom att pressa jord ifrån sig. *Jag måste gräva.*

Slutligen insåg hon att hon hade ett hålrum i den döda vinkeln under sin fosterställning och mellan sina ben. Där fanns en stor del av den begagnade luft som fortfarande höll henne vid liv. Hon började förtvivlat vrida överkroppen fram och tillbaka och kände hur jord rasade ned under henne. Trycket över hennes bröst lättade en aning. Hon kunde plötsligt röra armen några centimeter.

Minut för minut arbetade hon i ett halvt medvetslöst tillstånd. Hon krafsade sandig jord från ansiktet och tryckte ned handfull efter handfull i hålrummet under sig. Så småningom lyckades hon frilägga armen så pass att hon kunde rensa jord från ovansidan av huvudet. Centimeter för centimeter frigjorde hon huvudet. Hon kände något hårt och höll plötsligt en liten rotstump eller pinne i handen. Hon krafsade uppåt. Jorden var fortfarande luftig och inte särskilt kompakt.

KLOCKAN VAR STRAX efter tio då rävhanen åter passerade Lisbeth Salanders grav på väg hem till sitt gryt. Räven hade ätit en sork och kände sig tillfreds med tillvaron då den plötsligt förnam en annan närvaro. Han frös till stillhet och spetsade öronen. Morrhår och nos vibrerade.

Plötsligt trängde Lisbeth Salanders fingrar upp som något olevande från underjorden. Om det hade funnits någon mänsklig åskådare skulle denne förmodligen ha reagerat som rävhanen. Han lade benen på ryggen.

Lisbeth kände kall luft strömma ned längs armen. Hon andades igen.

Det tog henne ytterligare en halvtimme att frigöra sig från graven. Hon hade ingen riktig minnesbild av processen. Hon tyckte att det var märkligt att hon inte tycktes kunna använda sin vänstra hand, men hon krafsade mekaniskt jord och sand med den högra.

Hon behövde något att gräva med. Det tog henne en stund att komma på vad hon kunde använda. Hon drog ned armen i hålan och lyckades komma åt bröstfickan och dra upp cigarettetuiet hon fått av Miriam Wu. Hon öppnade etuiet och använde det som en skopa. Deciliter för deciliter krafsade hon loss jord och kastade det ifrån sig med en knyck på handleden. Helt plötsligt kunde hon röra sin högra skuldra och lyckades pressa upp den genom jordlagret. Sedan krafsade hon bort sand och jord och lyckades räta upp huvudet. Därmed hade hon höger arm och huvudet ovanför gravens yta. När hon hade frigjort en del av överkroppen kunde hon börja åla sig uppåt centimeter för centimeter till dess att jorden plötsligt släppte taget om hennes ben.

Hon kröp bort från graven med slutna ögon och stannade inte förrän hennes axel stötte mot en trädstam. Hon vände långsamt kroppen så att hon fick trädet som ryggstöd och torkade bort smuts från ögonen med utsidan av handen innan hon öppnade ögonlocken. Det var kolsvart omkring henne och iskallt i luften. Hon svettades. Hon kände en dov smärta i huvudet, i vänstra axeln och i höften, men ägnade ingen energi åt att fundera på den saken. Hon satt stilla i tio minuter och andades. Sedan insåg hon att hon inte kunde stanna kvar.

Hon kämpade för att komma på fötter medan världen svajade.

Hon kände sig omedelbart illamående och böjde sig framåt och spydde.

Sedan började hon gå. Hon hade ingen aning om åt vilket håll hon gick eller vart hon var på väg. Hon hade problem med att röra sitt vänstra ben och snubblade ned till knästående med jämna mellanrum. Varje gång sköt en massiv smärta genom hennes huvud.

Hon visste inte hur länge hon hade gått när hon plötsligt såg ljus i ögonvrån. Hon ändrade riktning och snubblade framåt. Det var först då hon stod vid uthuset i kanten av gårdsplanen som hon insåg att hon hade gått raka vägen tillbaka till Zalachenkos hus. Hon stannade och svajade som en drucken.

Fotoceller på uppfartsvägen och hygget. Hon hade kommit från andra hållet. De hade inte upptäckt henne.

Insikten gjorde henne förvirrad. Hon insåg att hon inte var i form att ta en ny match med Niedermann och Zalachenko. Hon betraktade det vita gårdshuset.

Klick. Trä. *Klick*. Eld.

Hon fantiserade om en bensindunk och en tändsticka.

Hon vände sig mödosamt mot uthuset och vacklade fram till en dörr som var låst med en tvärslå. Hon lyckades lyfta av den genom att sätta den högra axeln under. Hon hörde bullret då tvärslån föll till marken och stötte mot sidan av dörren med en smäll. Hon tog ett steg in i mörkret och såg sig omkring.

Det var en vedbod. Där fanns ingen bensin.

VID KÖKSBORDET HÖJDE Alexander Zalachenko blicken då han hörde ljudet av tvärslån mot dörren i uthuset. Han vek köksgardinen åt sidan och kisade ut i mörkret. Det tog några sekunder innan hans ögon hade hunnit vänja sig. Det hade börjat blåsa allt kraftigare. Väderleksrapporten hade utlovat ett stormigt veckoslut. Sedan såg han att dörren till vedboden stod på glänt.

Tillsammans med Niedermann hade han hämtat ved tidigare under eftermiddagen. Det hade varit en onödig utflykt vars huvudsakliga syfte hade varit att ge Lisbeth Salander en bekräftelse på att hon kommit till rätt adress och locka fram henne.

Hade Niedermann glömt att lägga på tvärslån? Han kunde vara så fenomenalt klumpig. Han sneglade mot dörren till vardagsrummet där Niedermann hade slumrat till på soffan. Han funderade på att väcka Niedermann, men konstaterade att det var lika bra att låta honom sova. Han reste sig från köksstolen.

FÖR ATT HITTA bensin skulle Lisbeth vara tvungen att gå till ladugården där bilarna var parkerade. Hon lutade sig mot en huggkubbe och andades tungt. Hon måste vila. Hon hade bara suttit i någon minut då hon hörde de hasande stegen från Zalachenkos protes utanför vedboden.

I MÖRKRET KÖRDE Mikael fel vid Mellby norr om Sollebrunn. Istället för att vika av mot Nossebro fortsatte han norrut och insåg inte sitt misstag förrän han kom till Trökörna. Han stannade och konsulterade vägatlasen.

Han svor och svängde söderut tillbaka mot Nossebro.

LISBETH SALANDER GREP yxan på huggkubben med högerhanden en sekund innan Alexander Zalachenko kom in i vedboden. Hon hade inte kraft nog att lyfta yxan över sitt huvud utan svingade den i enhandsfattning i en båge nedifrån och uppåt medan hon satte tyngden på sin oskadade höft och vred kroppen i en halvcirkel.

I samma ögonblick som Zalachenko vred om lysknappen träffade eggen snett över högra sidan av hans ansikte, krossade kindbenet och trängde in några millimeter i hans pannben. Han hann aldrig uppfatta vad som hände men i nästa sekund registrerade hans hjärna smärtan och han vrålade som besatt.

RONALD NIEDERMANN VAKNADE med ett ryck och satte sig förvirrat upp. Han hörde ett tjutande som han först inte trodde var mänskligt. Det kom utifrån. Sedan insåg han att det var Zalachenko som vrålade. Han kom hastigt på fötter.

LISBETH SALANDER TOG sats och svängde yxan ytterligare en gång men hennes kropp lydde inte order. Hennes föresats var att lyfta yxan och begrava den i sin fars huvud men hon hade uttömt alla sina krafter och träffade långt från det avsedda målet, strax under knäskålen. Tyngden begravde dock eggen så djupt att yxan fastnade och rycktes ur hennes händer då Zalachenko föll framstupa in i vedboden. Han skrek oupphörligt.

Hon böjde sig ned för att gripa yxan igen. Jorden gungade då det blixtrade i hennes huvud. Hon var tvungen att sätta sig. Hon sträckte ut handen och trevade över hans jackfickor. Han hade fortfarande pistolen i den högra fickan och hon fokuserade blicken medan marken svajade.

En Browning kaliber 22.

En jävla scoutpistol.

Det var därför hon levde. Om hon träffats av en kula från Niedermanns Sig Sauer eller en pistol med grövre ammunition så skulle hon ha haft ett väldigt stort hål tvärs genom skallen.

I samma ögonblick som hon formulerade tanken hörde hon stegen av en yrvaken Niedermann som fyllde dörröppningen till uthuset. Han tvärstannade och stirrade på scenen framför sig med oförstående och vitt uppspärrade ögon. Zalachenko vrålade som en besatt. Hans ansikte var en blodig mask. Han hade en yxa fastkilad i knäet. En blodig och smutsig Lisbeth Salander satt på golvet bredvid honom. Hon såg ut som något ur en skräckfilm av det slag som Niedermann hade sett alldeles för många av.

RONALD NIEDERMANN, OKÄNSLIG för smärta och byggd som en pansarbrytande robot, hade aldrig tyckt om mörker. Så länge han kunde minnas hade mörkret varit förknippat med hot.

Han hade med egna ögon sett skepnader i mörkret och en obeskrivlig fasa lurade ständigt på honom. Och nu hade fasan materialiserat sig.

Flickan på golvet var död. Därom rådde ingen tvekan.

Han hade själv begravt henne.

Följaktligen var varelsen på golvet ingen flicka utan ett väsen som återkommit från andra sidan graven och som inte kunde nedkämpas med mänsklig styrka eller vapen.

Förändringen från människa till olevande hade redan börjat. Hennes hud hade förvandlats till ett ödleliknande pansar. Hennes blottade tänder var sylvassa spetsar som skulle slita köttstycken ur sitt byte. Hennes reptiltunga sköt ut och slickade sig kring munnen. Hennes blodiga händer hade decimeterlånga rakbladsvassa klor. Han såg hur hennes ögon glödde. Han kunde höra hur hon morrade dovt och såg henne spänna musklerna för ett språng mot hans strupe.

Han såg plötsligt klart och tydligt att hon hade en svans som krökte sig och hotfullt började piska mot golvet.

Sedan höjde hon pistolen och sköt. Kulan passerade så nära Niedermanns öra att han kunde känna snärten av vinddraget. Han upplevde att hennes mun sprutade en eldslåga mot honom.

Det blev för mycket.

Han slutade tänka.

Han tvärvände och sprang för sitt liv. Hon avfyrade ytterligare ett skott som missade honom fullständigt men som tycktes ge honom vingar. Han hoppade över ett staket med ett älgkliv och uppslukades av mörkret på fältet i riktning mot landsvägen. Han sprang i oresonlig skräck.

Lisbeth Salander tittade häpet efter honom då han försvann ur sikte.

Hon hasade sig fram till dörröppningen och spanade ut i mörkret men kunde inte se honom. Efter en stund slutade Zalachenko skrika men låg kvar och jämrade sig i chock. Hon öppnade pistolen och konstaterade att hon hade en patron kvar och övervägde att skjuta Zalachenko i skallen. Sedan påminde hon sig att Niedermann fortfarande befann sig ute i mörkret och att det var lika bra att spara den sista kulan. Om han angrep henne skulle hon förmodligen behöva mer än en kula av kaliber 22. Men det var bättre än ingenting.

HON RESTE SIG mödosamt, linkade ut ur vedboden och slog igen dörren. Det tog henne fem minuter att lägga på tvärslån. Hon vacklade över gårdsplanen och in i huset och hittade telefonen på en byrå inne i köket. Hon slog numret som hon inte hade använt på två år. Han var inte hemma. Telefonsvararen startade.

Hej. Det här är Mikael Blomkvist. Jag kan inte svara just nu, men lämna namn och telefonnummer så ringer jag upp så fort jag kan.

Piiip.

"Mir-g-kral", sa hon och insåg att hennes röst lät som en gröt. Hon svalde. "Mikael. Det är Salander."

Sedan visste hon inte vad hon skulle säga.

Hon lade långsamt på luren.

Niedermanns Sig Sauer låg isärplockad för rengöring på köksbordet framför henne, bredvid Sonny Nieminens P-83 Wanad. Hon släppte Zalachenkos Browning på golvet och vacklade fram och lyfte Wanaden för att kontrollera magasinet. Hon hittade också sin Palm handdator och stoppade den i fickan. Därefter snubblade hon fram till diskbänken och fyllde en odiskad kaffekopp med iskallt vatten. Hon drack fyra koppar. När hon höjde blicken såg hon plötsligt sitt eget ansikte i en gammal rakspegel på väggen. Hon avlossade nästan ett skott i pur förskräckelse.

Det hon såg påminde mer om ett djur än en människa. Hon såg en galning med förvridet ansikte och uppspärrad mun. Hon var täckt av smuts. Hennes ansikte och hals var en stelnad välling av blod och lera. Hon anade vad Ronald Niedermann hade sett i vedboden.

Hon gick närmare spegeln och blev plötsligt medveten om att hennes vänstra ben släpade efter henne. Hon hade en skarp smärta i höften där Zalachenkos första kula hade träffat. Hans andra kula hade träffat hennes skuldra och paralyserat den vänstra armen. Det gjorde ont.

Men det var smärtan i huvudet som var så skarp att hon svajade. Hon höjde långsamt sin högra hand och trevade över bakhuvudet. Med fingrarna kände hon plötsligt kratern vid ingångshålet.

Hon fingrade på hålet i kraniet och insåg med plötslig förfäran att hon rörde vid sin egen hjärna, att hon var så allvarligt skadad att hon var döende eller kanske redan borde vara död. Vad hon inte kunde begripa var att hon överhuvudtaget stod på benen.

Hon övermannades plötsligt av en bedövande trötthet. Hon var inte säker på om hon höll på att svimma eller somna, men hon sökte sig till kökssoffan där hon försiktigt lade sig ned och vilade den högra – oskadade – sidan av huvudet mot en kudde.

Hon måste lägga sig ned och hämta krafter men visste att hon inte kunde riskera att sova med Niedermann utanför huset. Förr eller senare skulle han komma tillbaka. Förr eller senare skulle Zalachenko lyckas ta sig ut ur vedboden och släpa sig in i huset, men hon hade inte längre krafter kvar att ens stå på benen. Hon frös. Hon osäkrade pistolen.

RONALD NIEDERMANN STOD obeslutsam på landsvägen mellan Sollebrunn och Nossebro. Han var ensam. Det var mörkt. Han hade börjat tänka rationellt igen och skämdes över sin flykt. Han förstod inte hur det hade gått till, men han kom till den logiska slutsatsen att hon måste ha överlevt. *På något sätt måste hon ha lyckats gräva sig upp.*

Zalachenko behövde honom. Han borde följaktligen gå tillbaka till huset och vrida nacken av henne.

Samtidigt hade Ronald Niedermann en känsla av att allting var över. Han hade haft den känslan länge. Saker och ting hade börjat gå på tok och fortsatt att gå på tok från det ögonblick Bjurman hade kontaktat dem. Zalachenko hade blivit som förbytt då han hörde namnet Lisbeth Salander. Alla regler om försiktighet och måttfullhet som Zalachenko hade predikat i så många år hade upphört att existera.

Niedermann tvekade.

Zalachenko behövde läkarvård.

Om hon inte redan hade dödat honom.

Det innebar frågor.

Han bet sig i underläppen.

Han hade varit sin fars partner i många år. Det hade varit framgångsrika år. Han hade pengar undanstoppade och han visste dessutom var Zalachenko hade gömt sin egen förmögenhet. Han hade de resurser och den kompetens som fordrades för att driva verksamheten vidare. Det rationella skulle vara att gå därifrån och inte se sig om. Om det var någonting Zalachenko hade inpräntat i honom så var det att alltid bevara förmågan att osentimentalt gå ifrån en situation som kändes ohanterlig. Det var grundregeln för överlevnad. *Lyft inte ett finger för en sak som är förlorad.*

Hon var inte övernaturlig. Men hon var *bad news*. Hon var hans halvsyster.

Han hade underskattat henne.

Ronald Niedermann slets mellan två viljor. En del av honom ville gå tillbaka och vrida nacken av henne. En del av honom ville fortsätta att fly genom natten.

Han hade passet och plånboken i bakfickan. Han ville inte gå tillbaka. Det fanns inget på gården som han behövde.

Mer än möjligen en bil.

Han stod fortfarande och tvekade då han såg skenet från billyktor närma sig på andra sidan en höjd. Han vred huvudet. Han kanske kunde ordna transport på något annat sätt. Allt han behövde var en bil för att kunna ta sig in till Göteborg.

FÖR FÖRSTA GÅNGEN i sitt liv – åtminstone sedan hon lämnat det tidigaste barnstadiet – var Lisbeth Salander oförmögen att ta kommandot över sin situation. Genom åren hade hon varit inblandad i slagsmål, blivit utsatt för misshandel, varit föremål för både statlig tvångsvård och privata övergrepp. Hon hade tagit emot långt fler snytingar mot både kropp och själ än någon människa ska behöva utsättas för.

Men varje gång hade hon kunnat revoltera. Hon hade vägrat svara på Teleborians frågor och när hon utsatts för någon form av fysiskt våld hade hon kunnat slinka undan och dra sig tillbaka.

Ett knäckt näsben kunde hon leva med.

Men hon kunde inte leva med ett hål i skallen.

Den här gången kunde hon inte släpa sig hem till sin egen säng och dra täcket över huvudet och sova i två dagar och sedan resa sig upp och återgå till de dagliga rutinerna som om inget hade hänt.

Hon var så allvarligt skadad att hon inte på egen hand kunde reda ut situationen. Hon var så trött att hennes kropp inte lydde hennes kommandon.

Jag måste sova en stund, tänkte hon. Och plötsligt kände hon sig förvissad om att om hon släppte taget och slöt ögonen var sannolikheten stor att hon aldrig skulle vakna igen. Hon analyserade denna slutsats och konstaterade efter hand att hon inte brydde sig. Tvärtom. Hon kände sig nästan attraherad av tanken. *Att få vila. Att slippa vakna.*

Hennes sista tankar gick till Miriam Wu.

Förlåt mig, Mimmi.

Hon höll fortfarande Sonny Nieminens osäkrade pistol i sin hand när hon slöt ögonen.

MIKAEL BLOMKVIST SÅG Ronald Niedermann i skenet från strålkastarna på långt håll och kände omedelbart igen honom. Det var svårt att missa sig på en 205 centimeter lång blond jätte som var byggd som en pansarbrytande robot. Niedermann viftade med armarna. Mikael bländade ned och bromsade in. Han sträckte ned handen i datorväskans ytterfack och plockade upp den Colt 1911

Government som han hittat på Lisbeth Salanders skrivbord. Han stannade drygt fem meter framför Niedermann och slog av motorn innan han öppnade bildörren.

"Tack för att du stannade", sa Niedermann andfått. Han hade sprungit. "Jag har råkat ut för ett … motorhaveri. Kan du ge mig lift in till stan?"

Han hade en märkligt ljus röst.

"Visst kan jag se till att du kommer till stan", sa Mikael Blomkvist. Han riktade vapnet mot Niedermann. "Ligg ned på marken."

Det fanns inget slut på de prövningar Ronald Niedermann utsattes för denna natt. Han stirrade tvivlande på Mikael.

Niedermann var inte det minsta rädd för vare sig pistolen eller den figur som höll i den. Däremot hade han respekt för vapen. Han hade levt med vapen och våld i hela sitt liv. Han utgick från att om någon riktade en pistol mot honom så var den människan desperat och beredd att använda den. Han kisade med ögonen och försökte bedöma mannen bakom pistolen, men strålkastarna förvandlade honom till en mörk skepnad. *Polis? Det lät inte som en polis. Poliser brukade identifiera sig. Åtminstone var det så de gjorde på film.*

Han bedömde sina chanser. Han visste att om han gjorde en tjurrusning skulle han kunna ta vapnet. Men mannen med pistolen verkade kall och stod i skydd av bildörren. Han skulle träffas av minst en, kanske två kulor. Om han rörde sig snabbt skulle mannen kanske missa eller i varje fall inte träffa något vitalt organ, men även om han överlevde skulle kulorna försvåra eller kanske till och med göra det omöjligt för honom att fortsätta flykten. Det var bättre att avvakta ett bättre tillfälle.

"LIGG NER NU", vrålade Mikael.

Han flyttade mynningen några centimeter och avlossade ett skott i dikesrenen.

"Nästa skott träffar i knäskålen", sa Mikael med hög och tydlig befälsröst.

Ronald Niedermann gick ned på knä, bländad av strålkastarljuset.

"Vem är du?" frågade han.

Mikael sträckte ned handen i förvaringsfacket i bildörren och plockade fram ficklampan han hade köpt på bensinstationen. Han riktade ljuskäglan mot Niedermanns ansikte.

"Händerna på ryggen", kommenderade Mikael. "Sära på benen." Han väntade tills Niedermann motvilligt lydde befallningen.

"Jag vet vem du är. Om du gör något dumt skjuter jag utan varning. Jag siktar mot lungan under skulderbladet. Du kan förmodligen ta mig … men det kommer att kosta."

Han lade ned ficklampan på marken och tog av sig sitt bälte och formade det till en ögla, precis som han hade fått lära sig hos fältjägarna i Kiruna då han gjorde militärtjänsten två decennier tidigare. Han ställde sig mellan den blonde jättens ben och trädde öglan runt hans armar och drog åt ovanför armbågarna. Därmed var den väldige Niedermann i all praktisk bemärkelse hjälplös.

Och sedan då? Mikael såg sig omkring. De var absolut ensamma i mörkret på landsvägen. Paolo Roberto hade inte överdrivit då han beskrivit Niedermann. Det var en bjässe. Frågan var bara varför en sådan bjässe kom springande mitt i natten som om han var jagad av den onde själv.

"Jag söker Lisbeth Salander. Jag antar att du träffat henne." Niedermann svarade inte.

"Var finns Lisbeth Salander?" frågade Mikael.

Niedermann gav honom en underlig blick. Han begrep inte vad som hände denna bisarra natt då allting verkade gå på tok.

Mikael ryckte på axlarna. Han gick tillbaka till bilen och öppnade bagageluckan och hittade en bogserlina. Han kunde inte lämna Niedermann bunden mitt på vägen och såg sig omkring. Trettio meter längre upp på vägen glittrade ett trafikmärke i strålkastarljuset. Varning för älg.

"Stå upp."

Han satte mynningen på vapnet mot Niedermanns nacke och ledde honom till varningsmärket och tvingade ned honom i vägrenen. Han beordrade Niedermann att sätta sig med ryggen mot stolpen. Niedermann tvekade.

"Det hela är mycket enkelt", sa Mikael. "Du mördade Dag Svensson och Mia Bergman. De var mina vänner. Jag tänker inte släppa dig lös här på vägen och antingen sitter du bunden eller så skjuter jag dig i knäskålen. Ditt val."

Niedermann satte sig. Mikael lade bogserlinan runt halsen och fixerade huvudet. Sedan använde han arton meter lina för att surra fast jätten runt överkroppen och midjan. Han sparade en bit av repet så att han kunde surra underarmarna mot stolpen och låste med några rejäla seglarknopar.

När han var klar frågade Mikael återigen var Lisbeth Salander befann sig. Han fick inget svar och ryckte på axlarna och lämnade Niedermann. Det var först när han återkom till sin bil som han kände adrenalinet flöda och blev medveten om vad han just hade gjort. Bilden av Mia Bergmans ansikte flimrade framför hans ögon.

Mikael tände en cigarett och drack Ramlösa ur petflaskan. Han betraktade skepnaden i dunklet vid älgskylten. Sedan satte han sig bakom ratten och konsulterade vägkartan och konstaterade att han hade drygt en kilometer kvar till avtagsvägen till Karl Axel Bodins gård. Han startade motorn och passerade Niedermann.

HAN KÖRDE LÅNGSAMT förbi avtagsvägen med skylten mot Gosseberga och parkerade intill en lada på en skogsväg hundra meter längre norrut. Han tog pistolen och tände ficklampan. Han upptäckte färska hjulspår i leran och konstaterade att en annan bil hade stått parkerad på platsen tidigare, men reflekterade inte närmare över upptäckten. Han promenerade tillbaka till avtagsvägen till Gosseberga och lyste på postlådan. PL192 – K.A. Bodin. Han fortsatte längs vägen.

Det var nästan midnatt då han såg ljusen från Bodins gård. Han stannade och lyssnade. Han stod stilla i flera minuter men kunde inte höra något annat än vanliga nattljud. Istället för att ta vägen rakt in på gården gick han längs kanten av ängen och närmade sig byggnaden från ladugårdssidan. Han stannade vid gårdsplanen trettio meter från huset. Han var på helspänn. Niedermanns språngmarsch längs vägen antydde att något hade hänt på gården.

Mikael var halvvägs över gårdsplanen då han hörde ett ljud. Han snurrade runt och sjönk ned till knästående med sitt vapen höjt. Det tog honom några sekunder att lokalisera ljudet till ett av uthusen. Det lät som om någon jämrade sig. Han rörde sig snabbt över gräsplanen och stannade vid uthuset. Då han tittade runt hörnet kunde han se att en lampa var tänd inne i skjulet.

Han lyssnade. Någon rörde sig där inne. Han lyfte tvärslån och petade upp dörren och mötte ett par skräckslagna ögon i ett blodigt ansikte. Han såg yxan på golvet.

"*Herrejesusjävlar*", mumlade han.

Sedan såg han protesen.

Zalachenko.

Lisbeth Salander hade definitivt varit på besök.

Han hade svårt att föreställa sig vad som kunde ha hänt. Han stängde snabbt dörren igen och lade på tvärslån.

MED ZALACHENKO I vedboden och Niedermann hopsurrad nere vid vägen mot Sollebrunn gick Mikael raskt över gårdsplanen till bostadshuset. Det var möjligt att det fanns någon för honom okänd tredje person som kunde utgöra en fara, men huset kändes öde, nästan obebott. Han riktade vapnet mot marken och öppnade försiktigt ytterdörren. Han kom in i en mörk farstu och såg en rektangel av ljus från köket. Det enda ljud han kunde höra var en tickande väggklocka. Då han kom fram till köksdörren såg han omedelbart Lisbeth Salander på kökssoffan.

Ett kort ögonblick stod han som förstenad och betraktade den sargade kroppen. Han noterade att hon höll en pistol i handen som slappt hängde utanför soffkanten. Han gick långsamt fram till henne och sjönk ned på knä. Han tänkte på hur han hade hittat Dag och Mia och trodde för en sekund att hon var död. Sedan såg han en liten rörelse i hennes bröstkorg och hörde ett svagt rosslande andetag.

Han sträckte fram handen och började försiktigt lossa pistolen från hennes hand. Helt plötsligt hårdnade hennes grepp om kolven. Hon öppnade ögonen i två smala strimmor och stirrade på honom några långa sekunder. Hennes blick var ofokuserad. Sedan hörde han henne mumla med så låg röst att han knappt kunde uppfatta orden.

Kalle Jävla Blomkvist.

Hon slöt ögonen igen och släppte pistolen. Han lade vapnet på golvet och tog fram mobiltelefonen och slog numret till SOS Alarm.

Tyckte du om den här boken?

Då vill vi tipsa dig om de här också:

☞ **Arne Dahl**
MISTERIOSO

En svensk finansman mördas i sitt vardagsrum. Ytterligare en svensk finansman mördas i sitt vardagsrum. Allt tyder på att det kommer att fortsätta. Rikskriminalen inrättar snabbt en specialenhet bestående av sex handplockade poliser från hela landet. Man kallar den för A-gruppen.

☞ **Åke Edwardson**
RUM NUMMER 10

En ung kvinna hittas hängd på ett halvsjaskigt hotellrum i Göteborg och allt tyder på att hon blivit mördad. Kommissarie Winter kallas till platsen och inser att han varit där förut ...

☞ **Jens Lapidus**
SNABBA CASH

JW är Stureplanskillen som säljer kokain. Jorge är latinon som går i land med en osannolikt tjusig rymning från Österåkeranstalten. Mrado sköter indrivning åt bossen Radovan. När de möts kan det bara sluta i en kamp om liv och död.

☞ **Dennis Lehane**
EN DRINK FÖRE KRIGET

En städerska hos en högt uppsatt politiker har försvunnit med några konfidentiella dokument och privatdetektiverna Kenzie och Gennaro anlitas för att finna henne. Men när de hittar kvinnan visar det sig att fallet är långt mer komplicerat än vad de först kunnat ana. De blir indragna i ett gängkrig där båda de stridande parterna vill se dem döda ...

Läs mer på www.manpocket.se eller besök våra återförsäljare.

NYHETSBREV FRÅN MÅNPOCKET

Prenumerera på vårt nyhetsbrev via e-post. I det får du läsa om våra åtta nya titlar varje månad, aktuella händelser och tävlingar.

Tjänsten är kostnadsfri och du kan när du vill avsluta din prenumeration. Anmäler dig gör du endera på vår hemsida eller via sms.

☞ ANMÄLA PÅ HEMSIDAN

Gå in på www.manpocket.se och välj Nyhetsbrev/Anmäla i menyn. Följ sedan anvisningarna.

☞ ANMÄLA VIA SMS

Skicka ett sms till nummer 72580 (kostnad: 5 kronor + trafikavgift).
Skriv:
månpocket (mellanslag) nyhetsbrev (mellanslag) din mejladress.

Exempel: månpocket nyhetsbrev kalle.larsson@mejl.se

• För att underlätta god service och korrekt administration av dina mobila tjänster används modern informationsteknik inom Bonnier AB, som äger Månpocket. Läs mer om detta på www.manpocket.se.